LA FRANCE AU COURS DES ÂGES

Grands jours et vie quotidienne

COLETTE DUBOIS BRICHANT

Docteur de l'Université de Paris
University of California, Los Angeles

McGraw-Hill Book Company

New York   St. Louis   San Francisco   Düsseldorf
Johannesburg   Kuala Lumpur   London   Mexico   Montreal
New Delhi   Panama   Rio de Janeiro   Singapore   Sydney   Toronto

LA FRANCE AU COURS DES ÂGES

456789 KPKP 79

Library of Congress Cataloging in Publication Data

Brichant, Colette Dubois, date
La France au cours des âges.

Includes bibliographical references.
1. France—History. I. Title.
DC38.B7   914.4'03   78-39409
ISBN 0-07-007712-6

*This book was set in Palatino by Monotype Composition Company
and printed by Murray Printing
and bound by Rand McNally.
The text design was done by Joan O'Connor.
The illustrations were done by Edward Butler.
The maps were drawn by Damark & Michaels.
The editors were Mary E. Coffman and Winifred M. Davis.
The production supervisor was John Sabella.*

PRÉFACE

En présentant ce livre, nous souhaitons fournir un manuel aux élèves des cours de civilisation et répondre aux besoins du grand public désireux de connaître l'histoire de la France. Nous espérons, tout particulièrement, permettre aux personnes s'intéressant à la littérature et à l'histoire des idées, de replacer les écrivains et leurs œuvres dans un cadre authentique.

Sans chercher à faire un travail d'érudition, nous avons suivi d'assez près la trame des siècles pour permettre la compréhension des grands faits historiques. Nous avons voulu montrer comment les événements naissent du jeu des circonstances du moment et de la personnalité des hommes qui s'y trouvent mêlés.

Malgré les limites relativement restreintes de l'ouvrage, nous sommes allée au-delà de l'histoire politique et militaire traditionnelle. Nous avons fait une large place au développement des techniques et des arts, ainsi qu'aux phénomènes sociaux. Enfin, en montrant diverses facettes de la vie quotidienne à travers les âges, nous nous sommes efforcée de faire entrevoir les multitudes de gens simples, soldats, paysans, artisans ou bourgeois, sans qui le pays n'aurait jamais pu exister.

Nous tenons à remercier nos anciens étudiants qui ont rendu ce livre possible grâce à l'intérêt, souvent même à l'enthousiasme, qu'ils ont apporté à l'étude de la France et de sa civilisation.

TABLE DES MATIÈRES

LA NUIT DES TEMPS

Bison se léchant. Bois de renne.
Grotte de la Madeleine (Dordogne).
Vers 15 000 avant Jésus-Christ.

Depuis les temps les plus reculés de la préhistoire, des hommes ont habité le territoire qui allait constituer la France, mais l'état actuel des connaissances ne permet d'émettre à leur sujet que des hypothèses. On suppose que l'homme serait apparu dans l'Europe de l'ouest quelque 500 milliers d'années avant l'ère chrétienne, peut-être bien plus tôt.

Dès ses premiers stades, le stock humain qui peuple l'Occident ne forme pas une race homogène. Il est constitué par des rameaux fort divers, les uns issus de courants venus d'Afrique, les autres de courants venus d'Asie. Parmi ces rameaux, certains vont s'éteindre; d'autres, par contre, vont proliférer et poursuivre leur évolution.

Les premiers âges de la préhistoire constituent le paléolithique, c'est-à-dire la période de la pierre taillée (du grec *palaios* — ancien et *lithos* — la pierre). Dans cette énorme période, la plus longue de l'histoire de l'humanité, les spécialistes distinguent plusieurs stades. Chaque stade est désigné par le nom du lieu géographique où, pour la première fois, il a été découvert et identifié. De nombreux termes relatifs à la préhistoire dérivent de noms de localités françaises car le sous-sol de la France est exceptionnellement riche en sites archéologiques de toutes les époques.

Généralement, c'est la découverte d'outils de pierre qui révèle la trace d'une civilisation préhistorique. Dans diverses régions, notamment près de Paris (à Chelles), on a retrouvé des outils très primitifs qui ont probablement été fabriqués en frappant des pierres les unes contre les autres. Ce sont des silex pesants, volumineux, aux formes grossières. À un niveau plus avancé, les pierres, bien qu'encore irrégulières, sont taillées sur leurs deux faces. Les outils se diversifient. Certains silex ont été façonnés pour percer ou pour couper; d'autres ont dû servir à gratter les peaux. La chasse est pour l'homme une nécessité vitale car, à part quelques plantes sauvages, il ne se nourrit que de viande crue. Ces premières phases de la civilisation paléolithique ont duré entre 300 et 400 milliers d'années. Ce chiffre donne une idée de l'énormité des débuts de la préhistoire et de la lenteur avec laquelle le progrès s'est mis en marche.

La domestication du feu constitue la seconde grande étape franchie par l'homme. Les plus anciennes traces de foyer que l'on ait découvertes dans des grottes, remonteraient aux environs de 100 000 avant Jésus-Christ. Le feu donne à l'homme une supériorité marquée sur les animaux et permet l'accélération du progrès. On voit apparaître des outils plus maniables, plus variés, travaillés avec plus de soin. Outre la pierre, l'homme commence à utiliser l'os et la corne. Vers 50 000 avant Jésus-Christ, se développe en Europe, et même en Asie, la civilisation dite du moustérien, du nom de la grotte de Moustier découverte dans le sud-ouest de la France.[1] Déjà, certains objets sont ornés de stries ou de des-

Outils paléolithiques.
Époque magdalénienne.
Vers 17 000 avant
Jésus-Christ.

sins en incision; d'autres présentent des traces de peinture rouge. Selon toute vraisemblance, l'homme de cette époque vivait en clans et avait atteint un stade d'organisation embryonnaire. Il devait éprouver un sentiment de respect à l'égard des morts et les enterrer selon certains rites. Sous de grosses pierres plates, on a retrouvé des vestiges humains qui reposaient à côté d'outils et d'armes de silex.[2] Arrivé à ce stade, l'homme avait probablement une croyance en une vie éternelle.

« Homo sapiens »   L'apparition de l'*homo sapiens*, c'est-à-dire de l'homme tel qu'il est connu actuellement, se situe vers 40 ou 35 milliers d'années avant notre ère. La marche du progrès va en s'accélérant. Les peuplements se multiplient. Certaines régions, le sud-ouest de la France notamment, semblent avoir eu une population relativement dense.[3] Cette concentration s'explique par au moins deux facteurs dont on est certain: d'une part l'existence de nombreuses grottes naturelles qui servaient d'abri et, d'autre part, l'abondance du gibier et des troupeaux de rennes qui passaient lors de leurs migrations saisonnières. Avec le stade appelé le magdalénien, du nom d'une localité, la Madeleine, située en Dordogne, on arrive à l'apogée de la civilisation de la pierre taillée (entre 17 000 et 10 000 avant Jésus-Christ environ).

L'apogée de la préhistoire   Pendant cette période, caractérisée par un climat tantôt frais, tantôt très froid, l'homme habite des cavernes naturelles ou des cabanes rudimentaires. Le foyer est le centre de la vie tribale ou familiale. Les outils présentent une diversité remarquable: haches et couteaux de pierre à doubles tranchants, lames coupantes montées sur des manches, harpons dentelés, flèches d'os et de pierre, aiguilles à chas. L'étude de cet outillage permet de supposer que l'homme pratiquait la pêche, qu'il connaissait déjà l'arc et le propulseur, qu'il savait assembler les peaux en les cousant avec des crins ou des nerfs d'animaux. Des rondelles en os ont pu lui servir de boutons.

Mais l'activité n'est pas exclusivement utilitaire. L'art est apparu. Ce sont, d'abord, de petites silhouettes d'animaux gravées sur des pierres ou sur des bois de renne. En général, les figurations humaines représentent des torses de femme aux caractéristiques sexuelles fortement exagérées. Il est probable que ces statuettes étaient associées à quelque culte de la fécondité. Les représentations esthétiques du visage humain sont rares. Par contre, les animaux nous émerveillent par leur réalisme dynamique.

Au cours de l'époque magdalénienne, le nord-ouest de l'Espagne et le sud-ouest de la France se sont trouvés habités par une population au sens artistique particulièrement aiguisé. Nulle part l'art paléolithique n'a atteint une telle perfection. Au fond d'une grotte des Pyrénées, ont été découvertes les statues les plus anciennes que l'on connaisse. Il s'agit de deux bisons d'argile, un mâle et une femelle, modelés avec une précision saisissante.[4] D'autres grottes ont livré des dessins et des gravures exécutés sur des pierres ou des bois de renne et, enfin, des peintures polychromes.

Les grands ensembles de peintures ont été réalisés sur les parois des cavernes, au cours d'une période relativement courte, quelques milliers d'années seulement. Les artistes ont presque exclusivement représenté la faune de leur époque: bœuf, bison, renne, cerf, cheval sauvage. Les grottes de Lascaux, en Dordogne, constituent le chef-d'œuvre de la préhistoire. Les peintures sont les plus extraordinaires que l'on ait découvertes, tant par leur nombre que par leur valeur artistique.

Vraisemblablement, les grottes décorées ne servaient pas d'habitations mais de lieux de culte. Des marques de talons, retrouvées dans le sol argileux, portent à penser que l'on y tenait des danses rituelles et des cérémonies d'initiation. Des empreintes de main exécutées à la peinture, des signes de forme rectangulaire ou triangulaire, des dessins de flèches, des successions de gros points noirs, des superpositions de croquis, posent des problèmes que les spécialistes sont loin d'avoir élucidés.

Pour des raisons qui nous échappent, la civilisation magdalénienne prend fin brusquement. L'art tombe en décadence. Les derniers stades du paléolithique ne laisseront que des ornements géométriques dépourvus de vitalité.

La pierre polie   Entre le paléolithique et l'âge du bronze se situe le néolithique (du grec *neo* — nouveau et *lithos* — la pierre). C'est une époque marquée par de profonds changements; des peuples entiers se déplacent; les techniques se multiplient à un rythme accéléré. Les outils de pierre ne sont plus simplement taillés, ils sont polis. Les silex offrent des surfaces lisses et des arêtes régulières. À cause du réchauffement du climat de l'Europe occidentale, la faune des steppes froides est montée vers la Scandinavie. Le gibier est moins abondant. L'homme ne peut plus vivre exclusivement de chasses; de plus en plus, il doit rechercher les aliments végétaux. Il commence à déboiser et à semer quelques graminées.[5] On a retrouvé des traces de champs qui semblent remonter au cinquième millénaire avant Jésus-Christ. En même temps que l'agriculture, apparaît l'élevage. Le chien[6] puis le mouton, la chèvre et le bœuf sont domestiqués.

Les villages sont plus nombreux et surtout plus peuplés. L'homme abandonne les cavernes; jusqu'au début de l'histoire proprement dite, il va habiter des cabanes construites avec des branchages et de la terre durcie. Dans les régions montagneuses, dans les Alpes notamment, les

French Embassy Press and Information Division

Menhir (Larret, Finistère).

*Les alignements de
Carnac. Trois
ensembles
d'alignements groupent
2 500 menhirs (Carnac,
Morbihan).*

habitations sont souvent construites sur des plate-formes de bois édifiées
au bord des lacs.[7] Le tissage et la vannerie sont connus. Grâce à la construction des canots, la pêche se développe. Enfin les premières poteries
apparaissent. L'art de la terre cuite est venu du Moyen-Orient. Il a été
introduit par les peuples qui, au cours du néolithique, ont cheminé à
travers l'Europe, allant toujours, semble-t-il, de l'est vers l'ouest.

*La civilisation des
mégalithes*

Au cours des deux derniers millénaires de la préhistoire, une civilisation, unique en son genre, est apparue dans l'ouest de l'Europe, le long
de l'Atlantique: la civilisation des mégalithes, caractérisée par l'érection
de pierres gigantesques. Elle aurait été introduite par des populations
originaires du Moyen-Orient qui seraient arrivées par voie maritime.
C'est en Irlande, dans le sud-ouest de l'Angleterre et en Bretagne, qu'elle
a laissé les monuments les plus extraordinaires: *menhirs, dolmens,* isolés
ou groupés.

Le menhir est un bloc de pierre qui se dresse tout droit. Il peut atteindre la hauteur d'une maison de plusieurs étages. Le plus souvent, la
pierre est à l'état brut, mais parfois elle est gravée de stries parallèles ou
de lignes représentant une forme humaine rudimentaire. Dans certains
endroits, les pierres sont rassemblées de façon à constituer des alignements ou des formations circulaires. À Carnac, dans le sud de la Bretagne, plus de mille menhirs sont disposés en onze lignes parallèles. Le
jour du solstice d'été, les alignements se trouvent juste face au soleil
levant. Tout porte à croire que cet ensemble, comme celui de Stonehenge
en Angleterre, était destiné à un culte solaire.

Le dolmen est une table constituée par un bloc monolithe horizontal,
reposant sur des pierres plus petites. Certains dolmens ont servi de
sépultures et, sans doute, de tables de sacrifices. On se demande comment ces colosses, qui atteignent jusqu'à 400 tonnes, ont pu être trans-
portés puis mis en place sans être brisés.

L'âge du bronze   Tandis que les peuples de la zone atlantique ne connaissaient encore que la pierre, peu à peu la métallurgie s'infiltrait en Europe occidentale. Elle était apportée par les populations qui venaient de l'est. Parmi les nouveaux venus, les uns avaient longé les côtes de la Méditerranée, les autres avaient traversé les plaines russes puis remonté la vallée du Danube.

Le cuivre[8] fut le premier métal que l'homme ait réussi à fondre. Assez rapidement, il se trouva remplacé par une matière plus résistante: le bronze, un alliage de cuivre et d'étain.

Originaire d'Extrême-Orient, la métallurgie du bronze avait gagné le Moyen-Orient puis l'Europe. Elle atteignit la zone qui allait constituer la France, vers 2 000 ans avant Jésus-Christ. Le métal ne détrôna pas immédiatement la pierre. Pendant environ un millénaire, des armes et des bijoux de bronze furent utilisés en même temps que l'ancien outillage.

La marche du progrès s'accélérait. Au moment où, à son tour, l'Occident allait émerger de la préhistoire, plusieurs grandes nouveautés lui sont arrivées de l'est: la domestication du cheval, l'emploi de la roue et du chariot et, enfin, la métallurgie du fer.

Comme le bronze, le fer est d'origine asiatique. Il s'est répandu au Moyen-Orient où son développement a été contemporain des grandes civilisations de l'Antiquité.[9] Vers 1 000 avant Jésus-Christ, il a finalement atteint l'extrémité ouest de l'Europe. Mais, avec l'âge du fer, commence l'histoire de la Gaule.

NOTES

1 Les préhistoriens supposent qu'à l'époque du moustérien, il y aurait eu environ 20 000 habitants sur le territoire qui constitue la France actuelle.

2 On suppose que les ossements d'animaux retrouvés dans les tombes provenaient de morceaux de viande destinés au mort.

3 Notamment le long des rivières du sud-ouest du Massif central (la Dordogne, le Lot).

4 Ces célèbres statuettes trouvées au « tuc » d'Andoubert dans l'Ariège, auraient été exécutées vers 17 000 avant Jésus-Christ.

5 Ancêtres de nos céréales. Il est probable qu'on déboisait en brûlant la forêt.

6 Le chien aurait été apprivoisé vers 10 000 avant Jésus-Christ.

7 Les « cités lacustres », villages édifiés au bord des lacs sur pilotis.

8 Originaire d'Orient, la métallurgie du cuivre atteignit la région de la Méditerranée française vers 2 500 avant Jésus-Christ, mais elle dura peu.

9 Il atteignit le Moyen-Orient vers 1 500 avant Jésus-Christ.

LES GROTTES DE LASCAUX

La découverte Le 12 septembre 1940, quatre gamins du village de Montignac en Périgord jouaient sur un plateau boisé lorsque, soudain, leur chien disparut dans un trou caché par des broussailles. Aussitôt, les voilà qui partent à la recherche de l'animal. La végétation écartée, ils se trouvent devant une fente horizontale. Ils s'y glissent et, dix mètres plus loin, ils se retrouvent tous les quatre, avec leur chien, dans une salle basse où ne parvenait aucune lumière.

Une grotte à explorer! Vite de la lumière! Le lendemain on revient équipé. Après la première salle, on en découvre une autre, beaucoup plus vaste. Sur les parois latérales et sur la voûte apparaissent de gigantesques taureaux noirs; des chevaux et des cerfs les entourent. Les enfants savent qu'il s'agit de peintures préhistoriques car, dans le Périgord, tous les instituteurs consacrent un peu de temps à la préhistoire. Justement, ils courent chercher leur instituteur et la première exploration commence. Peu après, l'abbé Breuil, l'éminent spécialiste, confirme que les grottes de Lascaux contiennent l'ensemble de peintures préhistoriques le plus extraordinaire qui ait jamais été découvert.

Les grottes comprennent cinq galeries naturelles reliées les unes aux autres. Le sous-sol est argileux. Les parois sont constituées par une roche calcaire, lisse dans l'ensemble et légèrement rugueuse par endroits. À une date inconnue, l'unique orifice s'est trouvé obstrué par un éboulement, si bien que l'intérieur des grottes a cessé d'être en contact avec l'atmosphère extérieure. Une température stable et un degré d'humidité uniforme se sont donc maintenus pendant des millénaires. Grâce à ces circonstances fortuites, les peintures pariétales[1] ont préservé une remarquable fraîcheur.

Une grotte du cycle magdalénien Lascaux présente d'étroites analogies avec d'autres grottes également décorées de peintures polychromes. Presque toutes ces grottes ont été découvertes dans le sud-ouest du Massif central, la région pyrénéenne et le nord-ouest de l'Espagne. Elles constituent, dans l'art préhistorique, un ensemble unique et presque homogène.

Pour tenter de dater Lascaux, on a fait appel à tous les moyens scientifiques imaginables: étude géologique des terrains, étude des vestiges archéologiques trouvés aux alentours, analyse des fragments d'ossements et de végétaux, mesure de la radioactivité des matériaux etc.... Les résultats obtenus manquent encore de précision mais, par contre, ils sont

French Government Tourist Office

Taureaux, chevaux et cerfs (Grottes de Lascaux).

relativement consistants. Les grottes auraient été décorées entre 15 000 et 17 000 ans avant l'ère chrétienne.[2] Elles auraient été fréquentées pendant une période caractérisée par un climat frais (légèrement plus froid que le climat actuel) et par une végétation de steppes.[3] Elles s'inscriraient dans le cycle que les spécialistes de la préhistoire appellent « le magdalénien ».

Environ un millier de figures d'animaux ont été recensées à Lascaux. Un inventaire précis s'est avéré fort difficile car, dans beaucoup d'endroits, les peintures ont été superposées. Souvent une peinture, à demi effacée, a été partiellement utilisée pour en constituer une nouvelle. Parfois des dessins gravés au silex complètent certaines peintures. Dans d'autres cas, les dessins gravés ne semblent pas avoir été accompagnés de peintures. Les artistes ont utilisé des colorants d'origine minérale: l'oxyde de fer pour les jaunes et les rouges, l'oxyde de manganèse pour les bruns et les noirs. Il est possible qu'ils aient également employé des colorants d'origine organique mais ces substances, moins résistantes, ont disparu avec le temps.

Tout porte à croire que Lascaux n'a jamais servi de lieu d'habitation, sinon on aurait retrouvé des traces de foyers et des vestiges de repas. D'ailleurs, il aurait été impossible que des hommes fassent des séjours prolongés dans ces galeries glaciales, dépourvues de lumière et de ventilation. Le fait que les œuvres peintes et gravées présentent un style homogène, indique que le site n'a été fréquenté que pendant une période relativement courte—un millier d'années environ. À la suite de quelque événement inconnu, il aurait brusquement été abandonné puis il serait tombé dans l'oubli.

La faune   À une exception près — sur laquelle nous reviendrons — toutes les figures représentent des animaux. Dans cette faune de climat frais, les chevaux et les taureaux dominent par leur nombre ainsi que par leurs dimensions. Dans la première salle, quatre taureaux gigantesques occupent le mur du fond. Le plus grand mesure 5,5 m. D'autres, plus petits, leur font face. Ils sont silhouettés avec un épais trait noir exécuté — semble-t-il — d'un seul coup, net et précis. Les pattes, la tête et l'avant-train sont mouchetés ou remplis d'un coloris brun-rouge. Ce remplissage partiel leur donne un relief saisissant.

Plus de trente taureaux et vaches sont représentés à Lascaux. Ils appartenaient à une race désormais éteinte, l'aurochs ou bison primitif. Le mâle, brun foncé ou noir, était un animal de très grande taille.[4] Selon Jules César, il était juste un peu plus petit que l'éléphant. Son poil était épais, notamment sur la tête. Les artistes de Lascaux ont fort bien représenté la frisure des poils entre les cornes.

Les chevaux — ils sont plus d'une centaine — constituent l'espèce la plus abondante. Les uns n'ont que quelques centimètres, d'autres atteignent trois mètres de long. Les uns font l'objet d'une esquisse partielle, d'autres d'une peinture complète. Ils appartiennent à une race sauvage caractérisée par une petite tête effilée, un corps massif et des membres relativement courts. Dans la majorité des cas, les artistes ont représenté l'épaisse crinière à l'aide de retouches de peinture noire. Ils ont admirablement réussi à rendre le contraste entre le contour net des corps et le flou des crinières.

Il semble probable que le procédé employé pour les crinières a également servi pour représenter cinq jeunes poulains trottant l'un derrière l'autre. Ces silhouettes vaporeuses, mal assurées sur leurs grosses pattes, ont tout le charme de l'enfance. Le tout petit cheval a l'air d'un vrai jouet. On suppose que le peintre aurait employé une technique de pulvérisation réalisée à l'aide d'un pistolet primitif — os creux d'oiseau ou os coupé dans le sens de la longueur. À vrai dire, nous ne savons rien des techniques des artistes paléolithiques. À part quelques pierres qui avaient servi de palette, aucun matériel de peintre n'a été retrouvé.

Pour ce qui est du nombre, après les chevaux et les taureaux, viennent les cerfs. Il s'agit toujours de cerfs mâles aux vastes ramures. Dans l'un des groupes, l'artiste a su tirer parti du relief naturel de la grotte. Émergeant au-dessus d'une corniche de couleur sombre, apparaissent cinq têtes de cerfs en train de nager. Celui qui est en tête de file relève déjà le cou, comme s'il s'apprêtait à sortir de l'eau.

La faune de Lascaux comprend six ou sept félins. Il s'agit du terrible lion des cavernes qui vivait en Europe à l'époque glaciaire. D'autre part, on trouve une dizaine de bisons,[5] un petit ours et un animal composite qui n'appartient à aucune espèce connue; faute d'un meilleur terme, on l'a appelé la licorne.[6] Enfin, à cinq mètres de profondeur, dans un puits qui s'ouvre à l'extrémité de l'une des galeries, on a trouvé un rhinocéros à deux cornes. Il appartenait à une espèce herbivore, disparue d'Europe, qui, grâce à son épaisse toison, pouvait vivre dans les steppes de climat froid.

Le puits de l'homme mort

Sur la paroi du puits, non loin du rhinocéros, la seule et unique figuration humaine. Un vaste panneau de deux mètres de long comprend trois éléments: l'homme mort, le totem et un bison blessé. C'est tout le drame des temps préhistoriques qui est raconté là.

L'homme est tombé à la renverse, frappé à mort. Il est représenté avec une tête d'oiseau. Son corps, contrairement à celui des animaux, est gauche et presque caricatural. Ses bras, composés d'un seul trait, se terminent par quatre doigts raides. Son harpon est tombé à côté de lui. À sa gauche, se dresse son totem perché au bout d'un bâton. Il est constitué par une tête d'oiseau, exactement semblable à la sienne. À droite de l'homme surgit l'énorme masse d'un bison. Son cou est tourné comme s'il allait frapper l'homme de l'une de ses cornes. Il est blessé. Ses entrailles s'échappent de son ventre en lourdes volutes.

Un lieu sacré

Le puits de l'homme mort pose, dans toute son acuité, le problème de la signification de Lascaux. Jusqu'à maintenant, aucune des hypothèses émises par les spécialistes n'a pu être démontrée. Néanmoins, certaines données demeurent acquises. Comme toutes les grottes décorées, Lascaux était un sanctuaire souterrain. L'art pariétal, comme tout art primitif, avait une base religieuse. Ceci n'exclut pas que les artistes aient obéi à un amour instinctif du beau. Des animaux affrontés ou adossés deux par

Le puits de l'homme mort. À gauche, un rhinocéros s'éloigne. Au centre, l'homme mort avec son bâton crochu et son totem. À droite, le bison blessé perd ses entrailles (Grottes de Lascaux).

deux, des groupes organisés en frises ou en ensembles, révèlent un remarquable don de composition.

À l'exception des félins, les animaux représentés à Lascaux avaient une chair comestible et constituaient la base du menu à l'époque paléolithique. Il est probable que les grottes ont servi de lieu d'incantation. Les chasseurs venaient tuer en effigie les animaux qu'ils souhaitaient tuer dans la réalité, à la première occasion. Cette théorie est renforcée par le fait que de nombreuses bêtes sont percées de flèches ou de harpons; d'autres semblent tomber à la renverse ou culbuter la tête en avant. Enfin, entre les figures, on voit des formes rectangulaires divisées en petits compartiments semblables à des grillages. Ces dessins représenteraient des pièges, dissimulés par des branchages, dans lesquels les chasseurs souhaitaient faire tomber le gibier... Cette théorie est séduisante mais elle n'explique pas tout, car un grand nombre d'animaux ont des attitudes paisibles.

Il est possible que certaines compositions racontent des récits à caractère sacré. Peut-être les animaux placés dans la grotte étaient-ils une image de la création sortant des entrailles de la terre. Mais alors, pourquoi certains animaux se dirigent vers le fond et d'autres vers l'orifice?

Le réalisme saisissant des peintures ne doit pas nous induire en erreur. Il s'agit de représentations fort complexes dont le sens nous échappe. Faute de clé, nous ne pouvons pas déchiffrer la métaphysique de ces hommes qui vivaient voici quelque 200 siècles. Pourtant, deux faits demeurent certains: les peintres de Lascaux étaient doués d'une merveilleuse maîtrise artistique et leur esprit s'efforçait de comprendre — et par conséquent de représenter — l'univers dans lequel ils vivaient. Cela suffit pour que nous nous sentions proches de ces êtres qui paraissaient si lointains.

NOTES

1 *Pariétal:* des parois des grottes préhistoriques.
2 Voir: Laming, *Lascaux,* Collection Voici, Plon 1964.
3 Il s'agit de la dernière période glaciaire.
4 Les femelles étaient brun clair et nettement plus petites. L'auroch a disparu de France vers le XIIe siècle.
5 Le bison d'Europe. Les derniers spécimens de l'espèce vivaient en Russie au début du XXe siècle.
6 Il a une corne et un ventre conique... La plupart des grottes contiennent un être imaginaire. On a pensé qu'il s'agissait peut-être de sorciers travestis pour les cérémonies magiques.

LA GAULE INDÉPENDANTE

*Sanglier de bronze,
emblème gaulois.*

Photo Musée de Saint-Germain

Vers 1 000 ans avant Jésus-Christ, avec l'âge du fer, c'est l'histoire proprement dite qui commence. Cette époque de progrès technique décisif coïncide avec l'implantation des Celtes en Europe occidentale.

On ne peut pas préciser quel avait été le pays d'origine des Celtes.[1] Ce qui est certain, c'est que ceux-ci se sont déplacés à travers l'Europe, marchant de l'est vers l'ouest, par petits groupes indépendants. Les tribus qui arrivèrent sur le territoire qui allait constituer la France, formaient une masse hétéroclite, connue sous le nom de Gaulois. Nous ne savons rien sur la façon dont les nouveaux venus se sont installés. On peut supposer que les populations anciennement établies ont cherché à les repousser, mais ce n'est là qu'une hypothèse. Quoi qu'il en soit, les Gaulois ont bientôt constitué l'élément prépondérant dans le pays auquel ils ont fini par donner leur nom.

Malheureusement, la civilisation gauloise est mal connue. Cette lacune est due, en partie, au fait que, avant la conquête romaine, les Gaulois n'employaient l'écriture que fort rarement. Les seuls écrivains qui puissent nous documenter sur eux sont donc des étrangers: des voyageurs grecs comme le géographe Strabon[2] ou bien des Romains. Parmi ces derniers, le plus célèbre fut Jules César[3] lui-même, mais, comme il est arrivé en Gaule en conquérant, il a donné de ses adversaires des descriptions peu objectives qui ne doivent pas être prises au pied de la lettre.

Jusqu'au milieu du XIXe siècle, les Français ne se sont guère intéressés à leurs lointains ancêtres. Les historiens faisaient commencer l'histoire de la France avec l'arrivée de Jules César. Depuis un siècle, des spécialistes s'efforcent de reconstituer la physionomie de la Gaule indépendante; tâche d'autant plus difficile que l'occupation romaine a presque totalement oblitéré la langue, la religion et la culture celtiques.

Empressons-nous de dire que la Gaule n'a jamais constitué un état au sens moderne du mot. Elle n'a jamais eu de gouvernement centralisé, pas même d'organisation fédérale. Son territoire s'étendait du Rhin aux Pyrénées sans que ses limites en soient bien précises. Les tribus vivaient en petits royaumes indépendants; les quelques liens qui les unissaient consistaient surtout en rapports de parenté et en traditions communes.

Les rois étaient avant tout des chefs militaires. Ils étaient choisis par les guerriers. Lorsqu'ils perdaient leur prestige, on se débarrassait d'eux, le plus souvent en les étranglant. Inévitablement, un tel système engendrait des rivalités entre les chefs et causait de l'instabilité.

Les Gaulois étaient en majorité des agriculteurs. Ils vivaient dans les clairières des forêts, le long des rivières, groupés en petits villages ou en bourgs. Leurs habitations étaient construites de poutres entretoisées et de terre battue. Le toit était fait avec du chaume; un trou central laissait échapper la fumée.

Les voyageurs qui ont parcouru la Gaule ont été frappés par la fertilité du pays. Le blé était abondant et moins cher qu'ailleurs. Polybe, un Grec du second siècle avant Jésus-Christ, a noté que dans les auberges on pouvait manger fort bien et à bon prix! Les « spécialités » gauloises les plus réputées étaient les pâtés d'oie (on engraissait déjà les oies avec des procédés spéciaux), les viandes salées et, tout particulièrement, les jambons.[4] Les porcs, fort nombreux, vivaient en semi-liberté; on les nourrissait avec des graines d'arbres. Les boissons traditionnelles étaient la bière (appelée cervoise) et l'hydromel préparé à partir du miel, seule substance sucrée que l'on connaissait alors.[5]

La culture de la vigne avait été introduite vers le Vᵉ siècle avant Jésus-Christ, dans le sud du pays, par des commerçants grecs. Tout porte à croire qu'elle fit de rapides progrès. De nombreux vestiges d'amphores et de tonneaux[6] montrent que les Gaulois réussirent à surpasser leurs maîtres dans l'art de préparer le vin. Déjà au 1ᵉʳ siècle après Jésus-Christ, les marchands et les gourmets savaient distinguer les crus!

Nous avons peu de renseignements sur la famille gauloise. Vraisemblablement, la femme y occupait une place plus élevée que dans les milieux romains: elle semble avoir partagé avec son mari la direction des affaires familiales. La monogamie était généralisée. Dans l'ensemble, les Gaulois étaient francs, généreux et avides de s'instruire, mais ils étaient également impulsifs et bavards. Strabon raconte que dans les assemblées, certains orateurs prenaient un tel plaisir à discourir qu'il fallait les menacer de couper leurs vêtements pour les forcer à se taire.

Avant la conquête romaine, il existait peu de villes au sens moderne de ce mot. Les rares agglomérations étaient essentiellement des centres industriels et commerçants. Des fouilles récentes ont révélé l'existence, dans la région de Bourges, d'une vaste cité (Bibracte)[7] qui avait été entourée de remparts de pierre. À l'intérieur de l'enceinte, on a retrouvé les vestiges d'un temple, des habitations de pierre ainsi que des quartiers spécialisés dans les diverses branches de l'industrie: la métallurgie, la poterie, la verrerie, la bijouterie, etc.... À côté de cette métropole, Lutèce avait des proportions bien modestes![8] Ses habitants, les Parisi, vivaient surtout de la fabrication des bateaux et du commerce fluvial. Le bateau qui figure toujours dans les armoiries de Paris, remonte à l'origine même de la ville. Des villes-marché s'étaient développées dans les vallées et les plaines qui offraient des voies de passage aux Gaulois et étrangers. Encore aujourd'hui, on retrouve le mot celtique *magos* (lieu de marché) dans des noms de ville tels que Rouen, anciennement Rotomagos.

Artisans et commerçants   Si les Gaulois n'étaient pas de grands artistes au sens classique du mot, ils étaient de remarquables artisans. Ils excellaient dans le travail du métal, du verre[9] et de l'émail. Leurs armes étaient réputées, à la fois pour leur qualité et leur beauté. Dans les sépultures, on a retrouvé de longues épées, des boucliers ornés de ciselures ainsi que des bijoux. Les chefs aimaient à se parer de boucles de ceinture, et de larges plaques d'or qu'ils portaient sur la poitrine. Hommes et femmes se mettaient, autour du cou et des bras, des torques, bijoux massifs qui consistaient en une seule pièce de métal recourbée en forme de C. L'or se trouvait en abondance, surtout dans les sables des rivières du sud-ouest. Souvent, les armes et les parures étaient rehaussées d'incrustations de verre et d'émail aux couleurs vives.

La plupart des Gaulois vivaient en dehors des grands courants de civilisation issus de la Méditerranée orientale. Néanmoins, un commerce de transit parcourait le pays.[10] Vers 600 avant Jésus-Christ (ou même plus tôt encore) les Grecs avaient établi un comptoir commercial non loin du delta du Rhône, Massilia, ancêtre de Marseille. Plus tard ils fondèrent d'autres établissements le long de la côte et, notamment, la ville de Nice dont le nom semble venir du mot grec *Niké*, la victoire. De Marseille partaient des pistes qui conduisaient vers l'Angleterre, l'Europe du Nord et la Baltique.[11] Certains marchands grecs, venus par l'Europe centrale en suivant la vallée du Danube, abordaient la Gaule à l'est puis traversaient la Bourgogne.

On transportait les marchandises par bateau ou bien sur des chariots. Les Gaulois possédaient une grande variété de véhicules que les Romains admiraient tellement qu'ils les adoptèrent et en gardèrent le nom. Du fait qu'ils furent assimilés par le latin, les termes dérivés de char (chariot, charrue, charretier etc....) sont parmi les rares mots d'origine gauloise qui nous soient connus.

L'art gaulois

Les Gaulois éprouvaient une prédilection pour les ornements géométriques: leur art avait tendance à être non-représentatif. Les objets de la vie quotidienne étaient fréquemment ornés de frises: chevrons, spirales, volutes, roues, cercles concentriques, triangles, bâtons etc.... La signification de ces signes nous échappe. Néanmoins, on peut supposer que la roue et la croix, si souvent inscrite dans la roue,[12] étaient chez les Celtes, comme chez tant d'autres, un symbole du soleil et, par conséquent, de la vie. Indubitablement, les motifs groupés trois par trois traduisaient un concept religieux.

Les œuvres réalistes qui ont été retrouvées comprennent des statuettes, des bornes ornées de figures mythologiques[13] et surtout des stèles funéraires. Ces pierres, remarquablement bien travaillées, constituent un véritable album de portraits. Elles montrent le défunt entouré des objets qui lui étaient familiers: le potier avec ses poteries, le fabricant de panier avec ses paniers, l'écolier avec ses tablettes, le marchand devant son comptoir...

Les druides   La mythologie gauloise demeure mystérieuse; on ne l'entrevoit qu'à travers les récits des voyageurs et les témoignages de Jules César. Malheureusement, ce dernier a parlé de ses victoires plutôt que des croyances de ses adversaires. Or la religion était l'un des liens qui unissaient les royaumes celtiques les uns aux autres. Les prêtres portaient le titre de druides. Ces hommes constituaient une caste privilégiée et respectée; ils étudiaient pendant de nombreuses années, ils étaient exempts de service militaire et d'impôts. Souvent ils étaient appelés à jouer un rôle d'arbitre. Quand un conflit menaçait, on les voyait parfois s'interposer entre les belligérants pour arrêter les combats.

Chaque année, les druides de toute la Gaule, mais également de tous les autres pays celtiques, se réunissaient dans la région d'Orléans.[14] Cette assemblée générale avait un caractère à la fois religieux, politique et judiciaire. C'est sans doute à cette occasion que l'on élisait le chef spirituel qui allait détenir l'autorité suprême jusqu'à sa mort.

Archives Photographiques

Stèle funéraire d'un sabotier (Musée de Reims).

Les druides faisaient l'éducation de l'élite de la jeunesse et, naturellement, ils exerçaient le ministère sacerdotal. Jules César raconte que,
vêtus de longues robes blanches, ils allaient en grande solennité, de
préférence le sixième jour de la lune, cueillir le gui sur les branches des
chênes avec une faucille d'or. Comme le gui reste vert en hiver, même
lorsque les arbres sur lesquels il pousse semblent morts, il est probable
qu'il représentait la force de la nature, voire le triomphe de l'esprit
éternel sur la matière inerte.

À une époque où les civilisations méditerranéennes étaient polythéis-
tes, les druides affirmaient l'existence d'un dieu unique. Mais, le point
capital de leur doctrine était l'immortalité de l'âme. Pour eux, la mort
n'était qu'un changement d'état; les âmes des défunts allaient vivre pour
l'éternité dans les îles de l'ouest situées au-delà du couchant...[15] Il est
probable qu'il y eut des rapports entre les croyances druidiques et la
philosophie de Pythagore, mais cette question ne peut pas être éclaircie.
Les druides ne communiquaient leur doctrine complète qu'à quelques
initiés et leur enseignement était entièrement oral. Leurs élèves apprenaient par cœur de longs chants rythmés dont, malheureusement, rien
n'a subsisté. Alors que les Gaulois pouvaient se servir de l'écriture pour
leurs affaires, ils ont voulu préserver leurs mystères sacrés contre toute
profanation.

Croyances populaires

Comme la religion druidique s'adressait surtout aux élites, les petites
gens restèrent attachés à un ensemble de croyances populaires. À la campagne, on vénérait les génies protecteurs et les forces de la nature. Les
sources et les arbres faisaient l'objet de cultes fervents. Les cours d'eau
les plus violents étaient identifiés à des divinités masculines (le Rhin, le
Rhône) tandis que les plus calmes étaient identifiés à des divinités féminines (la Seine, la Marne, la Loire etc.). On saluait le retour du printemps par des réjouissances et des fêtes champêtres. Pendant la nuit du
31 octobre au 1er novembre, on célébrait le commencement de la nouvelle année par des prières et des danses sacrées. Enfin, les Gaulois
honoraient les bonnes dames protectrices du foyer, de la famille, des
voyageurs, des animaux domestiques... Des légendes, souvent tra-
vesties d'éléments chrétiens, apportent encore un écho de ces croyances
dont l'origine se perd dans la nuit des temps.

Au moment où les Romains allaient la conquérir, la Gaule jouissait
d'une civilisation relativement avancée, unique en son genre. Toutefois,
il lui manquait le raffinement intellectuel des cités antiques et surtout
l'organisation politique qui lui aurait permis de préserver son indépendance.

NOTES

1 Les Celtes faisaient partie de la famille indo-européenne. Ils seraient partis des plaines du nord de l'Asie. En migrations successives, ils se sont répandus sur l'Allemagne du nord, l'Angleterre, l'Irlande, la Gaule et l'Espagne. C'est en Gaule que leur implantation fut la plus forte.

2 Strabon visita la Gaule peu après la conquête romaine, au moment où il était encore possible d'observer les caractères de la Gaule indépendante.

3 Voir: Jules César, *Commentaires sur la guerre des Gaules*, Les Belles Lettres, 1937.

4 Les Romains faisaient venir des jambons de Gaule.

5 Les Occidentaux ne découvriront le sucre de canne, originaire de l'Inde, qu'au XIIᵉ siècle, au moment des croisades.

6 Il est probable que les Gaulois inventèrent le tonneau.

7 Bibracte était probablement la ville la plus riche de la Gaule indépendante.

8 L'ancêtre de Paris était cantonné dans la petite île de la Seine appelée aujourd'hui l'île de la Cité.

9 Ils fabriquaient des verres de couleur et donnaient aux récipients des formes variées (bouteilles en forme de grappe de raisin, coupes, vases etc.).

10 Voir plus loin, le vase de Vix.

11 En revenant du nord, les marchands rapportaient de l'étain, de l'ambre et sans doute du sel.

12 La croix gammée, utilisée par les Gaulois, est l'un des symboles solaires.

13 Les bornes étaient placées le long des routes pour servir de repaires, mais également pour demander la protection des dieux.

14 Ou dans la région de Chartres. Les spécialistes ne sont pas d'accord sur ce point.

15 Au Moyen Âge, les derniers survivants des religions celtiques en Grande Bretagne donnèrent à une île le nom de Avalon.

LE VASE DE VIX

Sur la piste... Jusqu'à ces dernières années, jamais personne n'avait entendu parler de Vix, un village construit près d'une méandre de la Seine. À cinq kilomètres au sud, la petite ville de Châtillon-sur-Seine ne retenait guère les touristes. La campagne environnante est monotone et boueuse. C'est une région de plaines, située aux confins de l'Île-de-France, de la Champagne et de la Bourgogne. Pourtant, des spécialistes de la préhistoire avaient déjà découvert de nombreux champs d'exploration. À l'époque néolithique et à l'âge du fer, les falaises et les monticules qui bordent la Seine avaient servi d'asile. Vers le Ve siècle avant Jésus-Christ, la population avait dû être nombreuse si l'on en juge par la variété et l'abondance des objets trouvés: armes, outils, bijoux, perles d'ambre et de verre, fibules de bronze. Les fouilles avaient également livré des morceaux de céramiques grecques, facilement reconnaissables à leurs figures noires sur fond rouge. Sentant qu'ils étaient sur un site exceptionnel, les premiers explorateurs avaient longuement cherché le cimetière qui, normalement, aurait dû se trouver à proximité de la zone d'habitation. Or, aucune tombe n'avait été décelée.

En 1940, un jeune professeur de philosophie est nommé au collège de la ville Châtillon. L'archéologie est sa passion; il y consacre tous ses loisirs. Le Service des Monuments historiques s'intéresse à ses recherches et lui accorde quelques crédits. En janvier 1953, l'argent était presque entièrement dépensé mais on n'avait toujours pas trouvé de tombe...

La tombe C'est alors que, par un soir d'hiver brumeux et froid, au moment où l'on s'y attendait le moins, on remarqua un amas de pierres dans un champ. La nature géologique de ces pierres semble indiquer qu'elles n'étaient pas originaires de l'endroit mais qu'elles y avaient été apportées. On repousse quelques mottes de terre et, bientôt, on aperçoit dans la boue un objet volumineux, de forme arrondie. L'exploration est difficile. Il ne faut pas risquer d'endommager les objets qui pourraient se trouver aux alentours. On enfonce dans la boue. On doit pomper l'eau qui surgit de toutes parts. Enfin, après quatre jours d'efforts, on dégage un vase de bronze puis tout un mobilier funéraire qui — par le plus grand des miracles — était absolument intact.

Les fouilles ont laissé apparaître les vestiges d'une chambre sépulcrale, carrée, mesurant à peu près trois mètres sur trois. Le toit et les parois s'étaient effondrés mais les objets de métal étaient admirablement conservés. Du côté droit se trouvaient le grand vase de bronze, des coupes d'argent, des vases de céramique grecque et des bassins de bronze. Au milieu reposaient les restes d'une femme de trente à trente-cinq ans. Elle était parée de riches bijoux: bracelets de perle et d'ambre, torques gauloises, anneaux de bronze. Son crâne portait un diadème d'or pesant plus de 480 g, l'une des pièces d'orfèvrerie les plus importantes que l'Antiquité nous ait léguées. Autour de la défunte, ainsi que sur le côté gauche de la chambre, on a retrouvé les restes d'un char. Les parties exécutées en bois et en tissu s'étaient désintégrées, mais les éléments de bronze et de fer étaient restés intacts. Grâce à eux, on a pu reconstituer le véhicule. Quatre roues de 75 cm de diamètre, cerclées de fer, portaient un coffre de bois de deux mètres de long, décoré de plaques de bronze. Sans doute destiné aux processions, ce char a dû être tiré par des hommes.

Le vase   Le vase géant est le plus grand que l'Antiquité ait jamais livré. Il a 1,64 m de hauteur. L'ouverture a 1 m de diamètre; la panse atteint 1,20 m. Le poids total est de 208 kg. Il a été exécuté en bronze, d'une seule pièce, sans soudures. Même par rapport aux techniques contemporaines, son épaisseur est d'une remarquable régularité: 1 mm à la panse, 5 mm au col. Aucune trace de martelage n'est visible, même au microscope. Il semblerait que ce vase n'ait pas été destiné à être rempli. Son rôle était d'ordre religieux. Il devait servir à étancher la soif de la défunte au cours de son voyage dans le monde de l'au-delà.

De chaque côté, deux anses en forme de volute pèsent chacune 45 kg. Elles se rattachent à la panse par un buste de gorgone grimaçante.

Le col est décoré d'une frise délicatement appliquée à l'aide de rivets. Le motif, répété huit fois, présente, en procession, un guerrier à pied, quatre chevaux et un char monté par son conducteur. Les hommes portent un casque corinthien et un costume grec. Le char est de type classique: deux roues portant une caisse légère. Les chevaux sont, comme les autres figures, représentés de profil sauf pour le cheval de droite dont la tête, légèrement tournée, se présente de face ou de trois quarts.

Le vase était recouvert d'un couvercle qui, à lui seul, pèse plus de 13 kg. Au sommet de ce couvercle, une admirable statue représente une femme vêtue d'une longue robe. Ses doigts sont effilés. Sur ses cheveux ondulés, elle porte un voile qui descend jusqu'à la hauteur des genoux. Son visage aristocratique et serein est animé d'un sourire légèrement moqueur.

Mystères...   Qui était la défunte? Reine, épouse d'un prince celte, prêtresse? À l'aube de la civilisation gauloise, les femmes semblent avoir joui d'une situation privilégiée, puis leur condition se serait dégradée. Les tribus gauloises étaient-elles, à l'origine, dirigées par un matriarcat? La dame de Vix garde son secret.

Les objets ensevelis avec elle posent également des problèmes troublants. Le grand vase de bronze est indiscutablement de facture grecque. Il s'agit de ce que l'on appelle « un cratère ». On suppose qu'il a été exécuté en Grèce mais alors, comment l'a-t-on transporté? On sait que les navigateurs grecs remontaient le Rhône au moins jusqu'à Avignon. Auraient-ils réussi à remonter la haute vallée de la Saône? S'appuyant sur le fait que l'on a retrouvé des morceaux de poteries grecques dans les Alpes, certains archéologues pensent que le vase aurait été apporté par un chemin terrestre passant par les cols.

Les autres objets attestent des origines variées: bijoux celtiques, coupes à caractère étrusque, ambre originaire des côtes de la mer Baltique. Le diadème d'or est unique en son genre. Les deux extrémités sont décorées par des petits chevaux aux longs poils qui font penser aux chevaux asiatiques.

Comment des pièces d'un luxe si raffiné ont-elles pu être rassemblées dans une région qui n'a jamais eu de grandes richesses naturelles? L'hypothèse la plus vraisemblable est que Vix se trouvait à la jonction de plusieurs voies de communication. Sans doute y avait-il là un marché, un rendez-vous de commerçants. Les princes de la région faisaient probablement payer un droit de passage. C'est peut-être dans cette plaine, à mi-chemin entre l'Europe du Nord et la Méditerranée, que se tenait le grand marché de l'ambre. D'autre part, on sait que les Grecs faisaient venir de très loin l'étain, indispensable à la fabrication du bronze. Ce métal provenait de Bretagne et d'Angleterre. Il est possible que les deux grandes routes de l'étain aient convergé à Vix et qu'elles aient fait la fortune de l'aristocratie locale.

Quelle que soit sa genèse, le trésor prouve de façon irréfutable que, cinq siècles avant l'arrivée de Jules César, la Gaule et la Grèce étaient reliées par des courants commerciaux et que, par conséquent, les Gaulois n'étaient pas étrangers à la culture hellénique. Peut-être d'autres découvertes viendront-elles éclairer d'un jour nouveau le mystère de la dame de Vix.

Le vase de Vix (Musée de Châtillon-sur-Seine).

LA GAULE ROMAINE

La Maison carrée de Nîmes.
1er ou 2ème siècle avant Jésus-Christ.

French Government Tourist Office

La conquête de la Gaule eut lieu en deux temps. À partir de 150 avant Jésus-Christ, les Romains s'étendirent sur la région de Marseille, les Alpes méridionales puis, franchissant le Rhône, ils s'établirent sur la côte méditerranéenne jusqu'aux Pyrénées orientales. Ces régions furent groupées en une dépendance coloniale appelée la *Provincia*.[1] Pour y implanter sa domination, Rome donna des terres à ses colons, notamment aux anciens soldats qu'elle désirait récompenser.

Rapidement latinisée, la *Provincia* devint une sorte de prolongement de l'Italie. Des villes telles que Narbonne, Nîmes, Arles, Orange se développèrent. Les édifices romains furent nombreux et somptueux. Les arènes de Nîmes sont les plus grandes, après celles de Rome, que l'Antiquité ait construites. La Maison carrée de Nîmes est un temple du plus pur style classique. Le pont du Gard[2] — il s'agit en réalité d'un aqueduc — est une construction prodigieuse de 270 m de long qui s'élève en trois étages à 50 m au-dessus de la rivière.

La rapide colonisation de la *Provincia* incita les chefs romains à poursuivre leurs conquêtes. Or, vers 70 avant Jésus-Christ, la Gaule se trouvait menacée par des envahisseurs venus de l'est. Certaines tribus gauloises ayant sollicité l'aide de Rome, César en profita pour introduire ses légions et les installer sur le Rhin. Naturellement, une fois qu'il fut maître du nord-est, il commença à s'emparer du reste de la Gaule.

Les royaumes celtiques n'avaient jamais constitué de nation organisée; c'est pourquoi la résistance manqua d'ensemble. Les Gaulois ne se battaient que lorsque les légions romaines paraissaient dans leur région. Ils ne comprirent que tardivement l'ampleur du péril; d'ailleurs ils n'avaient ni l'entraînement militaire ni l'équipement de leurs adversaires.

À plusieurs reprises, César crut la Gaule pacifiée, mais la rébellion couvait. Vercingétorix,[3] un Gaulois originaire du royaume des Arvernes, avait rassemblé plusieurs peuplades. Malgré son jeune âge, il s'était imposé par sa puissante personnalité.

Vercingétorix excellait dans la guérilla. Il harcelait les légions romaines par des successions d'escarmouches et il dévastait la campagne pour affamer l'ennemi. Les Gaulois remportèrent des succès locaux mais la supériorité technique des Romains était écrasante. Vercingétorix fut obligé de se réfugier avec le gros de son armée à Alésia, une ville de Bourgogne située sur une éminence. César bloqua la place. L'armée envoyée au secours des assiégés ne réussit pas à briser l'encerclement. Après une résistance héroïque, Vercingétorix dut se rendre. Revêtu de sa plus belle parure, il jeta ses armes au pied du vainqueur et se remit à sa merci. Emmené à Rome, il figura parmi les captifs dans le triomphe de César puis il fut étranglé dans sa prison.

Après la capitulation de Vercingétorix (52 avant Jésus-Christ), l'une après l'autre, les tribus gauloises durent se soumettre. Toutes les tentatives de révolte furent impitoyablement réprimées. La Gaule devint une province romaine. Elle perdit son indépendance politique, sa personnalité celtique. Par contre, pendant près de trois siècles, sous l'égide de Rome, elle allait connaître l'ordre et la paix.

L'administration romaine

Avant de pouvoir profiter des bienfaits de la civilisation latine, les Gaulois durent sentir le poids de leur défaite. Les Romains construisirent beaucoup, mais la plupart de leurs édifices étaient destinés à rappeler aux vaincus qui était maître du pays. Les arcs de triomphe étaient élevés en commémoration des victoires romaines. Les routes répondaient, avant tout, à des préoccupations d'ordre stratégique; elles devaient permettre aux légions de se rendre, aussi directement que possible, d'Italie vers les frontières de l'Empire.

French Government Tourist Office

Les arènes de Nîmes.
1er siècle après
Jésus-Christ.

L'administration romaine opérait à partir de quelques villes clé. La plus importante fut Lyon (dit *Lugdunum*).[4] Située au carrefour des voies de communication nord-sud et est-ouest, Lyon devint la métropole de la Gaule romaine. La cité administrative eut de larges avenues, un forum, deux théâtres, des arènes. Au confluent du Rhône et de la Saône se dressait un temple consacré au culte de Rome et d'Auguste. Ce sanctuaire impérial contenait un autel gigantesque sur lequel étaient gravés les noms des 60 tribus gauloises soumises à l'autorité romaine. Chaque année, des délégations venues de toutes les parties du pays devaient réaffirmer l'union de la colonie et de Rome.

Au début de la colonisation tout au moins, les colons et les fonctionnaires romains constituaient une classe privilégiée qui jouissait d'un niveau de vie supérieur à celui de l'ensemble de la population locale. À Lutèce, par exemple, trouvant la ville gauloise sale et surpeuplée, ils s'installèrent sur la rive gauche de la Seine. C'est ainsi que naquit un nouveau quartier — dit Quartier latin — qui fut doté de temples, d'arènes, de bains et de thermes.[5]

De gré ou de force, les Gaulois s'intégrèrent dans le système impérial. Ils s'enrôlèrent comme soldats dans les légions puis, avec le temps, ils accédèrent à des positions plus élevées. Quelques-uns devinrent fonctionnaires, magistrats, écrivains[6] et même membres du Sénat. Au début du troisième siècle après Jésus-Christ, comme les barbares commençaient à menacer les frontières de l'Empire, Rome éprouva le besoin de se solidariser avec les peuples qu'elle avait conquis. Par l'édit de Caracalla (212), tous les hommes libres de l'Empire reçurent le titre de « citoyens romains ».

La civilisation gallo-romaine

Les Gaulois assimilèrent aisément l'apport technique et culturel des Romains. Dans les œuvres gallo-romaines, il est impossible de discerner ce qui a été exécuté par des colons ou par des travailleurs locaux. De préférence, les riches propriétaires gaulois vivaient au milieu de leurs domaines, dans des villas dont le luxe égalait celui des résidences des Latins. De vastes dépendances logeaient les familles des domestiques et des esclaves. Souvent, la maison du maître était dotée d'un système de chauffage central à eau chaude. Les pièces principales étaient ornées de statues, de mosaïques et de peintures murales.

L'intégration culturelle de la Gaule dans l'Empire provoqua la disparition des traditions propres aux Celtes. La religion druidique se prolongea momentanément en Cornouaille puis en Irlande. Les divinités gauloises se trouvèrent confondues avec les divinités gréco-romaines qui présentaient quelque analogie avec elles. Une fois désignées par un nom latin, elles perdirent leurs caractères spécifiquement celtiques.

La disparition du gaulois

L'ambition poussa les élites gauloises à s'identifier le plus vite possible au monde romain. Pour entrer en contact avec les autorités, pour occuper un poste de quelque importance, pour développer un commerce, il y avait une condition absolue: la connaissance du latin. À tout prix, il fallait s'initier au latin de la conversation, à ce qu'on a coutume d'appeler le latin vulgaire. Les jeunes qui désiraient s'instruire s'initiaient au latin classique dans les écoles romaines. Ils n'avaient pas même le choix; les écoles druidiques avaient été bannies par les conquérants.

Le gaulois continua à être employé dans les familles, à la campagne, mais, de génération en génération, il recula. Vers la fin du VIᵉ siècle après Jésus-Christ, il n'était plus parlé que dans les régions de montagne. Comme — à peu d'exceptions près — il n'avait jamais été écrit, il finit par s'éteindre. Si fragmentaire que soit la documentation, les linguistes peuvent le rattacher au système des langues indo-européennes. Les rares mots d'origine gauloise qui aient subsisté sont ceux que le latin a emprunté (le mot *char* et ses dérivés, la *chemise*,[7] une *lieue*[8]) et ceux qui se sont trouvés transmis dans les noms de personnes ou de lieux géographiques. On connaît: *bar* — la montagne (Bar-le-Duc), *dun* — la forteresse (Verdun, Châteaudun), *briva* — le pont (Brives), *salan* — le sel (Salis, Salins) etc.[9]

French Government Tourist Office

Orange. Le théâtre.

Les débuts du
christianisme

L'introduction du christianisme dans les anciens pays celtiques donna au latin une suprématie définitive. La nouvelle religion semble avoir pénétré en Gaule assez tardivement. Au second siècle, on ne connaît que deux communautés, Vienne et Lyon[10] où, d'ailleurs, les martyrs furent fort nombreux. Au IIIe siècle, saint Denis et ses compagnons évangélisèrent la région de Paris et y subirent le martyre. Les premiers fidèles restaient étroitement liés à leur évêque, un homme qui appartenait généralement à l'élite sociale et qui pouvait être marié. L'évêque était à la fois administrateur, juge, protecteur des persécutés, prêtre et missionnaire.

Au IVe siècle, avec le règne de l'empereur Constantin,[11] le christianisme progressa brusquement. La Gaule fut sillonnée par des missionnaires parmi lesquels le plus prestigieux fut saint Martin.[12] Ce dernier avait d'abord été officier puis, après sa conversion, il vécut en ermite. Enfin, sur les instances de la population, il devint évêque de Tours. C'est dans cette ville qu'il mourut à la fin du IVe siècle. Saint Martin devint l'objet d'une vénération fervente; toute une littérature hagiographique fleurit à son sujet; un sanctuaire fut élevé au-dessus de sa tombe et d'innombrables paroisses se placèrent sous sa protection.

Les institutions monastiques se développèrent assez tardivement sous l'égide de moines venus d'Égypte. Au Ve siècle, saint Honorat fonda, non loin de Marseille, les deux premières communautés religieuses de la Gaule; l'une était destinée aux hommes, l'autre aux femmes. Avec les Grandes Invasions, les chrétiens éprouvaient de plus en plus le besoin de se grouper; les communautés monastiques devinrent des lieux de refuge pour les isolés, mais également pour les personnes qui cherchaient à mener une existence pieuse et studieuse.

Une fois devenu religion officielle, le christianisme s'acharna à éliminer les autres cultes. Vers la fin du IVe siècle, les populations urbaines de la Gaule étaient presque entièrement converties, par contre les gens de la campagne demeuraient obstinément païens.[13] L'étymologie en porte encore le témoignage: le mot *païen* étant la forme qu'a pris, en français, le mot latin *paganus* qui veut dire paysan.

Privées de temples et de clergé, les anciennes religions étaient vouées à disparaître. Elles n'allaient survivre que sous forme de légendes, de superstitions et de traditions populaires dont on oublia les origines préchrétiennes.

L'animosité entre vainqueurs et vaincus avait disparu depuis longtemps. Fait unique dans l'histoire, Rome avait réussi à unir tous les peuples du monde civilisé. Sa langue, ses lois, sa culture atteignaient les dimensions de l'univers connu. Au Ve siècle, en Gaule comme ailleurs, on pouvait croire que les assauts des barbares seraient définitivement repoussés. L'Empire paraissait indestructible.

NOTES

1 Les mots *la province* et *la Provence* dérivent l'un l'autre du latin *Provincia*. Notons que la *Provincia* romaine était beaucoup plus étendue que la Provence contemporaine.

2 Construit vers 19 avant Jésus-Christ, cet aqueduc apportait l'eau des montagnes à la ville de Nîmes. L'étage inférieur servait — et sert encore — de route.

3 Vercingétorix (littéralement: le grand roi des guerriers) était le fils d'un ancien roi arverne. Les Arvernes habitaient le centre de la Gaule. Leur nom a donné le terme géographique l'Auvergne.

4 Lugdunum (littéralement: la montagne de lumière) était construite sur une éminence qui domine le confluent du Rhône et de la Saône.

5 Les thermes de Paris avaient des dimensions colossales. Malheureusement, à Paris les monuments gallo-romains se sont trouvés recouverts par plusieurs constructions ultérieures et leur état de conservation est médiocre.

6 Parmi les écrivains gaulois, citons les poètes Ausone et Sidoine Apollinaire.

7 Vêtement d'origine gauloise. Le mot avait été emprunté en même temps que l'idée.

8 Unité de distance des anciennes routes gauloises.

9 Par suite de la découverte de fragments de poterie sur lesquels des potiers faisaient leurs comptes, les nombres en gaulois nous sont connus. Nous les donnons à titre de curiosité: *cintuxos* (1er), *allos* (2nd), *trit* (3e), *petuar* (4e), *pinpetos* (5e), *suexos* (6e), *sextametos* (7e), *oxtunitos* (8e), *nametos* (9e) et *decametos* (10e).

10 Partis de Rome, les premiers missionnaires ont naturellement employé la route qui remontait la vallée du Rhône.

11 Sous son règne, en 313, le christianisme devint religion officielle mais les païens étaient encore majoritaires.

12 Le nom Martin viendrait de Mars.

13 Souvent, les cultes païens se sont dissimulés sous des apparences chrétiennes. Exemple: la fête du printemps est devenue la fête de la Saint-Jean, célébrée à la même époque de l'année.

L'ENSEIGNEMENT DU TEMPS DE LA GAULE ROMAINE

Dès l'époque la plus reculée, les Gaulois honoraient le savoir. Du temps de la Gaule indépendante, les familles riches envoyaient leurs fils aux écoles druidiques. La durée de la scolarité semble y avoir été longue sans doute du fait que l'enseignement y était entièrement oral. Jusqu'à la conquête romaine, ces écoles maintinrent la continuité des connaissances historiques et philosophiques de la race.

Une fois maîtres du pays, les Romains chassèrent les druides et implantèrent des écoles latines. L'enseignement public du gaulois disparut pour toujours. Dès lors, instruction et connaissance du latin devinrent synonymes.

La première instruction resta une affaire familiale. L'enfant était élevé à la maison; entre 7 et 11 ans, il recevait ses premières leçons à domicile ou dans une petite école locale. Chez les gens fortunés, un pédagogue vivait à demeure; le plus souvent, c'était un esclave ou un affranchi.[1] Les maîtres d'écoles semblent avoir été fort mal payés, c'est à peine s'ils gagnaient autant que les maçons!

Auprès du pédagogue, l'enfant apprenait à lire, à écrire et à compter. Il s'initiait à l'alphabet en traçant des lettres majuscules à l'aide d'un stylet sur des tablettes de bois enduites de cire. Le mauvais élève recevait le fouet.

Une fois plus avancé, l'enfant écrivait à l'encre sur des rouleaux de papyrus.[2] Il est probable que l'on ne pouvait pas offrir ce luxe à tous les écoliers car le papyrus était fragile et cher. Importé d'Égypte, cet ancêtre du papier était constitué par les fibres entrecroisées d'un roseau (le papyrus) qui poussait en abondance sur les rives du Nil. Au cours du IIIe siècle, le papyrus se trouva définitivement supplanté par le parchemin. Provenant de peaux de mouton, assouplies et poncées, le parchemin était meilleur marché et plus solide; il pouvait être gratté et utilisé plus d'une fois. En reliant plusieurs morceaux de parchemin, on faisait une sorte d'album, appelé *codex*, dont la forme ressemblait à celle de nos cahiers contemporains. Des stèles funéraires montrent des écoliers — et même quelques écolières — tenant à la main leurs instruments de travail.

L'apprentissage de la grammaire

Vers douze ans, l'enfant qui poursuivait ses études allait chez un grammairien. Ce personnage devait jouir d'un certain prestige puisque ses émoluments étaient quatre fois supérieurs à ceux du maître d'école. De nombreux grammairiens semblent avoir été originaires de Grèce. La grammaire latine et la grammaire grecque formaient la base du second cycle d'études.

Le rôle du grammairien consistait à commenter des textes. Homère et Virgile étaient les auteurs les plus fréquemment étudiés. À propos d'un passage, le professeur fournissait des explications relatives à la langue, aux termes géographiques, aux héros de l'histoire, aux allusions mythologiques etc.... L'adolescent lisait des vers à haute voix puis il les récitait de mémoire; il s'exerçait également à composer des paraphrases et à développer des sentences.

Rhétorique et éloquence

Seule une petite élite poursuivait des études supérieures auprès d'un professeur de rhétorique.[3] Le « rhéteur » était le mieux rétribué de tous les enseignants; outre ses occupations universitaires, il exerçait fréquemment une haute fonction dans l'État. Certaines « rhéteurs » devinrent membres du Sénat ou gouverneurs de province.

Le but des écoles supérieures était de former des orateurs. Le professeur commentait les harangues de Cicéron ou les discours que Tite-Live prête aux héros de l'histoire. Sur les modèles qu'on lui proposait, l'étudiant s'exerçait à prononcer des éloges, à composer des déclamations, des apostrophes ou des vers. L'école n'enseignait ni la philosophie (considérée comme pernicieuse par les Romains), ni la médecine (un vulgaire métier!), ni les sciences, ni les mathématiques, ni même le droit... Singulièrement incomplet, cet enseignement resta figé dans un formalisme détestable. Son principal mérite consista à préserver la pureté de la langue parmi les classes riches et oisives.

Les écoles de « rhéteurs » les plus célèbres se trouvaient à Marseille, ville riche en traditions helléniques, et surtout à Autun. Comme son nom l'indique, Autun avait été fondée du temps d'Auguste (*Augustodunum*; ce second mot signifiait, en gaulois, ville fortifiée). Cette ville incarnait la culture romaine; elle était dotée de théâtres, de temples, de palais et d'écoles somptueuses. Au dire de l'un des professeurs, les façades de ces écoles étaient ornées de vastes cartes du monde « afin d'instruire la jeunesse et de lui faire clairement apprendre par les yeux ce que l'oreille a du mal à saisir.» Et le professeur de conclure: « Maintenant nous avons plaisir à contempler la carte du monde parce que, enfin, nous n'y voyons plus une seule terre étrangère.»[4]

À la fin du IIIe siècle, Autun fut ravagée. Momentanément, la vie culturelle reprit, cahin-caha, puis elle disparut sous le choc des Grandes Invasions. Alors, l'une après l'autre, les écoles romaines fermèrent leurs portes. Seuls quelques isolés, généralement réfugiés à la campagne, auront encore le désir de cultiver les belles lettres. Les hommes les plus instruits seront souvent des évêques ou des moines. À partir de ce moment-là, c'est la civilisation du Moyen Âge qui émerge des ruines de l'Antiquité.

NOTES

1 Esclave libéré mais encore soumis à certaines obligations vis-à-vis de ses anciens maîtres.

2 Le mot « papier » vient du mot *papyrus*. En réalité, du point de vue technique, ce sont les Chinois qui ont inventé (vers le IIIe siècle avant Jésus-Christ) le papier tel que nous le connaissons actuellement, fabriqué à l'aide de déchets de bois et de coton.

3 Art de bien parler et de bien s'exprimer.

4 Paroles d'Eumène citées par: H. de Fontenoy, *Panégyriques latins*, pp. 20–21, Galletier 1949.

DES GRANDES INVASIONS
AU ROYAUME DES FRANCS

Boucle mérovingienne.
Émail cloisonné.

Par le terme de « barbares », les Romains désignaient en bloc tous les peuples qui vivaient en delà des frontières de l'Empire. Ces peuples belliqueux formaient un conglomérat de tribus nomades ou semi-nomades. Déjà avant la romanisation de la Gaule, ils avaient fait irruption dans les pays plus civilisés, semant sur leur passage la ruine et la terreur.

L'organisation romaine repoussa le péril sans jamais l'éliminer. Sur les frontières de l'Empire, des garnisons, puissamment épaulées par un chapelet de forts, brisèrent les tentatives d'assauts. Pourtant, à partir du second siècle, Rome commença à faiblir par suite de circonstances multiples: l'étendue démesurée de l'Empire,[1] le manque de cohésion entre les diverses provinces, les discordes au sein du gouvernement, la désaffection des Romains pour le métier militaire, la recherche excessive du luxe, l'appauvrissement des campagnes, les difficultés financières etc....

Au IIIe siècle, la Gaule se trouva menacée au nord-est par les Germains et, le long des côtes, par les pirates. Le gouvernement s'efforça de conjurer les périls; il essaya, notamment, de négocier avec les adversaires, d'enrôler un certain nombre de guerriers barbares dans les légions; enfin, il tenta de protéger les frontières en les entourant d'une ceinture de royaumes barbares associés à l'Empire. Il y eut des périodes de relative tranquillité. Néanmoins, il fallut regrouper les forces. La défense des régions périphériques fut remise entre les mains des administrateurs locaux. Déjà les liens entre Rome et la Gaule se détendaient.

À la fin du IVe siècle, les invasions frappèrent l'Empire en avalanches. Ces bouleversements sans précédent avaient été déclenchés par les Huns. Ces populations de race mongole, originaires des plateaux de la Mongolie, avaient traversé l'Asie d'est en ouest, puis elles avaient fait irruption dans les plaines de la Russie méridionale. Arrivées là, elles avaient dispersé des groupes de barbares connus sous le nom de Goths. Pour trouver un refuge, les Goths avaient pénétré à l'intérieur de l'Empire. Dès lors, l'Europe ressembla à un gigantesque jeu de billard. En se déplaçant, chaque groupe provoquait d'autres mouvements de peuple. Les Huns inspiraient une terreur si grande que, pour les repousser, les habitants de l'Empire en arrivèrent à s'associer aux barbares.

La force des Huns provenait de leur extrême mobilité. Montés sur leurs petits chevaux, ils étaient les meilleurs cavaliers du monde. Grâce à la forme perfectionnée de leurs selles, ils faisaient corps avec leur monture.[2] Pour éviter de s'arrêter, il leur arrivait de préparer leur viande en la plaçant, tout simplement, entre leur selle et le dos du cheval... L'un de leurs chefs, Attila, se vantait que, là où il passait, l'herbe ne repousserait jamais!

Dans tout ce remue-ménage, contentons-nous de noter les principaux peuples qui pénétrèrent en Gaule. Les Huns puis les Vandales furent chassés; d'autres, par contre, s'installèrent. Dans le sud-ouest, les Visigoths[3] fondèrent un royaume qui eut pour capitale Toulouse. Les Burgondes établirent un royaume qui s'étendait du Rhin à la Méditerranée; la partie centrale de leur zone d'influence fut appelée la Bourgogne.[4] Vers le milieu du Ve siècle, les Francs s'infiltrèrent dans le nord du pays.

Pour les individus comme pour les collectivités, l'installation des barbares provoquait des malheurs innombrables. Souvent, les nouveaux-venus s'emparaient des meilleures terres sans se soucier des anciens propriétaires. Parfois, les chefs barbares négociaient quelque arrangement avec les autorités locales: partage des terres ou achat à bas prix. Néanmoins, dans la plupart des régions, les populations gallo-romaines acceptèrent les peuplades étrangères. Elles n'avaient pas le choix; d'ailleurs, au bout de quelques années, une fois implantés, les barbares contribuèrent activement à défendre le territoire contre les nouvelles vagues d'envahisseurs.

Les Francs

Comme tous les barbares, les Francs constituaient des tribus qui n'étaient reliées que par de vagues traditions religieuses et familiales. À la tête de chaque tribu, un roi exerçait, avant tout, le commandement militaire. Ce roi était choisi par les guerriers au sein d'une famille royale à laquelle on attribuait une origine divine.[5] Après le vote, les soldats portaient l'élu sur le pavois. Casque en tête, le nouveau roi montait sur un bouclier. Ensuite, à l'aide de lances que l'on glissait par-dessous, le bouclier était hissé et le souverain était promené au milieu de son peuple. La manœuvre ne devait pas être facile. Le chroniqueur, Grégoire de Tours,[6] rapporte qu'un roi vint à perdre l'équilibre au cours de la cérémonie! Ce sacre primitif était une consécration guerrière. Par la suite, au cours de l'évolution des institutions monarchiques, les rites soldatesques seront métamorphosés en rites chrétiens. Le pavois deviendra le trône, et le casque deviendra la couronne.

À la fin du Ve siècle, les Francs Saliens étaient installés le long de la mer (*la sāl* en langue germanique), dans la région de la Belgique actuelle et du nord de la France. Ils avaient à leur tête un roi nommé Clovis,[7] âgé d'une quinzaine d'années mais déjà très sûr de lui-même. Clovis appartenait à la famille royale des Mérovingiens dont le fondateur, Mérovée, apparaît comme un personnage semi-légendaire.

Le vase de Soissons

Dès le début du nouveau règne eut lieu le célèbre épisode du vase de Soissons. Clovis et ses guerriers venaient de s'emparer de la région de Soissons. Le butin était abondant. Selon la coutume franque, on rassembla toutes les prises de guerre afin de donner à chaque soldat une part tirée au sort. Parmi le butin se trouvait un vase qui avait appartenu à l'évêque. Clovis demanda qu'on lui attribue le vase pour qu'il puisse le restituer à l'évêque. Alors, d'un coup de hache, un soldat brisa le vase en s'écriant: « Tu n'auras que ce que le sort te donnera! » Clovis dissimula sa colère. Un an plus tard, comme il passait ses troupes en revue, il reconnut le soldat qui lui avait tenu tête. S'arrêtant devant lui, il lui dit: « Personne n'a des armes aussi mal entretenues que les tiennes ». Disant ces mots, il lui jeta ses armes à terre. Le soldat se baissait pour les ramasser lorsque, d'un coup de hache, Clovis lui brisa le crâne en disant: « Souviens-toi du vase de Soissons! »

À cette époque, Clovis était encore païen. Dans sa tentative pour sauver le vase, il n'avait donc pas agi par piété. Peut-être avait-il cherché à se mettre en bons termes avec l'évêque, personnage fort influent dans la société gallo-romaine. Quelles qu'aient été ses intentions initiales, il a profité de l'incident pour affirmer son autorité, pour s'élever du niveau de chef guerrier à celui de souverain absolu.

Le baptême de Clovis Dans l'*Histoire ecclésiastique des Francs*, Grégoire de Tours a relaté l'histoire de la conversion de Clovis. Malheureusement, le brave évêque écrivit son récit environ 70 ans après les événements, en mêlant les faits à une floraison de pieuses légendes. Clovis avait épousé une princesse burgonde appelée Clotilde. Comme elle était chrétienne, celle-ci chercha à convertir son époux. Elle n'eut aucun succès; saint Rémi, l'évêque de Reims, n'en eut pas davantage. Or un jour, au cours d'une bataille contre les Alamans, Clovis eut grand peur d'être battu. Dans son angoisse, il se tourna vers « le Dieu de Clotilde » et promit de se faire baptiser s'il remportait la victoire. Clovis triompha; néanmoins, une fois le péril écarté, il oublia sa promesse... Il fallut de nouvelles interventions de Clotilde et de saint Rémi pour qu'enfin il se décide à se convertir.

Clovis reçut le baptême des mains de saint Rémi vers l'an 500. Selon Grégoire de Tours, la cérémonie eut lieu en grande solennité dans l'église de Reims. Plus de 3 000 guerriers auraient suivi l'exemple de leur chef. Cet événement sanctionna le triomphe du christianisme sur le paganisme et établit, entre le pouvoir royal et l'autorité ecclésiastique, une association qui, malgré bien des crises, allait se maintenir jusqu'à la fin de la monarchie.

Une fois officiellement converti, Clovis grandit encore en prestige. Il trouva de nombreux alliés parmi les chrétiens. La fusion entre les Francs et les Gallo-Romains, déjà profondément attachés au christianisme, s'en trouva facilitée. Enfin, sur le plan militaire, une nouvelle perspective apparut: la guerre sainte.

Les Visigoths installés dans le sud-ouest de la Gaule étaient considérés comme hérétiques. Ils professaient une forme de christianisme, l'arianisme,[8] qui avait été condamné par le concile de Nicée. Les guerriers francs n'entendaient rien aux débats théologiques; par contre, ils entreprirent avec enthousiasme le « pèlerinage armé »! Là encore, le récit de Grégoire de Tours est orné de légendes flamboyantes. À l'arrivée de Clovis, les murs de villes s'ouvraient pour le laisser entrer... Naturellement, les Visigoths furent écrasés et leur royaume fut détruit. Les Francs s'emparèrent d'immenses richesses et poussèrent leur domination jusqu'aux Pyrénées. Après sa campagne, en remontant vers le nord, Clovis s'arrêta à la basilique de Saint-Martin-de-Tours pour y offrir un grand nombre de présents. Mouvement de reconnaissance? geste diplomatique? l'un et l'autre peut-être.

Paris, capitale du royaume des Francs

Le royaume des Francs s'étendait des rives du Rhin jusqu'aux Pyrénées; dans la direction nord-sud, il atteignait déjà les deux points extrêmes de la France moderne. Au VIe siècle, ces territoires apparaissaient dangereusement écartés les uns des autres. Voilà sans doute pourquoi Clovis fixa sa résidence à Paris, à mi-chemin (plus ou moins) entre ses anciennes et ses nouvelles possessions. Pour la première fois de l'histoire, Paris devint une capitale.

Pendant les dernières années de sa vie, Clovis fonda, en grand nombre, des monastères et des églises sans que, toutefois, son ardeur pour la guerre s'affaiblisse, bien au contraire! En éliminant, l'un après l'autre, la plupart des rois de sa race, il avait unifié les Francs mais son œuvre demeurait précaire. Quand il mourut, il fut enterré dans une église qu'il avait fait construire sur une colline qui domine l'île de la Cité, l'actuelle montagne Sainte-Geneviève.[9]

Dagobert

Clovis laissait quatre fils, trois légitimes et un illégitime. Selon la coutume franque, le royaume fut partagé en quatre parts. La désintégration commença. L'histoire de la famille des Mérovingiens devint une sarabande de meurtres, de tortures et de guerres. Les oncles faisaient égorger leurs neveux. Les roitelets se dressaient les uns contre les autres, considérant les territoires comme de simples parts de butin dont ils disposaient à leur guise. Un seul souverain véritable émergea du chaos, Dagobert. Ce dernier réussit à restaurer presque intégralement l'unité du royaume de Clovis, tout en gagnant le respect et l'affection de son peuple. Dagobert et son ministre saint Éloi furent enveloppés de légendes attendrissantes dont la célèbre chanson apporte un dernier écho:

> Le bon roi Dagobert
> Avait sa culotte à l'envers...
> Le grand saint Éloi lui dit
> Ô mon roi! Votre Majesté est mal culottée...

La fondation de l'abbaye de Saint-Denis

Parmi un tissu d'anecdotes plus ou moins invraisemblables, retenons un fait précis: la fondation de l'abbaye de Saint-Denis (vers 626). En voici les grandes lignes. Dagobert était en guerre contre son père, ce qui, à cette époque, n'avait rien d'extraordinaire! Au cours d'une campagne, il dut se réfugier dans un village situé au nord de Paris. Quand il apprit qu'il se trouvait à l'endroit où saint Denis et ses compagnons avaient été martyrisés, Dagobert décida de faire construire une église afin d'abriter leurs tombeaux. Aussitôt que possible, il fit édifier une basilique puis une abbaye. Grâce à la protection royale, cette communauté devint l'un des principaux centres religieux et commerciaux du royaume. Lorsque Dagobert sentit la mort approcher, il se fit transporter à Saint-Denis et il demanda à être enterré dans l'église même, à droite de l'autel. Ses successeurs allaient suivre son exemple. De génération en génération, l'église abbatiale servira de nécropole royale jusqu'à la fin de la monarchie française.

De nouveau, après la mort de Dagobert, le royaume des Francs fut partagé et déchiré par l'anarchie. Impuissants, dépourvus de prestige, les derniers Mérovingiens se laissèrent dominer par les grands propriétaires francs. Pendant plus d'un demi-siècle, ces rois, surnommés « les rois Fainéants », se discréditèrent par leur inertie. Entretemps, une famille ambitieuse, la famille des Carolingiens, s'imposait par ses succès militaires et, peu à peu, s'appropriait du pouvoir. En fin de compte, au milieu du VIIIe siècle, le dernier Mérovingien sera séquestré dans un monastère et, officiellement, les Carolingiens régneront sur les Francs.

La civilisation en péril
Du commencement des Grandes Invasions jusqu'à la fin de la dynastie des Mérovingiens, trois siècles de confusion et de malheurs se sont écoulés. En s'installant à l'intérieur de l'Empire, les royaumes barbares ont disloqué le monde romain. L'unité gouvernementale que Rome avait réalisée, est irrémédiablement détruite. Les pays civilisés ne constitueront plus jamais une seule et même communauté politique.

Au point de vue culturel, les conséquences sont désastreuses. Les écoles romaines cessent de fonctionner. Les bibliothèques sont saccagées. Entre le Ve et le VIIe siècles, les derniers ateliers de sculpture ferment. Les édifices gallo-romains ne sont plus entretenus. À Paris comme dans bien d'autres endroits, on démolit les arènes et les théâtres pour se procurer, en toute hâte, les pierres nécessaires à la construction des fortifications. Les gros propriétaires terriens doivent abandonner leurs villas rurales et se réfugier dans les villes. Pour se défendre contre les envahisseurs et les pillards, les hommes sont forcés de se rassembler. La surface des agglomérations se contracte; les maisons se tassent le long de ruelles étroites. L'horizon se resserre. Le commerce se réduit à quelques échanges locaux.

Au cours de cette période, l'écart entre la langue parlée, dite « latin vulgaire », et le latin classique s'accentue à tel point que les deux idiomes deviennent franchement distincts l'un de l'autre. L'ignorance va en s'aggravant de génération en génération. Les ouvrages de l'Antiquité deviennent lettre morte. L'aristocratie franque est illettrée. À de rares exceptions près, seuls les jeunes gens qui se destinent au sacerdoce reçoivent quelque instruction. À grand-peine, quelques ecclésiastiques essayent d'entretenir l'étude du latin pour pouvoir lire les Saintes Écritures et les œuvres des Pères de l'Église. Même dans les monastères et les cathédrales, les livres sont fort rares. Les abbés les plus éclairés font recopier certains textes par des moines ou des clercs. Dans ce cataclysme de la civilisation antique, l'Église s'efforce avant tout de sauvegarder ce qui lui paraît utile à l'enseignement de la religion. De nombreuses œuvres profanes sombreront irrémédiablement; d'autres ne seront retrouvées qu'à la Renaissance, près de dix siècles plus tard.

Des temps mérovingiens, il ne subsiste que quelques fragments de constructions qui se sont trouvés incorporés dans des édifices ultérieurs. Églises et baptistères étaient d'ailleurs de dimensions médiocres; la maçonnerie en était grossière. La sculpture n'apparaît guère que sur quelques tombeaux qui, du fait de leur rareté, présentent un grand intérêt histo-

Archives Photographiques

Tombeau de sainte Théodochilde, fondatrice de l'abbaye de Jouarre. Au premier plan, un chapiteau mérovingien (VIIᵉ siècle) imité de l'Antiquité.

rique. Presque toujours, les décors sont constitués par des motifs géométriques ou des thèmes symboliques. La plus belle œuvre de cette époque, le tombeau de la première abbesse de l'abbaye de Jouarre,[10] est décorée de coquilles fort harmonieuses. On suppose que la coquille symbolisait l'âme s'ouvrant à la parole de Dieu.

La métallurgie est le seul domaine où l'art mérovingien ait atteint une perfection notoire. Pour se forger des armes, les barbares travaillaient le bronze et le fer. Tout naturellement, les chefs désiraient paraître dignes de leur rang. Leur équipement militaire était complété par des casques, des colliers, des boucles de ceinture, des harnais pour leurs chevaux. Certaines de ces pièces sont de petites merveilles; elles sont décorées d'animaux, de feuillages, de symboles religieux et, le plus souvent, de motifs géométriques finement ciselés et incrustés de pierres polychromes.

Somme toute, à l'époque mérovingienne l'art n'a été qu'une lueur dans la tourmente. Mais, si faible qu'elle ait pu être, cette lueur montre que la civilisation occidentale ne s'est jamais complètement éteinte.

NOTES

1 Plus de 9 000 km de frontières.

2 La selle des cavaliers de l'Antiquité était plus décorative que fonctionelle.

3 Littéralement, les Goths de l'ouest. L'autre branche, les Ostrogoths (les Goths de l'est) s'établirent en Italie.

4 Notons que le pays des Burgondes était beaucoup plus vaste que la Bourgogne actuelle.

5 En cela leur organisation ressemblait à celle des royaumes gaulois.

6 Grégoire de Tours, évêque de Tours et chroniqueur de la seconde moitié du vi^e siècle. Il écrivit l'*Histoire ecclésiastique des Francs*, ouvrage qui constitue la principale source de documentation sur les temps mérovingiens.

7 Clovis ou Chlodovich, formes anciennes du prénom Louis.

8 Selon cette doctrine (nommée d'après son principal représentant Arius, évêque d'Alexandrie), les trois personnes de la Sainte Trinité n'étaient pas égales. Le Christ était inférieur à Dieu puisqu'il avait été engendré par la volonté du Père.

9 Sainte Geneviève avait connu Clovis et sa famille. Pendant les invasions des Huns, cette pieuse femme avait ranimé le courage des Parisiens. Elle fut entourée d'une grande vénération et vécut fort âgée.

10 Jouarre, à l'est de Paris, fut à l'époque mérovingienne le siège d'une importante abbaye bénédictine qui comprenait une communauté d'hommes et une communauté de femmes.

DU BAPTÊME DE CLOVIS
AU SACRE DES ROIS

Erreur historique et
confusions flatteuses

Tant de traditions allaient se greffer autour du baptême de Clovis que la cérémonie mérite d'être étudiée de près. Lorsque saint Rémi baptisa le roi, il lui versa de l'eau sur la tête puis, aussitôt après, il lui donna une onction sur le front avec du chrême.[1] Ce baptême était parfaitement conforme au rite employé en Gaule au ve siècle car, à cette époque, l'onction post-baptismale faisait partie du baptême proprement dit. Par la suite, l'onction constituera le rite principal d'un autre sacrement que l'Église appellera la confirmation.

En l'espace de quelques générations, la vérité historique se trouva étouffée sous les légendes. Des récits, plus ou moins ornés de détails fantaisistes, présentèrent la cérémonie comme ayant été un sacre. C'était là une erreur d'interprétation puisque, à l'époque de son baptême, Clovis était déjà roi des Francs depuis de nombreuses années. Mais, qu'elle ait été volontaire ou non à l'origine, cette confusion contribua à fortifier le pouvoir monarchique.

À toutes les époques, les rois sentirent d'instinct qu'ils avaient avantage à ce que l'institution royale ait un caractère aussi ancien, aussi vénérable que possible. Par ignorance autant que par intérêt dynastique, on répéta que saint Rémi, l'évêque de Reims, avait sacré Clovis, le premier roi franc, en lui donnant l'onction royale. La confusion était d'autant plus favorable que, le jour de leur sacre, les rois de l'Ancien Testament recevaient une onction conférée à l'aide d'un chrême. Rien ne pouvait être plus flatteur pour les rois de France que d'être traités comme l'avaient été David et Salomon! La royauté franque se parait d'une auréole biblique.

Dès le viiie siècle, l'onction constitua le rite fondamental du sacre des rois francs[2] et, peu après, la coutume s'étendit en Angleterre puis dans le reste de l'Occident. D'autres éléments, d'origines diverses, vinrent enrichir le rituel: la couronne, le sceptre, les attributs de la royauté etc.... Néanmoins, dans la liturgie du sacre, l'onction restera toujours l'acte sanctificateur par excellence.

Mythes monarchiques

Une fois la tradition implantée, les sacres auront normalement lieu dans la cathédrale de Reims[3] et l'archevêque de Reims sera, de droit, le principal officiant. Au cours du Moyen Âge, la légende ira en se développant. On prétendit que le chrême qui avait servi au « sacre de Clovis » était descendu du Ciel dans une ampoule[4] que portait en son bec une colombe « plus blanche que neige »... Cette ampoule, la « sainte ampoule »,[5] devint l'un des éléments indispensables des sacres. Le jour de la cérémonie, l'archevêque de Reims prenait le chrême avec une aiguille d'or puis il conférait l'onction sacramentelle. Et les merveilles s'ajoutaient aux merveilles! Après son sacre, le roi passait pour avoir le pouvoir de guérir certaines maladies. On affirma que la « sainte ampoule » se remplissait miraculeusement, sans qu'on la touche, pour chaque nouveau sacre. Même s'il y eut quelques esprits sceptiques, pendant tout le Moyen Âge ces mythes enchantèrent l'imagination populaire.

Après la Révolution, on retrouvera « par miracle » la « sainte ampoule » ce qui permettra, en 1825, de sacrer Charles X. Ce sera le dernier sacre. Il devenait difficile de prendre tout cela au sérieux. Le mythe était usé. La monarchie n'en avait plus pour longtemps.

De nos jours, la soi-disant « sainte ampoule », relique du culte monarchique, fait partie du trésor de la cathédrale de Reims.

NOTES

1   Huile d'olive aromatisée.
2   Pépin le Bref fut le premier roi à recevoir l'onction royale (751).
3   Le premier sacre à Reims fut celui de Louis le Pieux en 819.
4   Petite bouteille.
5   La légende de la « sainte ampoule » apparaît pour la première fois dans une *Vie de saint Rémi* composée vers 877. La légende ira en s'étoffant jusqu'au XIVe siècle.

CHARLEMAGNE

Karolus,
monogramme de Charlemagne.

La Gaule romaine était passée sous la domination des Francs. Pourtant, malgré les succès foudroyants qu'elle avait remportés avec Clovis, la dynastie des Mérovingiens souffrait d'une faiblesse qui lui fut fatale: le partage du royaume paternel entre les fils. Chaque génération aggravait la confusion et envenimait les discordes familiales. En définitive, ces conflits allaient faire la fortune des maires du palais.

Le maire du palais était le ministre et l'homme de confiance du roi. En fait, du temps des « rois Fainéants », il agissait en dictateur. Le plus prestigieux de tous les maires du palais fut Charles Martel. Issu d'une famille puissante et ambitieuse, il ne tarda pas à devenir le champion de la cause franque. Son surnom, Martel (marteau), donne une idée de sa personnalité. Des circonstances sans précédent allaient lui donner la stature d'un héros.

Depuis la mort de Mahomet (632), les musulmans s'étaient lancés dans une grande marche conquérante; l'un après l'autre, les états du Moyen-Orient et de l'Afrique du Nord s'étaient écroulés sous leurs assauts. Au début du VIIIe siècle, ils traversèrent le détroit de Gibraltar[1] et, sans grande difficulté, soumirent l'Espagne. Un siècle après la mort du Prophète, l'islam commandait 150 millions d'hommes et dominait la moitié sud du bassin méditerranéen.

Attirés, peut-être, par les trésors des églises franques, les musulmans franchissent les Pyrénées et montent vers le nord en utilisant les anciennes routes romaines. En 732, non loin de la ville de Poitiers, Charles Martel et ses guerriers les arrêtent net. Brisés dans leur élan, les « infidèles » se replient au sud des Pyrénées. Le royaume des Francs ne connaîtra jamais la domination musulmane alors que l'Espagne devra la subir pendant des siècles.

Considéré comme le sauveur de la chrétienté, Charles Martel devint le maître absolu. Il ne porta pas de titre royal mais, par contre, son fils Pépin sauta le pas. Une fois le dernier Mérovingien relégué dans un monastère, Pépin fut élu roi par l'assemblée des guerriers puis sacré par l'Église. La dynastie des Carolingiens commençait.[2]

Les autorités religieuses s'étaient montrées fort bienveillantes à l'égard de Pépin. En reconnaissance, celui-ci alla délivrer le pape qui se trouvait menacé par les Lombards, un peuple barbare installé dans le nord de l'Italie. L'alliance des Carolingiens et de la papauté était nouée.

Selon la coutume franque, Pépin partagea son royaume entre ses deux fils mais, par suite de la mort du plus jeune, l'aîné, Charles, le futur empereur, hérita de la totalité du patrimoine. Charles, ou Charlemagne, comme on a coutume de l'appeler, devait régner pendant 45 ans. Son histoire dépasse le cadre strictement français puisqu'il allait rassembler sous son autorité l'ensemble de l'Occident chrétien.

*L'expansion du royaume
des Francs*

Dès les premières années de son règne, Charlemagne lança des expéditions réitérées contre les peuples païens qui étaient établis à la périphérie du royaume des Francs. À l'est du Rhin, il se porta contre les Saxons puis contre le royaume de Bohême. Au sud, il se porta contre les Lombards puis contre les musulmans d'Espagne. Après 18 expéditions, il imposa aux Saxons un statut qui peut se résumer par ces simples mots: le christianisme ou la mort. Il écrasa les Lombards et détruisit Pavie, leur capitale.[3] Sa domination s'implanta jusqu'au cœur de l'Europe centrale. Victorieux de la Baltique à l'Adriatique, il semble qu'il n'ait été tenu en échec que par les Bretons à l'ouest et par les musulmans au sud.

Roncevaux et La Chanson
de Roland

En revenant d'Espagne après une campagne indécise, les Francs subirent un désastre cuisant qui allait constituer le point de départ historique de *La Chanson de Roland*. Comme l'armée franchissait le col de Roncevaux, « étirée en longues files ainsi que l'exigeait l'étroitesse du passage, des Basques, placés en embuscade... dévalèrent du haut des montagnes et jetèrent dans le ravin les convois de l'arrière ainsi que les troupes qui couvraient la marche du gros de l'armée ». Et le chroniqueur Éginhard continue: « Puis, engageant la lutte, ils massacrèrent jusqu'au dernier homme et finalement se dispersèrent avec une extrême rapidité à la faveur de la nuit qui tombait. Les Basques avaient pour eux, en cette circonstance, la légèreté de leur armement et la configuration du terrain, tandis que les Francs étaient desservis par la lourdeur de leurs armes et leur position en contre bas. »[4] Roland avait péri dans le massacre ainsi que de nombreux personnages de haute importance. Le souvenir de la catastrophe allait rester d'autant plus vivace, que la plupart des victimes appartenaient à l'élite franque.

Entre le récit historique, écrit une cinquantaine d'années après l'événement, et *La Chanson de Roland*, écrite plus de trois siècles plus tard,[5] les différences sont notoires. Dans le compte rendu du chroniqueur, Roland n'a pas été attaqué par des Sarrasins mais par des Basques.[6] Comme ils étaient encore païens, les Basques dévalisaient les chrétiens aussi volontiers que les musulmans. L'auteur de la *Chanson* créera une intrigue diplomatique, une progression dramatique; il campera des personnages nouveaux: Olivier, le traître Ganelon, la belle Aude etc.... Sous sa plume, Charles deviendra « l'empereur à la barbe fleurie » alors que ce dernier n'était pas encore empereur (il n'allait le devenir que 22 ans plus tard), qu'il n'avait pas de barbe et encore moins de fleurs! Dans la chanson de geste, l'événement sera transfiguré en épopée grâce au génie d'un poète, mais également grâce aux apports d'innombrables conteurs anonymes. Entre le VIIIe et le XIIe siècle, les hommes de plusieurs générations allaient chercher à oublier les misères de l'existence en racontant des aventures héroïques, plus merveilleuses les unes que les autres.

L'œuvre administrative

En un quart de siècle, le royaume avait triplé en surface; il s'était étendu jusqu'au Danube et à l'Italie centrale, bien au-delà des territoires occupés par les Francs. Cette « dilatation » (le terme est de l'époque) aurait pu être une cause de faiblesse, mais Charlemagne eut la sagesse d'assurer la cohésion de l'ensemble à l'aide d'une solide administration.

Tout d'abord, il s'organisa une résidence fixe. Jusqu'alors, les conseillers et les trésoriers avaient suivi le roi dans ses pérégrinations guerrières. Une fois stabilisés, les services administratifs purent se perfectionner et se spécialiser. Charlemagne se fixa dans la vallée du Rhin, à Aix-la-Chapelle (Aachen en allemand). Ce choix montre qu'il se sentait mieux à son aise dans les pays du nord, berceau de ses ancêtres, que dans les terres du sud nouvellement conquises. Mais pourquoi Aix-la-Chapelle alors qu'il y avait le long du Rhin d'anciennes villes romaines encore imposantes? À cause de l'existence de sources d'eau chaude.[7] Charles avait une stature athlétique; il s'adonnait à l'équitation, à la chasse et, hiver comme été, il adorait nager. Peut-être souffrait-il de rhumatisme? Quoi qu'il en soit, il préférait l'eau chaude; or, à cette époque, seules des sources naturelles d'eau chaude pouvaient alimenter un vaste bassin. Il est probable qu'il se fit construire une piscine de dimensions respectables. Éginhard, son biographe, rapporte qu'il y recevait souvent ses amis et les grands du royaume et qu'il pouvait s'y baigner avec une centaine d'invités.

L'administration des provinces fut confiée aux fonctionnaires qui portaient le titre de *comtes*. Du temps des Romains et des Mérovingiens, les comtes avaient déjà exercé des fonctions importantes, mais Charlemagne renforça leur prestige. Ils furent chargés de percevoir les impôts, de maintenir l'ordre, de rendre la justice, de lever des soldats, de veiller à l'application des capitulaires, c'est-à-dire des lois et des décisions royales. La région administrée par un comte s'appelait un comté. On suppose qu'il y avait environ 110 comtés dans le cadre de la France actuelle. Les comtes n'étaient pas rétribués en argent; pour les indemniser, le roi leur accordait un domaine rural qu'ils pouvaient exploiter à leur profit.

Le haut commandement militaire était confié à des *ducs*; chaque duc était à la tête de l'administration militaire dans une région appelée duché. En général, un duché englobait plusieurs comtés. Enfin, les *marquis* avaient pour mission d'assurer la défense des « marches », c'est-à-dire des régions périphériques du royaume, particulièrement exposées aux attaques ennemies. Dans les Pyrénées, le long des territoires des musulmans d'Espagne, s'étendait la marche d'Espagne; entre la Bretagne et le royaume franc s'étendait la marche de Bretagne.

Comtes, ducs, marquis travaillaient au service du roi; ils étaient, par conséquent, soumis à des contrôles et révocables. Pour les tenir en haleine, Charlemagne institua les *missi dominici*, littéralement les « envoyés du maître ». Deux par deux ou quatre par quatre, les *missi* parcouraient les routes du royaume; ils transmettaient les ordres du pouvoir central, ils surveillaient, ils recueillaient les plaintes, si bien qu'on les a surnommés « les yeux et les oreilles du roi ».

Il est évident que les termes de comte, duc, marquis allaient changer de sens après la mort de Charlemagne. À mesure que les Carolingiens perdront leur prestige et leurs moyens d'action, l'autorité centrale s'affaiblira et les administrateurs locaux deviendront pratiquement omnipotents et indépendants.[8] Ceux qui, à l'origine, n'étaient que des fonctionnaires, prendront l'habitude de léguer leur poste à leur fils. Bientôt, ils regarderont les territoires qu'ils étaient chargés d'administrer, comme des possessions familiales héréditaires. Au cours des siècles qui vont suivre, comme par une ironie du sort, des fonctionnaires qui devaient servir le pouvoir central, finiront par constituer les éléments les plus turbulents de la société féodale.

Une église à plan circulaire

L'œuvre administrative de Charlemagne est inséparable de son œuvre culturelle et religieuse. Dans tous les domaines, le roi voulait être le guide de ses peuples; il fallait que l'exemple parte d'en haut. Pour rénover l'architecture religieuse, il se fit construire, à côté de son palais, une église qui devait servir de modèle à tout l'Occident chrétien. La chapelle Palatine existe encore en partie; elle constitute le noyau le plus ancien de la cathédrale d'Aix-la-Chapelle. À l'origine, il s'agissait d'un édifice en forme de rotonde construit sur le plan d'une basilique byzantine.[9] Les murs extérieurs formaient un polygone à huit côtés; le chœur occupait le centre et l'ensemble était coiffé d'une coupole. L'intérieur était d'une richesse éblouissante: portes de bronze, colonnes de marbre et de porphyre rapportées d'Italie, peintures, mosaïques polychromes. Dans la galerie supérieure se dressait le trône royal. Ainsi conçue la chapelle Palatine présentait les deux autorités suprêmes: la toute-puissance de Dieu et le pouvoir absolu du roi.

Par son action personnelle, Charlemagne stimula chez ses sujets le désir de construire des églises et d'employer la pierre, plutôt que le bois, pour les édifices importants. Néanmoins, tout en s'appliquant à imiter la chapelle Palatine, les constructeurs francs devront rechercher d'autres formules architecturales. Ils seront forcés de renoncer au plan circulaire ou polygonal, faute de savoir édifier des coupoles. Dès le IXe siècle, les églises de l'Europe occidentale seront constituée par une nef rectangulaire. Ce plan allongé sera adopté par les architectes de l'époque romane puis de l'époque gothique. À de rares exceptions près, l'église à coupole restera la caractéristique de l'art byzantin.

*Oeuvre religieuse et
culturelle*

Pour doter l'Église et l'administration royale d'hommes de valeur, il fallait former des élites. Or, depuis plusieurs générations, l'ignorance s'était généralisée. Rien, ou presque, n'avait pris la place des anciennes écoles romaines. Charlemagne comprit que le redressement culturel ne serait possible qu'avec l'aide d'éléments extérieurs au royaume. Il fit donc appel à un petit nombre d'étrangers éminents. Il ramena d'Italie le poète Paul Diacre puis il fit venir d'Angleterre le lettré Alcuin. Celui-ci avait été élève, puis professeur, au célèbre monastère de York. Son érudition autant que son dévouement faisaient l'admiration de ses contemporains.

Au palais d'Aix-la-Chapelle, Alcuin travailla à inspirer aux Francs le désir de s'instruire. Il anima un petit cénacle de gens distingués que Charlemagne lui-même se plaisait à fréquenter; il créa une école qui devint la pépinière des futurs cadres administratifs; enfin, il fut l'homme de confiance pour tout ce qui touchait aux questions scolaires, culturelles et ecclésiastiques.

Pour mettre son programme en pratique, Charlemagne exhorta les évêques et les supérieurs des monastères à ouvrir une école. Plusieurs capitulaires réitérèrent la même demande, ce qui nous laisse à penser que le clergé ne coopéra pas toujours avec diligence! Tous les enseignants étaient, forcément, des ecclésiastiques. Les jeunes gens qui poursuivaient des études quelque peu avancées se destinaient, en général, à l'Église. Les étudiants, les « clercs », comme on les appelait alors, recevaient les ordres mineurs. Les *missi* avaient mission de veiller à la bonne marche des écoles. La scolarité devait être gratuite pour ceux qui n'avaient pas de moyens financiers. Il était recommandé d'instruire les enfants des familles pauvres, mais également ceux des familles riches qui, souvent, étaient les plus réfractaires aux études. Tant bien que mal, quelques écoles se formèrent entre les murs des monastères et des cathédrales. Avec le temps, certaines d'entre elles allaient devenir célèbres et constituer le noyau des premières universités médiévales.

Peu d'hommes ont compris, aussi bien que Charlemagne, l'importance du savoir dans un état. Peut-être appréciait-il les connaissances d'autant plus qu'il n'avait reçu à peu près aucune instruction. Élevé en guerrier, il s'était formé par l'expérience. C'est à peine s'il savait lire. Vers la fin de sa vie, profitant de quelques moments de loisir, il s'efforça de tracer des lettres sur des feuillets de parchemin. Mais, selon son biographe Éginhard, « il s'y prit trop tard et le résultat fut médiocre ». Tout au plus réussit-il à tracer son monogramme au bas des actes officiels!

Prestige

Par charité autant que par diplomatie, Charlemagne chercha à étendre sa main protectrice sur tout son royaume et même au-delà. Il fit distribuer des aumônes; il fit parvenir des secours aux chrétiens qui vivaient sous la domination musulmane en Espagne ou au Moyen-Orient; il encouragea les pèlerinages; il favorisa la fondation de nouvelles communautés monastiques. Il s'efforça de faire construire des ponts car, depuis l'époque gallo-romaine, plus rien ne se faisait dans ce domaine. Des monnaies de toutes sortes circulaient dans le royaume; pour mettre de l'ordre, il déclara que, désormais, seules les pièces frappées dans son palais auraient cours légal. Il s'appliqua également à imposer l'emploi d'une unité de longueur fixe, le pied. Cette unité aurait été établie d'après une base fort concrète: son propre pied! Quoi qu'il en soit, après sa mort, le pied perdra son caractère absolu et représentera des longueurs variant d'une région à l'autre.

Empereur d'Occident

Succès militaires, autorité, prestige moral allaient conduire Charlemagne au sommet suprême: la dignité impériale. Depuis longtemps, les hommes de son entourage se plaisaient à employer à son sujet des qualificatifs tels que « auguste » et « majestueux ». On parlait volontiers de « royauté impériale », de « règne impérial »; on comparait le trône de la chapelle Palatine au trône de Salomon. Aux yeux de certaines personnes,

Archives Photographiques

Charlemagne. Statuette de bronze du IXᵉ siècle. Seule représentation quelque peu authentique de l'empereur. Celui-ci porte la couronne impériale.

l'« empire chrétien » existait moralement et justement il correspondait au royaume des Francs.

Divers événements allaient précipiter le dénouement. À Rome, le pape avait fait l'objet de critiques et même de violences. Il avait failli tomber entre les mains des révoltés. Se sentant menacé, il demanda au roi des Francs de venir l'aider à rétablir l'ordre.[10] Charlemagne prend le chemin de la ville éternelle; il se fait acclamer et impose la paix aux groupes hostiles. Deux jours plus tard, c'est Noël, le 25 décembre 800. Accompagné de ses guerriers, il se rend à la basilique Saint-Pierre. Avant que commence la messe, il va se prosterner aux pieds du Saint-Père. Au moment où il se relève, le Souverain Pontife place sur sa tête une couronne et la foule s'écrie: « À Charles Auguste, couronné par Dieu, grand et pacifique empereur des Romains, vie et victoire! »[11]

De toute l'histoire du Moyen Âge, c'est l'instant le plus grandiose. Rome redevient capitale impériale; l'Europe occidentale retrouve son unité politique; enfin, le pouvoir temporel et l'autorité spirituelle sont liés par la même mystique. Les chrétiens vont constituer une seule nation qui sera à l'image de la Cité de Dieu...

Perspectives d'avenir

Pourtant, les faiblesses n'allaient pas tarder à apparaître. Les rapports entre le pape et l'empereur restaient imprécis. L'Empire avait reconstitué l'unité politique, mais rien ne garantissait sa continuité puisque, selon la coutume franque, l'héritage paternel se partageait entre tous les fils. Les rapports avec l'Empire byzantin étaient tendus. Depuis que les Grandes Invasions avaient démantelé l'Europe occidentale, les empereurs qui régnaient à Byzance se considéraient comme les seuls héritiers légitimes du pouvoir impérial.[12] Lorsque la nouvelle du couronnement de Charlemagne parvint à Byzance, l'indignation se déchaîna contre « l'imposteur ». Il fallut une douzaine d'années de manœuvres diplomatiques pour que l'empereur de Byzance consente à reconnaître Charlemagne comme son « frère », c'est-à-dire comme son égal. La formation d'un Empire d'Occident allait contribuer à accuser les divergences entre la moitié orientale et la moitié occidentale du monde chrétien.

Mais, pendant les premières années du ixe siècle, on pouvait croire que la paix romaine se réaffirmait, sanctifiée par l'autorité de l'Église. Pouvoir temporel et pouvoir spirituel paraissaient indissolubles. Dans l'esprit de ses sujets, Charlemagne se confondait avec l'image du Christ en Majesté qui se voyait dans le chœur des églises.

L'empereur passa les dernières années de sa vie à Aix-la-Chapelle, absorbé par la gestion de son immense domaine. Il obligea ses sujets, à partir de l'âge de 12 ans, à lui prêter serment de fidélité; il nomma les évêques et les principaux dignitaires ecclésiastiques; il prit des décisions en matière de dogme et de liturgie. Pour protéger les communautés chrétiennes du Moyen-Orient, il noua des relations diplomatiques avec le chef des musulmans, le calife de Bagdad.[13] Entre les deux cours, il y eut des échanges de cadeaux. Au grand émerveillement des Francs, on vit arriver à Aix-la-Chapelle des objets tout à fait insolites: une horloge,[14] des tissus de soieries, un jeu d'échecs et même... un éléphant!

Au cours de sa longue vie, Charlemagne avait été marié quatre ou cinq fois et il avait eu une quinzaine d'enfants légitimes, sans compter les autres! Pourtant, en 814, quand il mourut, il ne lui restait plus qu'un seul héritier mâle. Du fait de cette circonstance fortuite, l'Empire d'Occident resta entier, momentanément du moins.

La légende   À peine disparu, le « Grand Empereur » commença à hanter l'imagination populaire. Les troubles et les calamités qui allaient survenir après sa mort, contribueront à le faire regretter encore plus, et à poétiser son souvenir. Avec son neveu Roland, il figurera dans les vitraux des cathédrales gothiques. Bien qu'il n'ait jamais été officiellement canonisé, il sera invoqué comme « saint Charlemagne » par les écoliers qui feront de lui leur saint patron. Au mépris de toute vraisemblance historique, il sera le héros d'une multitude de récits que l'on se racontera, de génération en génération, au cours des pèlerinages et des veillées. Peu à peu, il se métamorphosera en une légende que les chansons de geste rendront immortelle.

NOTES

1 Littéralement la montagne (Djebel) de Tarik, le chef musulman qui franchit le détroit.

2 Le terme carolingien vient du nom du souverain le plus célèbre de la dynastie, Charlemagne, et non de celui du fondateur.

3 Après sa victoire sur les Lombards, Charlemagne accorda au pape la jouissance d'une partie des domaines pris aux vaincus. Ces domaines allaient constituer le point de départ des États Pontificaux.

4 Éginhard, *Vie de l'empereur Charles*, ch. IX, Champion 1923. Avant d'être son biographe, Éginhard avait été le compagnon et l'ami de Charlemagne.

5 La catastrophe de Roncevaux eut lieu en 778. *La Chanson de Roland* fut composée vers 1 100 par un clerc qui, peut-être, portait le nom de Turoldus.

6 En dépit des recherches, leur origine demeure une énigme. Il est possible que les Basques soient descendus de peuplades préhistoriques qui, en s'isolant dans les montagnes, restèrent à l'écart des autres races. Les Basques resteront partiellement païens jusqu'au XVIᵉ siècle.

7 « Aachen » vient de *aquae*—les eaux. L'existence de sources d'eau chaude était connue depuis l'Antiquité.

8 Au cours des IXᵉ et Xᵉ siècles.

9 Charlemagne avait dû faire venir des architectes étrangers. Il est probable que la chapelle palatine avait été conçue sur le modèle de Saint-Vital de Ravenne (Italie), une église du VIᵉ siècle de pur style byzantin. Malheureusement, l'édifice de Charlemagne fut défiguré par des additions ultérieures qui en bouleversèrent le plan initial.

10 Depuis l'époque de Pépin, le pape et le roi des Francs, sentant qu'ils avaient besoin l'un de l'autre, étaient restés étroitement unis.

11 Charlemagne a-t-il été pris par surprise comme semble le dire Éginhard, ou bien aurait-il discrètement facilité la cérémonie? La question demeure obscure.

12 Au IIIᵉ siècle, pour faciliter l'administration et la défense du territoire, l'Empire romain avait été partagé en deux moitiés dont les capitales respectives étaient Rome et Byzance.

13 Il s'agit de Haroun al-Rachid, le héros de beaucoup de contes des *Mille et une Nuits*. Les relations avec cet « infidèle » peuvent surprendre. En réalité, il s'agissait d'une manœuvre diplomatique destinée à contrebalancer la puissance des empereurs de Byzance.

14 Les Francs ne connaissaient encore que les sabliers et les cadrans solaires.

LE RÉVEIL CAROLINGIEN

Architecture et sculpture

Charlemagne a fait tant d'efforts en faveur de l'instruction, que certains historiens ont parlé de « renaissance carolingienne ». À vrai dire, les élites carolingiennes n'étaient pas animées par l'amour désintéressé des lettres ou des sciences; leur but était éminemment pratique. Il s'agissait de construire des églises, de former un clergé, d'enseigner les principes du christianisme à des masses ignorantes. Mais, pour amorcer ce programme, il a bien fallu commencer par rechercher les œuvres de l'Antiquité romaine et byzantine.[1]

Pour embellir leurs constructions et se faciliter le travail, les constructeurs carolingiens se sont efforcés d'insérer dans leurs édifices des colonnes et des éléments architecturaux trouvés dans les ruines romaines. Parfois, ils ont tenté d'imiter les spécimens d'architecture byzantine qu'ils voyaient en Italie; ils ont, notamment, étudié l'église Saint-Vital de Ravenne,[2] dont le plan circulaire et les riches mosaïques sont du style byzantin le plus pur.

La sculpture carolingienne est maladroite mais, peu à peu, elle acquiert de l'importance. Les techniques des sculpteurs gréco-romains avaient sombré dans le grand naufrage des Ve et VIe siècles. D'ailleurs, les premières générations chrétiennes avaient regardé les arts du ciseau avec soupçon. À leurs yeux, une sculpture était, avant tout, une idole païenne. D'ailleurs, la loi mosaïque interdisait formellement de faire des « images » de Dieu. Dans ses premiers balbutiements, l'art chrétien s'était contenté d'utiliser des motifs ornementaux ou des symboles religieux: la colombe représentait le Saint-Esprit, le poisson représentait le Christ et la main exprimait la toute-puissance divine. Pour comprendre ces signes, il fallait, évidemment, une certaine culture; or le clergé avait à faire à des masses ignorantes encore pénétrées de paganisme. Le moyen le plus direct pour atteindre les esprits rustres était la prédication par l'image; l'Église ne pouvait pas se priver de ce procédé didactique. Les figures de Dieu, du Christ et des saints apparurent d'abord avec un faible relief, ressemblant plus à des gravures qu'à des sculptures proprement dites.[3] À partir du IXe siècle, ces figures iront en se perfectionnant jusqu'à ce qu'elles deviennent véritablement des sculptures romanes.

Reliquaires carolingiens

La sculpture sur pierre resta médiocre; par contre, l'orfèvrerie carolingienne a réalisé des œuvres admirables.[4] À l'époque, la richesse d'une église ou d'une abbaye s'évaluait au nombre des reliques en sa possession. Des spécialistes dans ce genre de commerce découvraient, achetaient ou même se procuraient frauduleusement les restes des saints. Une fois la relique acquise, il fallait l'abriter dans un reliquaire. Ce réceptacle pouvait avoir les formes les plus variables: coffret, bras, buste, tête ou toute autre partie du corps. Les reliques de sainte Foy de Conques,[5] par exemple, furent placées dans une niche aménagée à l'intérieur d'une statue représentant la jeune martyre, assise en majesté sur un trône. L'œuvre a d'abord été exécutée en bois, matière facile à travailler, puis elle a été recouverte de plaques d'or rehaussées de pierres précieuses.

La tâche des copistes

Après les reliques, les objets les plus prisés étaient les manuscrits. Les riches monastères pouvaient posséder jusqu'à deux cents volumes; les communautés peu fortunées n'en avaient pas un seul. Les abbés les plus éclairés encourageaient, ou même forçaient, leurs moines à se rendre au *scriptorium* pour copier les Écritures. C'était un travail pénible; certains copistes se plaignaient d'avoir mal aux doigts ou au dos, ou de souffrir du froid! Une Bible occupait un homme pendant un an; un texte de luxe exigeait des années d'effort. Pour se faciliter la tâche, certains monastères se prêtaient des manuscrits ou faisaient déplacer des moines pour qu'ils aient accès aux textes désirés.

Par ignorance, les copistes mérovingiens avaient introduit dans les textes des erreurs qu'il fallait corriger. Dans l'un de ses ouvrages, Alcuin souligne l'importance des signes de ponctuation; il met ses élèves en garde contre la mauvaise calligraphie qui risque d'entraîner l'altération de certains mots. Il signale, notamment, que de nombreux copistes confondent *bibere* (boire) et *vivere* (vivre), *bacca* (baie) et *vacca* (vache), *beneficus* (bienfaiteur) et *veneficus* (empoisonneur)![6]

Ces erreurs provenaient d'un manque de culture. À ses débuts, l'Église avait combattu la littérature gréco-latine qu'elle jugeait pernicieuse, jusqu'à ce que des hommes d'élite se rendent compte que l'ignorance risquait de mettre en péril l'héritage chrétien. On finit par sentir que des connaissances de base étaient nécessaires à l'étude des saintes Écritures. Le renouveau culturel de l'époque carolingienne est né de ce besoin.

L'œuvre scolaire d'Alcuin

Alcuin n'a pas inventé de système d'éducation. Il a, tout simplement, repris aux auteurs de l'Antiquité un programme d'études et une méthode.

Archives Photographiques

Reliquaire de sainte Foy. Trésor de l'église de Conques (Aveyron).

À la suite d'Aristote, de Cicéron, de Sénèque et de saint Augustin, il fait reposer l'instruction sur sept disciplines de base. Ces « sept arts libéraux » se répartissaient en deux groupes: le *trivium* et le *quadrivium*. Le *trivium* comprenait les trois matières jugées essentielles: la grammaire, la rhétorique et la dialectique. Le *quadrivium* comprenait quatre matières plus spécialisées: l'arithmétique, la géométrie, la musique et l'astrologie. Ces disciplines devaient conduire l'élève, pas à pas, vers la compréhension des textes sacrés.

La grammaire latine était, et restera pendant des siècles, la discipline par excellence. Jusqu'au XVIIIe siècle, instruction et connaissance du latin seront synonymes. La rhétorique était l'art de bien construire les phrases et la dialectique était l'art de conduire le raisonnement. Le traité de dialectique écrit par Alcuin lui-même, se présente sous la forme d'un dialogue entre un jeune noble de 16 ans et son maître. En voici un spécimen:

Pépin	Qu'est-ce que l'écriture?
Albin	La gardienne de l'histoire.
Pépin	Qu'est-ce que l'air?
Albin	Le gardien de la vie.
Pépin	Qu'est-ce que la vie?
Albin	La joie des heureux, l'attente de la mort.
Pépin	Qu'est-ce que la mort?
Albin	Un événement inévitable, un voyage incertain...
Pépin	Qu'est-ce que la neige?
Albin	De l'eau froide.

Bible latine du IXe siècle. Saint Matthieu écrivant inspiré par un ange.

L'arithmétique se limitait aux quatre opérations, encore la soustraction était-elle rare et la division approximative du fait que l'on ne se préoccupait pas du reste! Les fractions n'étaient que vaguement esquissées. L'emploi exclusif des chiffres romains rendait les calculs fort difficiles à suivre. La géométrie présentait des questions enfantines ou des devinettes; des maisons carrées doivent être mises à l'intérieur d'une ville circulaire au triangulaire sans qu'il y ait d'espace perdu...[7] La musique portait surtout sur les règles du plain-chant et l'astronomie traitait des mouvements de la lune et du cycle de l'année liturgique.

Alcuin doit être jugé en fonction de son temps. Pour se faire comprendre de ses contemporains, il fallait bien qu'il s'exprime de façon simpliste. En enseignant quelques rudiments à des esprits incultes, il eut le grand mérite d'amorcer le mouvement culturel qui allait conduire à la civilisation médiévale.

NOTES

1 La civilisation byzantine se développa à partir du IVe siècle après Jésus-Christ, autour de la Méditerranée orientale. La ville principale était Constantinople (également appelée Byzance puis Istamboul). La civilisation byzantine bénéficia de deux avantages considérables: elle fut relativement à l'abri des Grandes Invasions et elle put recueillir une grande partie de l'héritage culturel de l'Antiquité gréco-romaine.

2 La ville de Ravenne (Ravenna) en Italie, dépendait de l'Empire de Byzance. La construction de Saint-Vital date du VIe siècle.

3 L'art du VIIe au IXe siècle est parfois désigné par le terme d'art pré-roman.

4 Comme tous les Barbares, les Francs avaient toujours été fort habiles dans le travail du métal.

5 Conques, petite ville du sud-ouest, possède une église romane et un trésor célèbre. Le reliquaire de Sainte-Foy est une œuvre du IXe siècle.

6 La confusion du *b* latin avec le son *v* était fréquente chez les scribes de langue germanique.

7 Réponse: le problème est impossible!

L' ÂGE DES CALAMITÉS

Une barque normande.

Par une tragique ironie du destin, Louis, l'unique héritier de Charlemagne, était tout l'opposé de son père. De caractère faible et vaniteux, il était aisément influencé. Fort dévot, il laissa le clergé prendre de l'ascendant sur lui. Ses contemporains le surnommèrent Louis le Pieux. À cette époque guerrière, l'adjectif « pieux », accolé au nom d'un souverain, paraît peu flatteur! Même dans sa vie matrimoniale, Louis semble avoir manqué d'habileté. Il est probable qu'il choisit son épouse, non pour des raisons d'état, mais à la suite d'un concours de beauté! Pis que tout, il laissa sa femme manœuvrer les affaires politiques.

Les problèmes que Charlemagne avait dominés grâce à sa puissante personnalité, ne tardèrent pas à surgir avec une acuité croissante. Le clergé faisait preuve d'un esprit d'indépendance; les comtes et les riches propriétaires s'émancipaient, au plus vite, de la tutelle de l'empereur. À la cour, les intrigues marchaient bon train; l'autorité faiblissait. Les ennemis du dehors allaient en profiter.

Au sud, les Sarrasins lancent d'audacieuses incursions; ils pillent les églises, s'emparent de prisonniers qu'ils revendent comme esclaves. Pour tenter de se protéger, les populations chrétiennes se groupent en villes ou villages fortifiés construits, de préférence, sur des éminences d'accès difficile. En Provence, notamment, certaines localités resteront perchées comme des nids d'aigle.

Au nord et à l'ouest, les Normands sont la terreur des populations. Les Normands (les hommes du nord) appartiennent à la race des Vikings. Établis dans les pays scandinaves, ils règnent en maître sur les mers, de la Baltique à l'Atlantique. Leurs embarcations, équipées à la fois de rames et de voiles, filent à dix nœuds à l'heure. « La tempête aide nos rameurs; l'ouragan est à notre service... » clame leur chant de guerre. Leur supériorité technique est telle qu'ils tiennent les côtes de l'Europe occidentale à leur merci. Ils occupent les embouchures des rivières; dans la région de Rouen, ils ont un camp à peu près permanent. En remontant vers l'amont, ils s'infiltrent à l'intérieur des terres. Ils atteignent Orléans, Toulouse; ils descendent jusqu'au Maroc, s'infiltrent en Méditerranée et remontent même le cours du Rhône.

Là où ils passent, les Normands pillent les villes et les monastères, à la recherche d'or et de pierres précieuses mais aussi de vin; ils adorent le vin! Ils inspirent une telle épouvante que, lorsque leurs barques sont signalées, les populations terrorisées se réfugient dans les églises en implorant: « De la fureur des Normands, délivrez-nous Seigneur.»

Tandis que les raids des Normands se poursuivent, l'Empire se désintègre de l'intérieur. De son vivant, Louis le Pieux a partagé ses états entre ses trois fils. Personne ne s'estime satisfait! Les frères rivaux s'arrachent les territoires, employant, tour à tour, la ruse, le mensonge, la violence. Au milieu de ces luttes sordides, un document ressort par son importance historique et linguistique: les *Serments de Strasbourg*.

Au départ, il s'agit d'une intrigue familiale. Louis, dit Louis le Germanique puisqu'il a reçu la Germanie en partage, veut faire un pacte avec son frère Charles le Chauve. Ce dernier a reçu en partage la région occidentale qui va devenir la France. Louis et Charles sont d'accord sur un point et, sans doute, sur un seul: ils haïssent leur frère Lothaire. En tant qu'aîné, Lothaire a reçu le titre d'empereur, alors que les deux cadets ne sont que rois. D'autre part, Lothaire a un territoire qui peut faire envie car il comprend les deux capitales impériales: Rome, la ville sainte, et Aix-la-Chapelle, la ville administrative. En réalité, ce territoire, auquel on donnera le nom de Lotharingie, est pratiquement impossible à défendre. Il est dépourvu d'unité ethnique ou géographique; ses deux longues frontières nord-sud ont été tracées de façon tellement arbitraire qu'il est voué à être démembré par les états voisins.

Les Serments de
Strasbourg *et le traité
de Verdun*

En 842, Louis et Charles se retrouvent à Strasbourg, à mi-chemin de leurs royaumes respectifs. Conformément à la coutume franque, les deux rois concluent leur accord en présence de leurs soldats. Pour se faire comprendre des soldats de Louis, Charles prononce son serment en langue germanique. Quant à Louis, pour se faire comprendre des soldats de Charles, il prononce son serment en langue romane. Après cela, chacun des deux groupes de soldats s'exprime dans sa propre langue: les Germains en langue germanique, les Francs de l'ouest en langue romane.[1] L'engagement des deux chefs est renforcé d'un pacte collectif. Les serments se sont trouvés cités en langue vulgaire, à titre de documents, par un chroniqueur dont l'œuvre est écrite en latin.[2] Ils constituent les plus anciens textes romans connus.

En substance, les deux cadets se sont coalisés contre l'aîné. Vu les circonstances, ce dernier n'a plus qu'à demander la paix. L'année suivante (843), les trois frères se réunissent à Verdun pour se repartager l'Empire. Lothaire fait fatalement les frais de l'opération; il garde le titre d'empereur mais son domaine n'est plus qu'une étroite passerelle entre l'Europe du nord et l'Italie.[3] Dans ces arrangements entre souverains, les sentiments des populations n'ont tenu aucune place.

Selon certains historiens, le traité de Verdun aurait été l'événement le plus tragique de l'histoire européenne. Si l'on compare la carte de l'Europe du ixe siècle à celle du xxe siècle, on remarque, en effet, que l'ancienne Lotharingie correspond à des régions qui, au cours de plus de 1 000 ans d'histoire, ont été déchirées par des luttes sans merci. Du nord au sud ce sont: la Hollande, la Belgique, les Flandres, le Luxembourg, la Lorraine (dont le nom vient de Lotharingie), l'Alsace, la Rhénanie, la vallée du Rhône, l'Italie... Ces territoires seront l'enjeu des grands conflits européens; ceux qui deviendront indépendants ne constitueront leur unité nationale que tardivement. Néanmoins, le démembrement de l'Europe occidentale ne date pas du traité de Verdun; il remonte aux Grandes Invasions. Momentanément, Charlemagne avait restauré une unité politique, mais sa construction était précaire du fait qu'elle reposait essentiellement sur le prestige d'une personnalité.

Le royaume de l'ouest porta d'abord le nom de *Francia Occidentalis* puis de *Francia* tout court.[4] Pendant plusieurs générations, les rois, successeurs de Charles le Chauve, s'épuisèrent à vouloir capter le titre d'empereur. Dans cette vaine poursuite, ils négligèrent leur royaume. Leur autorité devint quasiment nulle. Comme ils ne réussissaient plus à lever les impôts, leurs seules ressources provenaient de leurs domaines personnels. Les grands propriétaires, les hauts fonctionnaires, les évêques, ne firent rien pour renforcer le pouvoir central, bien au contraire!

Fragmentation du royaume

À son tour, le royaume se fragmente. Les anciens administrateurs carolingiens, comtes, ducs, marquis, se considèrent comme les maîtres absolus des domaines qu'ils administrent. Au cours du xe siècle, ils prennent l'habitude de mener leurs affaires à leur guise et de transmettre leurs fonctions à leur fils. L'hérédité devient coutumière puis, au bout de deux ou trois générations, elle est regardée comme un droit. Les grandes familles tendent même à contrôler les abbayes et les évêchés. Quand un siège épiscopal se trouve vacant, le seigneur s'arrange fréquemment à faire élire un candidat de son choix. L'un d'eux, pour ne pas laisser échapper des revenus substantiels, fait nommer évêque son propre fils... âgé de cinq ans! Le pouvoir effectif n'appartient plus aux souverains; il a glissé entre les mains des potentats locaux. La société féodale s'est constituée sur les ruines de l'Empire.

Paris assiégé par les Normands

Entretemps, les incursions des Normands s'aggravent. L'un des rois, Charles le Gros, homme obèse et épileptique, tente d'éloigner les pillards en leur donnant de l'argent et des trésors; un tel procédé ne fait qu'enhardir les agresseurs. En 885, des milliers de Normands remontent la Seine et arrivent devant Paris avec « 700 grands navires et une multitude innombrable de plus petits ».[5] Au dire d'un témoin, le lit de la Seine semble recouvert d'une forêt de mâts. Cette offensive menace tout le royaume car, une fois Paris franchi, les Normands pourraient pénétrer jusqu'au cœur du pays.

Le siège durera une année. Sous la direction d'Eudes, comte de Paris, les Parisiens résistent héroïquement. Eudes n'est pas un inconnu; avant lui, son père avait consacré sa vie à lutter contre les Normands. Le jeune comte s'auréole de gloire; des poèmes épiques sont composés en son honneur. Les ennemis doivent lever le siège mais, profitant de la faiblesse du roi, ils iront ravager la Bourgogne.

À mesure que grandit le prestige du comte de Paris, les Carolingiens se discréditent de plus en plus. Plutôt que de se défendre, ils essayent de négocier. Au commencement du Xe siècle, le roi cède à un groupe de Normands, commandés par Rollon (Rolf), la région de la basse Seine;[6] ce sera le duché de Normandie. Pour montrer qu'il accepte l'offre qui lui est faite, Rollon devrait aller prêter serment. La coutume voudrait qu'il baise le pied du monarque. Mais Rollon, bien trop fier pour s'abaisser à une telle cérémonie, charge l'un de ses hommes de s'en acquitter à sa place. Le soldat s'approche donc du roi, prend le pied royal entre ses mains puis, d'un tour de bras, fait basculer Sa Majesté à la renverse! Avec le temps, les Normands se convertiront au christianisme et s'attacheront au pays sans jamais, toutefois, perdre leur goût pour la navigation.

L'ascension des comtes de Paris

Pendant ce « siècle de fer », les vertus guerrières étaient indispensables à un roi. La succession au trône, de père en fils, était loin d'être définitivement acceptée. Pour conserver la couronne, une famille devait s'acquitter avec succès de ses tâches militaires. Or, trop de Carolingiens faisaient preuve de vanité et de mollesse. Le fil dynastique ne se brisa pas d'un seul coup. Quand le trône se trouvait vacant, les grands personnages du royaume s'assemblaient. Parfois ils acclamaient le fils du défunt, parfois ils préféraient un membre de la famille des comtes de Paris. Le pendule oscilla pendant un siècle. Dans ses détails, l'histoire de cette période est fort confuse; envisagée à vol d'oiseau, elle ressemble à une compétition entre deux équipes. Les Carolingiens avaient pour eux la tradition juridique et le souvenir prestigieux du « Grand Empereur ». Les comtes de Paris avaient pour eux l'admiration des peuples qu'ils avaient su défendre et l'appui de certaines hautes personnalités laïques et ecclésiastiques. Ils protégeaient les évêques et surtout les moines. Or, à l'approche de l'an mil, les fondations religieuses se multipliaient. Des prédictions, des années de famine et d'épidémies, des présages inquiétants, faisaient planer le spectre de la fin du monde.[7] La crainte du Jugement Dernier poussait les chrétiens à la repentance. Des ordres monastiques éprouvaient le besoin de se réformer; des églises étaient agrandies ou mises en chantier; les fidèles léguaient leurs biens au clergé.

Couronnement de Hugues Capet

En 987, le roi carolingien mourut sans laisser d'héritier direct. Il avait bien un cousin, mais l'archevêque de Reims organisa une vive campagne électorale en faveur de Hugues Capet, comte de Paris. « Le trône, déclara-t-il, ne s'acquiert pas par droit héréditaire et l'on ne doit mettre à la tête du royaume que celui qui se distingue, non seulement par la noblesse corporelle, mais encore par les qualités de l'esprit.» Présenté comme « le défenseur de la cause publique » et des « intérêts privés »,[8]

Hugues fut acclamé à l'unanimité par les grands. Un mois plus tard, il était sacré à Reims par l'archevêque qui l'avait si bien servi.

Comme, dès lors, la couronne allait demeurer dans la même famille jusqu'à la fin de la monarchie, c'est à Hugues que revient l'honneur d'avoir fondé la dynastie dite « capétienne ». Malgré de multiples recherches, l'origine du nom Capet demeure incertaine. Il s'agissait d'un surnom, mais que voulait-il dire? Certains historiens pensent qu'il signifiait « celui qui porte un court manteau », une petite cape. D'autres prétendent qu'il signifiait « celui qui est propriétaire d'abbayes ». La chape, en effet, était un vêtement que portaient les hommes, laïques ou ecclésiastiques, qui étaient propriétaires d'un domaine sur lequel une abbaye était établie. Sans doute un certain mystère flottera-t-il toujours sur ces lointaines origines. Quoi qu'il en soit, du xe au xixe siècles, vont se succéder sur le trône, trente-trois rois Capétiens dont l'histoire se confond avec celle de la France.

NOTES

1 Il y eut donc quatre serments (deux prononcés par les rois et deux par les soldats). Voici la traduction en français moderne du serment prononcé par Louis en langue romane: « Pour l'amour de Dieu et pour le peuple chrétien et notre salut commun, à partir d'aujourd'hui, dans la mesure où Dieu me donnera savoir et pouvoir, je secourrai ce mien frère Charles... et je ne tiendrai jamais avec Lothaire aucune assemblée qui puisse être préjudiciable à mon frère Charles ici présent.»

2 Nithard, *Histoire des fils de Louis le Pieux*, Classiques de l'histoire de France, 1926. Nithard était un petit-fils (bâtard) de Charlemagne.

3 Il avait environ 1 500 km de long sur 200 km de large.

4 À l'origine, les trois territoires découpés dans l'Empire de Charlemagne portaient tous le nom de *Francia* (*Francia Media, Orientalis* et *Occidentalis*). Seul le royaume occidental conservera le nom de *Francia*.

5 Abbon, *Le Siège de Paris par les Normands*, Classiques de l'histoire de France, 1942.

6 En fait, les Normands étaient déjà depuis longtemps les maîtres de cette région.

7 Aux environs de l'an mil, l'Europe connut une quarantaine d'années de disette et plusieurs famines sans parler des guerres, pillages, incendies, épidémies de typhus et de peste... Ces circonstances ont probablement impressionné les populations, plus encore que les prédictions qui annonçaient la fin du monde pour l'an mil.

8 Richer, *Histoire de France* (traduction Latouche, édition Champion), Vol. I, livre I, chapitre 11.

CLUNY

Dans toutes les grandes réalisations médiévales, les moines ont apporté une contribution capitale. Plusieurs facteurs jouaient en leur faveur. Conformément à la tradition du monachisme, ils vivaient en communautés; or, pendant ces siècles de violence, tout individu devait rechercher la protection d'une collectivité ou d'un homme plus puissant que lui. Même pendant les périodes les plus barbares, les moines avaient conservé quelques livres, parfois quelques pièces d'orfèvrerie. Ils disposaient de quelques biens, tout au moins de quelques terres qui leur avaient été léguées. Enfin, aux yeux de leurs contemporains, ils étaient des hommes consacrés à Dieu. Par crainte de la vengeance divine, presque personne n'aurait osé s'attaquer à un ecclésiastique.

Malgré leur situation privilégiée, les monastères subissaient les contre-coups des cataclysmes. L'écroulement de l'Empire de Charlemagne et les invasions normandes précipitèrent la crise. Les moines fermèrent leurs écoles et se désintéressèrent des études. Beaucoup d'entre eux ne vivaient plus que pour la chasse, les expéditions guerrières et les femmes. L'anarchie et la violence régnaient chez eux, comme partout ailleurs. Des laïcs étaient propriétaires de nombreux domaines ecclésiastiques. De toute façon, moines ou guerriers, c'est à peine s'ils se distinguaient les uns des autres.

Au Xe siècle, le renouveau monastique allait s'amorcer grâce à quelques âmes d'élite.

La fondation de Cluny

En 909, un puissant seigneur, Guillaume, duc d'Aquitaine, sentit la mort approcher. Il avait quelques péchés de jeunesse à racheter aussi décida-t-il de fonder un monastère sur l'une de ses nombreuses terres. Le domaine de Cluny en Bourgogne fut choisi. L'acte de donation stipulait:

> ...là vivront des moines soumis à la règle de saint Benoît.[1] Ils posséderont des objets donnés pour l'éternité, ils les conserveront et les administreront à leur gré. Que ce soit là véritablement la maison de prière, ouverte à tous ceux qui voudront implorer la miséricorde céleste ...[2]

La nouvelle fondation ne groupe qu'une douzaine de moines mais elle jouit d'une situation exceptionnelle du fait qu'elle est libre de toute autorité civile ou ecclésiastique. Elle ne dépend que de Rome, et encore, « pour sa protection et non pour sa domination ». Ni les seigneurs, ni les évêques, ni le roi, ni même le pape, ne peuvent envahir ses terres. Les collecteurs d'impôts ne franchiront jamais le seuil de la porte.

Archives Photographiques

Vestiges de l'abbaye de Cluny (Bourgogne).

Au départ, Cluny est bien peu de chose: quelques moines vêtus de noir, vivant dans des cabanes au fond d'une vallée boisée. L'ordre va trouver ses vraies richesses dans la personnalité de ses premiers abbés.[3] Du Xe au XIe siècles, six grands chefs spirituels vont le placer à l'avant-garde du christianisme.

La réforme clunisienne

Sous la direction de leurs abbés, les Clunisiens s'efforcent de vivre selon les principes qu'avait établis saint Benoît, le fondateur du monachisme. La règle bénédictine — pauvreté, chasteté et obéissance — est rétablie. Les besognes matérielles sont réduites au minimum. La plupart des travaux des champs sont confiés aux paysans et aux serfs qui dépendent de l'abbaye. Les moines consacrent la plus grande partie de leur temps à l'étude et à la prière communautaire. Tous les pouvoirs de direction sont concentrés entre les mains de l'abbé. Cette discipline élimine les éléments indésirables et renforce les volontés individuelles. Seules subsistent les véritables vocations religieuses.

Cluny prêche par l'exemple. Son prestige grandit. Certains monastères décident, à leur tour, de se réformer et de vivre la règle bénédictine. D'autres demandent à se placer sous l'autorité de Cluny. À partir de la maison-mère, les grands abbés dirigent un nombre croissant de communautés; grâce à de fréquents voyages, ils maintiennent la cohésion de l'ensemble. Des groupes de moines partent implanter de nouveaux monastères dans les contrées où le christianisme est encore combattu; ils vont en Espagne, dans le sud de l'Italie et jusqu'en Pologne. En l'espace de deux siècles, Cluny arrive à constituer un véritable empire. Au début du XIIe siècle, au moment de l'apogée de l'ordre, l'abbé tiendra sous sa crosse 1 450 maisons réunissant plus de 10 000 moines.

Un prestige universel

Il n'y aura jamais de monopole. Plusieurs fondations gagnent un renom considérable mais aucune ne jouit du prestige universel de Cluny, cette « seconde Rome ». Les abbés font frapper leurs propres pièces de monnaie; souvent, ils sont appelés à ramener la paix dans les familles princières et à jouer le rôle de médiateurs entre les souverains. L'un d'eux, l'abbé Mayeul, est appelé « l'arbitre des rois ». Les papes n'entreprennent rien sans consulter Cluny dont l'aide leur est indispensable. Les Clunisiens rechristianisent l'Espagne au fur et à mesure de la reconquête; ils réorganisent l'église d'Italie; protégés par Guillaume le Conquérant, ils vont réformer les monastères anglais.

Cluny et Rome restent étroitement liés. Plusieurs Clunisiens sont élus papes. L'un d'eux, Urbain II, prend une décision capitale. À l'issue d'un concile tenu à Clermont en Auvergne, il lance la Croisade (1095). À son appel, des milliers de chrétiens partent vers la Terre sainte pour délivrer le tombeau du Christ. Avant de regagner Rome, Urbain II fait un détour pour revoir son ancien monastère. À cette occasion, il consacre le maître-autel de la nouvelle église abbatiale. Aux yeux de la chrétienté, Cluny est devenu « la lumière du monde ».

L'art clunisien

Rien de trop beau pour Dieu, tel est le principe de l'ordre. Avec les Clunisiens, l'art devient une force spirituelle, l'une des voies qui mènent à Dieu. De toutes les constructions du Moyen Âge roman, la plus extraordinaire était l'église de Cluny. Malheureusement, pendant la Révolution, elle se trouvera presque intégralement démolie,[4] pierre par pierre, par les habitants des environs qui viendront y puiser des matériaux de construction comme dans une carrière.

L'église de Cluny était la plus vaste de toute la chrétienté; elle mesurait plus de 141 m de long. Sa structure et sa décoration étaient romanes. Le plan général était celui d'une croix de Lorraine: la grande nef était coupée par deux transepts. Le chœur était entouré d'un large déambulatoire de sorte que plusieurs groupes de pèlerins pouvaient, simultanément, faire le tour de l'édifice sans causer de confusion. Plus de 1 200 chapiteaux sculptés, des mosaïques, des peintures murales, des pièces d'orfèvrerie, des coupoles audacieuses concouraient à la beauté de l'ensemble. Les voyageurs qui passaient par Cluny en gardaient un souvenir éblouissant. Par leurs évocations, ils contribuaient, sans même s'en rendre compte, à stimuler chez leurs contemporains le désir de construire des églises aussi riches et aussi vastes que possible. L'église de Cluny a servi de modèle mais, ce qui était encore plus important, elle a inspiré l'amour de l'architecture religieuse.

Les routes de Saint-Jacques-de-Compostelle

La grande pensée des moines demeurait l'apostolat. Pour eux, il s'agissait de ranimer la foi des chrétiens peu zélés et de rechristianiser les contrées qui s'étaient trouvées assujetties par les musulmans. Les pèlerinages constituaient l'un de leurs principaux moyens d'action. À une époque où ils étaient longs, pénibles et hasardeux, les voyages passaient pour avoir une haute valeur spirituelle. Dans la majorité des cas, le pèlerin devait se rendre à un ou plusieurs sanctuaires locaux réputés pour leurs reliques. La longueur de l'itinéraire variait selon l'importance de la faute qu'il fallait racheter. Évidemment, les lieux les plus vénérés étaient ceux qui se rattachaient directement aux origines du christianisme. La Terre sainte, malheureusement, était difficilement accessible. Avant que les croisés ne rouvrent les chemins de Jérusalem, le pèlerinage par excellence était celui de Saint-Jacques-de-Compostelle en Espagne. Selon une légende — historiquement fausse — l'apôtre saint Jacques aurait passé la dernière partie de sa vie et aurait été enterré en Galice, au nord-ouest de l'Espagne. Dès le XIe siècle, les Clunisiens encourageaient les fidèles à se rendre sur la tombe de l'apôtre. Pour un habitant du nord de la

France, il fallait cinq ou six mois pour faire le chemin aller et retour. C'était là le grand événement d'une existence; de retour dans son village, le pèlerin en parlait jusqu'à sa mort!

Comme il n'existait aucune hôtellerie, même primitive, les Clunisiens furent conduits à construire des abbayes le long des parcours les plus fréquentés. Dix pour cent des revenus de ces communautés devaient être employés à soulager les voyageurs. Ainsi, entre deux étapes, les pèlerins pouvaient refaire leurs forces. Cela n'était pas encore suffisant. Les routes — là où elles existaient — n'étaient que les vestiges des anciennes voies romaines. Les Clunisiens ont donc encouragé la construction, ou la remise en état des routes et des ponts. C'est en partie grâce à eux que se constituèrent des congrégations de frères, dont la mission était de construire des ponts.[5]

Enfin, les pèlerins avaient besoin d'itinéraires. Dans la plupart des cas, on leur donnait, de vive voix ou par écrit, des indications sommaires. Au début du XIIe siècle, un moine composa en latin un véritable petit livre: *Le Guide de Saint-Jacques-de-Compostelle*.[6] L'auteur anonyme y a décrit les quatre itinéraires qui, à son époque, permettaient de se rendre en Galice. Il n'a pas manqué de signaler les sanctuaires et les reliques que le pèlerin allait trouver sur son parcours. Bien entendu, il a attiré l'attention du voyageur sur les lieux où étaient passés Charlemagne et ses preux chevaliers. En rappelant, à propos des cols des Pyrénées, le souvenir de Roland, les Clunisiens ont contribué à perpétuer l'histoire de Charlemagne et à enrichir sa légende.

La « paix de Dieu »

La plupart des moines étaient trop réalistes pour s'imaginer que les hommes pourraient éliminer leurs instincts de violence. Comme ils ne pouvaient pas bannir la guerre, ils se sont appliqués à la rendre moins barbare et moins injuste.

Vers la fin du Xe siècle, ils dirigent un mouvement en faveur de la paix. Ils prêchent « la paix de Dieu » et en font accepter les principes généraux par plusieurs conciles successifs.[7] Désormais, sera frappé d'anathème tout homme qui osera attaquer une église, molester un ecclésiastique, un voyageur sans défense ou un marchand non armé. La même sanction frappera tout homme qui volera un pauvre ou un paysan...

Une fois franchi le cap de l'an mil, l'anarchie et la barbarie sont en recrudescence. Cette nouvelle crise de violence provient du fait que les hommes ne se sentent plus menacés par la perspective de la fin du monde. Cluny reprend son apostolat. Aux cris de « Pax, pax, pax! » des foules s'assemblent autour des moines et des évêques. Le mouvement s'étend. Enfin, assemblés en un concile,[8] des hommes, des femmes et même des enfants formulent la « Trêve de Dieu ». Désormais il est interdit d'attaquer qui que ce soit, de la neuvième heure du samedi jusqu'à la première heure du lundi. En France, la Trêve de Dieu semble avoir joui d'un grand prestige puisqu'elle a été étendue du mercredi soir au lundi matin. Ceux qui font serment de respecter la trêve sont absous de tous leurs péchés, mais les parjures sont punis d'excommunication.

Peu à peu, cet engagement sera pris par tous les jeunes nobles se destinant au métier militaire. À partir du XIe siècle, le caractère religieux de la chevalerie ira en s'accentuant. L'armement d'un chevalier deviendra un rite quasi sacramentel. Le jeune chevalier passera une nuit en prière dans une église, ses armes placées au pied de l'autel. Le lendemain matin, il recevra la communion, on lui remettra ses armes puis il s'engagera à « combattre toute injustice et à protéger la vierge, la veuve et l'orphelin ».

Entre le dixième et le douzième siècles, les mœurs ne se sont humanisées que fort peu. La chevalerie est restée un idéal; elle a inspiré les poètes plus que les guerriers. Pourtant, en s'efforçant de mettre la force au service du bien, les moines de Cluny ont contribué à réveiller la conscience chrétienne et à préparer l'épanouissement de la civilisation médiévale.

NOTES

1 Saint Benoît fonda au VIe siècle le monastère du Mont-Cassin (Italie). La règle bénédictine restera à la base de toutes les communautés monastiques.
2 Voir: Champly, *Histoire de l'abbaye de Cluny*, Librairie Centrale des Sciences, Paris 1930, p. 23.
3 Abbé, supérieur d'une abbaye.
4 Il n'en subsiste plus qu'un clocher.
5 C'est un moine, saint Bénézet, qui, de 1172 à 1188, contruisit le célèbre pont d'Avignon sur le Rhône. Son exploit fut regardé comme un miracle.
6 Voir le texte et sa traduction chez Vieillard, Mâcon 1938.
7 Vers 989.
8 Au concile de Narbonne en 1054.

PREMIERS CAPÉTIENS
ET FÉODAUX

Hugo Rex,
monogramme de Hugues Capet.

I LA SOCIÉTÉ FÉODALE

Le « domaine royal » Hugues Capet était roi, mais son pouvoir était des plus précaires. Il devait sa couronne aux barons et aux ecclésiastiques qui l'avaient élu, et ces derniers ne se privaient pas de le lui rappeler! L'incident suivant est révélateur. Peu de temps après son couronnement, Hugues tentait d'arrêter les entreprises belliqueuses d'un puissant seigneur, le comte de Périgord. Voulant remettre le comte à sa place, le roi dit:

— Qui t'a fait comte?

Mais le comte riposta:

— Et, qui vous a fait roi?[1]

Depuis plusieurs générations déjà, de puissantes familles gèrent des domaines qu'elles considèrent comme leur appartenant de droit. Ces domaines s'appellent des fiefs. À la tête de son fief, le seigneur dirige les opérations militaires, la perception des impôts, l'administration de la justice. Solidement établi dans son château fortifié — dit château fort — il exerce son pouvoir sur tous les aspects de la vie du pays, même sur les écoles, les marchés, les voies de communication, les églises et les fondations religieuses. Les plus puissants de ces personnages portent le titre de comte ou de duc; ceux qui occupent une position moins élevée, portent le titre de marquis ou de vicomte.

En principe, le roi règne sur le royaume intégral. En fait, dans la plupart des régions, sa souveraineté est nominale. La seule partie du royaume où son autorité puisse s'exercer directement est l'ancien domaine des comtes de Paris. Là, aucun pouvoir seigneurial ne vient s'interposer entre lui et ses sujets. Mais, au XIe siècle, ce « domaine royal » est bien peu étendu. Il va de Paris à Orléans, au sud. Au nord, il n'atteint pas la ville de Beauvais. Il n'est même pas homogène. À l'intérieur, des propriétés ecclésiastiques et des terres seigneuriales constituent des îlots quasi indépendants.

Suzerains et vassaux Le reste du royaume est composé d'une mosaïque de fiefs, aux dimensions irrégulières, aux formes enchevêtrées. Les grands fiefs, tels que le Comté de Champagne, le duché de Normandie ou le duché d'Aquitaine, sont divisés en fiefs plus petits qui, à leur tour, sont subdivisés en parcelles et ainsi de suite. À ces divisions territoriales correspond une société hiérarchisée à structure pyramidale.

Au sommet, le roi a un pouvoir général de juridiction et de puissance. Personne n'est au-dessus de lui — sinon Dieu. Directement au-dessous du roi viennent les grands seigneurs, les « pairs » du royaume. Ceux-ci dirigent des fiefs qui, souvent, sont plus vastes et plus riches que le « domaine royal ».[2] Néanmoins, selon les principes du droit féodal, le roi reste leur *suzerain*, c'est-à-dire leur supérieur. Si grands qu'ils soient, les seigneurs sont les *vassaux* ou, comme on dit, les *hommes* du roi.

Les grands seigneurs ont leurs propres vassaux qui, à leur tour, ont les leurs etc.... À quelque échelon que l'on soit, suzerain et vassal sont liés par un serment d'homme à homme. Lorsqu'un suzerain accorde un fief, il promet à son vassal de l'aider s'il est attaqué. Quant au vassal, il s'engage, d'abord, à défendre le fief qui lui est confié; c'est là son devoir fondamental. En outre, il s'engage à secourir son suzerain si celui-ci se trouve attaqué, à combattre pour lui pendant au moins quarante jours par an et, dans certains cas, à lui fournir une contribution financière. Par exemple, le vassal fera une donation à son suzerain quand celui-ci mariera sa fille aînée ou quand il partira combattre les infidèles.

Le serment féodal ne lie que deux hommes. En vertu de ce principe, un suzerain ne peut demander de services qu'à ses vassaux immédiats. Si, dans un cas grave, il lance un appel à tous les seigneurs, jusqu'au bas de l'échelle, il doit obtenir le consentement des intermédiaires hiérarchiques. Cette rigoureuse stratification se résume par la formule: « l'homme de mon homme n'est pas mon homme ».

L'hommage Les contrats peuvent varier dans leurs détails, mais les rites qui accompagnent la prestation de serment sont quasi immuables. Le suzerain étant assis sur son trône, le vassal vient s'agenouiller devant lui. Ensuite, le vassal place ses mains jointes entre celles de son supérieur en disant:

— Sire, je deviens votre homme.

Alors, en signe de protection, le suzerain étreint les mains de son subordonné en disant:

— Et je vous reçois comme mon homme.

Après quoi, les deux hommes se donnent le baiser de paix et, pour clore la cérémonie, ils se jurent fidélité sur des reliques ou sur les Évangiles. Du haut en bas, ce lien cimente les échelons de la pyramide féodale.

La transmission des fiefs Pourquoi rois et seigneurs aliènent-ils en partie leurs domaines en les confiant à des vassaux? Notons tout d'abord que dans la plupart des cas, les fiefs se transmettent de père en fils, sans que le suzerain puisse intervenir. Le plus souvent, la cérémonie de l'hommage ne fait que sanctionner une situation de fait. Au Moyen Âge, tout se transmet de père en fils; la couronne royale, les seigneuries et jusqu'aux moindres métiers. Les populations forment de petits groupes cloisonnés; la société a un caractère de fixité et l'Église entretient le respect de l'ordre établi. Tout se passe comme si les traditions étaient l'œuvre de Dieu lui-même.

D'autre part, pour qu'un domaine se trouve protégé il faut qu'il soit sous la sauvegarde d'un seigneur. Une terre non défendue est vouée à être ravagée et subjuguée. Qu'il s'agisse d'opérations militaires de grande envergure, ou de conflits privés entre deux féodaux de moindre importance, la guerre sévit à l'état latent. Enfin, le système répond à la situation économique. Les mines d'or et d'argent sont presque épuisées et la quantité de numéraire en circulation est infime. Tous les aspects de l'activité s'en trouvent affectés. Si un roi ou un seigneur désire récompenser un fidèle serviteur, ou s'il désire gagner les bonnes grâces de quelqu'un, en général il lui offrira un fief plus ou moins grand. Le plus souvent, il n'aura pas les moyens d'offrir autre chose.

Une fois admis le principe de l'hérédité, selon quelles modalités les fiefs sont-ils transmis? Rien de catégorique ne sera jamais énoncé. La France médiévale n'a pas de lois; elle n'a que des coutumes, variables d'une région à l'autre. Les décisions ont souvent un caractère plus empirique que juridique. Si un seigneur meurt en laissant un fils, normalement celui-ci succède à son père, tout au moins s'il est assez vieux pour prendre la direction du fief. Un enfant en bas âge risque de se faire déposséder par ses oncles; cela se produira chez les Plantagenêts. Si un seigneur ne laisse qu'une fille, la situation est plus ambiguë. Dans le Midi, dans les régions où la femme jouit d'un grand prestige social, on admet qu'elle puisse hériter d'un fief. La transmission se trouve facilitée s'il s'agit d'une femme d'âge adulte, mariée à un homme capable d'assurer les responsabilités militaires de la seigneurie. Dans le nord où les mœurs resteront longtemps plus guerrières, la femme est généralement écartée de la succession et le fief passe au plus proche parent masculin, neveu, oncle ou cousin. Néanmoins, dans la famille des ducs de Normandie, la succession féminine sera acceptée. Chez les Capétiens, la question ne se posera pas avant le XIVe siècle car, pendant onze générations consécutifs, chaque roi aura une postérité masculine.

Le lot du paysan Même rudimentaires, les tâches administratives et militaires exigent des moyens. Les pays sont sans cesse menacés par le brigandage, les incursions des ennemis et les convoitises des voisins. Pour défendre le territoire, il faut construire des forteresses; pour combattre, il faut des chevaux, des armures, des soldats. Un roi ou un seigneur tire des ressources des terres qui lui appartiennent personnellement.[3] Toutefois, si considérables qu'ils puissent paraître aux yeux des paysans, les revenus de ces terres ne suffisent pas à assurer l'entretien d'une armée et d'un certain train de cour. Il faut donc que tous les habitants du fief participent aux frais. Les redevances sont multiples. Le paysan doit payer des impôts en argent mais également en nature. Même s'il est propriétaire de la terre qu'il cultive, il doit livrer au seigneur une certaine quantité de produits agricoles — tant de mesures de blé, tant de poulets ou de porcs... Chaque année il doit également fournir un certain nombre de journées de travail. Cet impôt-travail s'appelle la corvée. Souvent, ses charges sont écrasantes; par contre, il ne participe pas aux expéditions militaires; cela ne veut pas dire qu'il n'en souffre pas, loin de là! Le travail de la terre est le lot du paysan. La guerre est le métier des nobles.

Les serfs   Au-dessous du paysan, il existe une dernière catégorie d'individus dont les documents ne parlent guère: les serfs. Un serf n'est pas un esclave car l'Église a interdit de réduire les chrétiens en esclavage. Il n'appartient pas à un maître; par contre, il est attaché au domaine où il est né; il en fait partie, au même titre que les arbres ou les cours d'eau. De ce qu'il ne peut quitter sa terre d'origine, en principe, il ne doit ni se marier avec une personne de l'extérieur, ni rentrer dans les ordres. Malgré tout, entre le XIIe et le XIVe siècles, la situation s'assouplira. La plupart des serfs réussiront à acquérir quelques biens. Dans le « domaine royal » puis dans le reste du royaume, beaucoup d'entre eux obtiendront leur affranchissement sans que, en fait, leur condition de vie s'améliore sensiblement.

Bien que les chroniqueurs accordent peu de place à la vie des campagnes, la société médiévale est indissolublement liée à la terre. Les nobles et les ecclésiastiques dépendent des revenus qui proviennent de leurs domaines ou de ceux des paysans. La plupart des gens habitent des maisons de bois groupées en villages ou dispersées dans la forêt. De loin en loin, se dressent les murs d'un château seigneurial ou d'une abbaye. C'est là que réside l'autorité et la puissance protectrice. Jusqu'au XIIIe siècle, le royaume ressemblera à une juxtaposition de communautés locales, quasi indépendantes, présidées, en haut lieu, par un monarque lointain.

II   LES DÉBUTS DE LA DYNASTIE

Légitimité et culte
monarchique   La préoccupation fondamentale des premiers Capétiens était d'assurer la continuité dynastique. À tout prix, il fallait empêcher qu'à la mort d'un souverain, une assemblée seigneuriale remette en question le principe de l'hérédité. Pour déjouer les intrigues, les rois associaient, aussitôt que possible, leur fils aîné au gouvernement; ils prenaient même la précaution de le faire sacrer, de leur vivant, par l'archevêque de Reims. Hugues Capet fit couronner son fils Robert II, trois mois après sa propre accession au trône. Cette coutume se maintiendra jusqu'au XIIIe siècle. Saint Louis sera le premier souverain qui n'ait pas été couronné du vivant de son père mais, à cette époque, la légitimité capétienne sera hors d'atteinte.

Sentant qu'ils ne disposaient que de moyens matériels relativement médiocres, les rois s'efforcèrent de s'imposer par leur prestige juridique, moral et même mystique. Si un seigneur se parjurait, s'il ne rendait pas l'hommage, s'il se mariait sans le consentement de son suzerain, il s'exposait à perdre son fief. Une fois confisqué, un fief n'était presque jamais rendu au coupable. Mais, le roi était beaucoup plus qu'un haut fonctionnaire, ou même qu'un juge suprême.

Aux yeux de ses contemporains, il était le représentant de Dieu dans le royaume, il était personne sacrée; même ses ennemis éprouvaient à son égard un respect religieux. Fort habilement d'ailleurs, les Capétiens ont su mettre en valeur tout ce qui concourait au culte monarchique. Avec complaisance, ils ont laissé circuler les poèmes et les légendes qui faisaient remonter le cérémonial du sacre au baptême de Clovis, c'est-à-dire aux origines mêmes de la royauté chrétienne. Le jour de la cérémonie, dans la cathédrale de Reims, le roi était oint d'un chrême qui était descendu sur terre miraculeusement... Le rite de l'onction était semblable à celui que l'on utilisait pour la consécration des évêques. La royauté se hissait presque jusqu'à la dignité d'un sacerdoce, ce qui conférait au roi une autorité spirituelle analogue à celle du clergé. Une fois consacré, le monarque avait une certaine liberté d'action dans les affaires ecclésiastiques et, vis-à-vis de ses sujets, il était « l'Oint du Seigneur ».

La pratique des vertus chrétiennes contribuait encore à grandir le prestige moral du roi. Bien avant saint Louis, Robert le Pieux était qualifié par son biographe d'« homme parfait ». Mais la manifestation le plus retentissante de la puissance des Capétiens, celle qui allait droit au cœur du peuple, provenait des guérisons miraculeuses. À une époque où l'on ne distinguait pas de frontière précise entre les phénomènes naturels et les phénomènes surnaturels, les meilleurs esprits tenaient les « miracles » du roi pour authentiques. Le monarque passait pour avoir le don de guérir les écrouelles,[4] notamment le jour de son sacre. Les malades attendaient, rangés près du porche de la cathédrale de Reims. Aussitôt qu'il sortait, le nouveau roi s'arrêtait devant chaque scrofuleux, puis il faisait un signe de croix sur ses plaies en lui adressant « des paroles saintes et dévotes ».[5] Personne ne mettait en doute la vertu thérapeutique du toucher royal.

La monnaie du roi

En matière politique, les premiers Capétiens obéirent à leur instinct, plutôt qu'à des principes gouvernementaux que personne n'avait encore formulés. Très tôt, ils sentirent qu'il fallait limiter la diffusion et la circulation des monnaies seigneuriales. La plupart des seigneurs avaient pris l'habitude de battre leur propre monnaie, symbole de leur indépendance, au point que le royaume souffrait d'une véritable anarchie monétaire. Au

XIe siècle, il circulait environ 300 monnaies seigneuriales; au XIIIe siècle, il en circulait encore plus de 80, sans compter les monnaies étrangères et les anciennes pièces romaines. Il fallut des générations pour que, cahin-caha, la monnaie du roi finisse par s'imposer.[6]

Le mouvement communal

Par sympathie pour le peuple mais également par calcul, les Capétiens se sont montrés bienveillants à l'égard du mouvement communal. Les anciennes villes gallo-romaines n'avaient jamais complètement disparu mais, en tombant en décadence, elles avaient perdu leurs institutions municipales. À partir de la fin du XIe siècle, elles commencent à retrouver de l'importance. Cette reprise de l'activité urbaine provient d'un con-cours de circonstances: l'accroissement de la population, l'augmentation du nombre des artisans et des commerçants, le développement du com-merce, le perfectionnement des techniques, la diversification grandissante des métiers etc.... Des artisans qui jusqu'alors ont travaillé dans un château ou au pied d'un château, aspirent à s'émanciper de la tutelle seigneuriale. Les uns émigrent vers les anciennes villes, d'autres se grou-pent en communautés nouvelles. Leur solidarité fait leur force; ils sont en mesure de discuter avec l'évêque ou avec le seigneur. Certains con-temporains maudissent ces « communes » qui leur paraissent révolution-naires; il y a des incidents sanglants; pourtant, dans la plupart des cas, les choses finissent par s'arranger. On signe une charte, c'est-à-dire une sorte de contrat. Souvent à court d'argent, le seigneur reçoit une indem-nité ou la promesse d'un versement annuel. En échange, les bourgeois obtiennent des franchises; ils sont autorisés à gérer, en partie ou en totalité, les affaires internes de la « commune », à élever une enceinte fortifiée, à avoir leur propre milice etc.... À partir du XIIIe siècle, cer-taines villes, riches et influentes, joueront un rôle politique capital.

Guillaume le Conquérant

Malgré l'habile persévérance des premiers Capétiens, plus d'une fois la dynastie faillit être anéantie. En 1066, renouvelant la tradition de ses ancêtres Vikings, Guillaume, duc de Normandie, construisit une flottille, débarqua en Angleterre, écrasa le roi saxon Harold et se fit couronner roi d'Angleterre.

Divers facteurs avaient poussé Guillaume dans cette entreprise: la légitimité de Harold paraissait contestable; les moines de Cluny, anxieux d'étendre leur influence vers le nord, avaient donné leur appui; le pape s'était montré bienveillant; enfin, l'apparition d'une comète avait été interprétée comme la manifestation de la protection divine![7]

L'expédition avait été préparée avec grand soin; on peut en suivre le déroulement sur la célèbre broderie appelée, bien à tort, la Tapisserie de la Reine Mathilde.[8] Sur une bande de lin, longue de 75 m, les principaux épisodes se suivent, de gauche à droite, comme sur un film fixe. Les con-tours et les surfaces pleines sont rendus à l'aide de différents points de broderie. On voit, successivement, comme au cinéma, le chargement des bateaux (le vin n'était pas oublié!), la traversée, puis la bataille. Selon l'artiste, c'est Guillaume lui-même qui frappa Harold à mort. La dernière scène montre le duc remportant une victoire totale.

Capétiens et Plantagenêts

L'entreprise de Guillaume le Conquérant fut un événement crucial dans l'histoire politique, linguistique et culturelle de l'Angleterre, mais elle eut également des répercussions considérables du côté français. En tant que duc de Normandie, Guillaume devait l'hommage au roi de France; en tant que roi d'Angleterre, il était un souverain indépendant. Dès lors, tous les Capétiens devront guerroyer contre ce vassal devenu plus puissant qu'eux. Pendant les trois siècles qui vont précéder la guerre de Cent Ans, le problème anglo-normand constituera la préoccupation dominante des Capétiens. Les combats auront lieu surtout dans les régions contiguës au « domaine royal » et au duché de Normandie. Chaque belligérant dressera des châteaux forts. Les guerres seront envenimées par des conflits féodaux. Certains seigneurs belliqueux s'allieront au roi d'Angleterre contre leur suzerain; d'autres pratiqueront la politique de bascule et changeront de camp selon leurs intérêts du moment...

Dans cette lutte, les Capétiens n'étaient pas les plus forts, mais ils survécurent grâce à leur prestige moral et à leur bon sens. L'un des plus habiles fut Louis VI, dit Louis le Gros, en raison de sa corpulence. En dépit des obstacles, il consolida et grandit le « domaine royal », aidé par Suger,[9] un homme d'humble origine qui était à la fois son ami et son ministre. Le règne de Louis VI sonna le réveil de la dynastie.

Naturellement, chacun des adversaires essayait de combiner des mariages avantageux à sa famille. Mathilde, la fille unique du roi d'Angleterre, fut unie au comte d'Anjou, Geoffroi Plantagenêt. Ce mariage étendit encore les fiefs anglais sur le continent et il amena sur le trône d'Angleterre la dynastie des Plantagenêts dont le nom bien français atteste l'origine.

Les Capétiens ripostèrent; le fils aîné de Louis VI, le futur Louis VII, fut marié à Éléonore d'Aquitaine.[10] C'était là un coup de maître: l'épouse apportait en dot la région de l'Aquitaine, plus vaste que le « domaine royal ». Mais les conjoints ne réussirent jamais à s'entendre. Louis VII

Toile de lin brodée du XIe siècle, dite « Tapisserie de la Reine Mathilde ». À gauche, corps à corps entre un Normand (à cheval) et un Saxon (démonté). Au centre, Harold, frappé d'une flèche à l'œil, expire. À droite, les Saxons sont capturés. La bande inférieure fait fonction de champ de bataille.

Archives Photographiques

reprochait à sa femme sa frivolité; pour être à même de la surveiller, il l'emmena avec lui à la Croisade. En Terre sainte, Éléonore n'aurait pas eu une conduite exemplaire... Enfin, elle ne donnait au roi que des filles, alors que le trône exigeait un héritier mâle! D'autre part, les habitants du Midi voulaient conserver leurs libertés locales. Le mariage finit par être annulé.[11] Éléonore reprit sa dot puis elle se remaria avec Henri Plantagenêt. Deux mois plus tard, celui-ci devenait roi d'Angleterre sous le nom de Henri II! Cette fois, les fiefs anglais couvraient les deux-tiers du royaume de France. Comme pour mettre un comble à l'amertume de Louis VII, Éléonore donna, à son second époux, quatre fils!

Pourtant, la dynastie continua. Le successeur de Louis VII, Philippe II, dit Philippe Auguste, fut l'un des souverains français les plus remarquables.

Philippe Auguste   Monté sur le trône à 15 ans, Philippe Auguste connut, maintes fois, des heures difficiles, mais il réussit toujours à triompher des épreuves. La chance le favorisa. L'Angleterre était déchirée par des discordes causées par la haîne que se vouaient deux frères, Richard Cœur de Lion (Richard the Lion-Hearted) et Jean sans Terre (John Lackland).[12] Richard partit pour la Croisade et n'éprouva que des difficultés. De retour dans ses états, il reprit la lutte contre le Capétien mais, au cours d'un siège, il fut tué par une arbalète.[13] Devenu roi, Jean commit plusieurs infractions aux coutumes féodales; il omit, notamment, de rendre hommage pour ses fiefs à Philippe. Fort de son bon droit, celui-ci confisqua la Normandie et, en deux mois, se rendit maître du pays.

En 1214, le nord de la France est envahi. Philippe a contre lui l'empereur d'Allemagne, le roi d'Angleterre, les Flamands et les seigneurs révoltés. Il risque de tout perdre. À la dernière minute, des villes, Amiens, Beauvais et Compiègne, entre autres, envoient leurs milices à son secours. Le roi bat les coalisés à Bouvines. Pour la première fois, des bourgeois ont participé à une bataille. Bouvines est la première victoire nationale et, en même temps, la consécration définitive des Capétiens. C'est le point culminant d'un règne qui, en définitive, quadruplera l'étendue du « domaine royal ».

Philippe Auguste, « grand ramasseur des terres du royaume », fut également le premier grand administrateur de la dynastie. Grâce à lui, Paris prit définitivement rang de capitale. Le roi adorait sa ville. Il y fit construire un château, le premier Louvre, dont il ne subsiste que quelques traces,[14] mais il fit bien davantage. Un jour, incommodé par certaines odeurs peu appétissantes qui montaient jusqu'à ses fenêtres, il décida de faire paver les rues et de faire planter des arbres le long des plus larges. C'était là une innovation révolutionnaire. Il fit également aménager des aqueducs et des fontaines, ainsi qu'un vaste marché couvert que l'on appela les Halles. Autour de la ville, il fit construire une enceinte en pierres — l'enceinte Philippe Auguste — la première qui ait englobé à la fois les quartiers de la rive droite et ceux de la rive gauche.

Au milieu de l'île de la Cité, on achevait de construire la façade et la nef principale de la cathédrale Notre-Dame. Des étudiants, venus de toutes les régions du monde chrétien, fréquentaient les écoles parisiennes. Maîtres et élèves étaient devenus si nombreux et influents que le roi leur accorda le privilège de constituer une communauté quasi indépendante qui reçut le nom de *Universitas*. En ce début du XIIIe siècle, avec Philippe Auguste, c'est l'âge d'or de la civilisation médiévale qui commence.

NOTES

1 Adémar de Chabannes, *Chroniques*, ed. Chavanon, p. 205.

2 C'était le cas, notamment, des ducs d'Aquitaine.

3 Ces terres, le seigneur les louait à des paysans ou il les faisait cultiver par ses domestiques ou par ses serfs.

4 Les écrouelles (ou scrofule) sont une forme de tuberculose qui provoque l'inflammation des ganglions lymphatiques. Les mauvaises conditions d'hygiène du Moyen Âge engendraient fréquemment des infections et des suppurations, notamment au cou et à la face. Rarement mortelle, cette maladie frappait les imaginations car elle défigurait et dégageait des odeurs fétides.

5 Ives de Saint-Denis, *Histoire de France*, livre XXI, p. 207.

6 La monnaie royale ne réussira à éliminer les derniers vestiges des monnaies seigneuriales qu'au début du XVIIe siècle, du temps de Louis XIII.

7 Cette comète sera identifiée au XVIIIe siècle par l'astronome Halley; elle apparaît tous les 76 ans. La comète figure toujours dans les armoiries de la couronne d'Angleterre.

8 Le terme « tapisserie » est impropre puisqu'il s'agit, en réalité, d'une broderie exécutée sur une bande de lin. Quant à Mathilde, femme de Guillaume le Conquérant, elle n'a vraisemblablement pas travaillé à cet ouvrage qui aurait été exécuté quelques années après sa mort.

9 Il est possible que Suger ait été le fils de serfs. Il fut successivement élève, puis moine et enfin abbé, de l'abbaye de Saint-Denis.

10 Éléonore était la petite-fille du poète Guillaume d'Aquitaine. Elle goûtait fort la poésie courtoise et les fêtes. Son époux, par contre, était sombre et dévot.

11 Sous prétexte de consanguinité, ce qui était le moyen le plus pratique pour dissoudre les unions malheureuses !

12 Tous deux fils d'Éléonore d'Aquitaine et de Henri II d'Angleterre.

13 Lourde flèche perfectionnée, le plus redoutable projectile connu au Moyen Âge.

14 Il sera rasé au XVIe siècle par François Ier.

LE CHÂTEAU FORT

Emplacement Le château fort était une forteresse où résidait un seigneur ou, tout au moins, une garnison. Il commandait une position stratégique et incarnait l'autorité.

Rien qu'en France, on a retrouvé les vestiges de plus de 10 000 châteaux forts. Dans beaucoup de cas, il ne s'agit que de ruines envahies par la végétation, car les constructions militaires ont été les premières à souffrir des guerres. D'ailleurs, à mesure qu'ils étendaient leur pouvoir, les rois se sont appliqués à démanteler ces anciennes citadelles de la féodalité.

Quel que soit leur état, les châteaux font partie du paysage. On les voit se dresser sur un promontoire, sur le sommet d'une montagne, dans l'étranglement d'une vallée ou à la croisée de routes importantes.

Les fortifications mérovingiennes et carolingiennes étaient presque toujours construites en bois car, à ces époques reculées, on ne disposait que de moyens primitifs.[1] Naturellement, ces défenses étaient précaires et l'ennemi avait tôt fait de les anéantir en lançant des projectiles enflammés. Pour combattre les risques d'incendie, on recouvrait les palissades de pièces de cuir, mais la supériorité de la pierre sur le bois devint manifeste. Vers la fin du XIe siècle, l'usage de la pierre s'est généralisé pour les édifices militaires et religieux. Néanmoins, pendant des siècles, on allait continuer à employer le bois et la terre battue pour la plupart des demeures privées.

Les constructeurs des châteaux forts se sont efforcés d'utiliser au maximum la configuration du terrain. Parfois, la forteresse est en majeure partie enveloppée par la boucle d'une rivière. Le plus souvent, elle coiffe une éminence. Dans ce cas, l'enceinte extérieure suit le contour du sommet afin de tenir l'ennemi à l'écart. Lorsqu'on ne pouvait s'appuyer sur aucune défense naturelle, on creusait un fossé que l'on remplissait d'eau en détournant une rivière.

Construction L'enceinte extérieure est renforcée par des tours placées aux angles, ainsi qu'à espaces plus ou moins réguliers, le long des parties rectilignes. Ces tours sont parfois carrées ou octogonales mais, le plus souvent, elles sont rondes car, en cas d'attaque, les surfaces arrondies offrent moins de prise que les arêtes. Les murs sont considérablement plus larges à leur base que dans leurs parties supérieures. Il est évident que les constructeurs ont voulu donner à l'édifice le maximum de stabilité. On a d'ailleurs constaté que les pierres, en tombant du sommet, rebondissent sur le pied évasé des murailles. Cette disposition permettait donc aux défenseurs d'envoyer, sans grand effort, des projectiles dans un large rayon.

Sur le sommet de l'enceinte, un chemin de ronde qui peut atteindre plusieurs mètres de largeur, fait le tour de la forteresse. En cas d'attaque, c'était la première ligne de défense. Parfois les assaillants essayaient d'ouvrir des brèches dans les murs à l'aide de lourdes machines de guerre.[2] Le plus souvent, l'épaisseur des murailles défiait toute tentative de cet ordre. Alors, l'ennemi s'efforçait d'escalader l'enceinte avec des échelles ou avec de grandes tours de bois montées sur des roues. Mais la forteresse était équipée de puissants moyens de riposte.

Les créneaux permettaient aux défenseurs de se dissimuler et de décocher leurs projectiles tout en restant protégés. Ça et là dans la maçonnerie, d'étroites fentes qui vont encore en se rétrécissant vers l'extérieur, permettaient de glisser des flèches.[3] Vers le XIIᵉ siècle, on perfectionna l'appareil défensif en couronnant les murs extérieurs de mâchicoulis. Ces galeries à claire-voie surplombent le pied de la forteresse. Par les ouvertures, on pouvait observer les ennemis et leur lancer, droit sur la tête, des pierres, de l'eau bouillante ou, mieux encore, de l'huile bouillante ou de la poix!

French Government Tourist Office

Entrée de Carcassonne, cité fortifiée à double enceinte. Au centre se dresse le château seigneurial.

L'unique entrée de la forteresse est savamment protégée. En général, elle est précédée par un pont-levis qui permet de franchir le fossé. Selon les circonstances, ce pont pouvait être abaissé, ou relevé, à l'aide de poulies. Des chaînes retiennent l'extrémité extérieure de la passerelle à la muraille. Une fois remonté, le pont vient se plaquer contre l'ouverture. Par derrière se trouve un second obstacle: la herse. C'est une grille ou bien une lourde porte bardée de métal. Au lieu de tourner sur des gonds, elle se glisse de bas en haut entre deux rainures creusées à même les murs latéraux.

Disposition intérieure

Lorsqu'on pénètre à l'intérieur de la forteresse, on trouve au moins une ou deux cours, selon l'importance de la place.

Dans la première cour dite « basse-cour » étaient, autrefois, installées les cabanes des artisans qui travaillaient pour le châtelain. Forgerons, tailleurs, armuriers et leurs familles constituaient parfois une véritable ville.[4] C'est également là que se trouvaient la chapelle et la demeure du chapelain. En cas de danger, les paysans des alentours venaient se réfugier dans cette « basse-cour » avec leur bétail.[5] Dans la seconde cour, séparée de la première par un mur, se trouvaient les écuries, les magasins d'armes, les pressoirs et les cuisines aux cheminées gigantesques.

Le donjon

Enfin le donjon domine l'ensemble. Cette énorme tour, ronde le plus souvent, s'élève presque toujours à l'une des extrémités de la cour. Le donjon était l'âme du château fort. C'était la résidence du châtelain mais également l'ultime retranchement si, par malheur, l'ennemi réussissait à franchir l'enceinte extérieure. Les guerres médiévales étaient essentiellement des guerres de siège; aussi le donjon devait-il être organisé en conséquence. Un puits avait été creusé dans les caves et des denrées avaient

French Embassy Press and Information Division

Château de Vincennes. Donjon entouré par une seconde enceinte (XIVe siècle).

été entreposées au rez-de-chaussée. On avait également percé des souterrains secrets par lesquels, en dernière ressource, les assiégés auraient pu s'échapper vers la campagne ou vers d'autres forteresses.

La hauteur de la plupart des donjons varie entre 30 et 40 m. Le plus haut de tous, celui du château de Vincennes, atteint 66 m. Souvent entouré par son propre fossé et par une enceinte supplémentaire, le donjon constitue une sorte de forteresse dans la forteresse. Au premier étage se trouve une grande salle voûtée, la plus belle pièce du château. D'étroites fenêtres s'ouvrent à l'extrémité de profondes embrasures creusées dans des murs qui peuvent dépasser trois mètres d'épaisseur. Autrefois, les ouvertures étaient garnies de toiles huilées ou de volets de bois car les vitraux étaient un luxe réservé aux églises. Des banquettes de pierre sont taillées des deux côtés des fenêtres. C'est là que l'on s'asseyait pour contempler la campagne ou bavarder en paix. Le fond de la salle est occupé par une vaste cheminée au-dessus de laquelle se déploient les armoiries de la famille. Selon la saison, on répandait par terre, sur les dalles, de la paille, des feuillages ou des fleurs. Dans cette salle, le seigneur rendait la justice, réunissait ses vassaux, recevait les pèlerins et les chevaliers de passage, faisait dresser les tables les jours de banquet.[6] Parfois, il regardait des jongleurs, écoutait des troubadours, ou bien il se délassait au coin du feu en jouant aux dés ou aux échecs.

Par un escalier taillé dans le mur, on gagne la salle des chevaliers, la salle de travail des domestiques et les anciens appartements du seigneur et de ses intimes. Les étages supérieurs étaient réservés aux hommes qui, à toute heure du jour et de la nuit, devaient assurer le guet. Généralement la bannière seigneuriale flottait au-dessus du toit. Un veilleur, abrité dans une petite tour d'angle, surveillait la campagne environnante; dès qu'il apercevait une troupe chevauchant dans le lointain, il saisissait son cor et donnait l'alarme « à cor et à cri.»[7]

Joutes et tournois

De temps à autre, il fallait bien se montrer diplomate ou, tout simplement, courtois. Alors on organisait un tournoi. Le seigneur commençait par envoyer des « brefs »[8] à toutes les personnes qu'il désirait inviter. Ensuite, on construisait des lices, c'est-à-dire des barrières de bois entre lesquelles allaient se dérouler les combats. On dressait également des tribunes où devaient prendre place les juges du tournoi, les dames, les chevaliers âgés. Enfin, le matin du premier jour, le seigneur lançait l'appel: « Que les jouteurs s'apprêtent! »

Dans la joute, deux cavaliers s'affrontaient. Celui qui réussissait à désarçonner son adversaire, était victorieux. Dans le tournoi, deux groupes comprenant respectivement jusqu'à une centaine de cavaliers, se jetaient l'un contre l'autre. Après la première rencontre, chacun retournait à son point de départ, puis on recommençait jusqu'à ce que les juges proclament le nom du vainqueur. En principe, les armes étaient courtoises, c'est-à-dire non tranchantes. Dans la pratique, les cavaliers se lançaient de toutes leurs forces les uns contre les autres. Jusqu'au XIIIe siècle, le vainqueur avait le droit de dépouiller le vaincu de ses armes et même de son cheval. Dans la mêlée, il y avait toujours des blessés, très souvent des morts. Pendant le règne de saint Louis, un tournoi — espérons qu'il était quelque peu exceptionnel — causa plus de soixante morts. L'Église tenta d'adoucir ces mœurs. Le pape condamna « ces jeux exécrables et maudits ».[9] Il faudra néanmoins attendre le XVe siècle pour que le côté aristocratique et spectaculaire l'emporte sur l'élément guerrier... Et encore! Nous en reparlerons.

Lorsqu'on s'était bien battu on se détendait à table. Le repas durait plusieurs heures. Les viandes se succédaient: cerf, sanglier, ours, chevreuil, poulets, toutes aussi relevées que possible. Les épices étaient d'autant plus appréciés qu'ils étaient rares et chers. On ne servait jamais de légumes, simplement quelques fruits. Pour donner aux convives le temps de digérer, on présentait entre les plats des divertissements: musique, jongleries, chansons. À coup sûr, les vins, rehaussés d'aromates, devaient délier les langues et échauffer les imaginations!

La plupart des tournois se prolongeaient pendant deux ou trois jours. Lorsque les festivités étaient terminées, chacun retournait dans son pays. Le château redevenait la sentinelle solitaire, dressée au milieu de la seigneurie. L'existence reprenait, morne et routinière, jusqu'à ce qu'une alerte rappelle tous les hommes valides aux créneaux.

NOTES

1 Aucune de ces constructions ne nous est parvenue.

2 Les « béliers » étaient de lourdes masses avec lesquelles on frappait les murailles. Les catapultes étaient des engins constitués par un système de leviers à l'aide desquels on lançait des boulets de pierre.

3 On les appelle les meurtrières.

4 À Carcassonne, il s'agit d'une ville entière, entassée à l'intérieur de l'enceinte, à côté du château proprement dit.

5 Comme on y voyait fréquemment des animaux de ferme, la basse-cour à peu a désigné la cour de ferme, puis la volaille qui vit dans la cour de ferme.

6 Il n'existait guère de tables de grandes dimensions. Lorsqu'on voulait servir un grand repas, on dressait des planches sur des tréteaux.

7 L'expression est passée dans la langue.

8 Lettres.

9 Au concile de Clermont (1130).

L' ÂGE DE LA FOI

*Notre Dame de la
Belle Verrière (détail).
Vitrail de la cathédrale
de Chartres, XIIe siècle.*

I   LES CROISADES

Les croisades constituent le phénomène le plus caractéristique de l'histoire du Moyen Âge. Entreprises au nom du Christ, ces expéditions militaires faisaient appel à la fois aux instincts guerriers et aux aspirations religieuses des Occidentaux. Du XIᵉ au XIIIᵉ siècle, en vagues successives, des populations entières vont se lancer contre les infidèles et, notamment, contre les musulmans.

C'est d'abord en Espagne que le duel entre le christianisme et l'islam commença. Charlemagne fut le pionnier des croisades. Il s'agissait, tout d'abord, d'arrêter les incursions des Arabes, des Maures comme on disait, qui harassaient les côtes de l'Europe méridionale. Les villages de Provence, construits en nid d'aigle, des villes fortifiées telles que Carcassonne, datent de l'époque où les chrétiens devaient se tenir sur la défensive. Enfin, il s'agissait de libérer les pays opprimés par les infidèles, à commencer par l'Espagne, le sud de l'Italie, la Sicile, la Sardaigne... La « Reconquête » demandera des siècles d'efforts et ne s'achèvera qu'à la fin du XVᵉ siècle.

Au cours du XIᵉ siècle, chrétiens et musulmans commencèrent à s'affronter dans le secteur oriental du bassin méditerranéen. Depuis les débuts du christianisme, Jérusalem était le lieu de dévotion par excellence. Des ordres monastiques s'étaient installés autour des Lieux saints et, bravant les difficultés, des chrétiens faisaient, presque toujours à pied, le grand pèlerinage, animés par l'espoir du salut éternel. Le démembrement de l'Empire de Charlemagne affaiblit la position des Occidentaux; d'ailleurs, au Moyen-Orient, l'intolérance religieuse grandissait. L'un après l'autre, les pays du Levant tombaient sous la domination des Turcs. De proche en proche, ces peuplades, originaires d'Asie centrale, avançaient vers l'ouest et regroupaient les états arabes sous leur tutelle.[1] De tous les musulmans, les Turcs passaient pour être les plus fanatiques et les plus belliqueux.

Pour se frayer un passage, les pèlerins devaient se grouper et s'armer. Les uns périssaient de mort violente, d'autres se trouvaient capturés et vendus comme esclaves; rares étaient ceux qui réussissaient à atteindre leur but. Bientôt, des bruits alarmants, colportés de bouche en bouche, agitèrent la chrétienté. Un courant de mysticisme montait lorsque, soudain, en 1095, le pape Urbain II prêcha la guerre sainte pour la libération du tombeau du Christ.

Urbain II, ancien abbé de Cluny, était un Français. C'est en Auvergne, à l'issue d'un concile qui s'était tenu à Clermont, qu'il lança la Croisade.

Il prêcha avec une telle conviction, qu'aussitôt des foules entières se préparèrent à partir. Selon un témoin de l'époque, « ce fut chez les riches et les pauvres, chez les femmes, chez les moines, chez les clercs, chez les citadins et les paysans, une prodigieuse volonté d'aller à Jérusalem ou d'aider ceux qui y allaient... Des domaines qui jusqu'alors étaient payés très cher, se vendaient à vil prix et l'on achetait des armes pour que la vengeance divine puisse s'exercer sur les amis d'Allah ».[2]

Quand un homme prenait la croix, il se mettait au service de Dieu. Tous ses péchés lui étaient remis. S'il devait de l'argent, ses créanciers ne pouvaient plus le poursuivre. S'il avait des propriétés, toute personne qui aurait tenté de le léser pendant son absence, aurait été excommuniée. Consciemment ou non, la guerre sainte flattait les instincts batailleurs. Enfin, on pouvait se battre dans l'impunité; mieux encore, on pouvait se battre pour mériter le Paradis! Chez quelques ambitieux, se dissimulaient des mobiles plus ou moins intéressés. Fort habilement, le pape avait suggéré l'idée de reprendre aux musulmans les terres qu'ils détenaient injustement... Quant aux pauvres et aux vagabonds, ils n'avaient rien à perdre! Pour la première fois, ils entrevoyaient une perspective éblouissante. Aux cris de « Dieu le veut! », dans un élan d'exaltation mystique, des millions d'hommes, de femmes et même d'enfants prirent le chemin de Jérusalem, sans autre équipement qu'un bâton de pèlerin et une croix rouge cousue sur leurs vêtements.

Les gens pauvres moururent de misère en traversant l'Europe centrale ou se firent massacrer par les premiers Turcs qu'ils rencontrèrent. Entretemps, les nobles, habitués aux expéditions guerrières, avaient constitué cinq corps d'armée. Après avoir fait leur jonction à Constantinople,[3] ils traversèrent le Bosphore et entrèrent en action. Il leur fallut encore plus de deux ans pour atteindre Jérusalem. Enfin, après un mois de siège, la ville tomba entre les mains des croisés (15 juillet 1099).

Le royaume de Jérusalem   Les Français n'avaient pas été les seuls à participer à cette première croisade, mais ils avaient été, de beaucoup, les plus nombreux et les plus influents. Les communautés religieuses du Levant eurent, à toutes les époques, une majorité de « Francs ». Le royaume de Jérusalem fut organisé comme un état féodal dans lequel, plus que nulle part ailleurs, le clergé exerçait une influence capitale. Des ordres monastiques nouveaux se consacrèrent à la défense de la Terre sainte. Les Chevaliers du Temple, généralement appelés templiers, les plus ardents de tous les moines-soldats, allaient constituer une véritable milice chrétienne.

Malgré leur héroïsme, les chrétiens restaient dans une situation précaire. Loin de leurs bases, ils étaient environnés de pays musulmans. Très vite, la structure du royaume de Jérusalem s'avéra boiteuse. Dans cet état mi-seigneurial, mi-ecclésiastique, les nobles et le clergé se jalousaient. Une fois installés, certains croisés se laissaient séduire par les charmes de la contrée. D'ailleurs, les musulmans se regroupaient et reprenaient l'offensive. Moins de cinquante ans après la première, une seconde croisade sera jugée nécessaire. Elle sera lancée à Vézelay, en Bourgogne, par le moine saint Bernard (1147). Le roi de France Louis VII, l'empereur d'Allemagne et de nombreux barons se croiseront mais, une fois arrivés au Levant, les nouveaux venus seront déroutés par l'atmosphère d'intrigues. Les souverains et leurs armées quitteront Jérusalem sans rien avoir accompli de constructif.

Dernières croisades — Sous l'impulsion de Saladin, les musulmans presseront leurs attaques et, en fin de compte, les chrétiens seront chassés de la ville sainte, moins d'un siècle après y être arrivés (1184). Une troisième croisade à laquelle participeront les trois plus puissants souverains occidentaux (Philippe II Auguste,[4] Richard Cœur de Lion et l'empereur Frédéric Barberousse) échouera lamentablement. Les expéditions suivantes finiront dans la désorganisation. Quant à la huitième et la dernière, elle sombrera à Tunis avec la mort du roi saint Louis. Une vingtaine d'années plus tard, tombera la citadelle de Saint-Jean d'Acre, dernier vestige du royaume de Jérusalem (1291).

Bilan des croisades — Sur le plan militaire, les croisades se soldaient par un échec. Sur le plan humain, elles avaient causé des souffrances inouïes et le gaspillage de milliers de vies. Ces épopées ont été jugées de façons fort diverses, selon les époques et les philosophies personnelles. En réalité, elles recèlent des éléments complexes et même contradictoires. On peut y voir de gigantesques entreprises de brigandage, des déchaînements de sauvagerie, des tentatives d'expansion commerciale ou même encore, les premières manifestations du colonialisme et du nationalisme. Ces courants ont existé, mais ils n'ont été que les remous d'un élan de mysticisme collectif. Dans l'immense majorité des cas, le croisé était un homme qui avait renoncé à tout pour suivre sa conscience. Dans ses mémoires, un chroniqueur arabe a rapporté qu'il avait capturé un chrétien mais que, à son grand regret, il ne pouvait en tirer de rançon. Le captif était le fils d'une pauvre vieille qui avait vendu tout ce qu'elle possédait pour l'équiper. Les cas analogues étaient légion.

Envisagées sur le plan économique ou culturel, les croisades ont eu le grand mérite de mettre l'Occident en contact avec l'Orient. Pendant les périodes de trêves ou de négociations, chrétiens et musulmans entraient en rapport. Les résultats furent souvent différents de ce que l'on recherchait. Les Occidentaux découvrirent une foule de nouveautés, entre autres, des plantes inconnues en Europe: l'amandier, l'abricotier, le figuier, l'oranger, le citronnier, l'épinard, l'artichaut, le coton, la canne à sucre etc. Ils découvrirent également des techniques originaires d'Asie telles que le gouvernail, le principe des moulins à vent et des horloges à poids.

Sans en avoir conscience, les Arabes furent de remarquables intermédiaires. Grâce à eux, les Occidentaux retrouvèrent des ouvrages grecs que la civilisation chrétienne n'avait jamais connus. Par leur position géographique, ils furent également le trait d'union entre l'Europe et l'Extrême-Orient. Ils transmirent aux chrétiens les connaissances mathématiques qu'ils avaient empruntées aux Hindous, notamment le système décimal et le mécanisme des chiffres qu'on allait, improprement, appeler « chiffres arabes ». Un commerce actif se développa d'un bout à l'autre de la Méditerranée. Des villes telles que Venise et Gênes en furent les principales bénéficiaires. La France recueillit surtout un enrichissement culturel. La fascination de l'Orient a certainement contribué à inspirer aux artistes médiévaux cet amour de la couleur lumineuse qui éclate dans les miniatures et les vitraux des cathédrales.

Croisades contre les Cathares

La chrétienté guerroyait sur de nombreux fronts: en Terre sainte, en Espagne, mais également à l'intérieur du royaume de France. Dans tous les milieux sociaux, l'intensité de la croyance religieuse faisait naître des courants hérétiques qui provoquaient des remous plus ou moins violents. Mais, de toutes les doctrines, aucune ne fut plus tenace que celle des Cathares. Ces derniers sont souvent appelés les Albigeois, du fait qu'ils furent nombreux dans la région d'Albi. Néanmoins, il est préférable de les désigner par le terme de Cathares (du grec δαθαρος, pur), puisque c'est celui qu'ils employaient à propos d'eux-mêmes.

Originaire d'Iran, le catharisme[5] avait cheminé à travers la Bulgarie, la Serbie, l'Italie du nord, puis il s'était infiltré dans le Midi vers l'an mil. Prêchée par des hommes vêtus de noir, les « parfaits », la nouvelle doctrine avait, en moins d'un siècle, gagné le Languedoc et toute la région de Toulouse, des Pyrénées au Massif central.

La religion cathare n'est connue que de façon fragmentaire car l'Inquisition médiévale s'est acharnée à en détruire jusqu'aux moindres traces. Il s'agissait d'un composé complexe de christianisme et de manichéisme. Le système reposait sur le dualisme de deux principes irréductibles: le bien et le mal, l'esprit et la matière, la lumière et les ténèbres, le ciel et la terre... Selon la doctrine cathare, le monde est irrémédiablement mauvais car il est l'œuvre, non pas de Dieu, mais de Satan. Le Christ ne s'est pas incarné puisque toute chair est impure; il n'a été qu'une « apparence », envoyée par Dieu pour éclairer les hommes. Du fait que tout élément matériel procède du Démon, la vénération de la croix et le cérémonial liturgique sont éliminés. Les « croyants » devaient mener une vie simple et ascétique; ils devaient pratiquer la charité, la bienveillance et surtout la véracité. Il existait un seul sacrement, le *consolament*. Hommes ou femmes pouvaient le recevoir quand ils se sentaient appelés; alors, ils devenaient des « parfaits ». Toutefois, le *consolament* impliquait un engagement si sévère que la plupart des « croyants » attendaient d'arriver à l'article de la mort pour le demander. Le « parfait » rompait tous rapports avec le monde matériel; il renonçait à la vie professionnelle, à la jouissance de ses biens personnels et, naturellement, à la vie sexuelle. S'il était marié, il se séparait de son conjoint afin de se consacrer à l'apostolat.

Une victoire politique

Vers le milieu du XIIe siècle, le catholicisme avait perdu pied dans le Midi. Plusieurs tentatives, les unes pacifiques, les autres guerrières, avaient échoué. Finalement, pendant les premières années du XIIIe siècle, le pape appela à la croisade. Le roi Philippe II Auguste resta en dehors de l'expédition, mais il autorisa ses vassaux à partir; peut-être n'était-il pas fâché de voir s'éloigner les seigneurs les plus belliqueux...

Sous la direction de Simon de Montfort, l'armée des croisés s'empara de la ville de Béziers. Le massacre aurait fait 100 000 morts. L'une après l'autre, les grandes villes du Languedoc tombent. Les croisés brûlent les « hérétiques » et saccagent le pays. Néanmoins, l'ensemble de la population continue à résister. Blanche de Castille est déterminée à venir à bout de ce qu'elle appelle « le dragon ». Des troupes royales sont envoyées en renfort. Poursuivis par des forces supérieures, les Cathares se retranchent dans la forteresse de Montségur. Après 9 mois de siège, la place doit se rendre (1243). Les derniers défenseurs sont exhortés à se convertir mais ils refusent. Croyants et « parfaits » monteront tous sur le bûcher. On a dit que les ruines de Montségur recélaient le trésor cathare...

Après la chute de Montségur, quelques « parfaits » se réfugieront dans les montagnes mais, pourchassés sans répit, les derniers survivants seront brûlés vers le commencement du XIVe siècle.

Entreprise à des fins religieuses, la croisade se termina par la victoire du Nord sur le Midi. Le Languedoc et le comté de Toulouse perdirent leur administration seigneuriale. D'abord confiées à un frère de saint Louis, ces régions furent ensuite réunies à la Couronne. Après deux siècles de luttes camouflées sous la bannière du catholicisme, le pouvoir royal atteignait la Méditerranée et les Pyrénées.

En tant que religion, le catharisme disparut. Aurait-il eu des prolongements clandestins? On a cru en retrouver un reflet dans les chants populaires du Midi et dans les poésies des troubadours. La dame lointaine symboliserait l'âme captive, et l'amour courtois serait une transposition de la mystique cathare. Ainsi, sous le voile d'un lyrisme conventionnel, les Cathares auraient réussi à transmettre un message intelligible aux seuls initiés. Bien que séduisante, cette interprétation est difficile à prouver. La question demeure ouverte.

II SAINT LOUIS

Minorité Saint Louis domine le XIIIᵉ siècle comme une flèche de cathédrale. Petit-fils de Philippe II Auguste, Louis IX devint roi à 12 ans, lorsque son père mourut prématurément, au cours d'une expédition contre les Cathares (1226). Il était trop jeune pour régner mais, afin d'assurer la continuité dynastique, sa mère, Blanche de Castille, le fit sacrer au plus vite. Pour la première fois dans l'histoire du royaume, une reine-mère exerça le pouvoir pendant la minorité de son fils. Profitant des circonstances, certains seigneurs essayèrent de former une coalition féodale. Les plus violents tentèrent même d'enlever le petit roi pendant qu'il accomplissait un voyage. Une fois leur otage en main, ils espéraient dicter leurs conditions. Malgré son jeune âge, Louis déjoua leurs machinations et le peuple de Paris célébra le retour de son souverain avec des transports de joie.

Louis IX était doué d'une intelligence exceptionnelle et d'une âme élevée, mais il n'en était pas moins actif, viril et spirituel. Sa mère lui choisit une épouse « belle et craignant Dieu en toutes choses », selon l'expression habituelle des chroniqueurs. L'élue, Marguerite de Provence, était la fille aînée du comte de Provence. Malgré toutes ses qualités, la petite reine eut à souffrir de sa belle-mère. Blanche de Castille était remarquablement intelligente, mais elle était également possessive et jalouse. Dans ses chroniques, Joinville rapporte qu'elle n'autorisait pas son fils à voir Marguerite pendant la journée. Pour pouvoir échanger quelques paroles, les pauvres époux devaient se cacher dans un escalier!

Saint Louis et ses adversaires Comme ses prédécesseurs, Louis IX dut maintes fois batailler contre le roi d'Angleterre et les seigneurs français révoltés. Il fit preuve de tant de persévérance et d'habileté,[6] que ses adversaires finirent par demander la paix. En vertu des coutumes féodales, il aurait pu confisquer tous les fiefs des rebelles. Or, par le traité de Paris (1259), il se contenta de reprendre les régions qui s'étendent entre la Normandie et le Poitou et, volontairement, il laissa la Guyenne au roi d'Angleterre. Il est rarissime qu'un souverain victorieux se montre si mesuré. Les barons qui entouraient le saint roi en furent les premiers surpris. Avec son aimable fermeté, Louis expliqua qu'il voulait « mettre amour » entre ses enfants et ceux du roi d'Angleterre, parce qu'ils étaient cousins.[7] Ensuite, il ajouta un argument plus rusé: en laissant au Plantagenêt le fief de Guyenne, il maintenait ce dernier dans la vassalité de la couronne de France.

Sans doute saint Louis se faisait-il quelques illusions sur la valeur des engagements juridiques... Il est également possible que la Guyenne lui ait paru trop vaste et lointaine, et qu'il ait craint de ne pas pouvoir y régner effectivement.[8] Évidemment, au XIIIᵉ siècle, nul ne pouvait prévoir que, pendant la guerre de Cent Ans, le roi d'Angleterre se servirait de la Guyenne comme d'une base de départ pour envahir la France.

La Septième Croisade
Un jour qu'il était gravement malade, saint Louis décida de se croiser. Il emmena sa femme, trois de ses frères, des seigneurs, des soldats, des chevaux et du matériel de guerre... Une quarantaine de bateaux partirent d'Aigues-Mortes, en Languedoc, et se dirigèrent vers l'Égypte (1248). Le roi comptait remporter une victoire rapide dans le delta du Nil. Une fois en possession d'un gage, il espérait le monnayer et obtenir du Sultan la restitution des Lieux saints.

Après un brillant départ, une avalanche de revers commença. Follement épris de gloire, les chevaliers s'aventurèrent au mépris de toute discipline; la dysenterie décima la troupe; les musulmans reprirent l'offensive. Pris au piège, les croisés furent encerclés et capturés, le roi en tête. Il fallut négocier, payer une lourde rançon, abandonner les morts et les mourants. L'équipée s'achevait en catastrophe.

Saint Louis ne se laissa pas abattre. Une fois libéré, il réorganisa les territoires de la côte palestinienne où les chrétiens se maintenaient encore. Il fit fortifier Jaffa, Césarée, Saint-Jean d'Acre. Malheureux sur le plan militaire, il s'imposa sur le plan diplomatique et moral. Pourtant, il ne pouvait rester indéfiniment loin de son royaume. Sa mère, Blanche de Castille, exerçait la régence mais, quand celle-ci mourut, il fallut se décider à rentrer.

Après 70 jours de traversée, saint Louis débarqua en Provence. Il revenait après 6 ans d'absence. Il fut accueilli en triomphateur. Sur le plan stratégique, la croisade n'avait pas réussi à débloquer Jérusalem. Mais le roi avait la vie sauve et puis, il s'était auréolé de vertus; en sa personne resplendissait la royauté et la chrétienté.

La justice du roi
Aussitôt rentré, il se consacra au service de la paix. Il s'efforça de réconcilier la France et l'Angleterre par un accord fraternel. À l'intérieur de ses états, il agit selon le même principe. Il ne chercha ni à nuire à ses vassaux ni à bouleverser le système féodal: il était trop respectueux du droit pour cela. Il voulut, tout simplement, dans l'intérêt de tous, faire régner l'ordre et la concorde.

À partir du milieu du XIIe siècle, les rois avaient promu les premières ordonnances destinées à être appliquées à l'ensemble du royaume — et non pas au seul « domaine royal ». Avec Philippe Auguste, le nombre de ces ordonnances s'est accru. Mais, c'est surtout avec saint Louis que l'administration royale se perfectionne et s'étend. Le courant général lui est favorable. Saint Thomas d'Aquin, l'un des plus célèbres professeurs de l'Université de Paris, affirme que « le pouvoir de faire les lois appartient à celui qui représente la multitude.»

En toutes choses, le roi veut bannir la violence. Il interdit les guerres privées entre seigneurs. Il interdit l'emploi du « jugement de Dieu », ce duel judiciaire auquel les juges ont eu trop souvent recours. Jusqu'alors, quand il y avait un litige, on amenait les deux plaideurs dans un champ clos et le duel s'engageait. Les nobles, armés d'épées et de lances, combattaient à cheval. Les non nobles combattaient avec des bâtons et à pied. Dieu, pensait-on, ne pouvait pas manquer de protéger l'innocent et de lui envoyer la victoire! Déjà certains juristes ont tenté de limiter l'emploi de ce procédé. Saint Louis va plus loin; il ordonne de le remplacer par des enquêtes et des témoignages. Malheureusement, le « jugement de Dieu » aura la vie dure; il redeviendra fréquent pendant la guerre de Cent Ans et sera parfois utilisé au XVIe siècle.

Toujours par souci d'équité, le roi essaye de faciliter les procédures d'appel. Depuis la chute de l'Empire romain, l'homme qui s'estimait condamné injustement, n'avait à peu près aucun recours, surtout s'il était pauvre. Grâce à saint Louis, il devient possible de demander un autre jugement. Enfin, en dernière instance, toute personne résidant dans le « domaine royal » peut remonter au sommet et faire appel à la cour du roi. Au moins deux fois par mois, le souverain, en personne, se tient à la disposition de ses sujets pour écouter leurs plaintes. Simplement vêtu, il s'installe dans la cour du Louvre ou dans le bois de Vincennes, sous un chêne. « Et, rapporte Joinville, tous ceux qui avaient une affaire venaient lui parler sans empêchement d'huissier ni d'autres gens ».[9]

La monarchie a acquis une suprématie morale incontestable. Le saint roi est regardé comme le défenseur des faibles contre la brutalité des méchants; il représente l'autorité au service de la justice. Son renom dépassera les frontières et s'étendra bien au-delà de sa génération. Tous ses successeurs, même les plus médiocres, bénéficieront du prestige qu'il a donné à la couronne. « Ah si le roi savait! » diront encore les pauvres gens à la veille de la Révolution.

Débuts de l'administration monarchique

Du temps des premiers Capétiens, les personnes employées au service personnel du roi s'occupaient également de l'administration des domaines de la couronne. À cette époque, il n'existait d'ailleurs ni spécialisation, ni séparation des fonctions. Avec le règne de Philippe Auguste, l'accroissement du domaine et la multiplication des services ont amené l'apparition de quelques agents royaux, connus sous le nom de baillis. Avec saint Louis, les baillis deviennent les représentants officiels du roi. Dans le Midi, les sénéchaux jouent un rôle analogue à celui des baillis.

Au nom du souverain, baillis et sénéchaux encaissent les redevances, payent les gages des officiers royaux, président les cours d'appel, rendent la justice quand il y a lieu et, au besoin, conseillent les plaideurs... Ces hommes ont des tâches multiples et d'autant plus délicates, qu'elles restent mal définies. Le roi a fait dresser la liste des vertus qu'il attend d'eux. Il exige, entre autres, la « sapience », la patience, la force, la douceur, l'obéissance, la générosité... et, par-dessus tout, la loyauté.

Sans atteindre cet idéal, baillis et sénéchaux ont dû être des hommes ambitieux et habiles puisque, en quelques années, ils réussiront à se faire respecter dans l'ensemble du royaume. Avec le temps, le nombre de ces « fonctionnaires » royaux ira en augmentant.

Saint Louis voudrait que les artisans et les commerçants puissent travailler en paix. Il attache une grande importance aux « métiers », c'est-à-dire aux organisations professionnelles. Enfin, ils voudrait que ses sujets aient une monnaie solide. Il ordonne que la monnaie royale soit acceptée sur tous les marchés, simultanément avec les monnaies locales. Il fait frapper des pièces de bon aloi, pièces d'argent mais également pièces d'or appelées « écus ». C'est la première fois dans l'histoire de la monarchie que l'or monnayé apparaît. La prééminence royale ne pourrait pas se manifester de façon plus concrète.

Huitième et dernière Croisade

Entretemps, en Terre sainte, les divisions et les maladresses des chrétiens ont encore affaibli le royaume de Jérusalem. En général, l'ardeur religieuse est en baisse. Chez saint Louis, au contraire, la croisade est une vocation — ou, si l'on veut, une obsession. Lorsqu'il annonce à ses

Archives Photographiques

La Sainte-Chapelle, construite en deux ans par saint Louis pour abriter les reliques de la Passion (1246–1248). Pour accéder au reliquaire placé sous le dais, le roi montait par un petit escalier en colimaçon.

barons, réunis dans la Sainte-Chapelle, qu'il a l'intention de reprendre la croix, il ne rencontre guère d'enthousiasme. Les intrigues vont bon train. On raconte au roi que l'émir de Tunis est disposé à se convertir au christianisme... En faisant miroiter la probabilité d'un baptême, on le pousse à se rendre, d'abord, en Tunisie (1270).

Quand les croisés débarquent à Tunis, l'émir ne manifeste évidemment aucun désir de se convertir! La dysenterie décime l'armée. Déjà affaibli, le roi tombe malade. Il lit ses dernières recommandations à son fils aîné: « Beau fils... garde-toi de faire chose qui déplaise à Dieu, veille à éviter toute partialité... Ne charge pas ton peuple d'impôts... Prends garde que les dépenses de ta maison soient raisonnables... Garde les coutumes de ton royaume dans l'état où tes devanciers les ont laissées... »

Le roi mort, on ramena son corps en France. Déjà vénéré de son vivant, Louis devint l'objet d'un culte spontané. À Saint-Denis, sur sa tombe, on enregistra des miracles. Le pape fit ouvrir une enquête. Parmi les témoins qui déposèrent au procès de canonisation, comparut Jean de Joinville, l'ancien compagnon d'armes. La canonisation fut acclamée unanimement. Quelques années plus tard, sur les conseils de la reine de France, Joinville écrira *Le Livre des saintes paroles et des bonnes actions de saint Louis,* la plus touchante de toutes les chroniques médiévales.

La perle de la chrétienté   Avec saint Louis, la France était devenue le centre de la civilisation occidentale. L'Université de Paris avait l'école de théologie la plus renommée de toute la chrétienté. Parmi les maîtres, se distinguaient notamment saint Thomas d'Aquin, saint Bonaventure, saint Albert le Grand; quelques années plus tard viendront Roger Bacon et Dante. Les intellectuels se retrouvaient surtout dans le quartier des écoles, sur le versant de la montagne Sainte-Geneviève; c'est là que Robert de Sorbon, le confesseur du roi, venait d'établir un collège destiné à recevoir les étudiants pauvres. Par la suite, cette fondation allait prendre le nom de Sorbonne.

L'art gothique avait atteint son plein épanouissement. Au nord de la Loire, toutes les grandes cathédrales étaient en voie d'achèvement. Les tours de Notre-Dame de Paris atteignaient leur hauteur définitive. À l'intérieur de son palais, saint Louis avait fait construire une petite église en forme de reliquaire destinée à abriter les reliques de la Passion. Cette « Sainte-Chapelle », il l'avait voulue d'une beauté céleste. Ses vitraux sont les plus grands et les plus lumineux du monde.

Parti du « domaine royal », l'art gothique avait gagné les régions du Midi et même les pays étrangers. Tous les architectes occidentaux s'inspiraient des réalisations françaises, à tel point que le style, que nous appelons « gothique », s'appelait alors l'*opus francigenum.*

III L'ÉPOQUE DE PHILIPPE IV LE BEL

Rivalités commerciales

Dès la fin du XIIIe siècle, la société médiévale s'engage dans une période de crises d'où elle sortira profondément bouleversée. Après le règne assez médiocre de Philippe III, Philippe IV monte sur le trône à 18 ans. Ce roi reste énigmatique. Impassible, taciturne, calculateur, il ne s'est jamais confié à personne. Ses seuls collaborateurs étaient des hommes de loi, des légistes comme on les appelait alors. Ces hommes de petite naissance étaient habiles et ambitieux. Fiers de travailler pour la couronne, ils ont puissamment contribué au triomphe de l'administration monarchique.

Ce qui caractérise le règne de Philippe IV le Bel et le rend déjà si moderne, c'est la prééminence des questions d'ordre économique. Les guerres féodales se calment mais les querelles franco-anglaises reprennent, attisées par les rivalités commerciales entre les deux nations. Les deux souverains s'entendraient volontiers, mais ils se trouvent entraînés dans un différend entre marins normands (sujets du roi de France) et marins anglais. Ces derniers prétendent interdire l'entrée de leurs ports aux bateaux français. Des deux côtés, la colère monte et engendre des violences. Pour protéger ses côtes, Philippe commence à se constituer une marine; il achète des navires aux Norvégiens et aux Génois. C'est la première fois qu'un roi de France se tourne vers les problèmes maritimes.

De son côté, le roi d'Angleterre cherche des alliances sur le continent et, tout naturellement, il se tourne vers les Flamands. Les Flandres constituent l'extrémité nord du royaume de France, mais le particularisme et les intérêts locaux y sont très puissants. Le pays est riche grâce à ses draps qui sont regardés comme les meilleurs du monde. Dans les villes, les drapiers, gens au caractère actif et indépendant, forment la classe dirigeante. L'industrie du drap a pris une telle expansion que la laine produite par la campagne environnante ne suffit plus; il faut importer. Or, le meilleur fournisseur est l'Angleterre. L'interdépendance économique conduira très vite à une entente maritime et politique.

Pour maintenir son autorité sur les Flandres, Philippe IV mettra en œuvre tous les moyens d'actions dont il pourra disposer: les négociations, le prestige royal, la force... À plusieurs reprises, le conflit semblera se calmer mais il ne s'éteindra jamais complètement. Moins d'un demi siècle plus tard, il deviendra l'une des causes principales de la guerre de Cent Ans.

Administration, dépenses et impôts

Les dépenses de la couronne vont sans cesse en augmentant. Ce n'est pas par goût du luxe, car Philippe IV est austère et économe. Des facteurs convergents en sont la cause: l'expansion du « domaine royal », le développement des rouages administratifs, la création d'une marine, la lancinante guerre des Flandres et, surtout, les inévitables transformations militaires et sociales. Jusqu'alors, l'armée royale a été formée, en majorité, par les vassaux et leur suite, mais le système féodal devient archaïque. En principe, un vassal ne doit à son suzerain que 40 jours par an; une fois cette période finie, lui et ses gens rentrent chez eux... Plus d'un souverain s'est retrouvé à peu près seul au moment le plus critique d'une campagne!

D'ailleurs, les nobles ne combattent qu'à cheval, avec des armes « nobles », épée ou lance. Maintes fois, des chevaliers, recouverts de leurs lourdes armures,[10] se sont fait culbuter par les soldats de l'infanterie. Ces derniers ont deux avantages de leur côté: ils sont plus mobiles et ils peuvent utiliser l'arme la plus meurtrière de leur époque, l'arbalète. Quoi qu'il en soit, la noblesse ne s'abaisserait jamais à combattre à pied... Si le roi veut des arbalétriers, il n'a plus qu'à se constituer une armée de mercenaires.

Inévitablement, l'accroissement des dépenses de l'État amène des mesures économiques impopulaires. Le roi tente de limiter les dépenses, il interdit l'importation d'étoffes de luxe; enfin, il s'efforce de lever des impôts. Depuis le démembrement de l'Empire de Charlemagne, les souverains avaient perdu les moyens d'imposer leur volonté dans le domaine fiscal, comme dans les autres. Les populations payaient des redevances (parfois fort lourdes) au seigneur, à l'église ou au monastère de la région. Si un roi demandait quelque secours, il s'agissait toujours d'une circonstance exceptionnelle — guerre ou croisade. De toute façon, les diverses communautés locales estimaient qu'elles avaient le droit de décider par elles-mêmes si, oui ou non, elles allaient participer aux dépenses de la couronne.

Les premiers états généraux   Dans l'espoir de créer une solidarité nationale, Philippe IV fait directement appel à ses sujets. À plusieurs reprises, il rassemble à Paris ses vassaux et arrière-vassaux, certaines personnalités ecclésiastiques, mais également des délégués des villes, des baillages[11] et des associations professionnelles. C'est la première fois que des hommes du peuple participent à une assemblée présidée par le roi. Ils représentent l'immense majorité de la population; pourtant, il n'existe pas de terme pour désigner leur groupe. Comme ils n'appartiennent ni au clergé ni à la noblesse, on dira qu'ils constituent le tiers état, littéralement, le troisième état. Tous ensemble, les délégués du clergé, de la noblesse et du tiers état forment les états généraux. Le procédé, imaginé par Philippe IV, sera repris par ses successeurs. Jusqu'à la fin de l'Ancien Régime, les Capétiens convoqueront les états généraux, non pas à intervalles réguliers, mais lors de crises graves, afin d'obtenir de leur peuple les sacrifices nécessaires au salut national. La dernière convocation aura lieu en 1789 et entraînera la Révolution.

*Pouvoir temporel et
pouvoir spirituel*

Le clergé est, des trois ordres, celui qui oppose la résistance la plus vigoureuse à l'impôt. Depuis le commencement du Moyen Âge, l'Église a pris le pas sur le pouvoir temporel, souvent défaillant. En Allemagne, les conflits entre les papes et les empereurs furent retentissants. En France, plusieurs crises graves se terminèrent par des compromis; rois et ecclésiastiques savaient qu'ils avaient besoin les uns des autres. Le prestige de saint Louis permit de réaliser un sage équilibre. Mais, lorsque Philippe IV tente de lever des taxes sur les biens ecclésiastiques, le problème rebondit. Beaucoup d'évêques et de chefs de communautés religieuses sont pris entre deux feux, car ils sont à la fois gens d'église et seigneurs temporels. Après de longs débats, certains membres du clergé consentent à accorder des « dons » mais ils prennent la précaution de spécifier qu'il ne s'agit que de « dons exceptionnels ». Jusqu'à la fin de l'Ancien Régime, la participation du clergé aux charges fiscales restera une question litigieuse.

Au cours des discussions relatives aux questions ecclésiastiques, les légistes français ont su exploiter les discordes de la Curie. Rome se trouvait déchirée par des rivalités sanglantes dont on perçoit un écho dans la *Divine Comédie* de Dante. Les envoyés de Philippe IV se sont montrés si habiles que, à la suite de multiples péripéties, le conclave choisit un pape français.[12] À la surprise générale, au lieu de se fixer à Rome, le nouveau pontife va s'installer à Avignon. En face du palais pontifical, à l'autre extrémité du célèbre pont, commencent les états du roi de France. Ainsi placés, le pape et le roi vont pouvoir resserrer leurs rapports. Avignon demeurera le siège de la papauté pendant plus de 70 ans.

Le procès des templiers

De tous les procès du règne de Philippe IV le Bel, le plus ténébreux fut celui des templiers. Fondé au XIIe siècle, cet ordre semi-religieux, semi-militaire, s'était donné pour mission de défendre la Terre sainte. Les moines-soldats avaient combattu et construit des forteresses. Ils s'étaient montrés incomparables sur le plan militaire mais, sur le plan politique, les croisés leur avaient souvent reproché une indépendance excessive. Enrichis par des donations, ils en étaient arrivés à jouer le rôle de banquiers. Ils recevaient des dépôts et accordaient des avances. Grâce à eux, les chevaliers tombés en captivité pouvaient emprunter l'argent nécessaire à leur rançon. Malgré les services qu'il rendait, l'ordre était devenu trop riche pour échapper aux critiques. D'ailleurs, depuis que les chrétiens avaient perdu la Palestine, les templiers ne semblaient plus avoir de raison d'être. 15 000 moines-soldats (sans compter les écuyers) constituaient un empire financier et une force armée d'autant plus redoutables que, en tant que religieux, ils échappaient à la juridiction royale. C'était un état dans l'État.

Des bruits couraient... On disait que les templiers avaient eu des intelligences avec les musulmans, qu'ils reniaient le Christ, qu'ils adoraient une idole etc.... Sept années durant, Philippe IV fit mener une enquête ultra-secrète. Soudain, tous les membres de l'ordre sont arrêtés; fort peu échappent à ce gigantesque coup de filet. Les agents du roi emprisonnent, torturent, rassemblent des aveux. L'ordre en bloc est frappé par la pire de toutes les accusations: l'hérésie.

Les interrogatoires sont conduits dans plusieurs pays. Toute la chrétienté est en suspens. Certains templiers s'avouent coupables; d'autres nient; d'autres encore font des aveux puis se rétractent. Une atmosphère trouble se dégage des comptes rendus. Le Grand Maître de l'ordre sombre dans les contradictions. En définitive, il sera condamné, à la fois par le pape et par le roi. Le pape a-t-il agi sur l'instigation de Philippe IV? C'est possible mais non certain. Ce lugubre épisode recèle encore des mystères.

On a prétendu que, lorsqu'il vit monter les flammes du bûcher, le Grand Maître jeta sa malédiction sur Philippe IV et sa descendance. Vrai ou imaginaire, ce geste peut paraître prophétique. Moins de trente ans plus tard commencera la guerre de Cent Ans.

La fin d'un siècle   Philippe IV n'a pas attiré beaucoup de sympathie et, pourtant, il a toujours agi dans l'intérêt du royaume. En réalité, il était un homme caractéristique de son temps. Vers la fin du XIIIe siècle, l'idéalisme religieux cède devant des préoccupations financières souvent matérialistes. L'élan des croisades ne se renouvelle plus; les exhortations des papes ne soulèvent plus d'enthousiasme. Faute d'argent, les tours de nombreuses cathédrales resteront inachevées. La féodalité commence à s'assagir; par contre, les peuples prennent peu à peu conscience de leur existence. Derrière les luttes des souverains, apparaissent des rivalités commerciales et des conflits de nations. Le pouvoir temporel et le pouvoir spirituel revendiquent âprement leurs droits respectifs. Les légistes deviennent les hommes clés de l'État.

De plus en plus les étudiants se portent vers les études de droit ou de sciences. À vrai dire, les « savants » sont surtout des astrologues ou des alchimistes,[13] mais leurs recherches ont l'avantage de les tourner vers le domaine concret. Roger Bacon, un moine anglais qui enseigne à Paris, parle déjà de « sciences expérimentales ». Des techniques nouvelles sont découvertes ou introduites en Europe occidentale: la charrue à roue, la poudre à canon, les horloges, les fonderies de cloches, la boussole... En général, les œuvres littéraires prennent un ton plus libre. Dans le *Roman de Renard*, on se moque de tout et de tout le monde. Dans la seconde partie du *Roman de la Rose*,[14] le poète Jean de Meung décoche des traits satiriques contre les ordres monastiques et même contre la monarchie de droit divin. Les pièces en musique et les comédies jouissent d'une grande vogue.

Le royaume de France est prospère. Il compte quelque vingt millions d'habitants, chiffre considérable à l'époque. Le peuple y est plus libre et plus heureux qu'ailleurs. La langue française est la plus noble d'Europe; Marco Polo la choisit pour écrire le compte rendu de ses voyages en Orient. Des mots français sont adoptés par les Anglais, les Italiens et les Allemands. Paris est la capitale intellectuelle de la chrétienté. L'avenir semble prometteur. Ce n'est qu'une illusion! Au moment où l'esprit de la Renaissance va épanouir les cités italiennes, la France va se trouver entraînée dans la guerre la plus longue et la plus ruineuse de son histoire.

NOTES

1 Au cours de la seconde moitié du XIᵉ siècle, les Turcs avaient arraché l'Asie Mineure à l'Empire de Byzance.

2 Guibert de Nogent, *Gesta Dei per Francos,* Collection des historiens des croisades.

3 La plupart des seigneurs firent au moins une partie du voyage par bateau. À Constantinople, ils comptaient combiner leurs forces avec celles des chrétiens de l'Église d'Orient. Les deux moitiés de la chrétienté ne réussirent jamais à s'unir et les croisades contribuèrent encore à aggraver les discordes entre l'Église de Rome et celle de Constantinople (future Église Orthodoxe).

4 Philippe II Auguste s'était hâté de rentrer dans ses états, laissant son rival Richard Cœur de Lion en Terre sainte.

5 Le catharisme était apparenté à la religion de la Perse antique et aux doctrines prêchées par Zoroastre et par Manès (manichéisme).

6 Saint Louis battit les Anglais à Taillebourg et à Saintes.

7 Henri III, le roi d'Angleterre, avait épousé une sœur cadette de Marguerite de Provence, la femme de saint Louis.

8 À la suite des croisades contre les Cathares, le pouvoir royal venait déjà de s'étendre sur le Languedoc et le comté de Toulouse.

9 Joinville, *Histoire de saint Louis,* ch. 12, Société de l'histoire de France 1874.

10 Au cours du Moyen Âge, l'armure est devenue de plus en plus résistante et, par conséquent, de plus en plus lourde. Entre le XIᵉ et le XIIIᵉ siècles, elle se composait d'une cotte de maille (mailles métalliques) qui recouvrait le tronc ou même parfois le corps entier. Au début du XIVᵉ siècle, elle était renforcée de plaques de métal articulées aux jointures. Un chevalier qui tombait de son cheval était incapable de se relever par lui-même.

11 Région administrée par un bailli.

12 Après 10 mois de débats, le conclave élut l'archevêque de Bordeaux qui devint pape sous le nom de Clément V. À cette époque, la ville d'Avignon faisait partie des états des comtes de Provence.

13 Les astrologues prétendaient lire l'avenir en observant les étoiles; les alchimistes cherchaient un ferment qui empêcherait la désagrégation des corps (donc la mort) et qui permettrait la progression des êtres vers un état supérieur; ils cherchaient, notamment, le moyen de transformer les métaux vils en métaux précieux.

14 Composé entre 1275 et 1280.

MARCHANDS ET ARTISANS

Usages immémoriaux

Du fait qu'il s'étend sur une dizaine de siècles, le Moyen Âge présente des aspects fort divers. Il est, néanmoins, un caractère qui est resté permanent depuis l'époque des Grandes Invasions jusqu'à la Renaissance: l'individu isolé pouvait difficilement survivre. Dans un monde où les souverains étaient rarement assez forts pour faire respecter l'ordre et la justice, mieux valait aliéner sa liberté plutôt que d'être seul. Pour trouver quelque protection, un seigneur se plaçait sous la dépendance d'un suzerain plus puissant que lui, un paysan restait dans le voisinage d'un château fort, un religieux faisait partie d'une communauté. Quant à l'artisan, il se défendait en vivant dans une ville ou dans une commune, et en s'intégrant à une association professionnelle.

Les métiers, guildes ou confréries,[1] ont existé dès les temps les plus reculés. La plupart des organisations médiévales ont dû continuer des traditions déjà établies par des groupements de la période gallo-romaine. Pendant des siècles, les institutions relatives au commerce se sont transmises, de génération en génération, de façon purement orale. Les documents écrits ne semblaient pas nécessaires. Pour qu'une coutume se perpétue, il suffisait qu'elle soit qualifiée d'« antique usage ». Lorsque survenait quelque question litigieuse, on consultait les hommes les plus âgés de la communauté et l'on tenait leur avis pour irréfutable.

À partir du XIIe siècle, avec le développement des communes et de l'activité économique, les textes relatifs au commerce ont commencé à apparaître. À Paris, les questions touchant à la police, à la navigation fluviale et aux professions étaient arbitrées par le prévôt des marchands. Saint Louis chercha longtemps un homme digne d'occuper ce poste crucial. Finalement, il choisit Étienne Boileau. Il ne pouvait pas faire un meilleur choix. Par souci de clarté et d'équité, Étienne Boileau convia les associations professionnelles à mettre leurs règlements par écrit. Sur environ 200 métiers que comptait la capitale, 121 répondirent à l'invitation. Les statuts furent collationnés en un registre qui, par la suite, sera publié sous le titre de *Livre des métiers*. Ce précieux document constitue une sorte de code de commerce de la seconde moitié du XIIIe siècle. Au XIVe et au XVe siècles, des textes de plus en plus nombreux et détaillés viendront compléter le livre d'Étienne Boileau.

Maîtres, ouvriers et apprentis

Tous les métiers comprennent trois groupes d'individus: les maîtres (ou patrons), les ouvriers (ou compagnons) et les apprentis. Cette hiérarchie sera respectée jusqu'à la fin de l'Ancien Régime. Chaque groupement professionnel est administré par les jurés (ou prud'hommes). Ceux-ci sont élus par les maîtres et les ouvriers réunis. Dans la plupart des associations, un certain nombre de jurés sont choisis parmi les ouvriers. À Paris, par exemple, les fabricants d'épingle élisent six jurés, dont trois sont pris parmi les maîtres, et trois parmi les ouvriers. Le mandat des jurés peut varier entre un an et cinq ans, rarement plus.

Selon les métiers, un maître peut employer un ou deux ouvriers; il est exceptionnel qu'il puisse en employer davantage. Veut-il renvoyer l'un de ses ouvriers? Il ne peut le faire sans raison valable. Chez les fabricants

French Government Tourist Office

Cahors, importante ville marchande du sud-ouest. Bâtie dans une boucle du Lot, la ville n'était reliée à l'autre rive que par un pont fortifié qui, en cas de danger, pouvait être fermé et servir de fortification.

d'épée, par exemple, le cas doit être jugé par un tribunal composé de quatre jurés et de deux ouvriers.

La question de l'apprentissage fait l'objet de règlements minutieux. Pour pouvoir prendre un apprenti, un maître doit avoir une bonne réputation et il doit être capable de « montrer le métier en tous points ».[2] Le contrat d'apprentissage se règle en présence de plusieurs témoins, précaution d'autant plus importante que l'acte est rarement écrit. L'apprentissage est long, jamais moins de deux ans; dans la plupart des métiers, il dure cinq ou six ans, parfois plus longtemps. Le maître doit traiter l'apprenti comme son propre enfant, lui assurer le logement, l'habillement et la nourriture. En principe, l'apprenti doit payer un droit au maître. Néanmoins, l'orphelin ou l'enfant sans ressources peut être admis « par Dieu », c'est-à-dire par charité. Dans certaines professions, avant d'être admis à l'atelier, l'apprenti jure solennellement d'observer les statuts du métier qu'il va apprendre. De toute façon, s'il estime qu'il a sujet de se plaindre, le petit bonhomme a le droit de porter ses doléances aux jurés. Si le patron est jugé négligent, l'apprenti peut être transféré à un autre atelier.

Journées de travail Maîtres, ouvriers et apprentis travaillent ensemble, presque toujours dans la même pièce. La journée est longue; elle commence avec le jour entre 5 et 7 heures du matin et ne se termine qu'au coucher du soleil, entre 5 et 9 heures du soir, selon les saisons. Dans la plupart des métiers, il est interdit de travailler « à la chandelle ». Dans des maisons construites presque exclusivement en bois, le danger d'incendie serait très grand; d'ailleurs l'éclairage serait défectueux. « La clarté de la nuit ne suffit pas au métier »,[3] précisent certains statuts.

Heureusement, de multiples fêtes permettent de prendre quelque repos. Obligatoirement, on chôme les dimanches et les jours de fêtes solennelles. On doit également chômer le jour de la fête de nombreux saints (saint Jean, saint Joseph, sainte Anne etc.), le jour de la fête du patron du métier,[4] le jour de la fête du patron de la paroisse etc. Souvent, on chôme les veilles de fête ainsi que le samedi après-midi. L'un dans l'autre, on ne travaille guère plus de 250 jours par an.

Comment s'établir maître Avant de pouvoir ouvrir boutique, le futur maître doit terminer la période requise pour l'apprentissage puis il doit passer une sorte d'examen professionnel. Si les jurés le trouvent « suffisant, expert et convenable », il lui faut encore acheter le droit de s'établir. La moitié de la somme versée ira au roi ou au seigneur, l'autre moitié ira à la caisse de la corporation. Il lui faut également verser une caution qui servira à protéger la clientèle, au cas où il vendrait une marchandise défectueuse... Dans certains métiers, chez les bouchers parisiens notamment, seuls les fils de maître peuvent s'établir maîtres.[5] Les étaux se transmettent de père en fils, sans que personne d'autre puisse s'infiltrer et le métier constitue une véritable caste quasi indépendante.

À de rares exceptions près, l'artisan est à la fois fabricant et marchand. Le matin, il ouvre les auvents de son atelier et le rebord de la fenêtre lui sert de comptoir. Les boutiques d'un même métier sont rassemblées dans un quartier, souvent dans une seule rue. Les bouchers sont rue de la Boucherie, les drapiers sont rue de la Draperie (ou rue des Draps), les marchands de poisson sont rue Poissonnière etc.... L'enseigne est le seul moyen d'attirer l'attention des passants. En principe, le marchand ne doit solliciter le client ni du geste ni de la voix, à moins qu'il ne se trouve directement devant son étalage. Dans une ville du nord, il est interdit aux marchands de tousser ou d'éternuer pour capter l'attention des gens qui passent!

La défense du métier À l'exception des merciers qui sont autorisés à vendre une variété de frivolités généralement importées (ceintures, bonnets, peignes, masques etc....), chacun doit rester dans les limites de sa spécialité. Les contrevenants seraient passibles d'amendes, de confiscations ou même d'expulsion de la communauté. Les poissonniers d'eau douce et les poissonniers d'eau de mer doivent s'en tenir à leurs commerces respectifs. Les cordonniers ne peuvent fabriquer que des chaussures à semelle épaisse et n'utiliser qu'une sorte de cuir appelé « cordouan ».[6] Un autre corps de métier a le privilège exclusif de la fabrication et de la vente des chaussures légères. D'autres groupes ont le monopole du commerce des galoches ou des sabots. Enfin, un dernier groupe (les savetiers), est limité à la réparation des chaussures usagées. À Paris, la fabrication des chapelets — industrie fort active au XIIIe siècle — est partagée entre 4 ou 5 métiers. On se répartit selon la matière première que l'on travaille: os, bois, ivoire, corail ou ambre. Une association spéciale groupe les fabricants de crucifix.

Le commerce du vin en gros se fait exclusivement au port de grève, et seuls les bourgeois parisiens ont le droit de servir d'intermédiaires entre vendeurs et acheteurs. Les taverniers ont le monopole de la vente du vin au détail. Leur commerce est surveillé de très près. Ils doivent payer au roi un droit proportionnel à la quantité de vin débitée. D'ailleurs les tavernes (il y en a plus de 200 à Paris au XIIIe siècle) sont souvent des endroits agités...

La collectivité professionnelle peut donner certains secours à ses membres qui sont victimes de catastrophes. En général, la veuve et l'orphelin reçoivent quelque assistance. Il existe d'ailleurs des associations dont le but est d'aider les adhérents. Chez les fourreurs, par exemple, les personnes qui acceptent de payer une petite cotisation hebdomadaire, reçoivent une indemnité en cas d'accident ou de maladie. Néanmoins, le but fondamental de l'association consiste à défendre le métier contre les empiétements des rivaux.

Entre tisserands de laine (drapiers) et tisserands de lin, on se surveille étroitement. Les teinturiers entendent garder pour eux seuls le privilège du travail de la teinture. À de multiples reprises, ils entrent en conflit avec les tisserands qui voudraient pouvoir teindre les textiles qu'ils utilisent. De temps immémorial, les boulangers parisiens ont le privilège de vendre du pain frais les jours de semaine. Les boulangers de banlieue ne peuvent vendre leur marchandise dans la capitale que le samedi après-midi, au marché. Le pain qui n'a pas été vendu peut être écoulé le dimanche matin, devant la cathédrale Notre-Dame. Il n'est peut-être pas de première fraîcheur... Certains pains auraient été touchés par les rats! Que cela soit vrai ou faux, on les qualifie de « ratés ». Le mot restera. La pâtisserie est encore dans l'enfance de l'art. Les pâtissiers ne vendent que des gaufres mais ils ont le privilège de la fabrication des hosties. Même les musiciens, chanteurs et ménestrels sont organisés; ils sont groupés sous le titre de jongleurs. Quand l'un d'eux pénètre dans une ville, en guise de droit d'entrée, on lui demande de faire jouer un numéro gratuit par son singe. C'est ce qu'on appelle « payer en argent de singe! »

Par la force des choses, même dans une ville comme Paris qui comprend près de 200 000 habitants, quelques isolés restent en dehors de toute organisation. Il y a un dentiste — précisons: un arracheur de dents. Un autre individu, seul de son espèce, pratique un métier peu commun: moyennant finance, il va à Jérusalem chercher les pardons et la rémission des péchés d'autrui!

NOTES

1   Historiquement, ces trois termes de sens analogue, sont préférables au terme de corporation qui n'a été employé en France qu'à partir du xviiie siècle.

2   Étienne Boileau, *Le Livre des métiers*, Imprimerie Nationale 1879, titre LX, article 4.

3   Étienne Boileau, *ibid.*, Imprimerie Nationale 1879, titre XCVI, article 3.

4   Chaque métier avait son saint-patron. Les charpentiers étaient sous la protection de saint Joseph, les fabricants de serrures étaient sous la protection de saint Pierre (ce qui était normal) et les marchands de vin sous la protection de saint Vincent (vin... Vincent, simple jeu de mots)

5   Il y avait encore au xviiie siècle à Paris, des bouchers descendant des anciennes familles de bouchers du Moyen Âge.

6   Cuir de bœuf préparé à la façon des artisans de Cordoue (Espagne).

L'ART DES CATHÉDRALES

Chartres,
la cathédrale.

I L'ART ROMAN

Art carolingien ou pré-roman

Les architectes de l'époque carolingienne (IXe siècle) avaient un but primordial: réussir à couvrir les églises avec de la pierre. À quelques exceptions près, leurs réalisations furent décevantes.[1] Pour les constructions relativement vastes, ils étaient forcés de se contenter de toitures de bois. Malheureusement, dès qu'un incendie se déclarait, la structure entière risquait de s'effondrer.

Caractères généraux de l'église romane

Vers l'an 1000 apparaît le véritable art roman. Il est caractérisé par l'emploi de la voûte de pierre et par l'organisation de tous les éléments de l'architecture en fonction de cette voûte. Les moines, notamment les moines de Cluny, encouragent la construction. La foi est ardente; en l'espace de 150 ans, des milliers d'églises vont surgir de terre. L'Occident tout entier participe à ce renouveau, mais c'est dans le royaume des Francs, à la campagne comme dans les villes, que les édifices seront les plus nombreux.

French Government Tourist Office

Vue aérienne de la basilique Saint-Sernin de Toulouse. Édifice du XIIe siècle surmonté d'une tour romane de 130 m de haut.

A Nef
B Transept
C Croisée du transept
D Chœur
E Déambulatoire

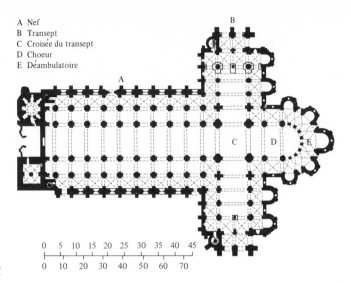

Figure 1

Le plan d'une église romane se compose essentiellement d'une nef rectangulaire terminée, à une extrémité, par un chœur arrondi.[2] Dans un bâtiment de quelque importance, un transept s'élève entre la nef et le chœur. En se croisant, nef et transept donnent à l'édifice la forme d'une croix latine (fig. 1). Le carré, formé par l'intersection, s'appelle la croisée du transept.

L'arc semi-circulaire dit arc en plein cintre constituait la caractéristique de l'architecture romaine. Les constructeurs du XIᵉ siècle ne l'ont donc pas inventé. Par contre, ils l'ont adapté aux sanctuaires chrétiens, ils l'ont perfectionné du point de vue technique et ils en ont tiré un style original, le roman.

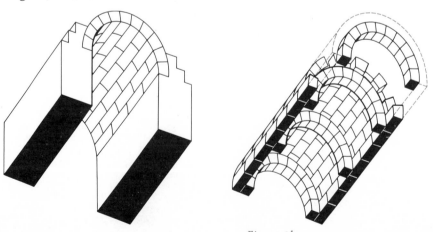

Figure 2a

Figure 2b

Vézelay, basilique de la Madeleine. Nef romane (xie siècle) et chœur gothique (xiiie siècle). Célèbre lieu de pèlerinage. Non loin de là, saint Bernard prêcha la Seconde Croisade.

Voûte en berceau, arcs et contreforts

Dans sa formule la plus simple, la nef romane est constituée par une voûte en demi-cylindre. Cette structure, dite voûte en berceau, donne à l'édifice l'aspect d'une sorte de tunnel (fig. 2a). L'inconvénient, c'est que la voûte exerce de fortes pressions latérales et tend à faire écarter les murs. Les architectes ont donc imaginé de soutenir leur voûte à l'aide d'arcs supplémentaires, placés à intervalles réguliers, le long de la nef (fig. 2b). À Vézelay, par exemple, ces arcs offrent une alternance de pierres blanches et noires, d'un grand effet esthétique. Pour donner plus de rigidité à leur cadre, les constructeurs ont également appliqué des contreforts à l'extérieur des murs (fig. 3). Un autre procédé a consisté à

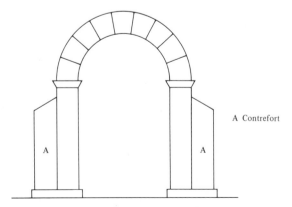

A Contrefort

Figure 3

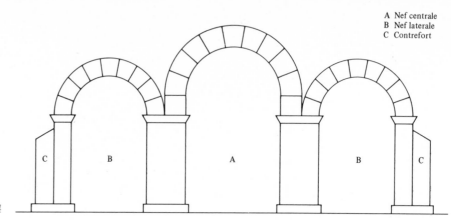

A Nef centrale
B Nef laterale
C Contrefort

Figure 4

flanquer la nef principale de deux nefs latérales. Ces nefs latérales, généralement moins élevées que la nef centrale, agrandissent la surface de l'édifice, tout en renforçant son équilibre (fig. 4). Souvent, les nefs latérales se prolongent autour du chœur, constituant ainsi un passage semi-circulaire (le déambulatoire). Au Moyen Âge, cette disposition permettait aux pèlerins de faire le tour du sanctuaire sans causer d'encombrement.

Voûte d'arête   Du point de vue technique, la voûte d'arête est ce que les architectes romans ont réalisé de plus perfectionné. Une voûte d'arête est constituée par l'intersection, à angle droit, de deux voûtes en berceau de même hauteur (fig. 5). La rencontre des berceaux dessine deux arêtes saillantes, d'où le nom. L'avantage de cette disposition, c'est que les pressions se trouvent localisées aux 4 coins. Au lieu de retomber sur les murs latéraux, le poids porte sur 4 piliers auxquels il est facile de donner le diamètre nécessaire.

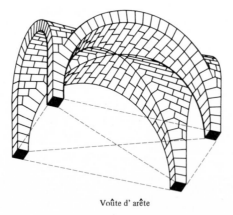

Figure 5   Voûte d'arête

Chapelle de Berzé-la-Ville (Bourgogne, début du XIIe siècle). L'un des rares monuments romans dont le chevet ait conservé ses peintures murales complètes. Le Christ est représenté en gloire, entouré par les Apôtres.

En alignant ou en juxtaposant des voûtes d'arêtes les unes à côté des autres, les architectes romans ont construit des églises, mais également des cloîtres et des salles destinées à la vie monastique ou seigneuriale.

Malgré le perfectionnement des méthodes de construction, la solidité d'un édifice roman a toujours exigé des murs massifs. Par nécessité, les ouvertures sont restées peu nombreuses et de dimensions médiocres. De préférence, on ouvrait les fenêtres dans les parties supérieures du bâtiment, afin de ne pas compromettre la résistance de la base.

Peintures murales

Du fait de la structure architecturale, l'intérieur de l'église présente des voûtes et de vastes surfaces de murs. À l'origine, la plupart des édifices religieux devaient être décorés de peintures murales; malheureusement, au cours des siècles, ces œuvres se sont trouvées endommagées ou recouvertes par de nouvelles couches de peinture. Quelques rares églises possèdent encore une partie de leur décor d'origine.[3] Les coloris sont particulièrement riches dans la gamme des jaune, ocre, rouge, brun. Tous les peintres sont restés anonymes. Le plus souvent, ils ont représenté, au-dessus du chœur, un Christ gigantesque, majestueusement assis sur un trône, la main droite levée pour bénir les fidèles.[4]

Images de pierre
Comme les peintures murales, les sculptures avaient, avant tout, un but didactique. Il s'agissait de faire apprendre les Écritures et la morale chrétienne à des masses illettrées. L'image de pierre constituait la méthode d'enseignement la plus directe. Détail significatif, les sculpteurs portaient le titre d'« imagiers » ou de « tailleurs d'images.»

En général, les plus belles sculptures se trouvent sur la façade et aux chapiteaux. Certaines façades sont tellement travaillées qu'elles font penser à des broderies (cathédrales de Poitiers et d'Angoulême). Dans la plupart des édifices, les meilleurs ensembles sculptés sont rassemblés autour des porches. Au-dessus de la porte, entre le linteau horizontal et l'arc en plein cintre, se trouve un espace semi-circulaire appelé le tympan.

Le tympan
Le visiteur qui arrive est forcé de voir le tympan, tout comme on voit le titre d'un livre avant même de l'ouvrir. Cet emplacement de choix est réservé au Christ.[5] La figure divine apparaît en majesté entourée par les quatre Évangélistes, les Apôtres ou des personnages de l'Ancien ou du Nouveau Testament. Le tympan de la basilique de Vézelay, par exemple,

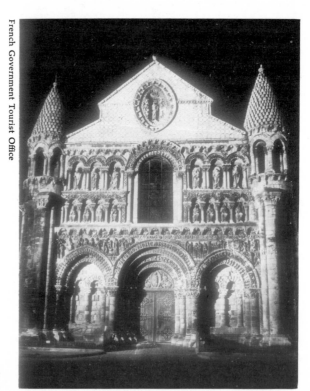

French Government Tourist Office

Notre-Dame la Grande, Poitiers (XIᵉ siècle).

French Government Tourist Office

Vézelay, tympan du narthex (vers 1130–1140).

French Embassy Press and Information Division

Vézelay, détail du tympan du narthex. Le Christ en majesté. Le sculpteur s'est probablement inspiré d'une miniature ou d'une sculpture byzantine.

représente le Christ en gloire envoyant les rayons du Saint-Esprit sur ses disciples. La figure divine est au moins deux fois plus grande que les Apôtres. Il ne s'agit pas d'une erreur de proportions. Par cette différence de taille, l'artiste a voulu souligner que le Maître est d'essence supérieure. Les mains sont démesurément grandes pour indiquer sa puissance. Autour de la scène centrale, des médaillons, disposés en demi-cercle, représentent les peuples que les Apôtres vont évangéliser. Au linteau on reconnaît les Pygmées qui, selon les légendes médiévales, montent sur leurs chevaux avec des échelles. Autour de ces médaillons, un second demi-cercle est formé par les signes du zodiac. Ces signes, d'origine païenne, symbolisent les mois et l'éternel recommencement du cycle annuel. En regardant le tympan dans son ensemble, on peut y « lire », en partant du centre, la leçon suivante: le Christ envoie ses Apôtres prêcher la Bonne Nouvelle aux peuples de la terre, jusqu'à la fin des temps.

Chapiteaux à motifs décoratifs et chapiteaux historiés

Le chapiteau est la pierre intercalaire, entre un pilier et un arc. Il peut avoir une forme cubique ou en tronc de cône. Du fait qu'il porte la naissance de la voûte, il est plus large à sa partie supérieure qu'à sa partie inférieure. Certains chapiteaux sont décorés de motifs ornementaux: volutes, feuilles stylisées, arabesques, tressages en forme de corbeille

Archives Photographiques

Abbaye de Moissac.
Cloître et chapiteaux
(début du XIIe siècle).

etc.... D'autres racontent une histoire, ce sont les chapiteaux historiés. On les « lit », en en faisant le tour. Ils présentent, par exemple, les épisodes les plus saillants de la Nativité et de la fuite en Égypte, de la Cène ou de la Passion. Ces œuvres sont d'un réalisme savoureux. Les artistes médiévaux ne recherchaient pas l'exactitude historique, aussi représentaient-ils les personnages bibliques vêtus comme les gens de leur entourage. Saint Joseph est habillé comme un artisan, les soldats romains qui ont mené le Christ au supplice, portent les armures caractéristiques des guerriers du xie siècle et la Vierge est une noble dame.

Les sujets ne sont pas exclusivement bibliques. Certaines sculptures présentent les vertus et les vices, les saisons de l'année, les travaux agricoles et artisanaux. Dans les coins des grandes scènes religieuses se nichent des fleurs, des animaux, des figures grimaçantes, des dragons etc.... Ces détails secondaires, souvent étrangers au thème principal, ont dû être laissés à la fantaisie de l'artiste. C'est là que l'âme médiévale se manifeste avec le plus de candeur.

Une sculpture subordonnée à l'architecture

Que la scène soit biblique, morale ou imaginaire, le sculpteur l'a fait entrer dans l'espace, strictement délimité, qui lui était accordé (chapiteau, porche, tympan). Les personnages ont été étirés, courbés ou rapetissés, selon les nécessités du cadre. Le décor suit les grandes lignes du bâtiment, sans jamais les rompre. Toutes les « images » restent dans la dépendance de l'architecture. Le relief est peu accentué. À l'origine, la sculpture chrétienne n'était qu'une simple gravure sur pierre. À partir du xie siècle, elle devient plus réaliste, plus souple. Néanmoins, l'art roman demeurera un art à deux dimensions. Les corps sont aplatis, les vêtements « collent », les plis des draperies sont suggérés à l'aide de lignes parallèles. Il faudra attendre l'art gothique pour trouver des statues modelées en ronde bosse, avec leurs trois dimensions.

Variantes régionales

À côté des caractères généraux communs aux édifices du xie et du xiie siècle, l'art roman présente de multiples variantes. Dans certaines régions, les clochers sont ronds (Roussillon, Catalogne) dans d'autres ils sont octogonaux (Auvergne). Dans l'ouest (Poitou), les façades sont dominées par deux tourelles en forme de pomme de pin. Dans le centre, l'emploi de matériaux de construction de divers coloris a permis l'exécution de motifs géométriques polychromes (Vézelay, cloître de la cathédrale du Puy). Certains décors ont dû être réalisés par des artistes qui avaient eu l'occasion d'étudier l'art musulman d'Espagne; grâce au pèlerinage à Saint-Jacques-de-Compostelle (nord-ouest de l'Espagne), de nombreux chrétiens pouvaient côtoyer le monde arabe.[6] Autour de Périgueux, il existe un groupe d'églises constituées par une succession de coupoles. Cette singularité, unique en son genre en Occident puisque la coupole caractérise l'art byzantin, n'a jamais pu être expliquée.

Les ordres monastiques, Cluny en premier lieu, se sont efforcés d'établir des abbayes le long des routes les plus fréquentées par les pèlerins. En allant à Jérusalem ou à Saint-Jacques-de-Compostelle, les voyageurs s'arrêtaient à Vézelay, au Puy, à Moissac etc.... Ils vénéraient les reliques, faisaient leurs dévotions mais, également, ils prenaient quelque repos entre deux étapes.

Travail professionnel et anonymat

La construction d'un édifice religieux exigeait des moyens financiers considérables. Pendant des années, le clergé quêtait, levait des taxes sur les marchands, sollicitait le patronage de puissants personnages... Les ecclésiastiques ont certainement influencé le style et la disposition intérieure des églises, mais ils n'ont pas travaillé de leurs mains. Les travaux ont été exécutés par des professionnels, maçons, tailleurs de pierre, tailleurs d'images, dirigés par un maître d'œuvre. Aucun de ces hommes, pas même ceux qui étaient au sommet de la hiérarchie de leur métier, n'a signé son travail. C'est à peine si on a retrouvé quelques noms dans les archives, et encore on ne sait rien de précis à leur sujet. L'art roman est resté un art anonyme.

II L'ART GOTHIQUE

Gothique, terme impropre

L'édifice roman représentait un progrès considérable sur les constructions en bois du haut Moyen Âge. Néanmoins, les bâtisseurs se heurtaient au problème inéluctable des poussées. Dans les villes au nord de la Loire où la population ne cessait de s'accroître, on aurait voulu augmenter la dimension des églises mais, plus on élargissait les voûtes, plus on risquait les écroulements. Le style gothique est né, précisément, du désir de vaincre la pesanteur.

Le terme « gothique » est impropre. Il est évident qu'il n'existe aucun rapport entre la civilisation chrétienne des XIIe et XIIIe siècles, et les Goths, peuples nomades, en grande partie païens, des IIIe et IVe siècles après Jésus-Christ. Le mot fut lancé, au moment de la Renaissance, par des critiques qui vénéraient l'Antiquité gréco-latine de façon exclusive.[7] Ces derniers méprisaient l'architecture médiévale à tel point qu'ils la qualifièrent de « gothique », autrement dit, de « barbare ». À l'époque romantique, lorsque l'art médiéval fut exalté avec passion, on continua, néanmoins, à employer l'appellation de « gothique », dont la signification initiale avait été oubliée. De nos jours, certains spécialistes voudraient que l'on parle d'« art ogival », mais il semble bien que le terme de « gothique » soit définitivement consacré par l'usage.

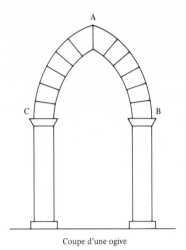

Figure 6

Coupe d'une ogive

De l'ogive au style
gothique

Le point de départ de l'art gothique est l'ogive (du latin *augere*, augmenter?). Pour augmenter les dimensions de son édifice, l'architecte devait neutraliser les pressions en les opposant les unes aux autres. L'ogive est donc constituée par deux segments d'arc, AB et AC, qui s'équilibrent en se joignant au sommet (fig. 6). L'arc s'est trouvé brisé, non pour des raisons d'ordre esthétique, mais pour assurer une meilleure stabilité à la construction.

L'ogive avait été utilisée d'une manière accessoire, çà et là dans quelques constructions dont la structure générale était restée romane.[8] Par contre, dès qu'elle fut adoptée systématiquement, elle provoqua une révolution dans le système architectural. Ce nouveau style, que nous appelons le gothique, prit naissance dans le « domaine royal », non loin de Paris, entre 1110 et 1120. Au Moyen Âge, on le désignait sous le terme de *opus modernum* ou de *opus francigenum*. En l'espace de quelques années, il atteignit son plein développement. La construction d'un édifice de premier plan assura son triomphe. Les moines de l'abbaye de Saint-Denis trouvaient leur église trop exiguë. Sous la direction de l'abbé Suger, ils entreprirent de faire reconstruire, sur le même emplacement, un bâtiment plus vaste, doté de « hautes voûtes ».[9] Les travaux furent exécutés en un temps record. En 1044, le nouveau chœur était consacré en présence du roi Louis VII et de la reine Éléonore d'Aquitaine. À partir de cette date, on emploiera encore le roman pour certains bâtiments de dimensions modestes mais, chaque fois qu'on voudra faire grand, on emploiera le gothique. En un siècle (environ 1150–1250), les parties principales de toutes les cathédrales gothiques de France vont sortir de terre.

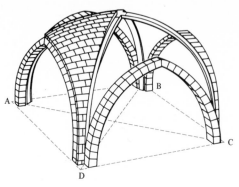

Figure 7

Structure d'une croisée d'ogives

Croisée d'ogives et travée

Avec le gothique, l'ogive remplace l'arc en plein cintre du style roman. En se croisant, deux ogives forment une croisée d'ogives (fig. 7). La croisée d'ogives prend la place de l'ancienne voûte d'arête. Si l'on construit deux ogives parallèles reposant sur quatre piliers AB et CD, puis, en diagonale, une croisée d'ogives reliant AC et BD, on obtient une travée. Pour renforcer le quadrilatère, l'architecte peut ajouter, dans les murs latéraux, deux autres ogives parallèles entre AD et BC. Toute église gothique est constituée par une succession de travées.

French Government Tourist Office

Abbaye du Mont-Saint-Michel, la salle des hôtes. Longue de près de 40 m, elle est composée d'une double rangée de croisées d'ogives. C'est ici que l'abbé du Mont recevait les hôtes d'honneur. Saint Louis, Louis XI et François Iᵉʳ y vinrent en visite.

French Government Tourist Office

Cathédrale de Reims, le chevet (XIIIe siècle). Les ogives du chœur sont étayées par une double rangée d'arcs-boutants.

Pour que la travée soit parfaitement équilibrée, l'architecte a épaulé les points A,B,C,D, par des arcs-boutants. Comme le nom l'indique, l'arc-boutant est un arc. Parti d'un support extérieur à l'édifice, il vient contrebuter l'ogive à l'endroit où les pressions latérales sont les plus fortes, c'est-à-dire à la naissance des voûtes (fig. 8a). Une fois les arcs-boutants mis en place, la structure est indéformable. C'est là que réside la supériorité technique du système gothique. La travée constitue une unité d'architecture complète; au point de vue mécanique, elle forme un tout indépendant du reste de l'édifice.[10]

Lumière et espace

Désormais, l'équilibre est assuré par une armature d'ogives et non plus, comme dans le roman, par la masse des matériaux. Le mur n'est plus indispensable à la solidité; il va donc pouvoir disparaître sans inconvénient. Les architectes vont ouvrir des fenêtres de plus en plus vastes. Pour clore l'édifice, tout en lui apportant une lumière radieuse, ils vont employer le vitrail (fig. 8b). À Notre-Dame de Paris, le verre occupe 86% de la surface et pourtant, depuis plus de 700 ans, le cadre n'a subi aucune déformation. À la Sainte-Chapelle de Paris, le gothique atteint le point suprême de son développement: les murs latéraux sont intégralement remplacés par des verrières.

La structure gothique apporte la lumière et, en même temps, l'espace. Aussitôt en possession de la technique de base, les constructeurs vont chercher à se surpasser les uns les autres. Les grandes cathédrales s'édi-

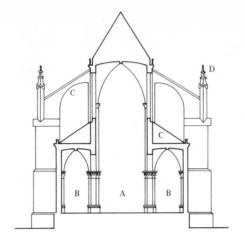

Figure 8a

Coupe d'une cathédrale gothique

A Nef centrale
B Nef latérale
C Arc-boutant
D Pinacle

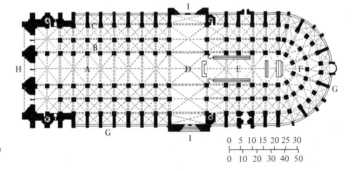

Figure 8b

Plan de Notre-Dame de Paris

A Nef centrale
B Bas côtés
C Chapelles latérales
D Croisée du transept
E Chœur
F Déambulatoire
G Arc-boutant
H Porche central
I Portail latéral

fient à une époque où la population urbaine est en augmentation rapide, notamment dans les régions du nord. Enrichies par le commerce, les villes aspirent à avoir une église digne de leur importance. La vanité s'en mêle! On démolit l'ancien édifice roman et l'on entreprend la nouvelle construction. On commence par le chœur puis, de travée en travée, on avance jusqu'à la façade. Progressivement, entre 1150 et 1250, les nefs deviennent de plus en plus longues (100 m à Bourges, 127 m à Paris, 130 m à Amiens, 138 m à Reims) et les voûtes deviennent de plus en plus élevées (25 m à Laon, 32 m à Paris, 36 m à Chartres, 37 m à Bourges, 37 m à Reims, 42 m à Amiens). À Beauvais, on bat tous les records: les voûtes montent à 50 m au-dessus du sol, mais les difficultés se multiplient: mauvaise qualité des matériaux, écroulements et surtout manque d'argent. En fin de compte, les travaux seront arrêtés. La cathédrale de

Beauvais a les voûtes les plus hautes qui aient été construites, mais elle ne comporte que le chœur et le transept.

Rigoureuse simplicité de la nef

Dans une cathédrale gothique, les verticales l'emportent toujours sur les horizontales. Le mouvement ascendant est particulièrement sensible à l'intérieur de la nef. Aucune statue ne vient nuire à la sonorité acoustique de l'édifice. Le long des murs et des piliers, rien n'arrête la fluidité de l'ensemble. À dessein, les chapiteaux sont devenus imperceptibles. L'élan dynamique des ogives exerce un effet psychologique indéniable. Le regard du visiteur se trouve entraîné vers le sommet. Inconsciemment, il suit la ligne qui monte avec les colonnes puis se prolonge avec les nervures jusqu'à la clef de voûte. On dirait que l'architecture cherche à amener l'homme vers un niveau supérieur.

La façade

Presque tous les décors se trouvent à l'extérieur. Une cathédrale typique possède trois principaux ensembles sculptés: celui de la façade et ceux des deux portails latéraux, respectivement appelés portail nord et portail sud, en raison de leur orientation.

French Government Tourist Office

Notre-Dame de Paris. Perspective de la nef vue de la tribune du chœur (seconde moitié du XIIᵉ siècle).

La façade est dessinée en fonction du nombre trois. En bas, trois porches. Dans la partie supérieure, deux fenêtres ogivales encadrant une rosace (fenêtre à plan circulaire). Le même rythme se répète dans le sens de la hauteur: l'étage des porches puis, séparé par une galerie de statues dite « galerie des Rois », l'étage des fenêtres et, enfin, l'étage des tours.

Le porche central est toujours consacré au Christ, le personnage fondamental du christianisme. Son image se tient debout, au milieu de l'entrée, comme pour accueillir les fidèles. À la cathédrale d'Amiens, que nous prendrons pour prototype, cette statue, empreinte à la fois de noblesse et de douceur, a été surnommée « le Beau Dieu d'Amiens ».

Le tympan central et le Jugement dernier

Entre le linteau (pierre horizontale qui constitue le dessus de la porte) et la naissance des voussures, se trouve le tympan. Il n'est plus semi-circulaire, comme dans le style roman, mais de forme ogivale. Dans les principales cathédrales, le tympan du porche central représente le Jugement dernier. La disposition d'ensemble du tympan d'Amiens se retrouve dans tous les édifices de la même époque.

Au sommet, le Christ préside, entouré par un groupe d'anges. À noter que le sculpteur a voulu meubler tout l'espace qui lui était alloué, aussi a-t-il placé les pieds d'un ange agenouillé dans les deux angles de la base du triangle.

French Government Tourist Office

Cathédrale d'Amiens, façade (première moitié du XIIIᵉ siècle).

French Government Tourist Office

Cathédrale d'Amiens, tympan du porche central.

À l'étage inférieur, c'est la Résurrection des morts. Les corps sortent de leurs tombeaux pour aller se présenter devant le Juge suprême. Des anges d'une taille majestueuse sonnent la trompette. Avec sa balance, le représentant de Dieu pèse le bien et le mal.

À l'étage intermédiaire, c'est le verdict définitif. Les anges dirigent les élus vers le Paradis situé à la droite de Dieu. La félicité est symbolisée par le sein d'Abraham. De l'autre côté, les damnés sont entraînés de force vers l'Enfer. Personne ne peut manquer de reconnaître Satan et ses associés, avec leur queue, leur nez crochu, leurs cornes et leurs poils! À coups de pique, ils font avancer leur sinistre troupeau. Pour bien montrer que nul n'échappe à la justice divine, parmi les condamnés, l'artiste a fait figurer un moine, une noble dame, un riche, un roi et jusqu'à un évêque! Tous sont embarqués vers la fournaise infernale et la gueule d'un gigantesque serpent.

À l'origine, la plupart des statues et des scènes sculptées étaient peintes. À droite de Dieu, le Paradis était couleur azur; à gauche, l'Enfer était rouge. Jusqu'au XVe siècle, les représentations des miracles se donnaient sur le parvis de l'église, c'est-à-dire sur les marches qui précèdent le portail. Les sculptures de la façade constituaient une toile de fond toute faite, à laquelle on ajoutait quelques décors complémentaires. Les scènes de béatitude se tenaient du côté du Paradis et les cabrioles des démons avaient lieu du côté de l'Enfer. Les « diableries » ont dû fasciner l'imagination médiévale plus que toute autre chose et, lorsqu'on cessera de donner des représentations sur le parvis des églises, le rouge restera néanmoins la couleur traditionnelle du théâtre.

Statues-colonnes

Des statues flanquent chaque côté des entrées. Au porche central, la place d'honneur est réservée aux Apôtres. Six à droite et six à gauche, ceux-ci encadrent le Christ. L'un des deux autres porches de la façade est consacré à la Vierge. Quant aux portails latéraux de l'édifice, celui qui est orienté vers le nord est consacré à l'Ancien Testament, alors que celui qui est orienté vers le sud est consacré au Nouveau Testament ou à l'un des saints patrons de la paroisse. C'est intentionnellement que les saints et les saintes, dont l'âme s'est ouverte à la Vérité, ont été placés du côté de la lumière.

L'évolution de la statuaire médiévale permet de dater les œuvres avec une précision relative. Pendant la première moitié du XIIe siècle, les tailleurs d'images continuent à travailler selon les traditions romanes. Les « statues-colonnes », caractéristiques de cette période, sont démesurément longues. Les bras sont collés au corps; les plis des draperies sont indiqués par des stries sans profondeur. Cette anatomie contre nature provient essentiellement du fait que le sculpteur a eu pour mission de créer une statue à partir d'une colonne. La forme générale était imposée par la structure du bâtiment. La sculpture devait rester dans la dépendance étroite de l'architecture.

Cathédrale de Chartres. Apôtres du portail sud (seconde moitié du XIIe siècle). De droite à gauche: saint Pierre, saint André, saint Paul, saint Jacques, saint Jean. Les Apôtres portent des croix (cassées) ou des épées qui rappellent leur martyre.

French Embassy Press and Information Division

Cathédrale de Reims, porche central du grand portail. Groupes de l'Annonciation et de la Visitation (XIIIᵉ siècle).

Émancipation des statues

À partir de la seconde moitié du XIIᵉ siècle, la sculpture va s'émanciper. À Paris, à Amiens, au portail sud de Chartres, les statues s'animent. Elles ne sont plus attachées au mur; elles ont un volume réaliste, leurs pieds reposent sur un socle, les plis des draperies retombent avec naturel. Chaque personnage a une attitude appropriée, un geste bien à lui. À Chartres, saint Georges et saint Théodore ont l'équipement complet et l'allure vigoureuse des chevaliers des croisades.

Au milieu du XIIIᵉ siècle, la sculpture médiévale atteint la perfection technique. Bien qu'elles soient gigantesques (certaines font 4 m), les statues de la cathédrale de Reims ont un modelé comparable à celui des chefs-d'œuvre de l'Antiquité grecque. Le groupe de la Visitation montre la Vierge et sa cousine sainte Élisabeth, tournées l'une vers l'autre, avec une élégance naturelle. Nous sommes loin des saints figés dans la contemplation; il s'agit plutôt de deux nobles dames qui s'entretiennent de leurs affaires privées. Les visages expriment des sentiments humains et même des humeurs fugitives. L'ange qui vient apporter à Marie la bonne nouvelle (exécuté vers 1250–1260), a le sourire aux lèvres. Au milieu du porche, les visiteurs sont accueillis par un autre ange dont le visage a une grâce malicieuse. C'est « le sourire de Reims ». Il passe pour la plus belle sculpture de l'art chrétien.

Le vitrail

La leçon en images qui a été commencée par les statues des portails, est poursuivie à l'intérieur par les vitraux. Le vitrail médiéval est une mosaïque translucide. De petits morceaux de verre de couleur, découpés aux dimensions voulues, sont réunis par un réseau de plomb. Le tableau forme un médaillon qui peut être carré, rectangulaire ou même circulaire ou losangé. Les médaillons sont réunis les uns aux autres par une armature de plomb. Une fois mis en place dans une fenêtre, l'ensemble constitue une verrière.

Les couleurs, riches et franches, ne sont jamais plus d'une dizaine: deux bleus, deux rouges, un blanc, un vert, un jaune, un brun, un violet.[11] Les personnages se détachent sur un fond de couleur unie (rouge, bleu, vert) ou sur un motif ornemental dont le dessin varie d'une verrière à l'autre. L'expression des visages et les plis des vêtements ont été dessinés par un trait noir, plus ou moins accentué.

L'art du vitrail atteint son apogée au milieu du XIIIe siècle. Il existait plusieurs ateliers de vitraux mais ceux de Chartres étaient les plus célèbres. C'est pourquoi la cathédrale de cette ville a été dotée de verrières superbes (146 fenêtres). Le plus bel ensemble de vitraux est celui de la Sainte-Chapelle. Saint Louis fit construire cette église à l'intérieur de son palais, spécialement pour pouvoir y placer la Couronne d'Épines; il la voulut somptueuse et éblouissante comme un reliquaire. La chapelle supérieure est constituée uniquement par une armature d'ogives et par du verre. Les murs latéraux ont été remplacés par une rosace et par quinze verrières, les plus vastes et les plus lumineuses qui existent au monde.

Archives Photographiques

Cathédrale de Chartres. Vitrail dit « de Charlemagne » offert par les pelletiers (début du XIIIe siècle). Dans le médaillon du bas, combat de Roland contre Farragut; au centre, Roland, représenté deux fois, brise son épée et souffle dans sa trompe; en haut, Charlemagne apprend la mort de sont neveu et fait dire une messe.

Statues et vitraux font de la cathédrale une Bible en images. Avec ses 10 000 personnages peints ou sculptés, Notre-Dame de Chartres constitue une sorte de film fixe. Le peuple immense des illettrés pouvait y « lire » les principaux épisodes de l'Histoire sainte, de la vie du Christ, des Apôtres et des martyrs. Mais la cathédrale est plus qu'une somme théologique; elle est l'encyclopédie la plus complète des connaissances médiévales.

À côté des grandes compositions religieuses, on découvre d'innombrables images de plantes et d'animaux. Souvent, il s'agit de représentations symboliques: le serpent — le mal, le lapin — la poltronnerie, le pélican — le dévouement, le singe — le vice. Néanmoins, dans bien des cas, l'abondance des détails pittoresques reflète, tout simplement, l'amour que les artistes éprouvaient pour la nature. Sur la façade de la cathédrale d'Amiens, deux séries de médaillons sculptés représentent les signes du zodiac et les activités caractéristiques de chaque mois de l'année. Même les métiers manuels ont une place. À l'époque médiévale, les chapelles latérales servaient de lieu de réunion aux associations professionnelles. Les principaux groupements corporatifs contribuaient, par leurs donations, aux frais de construction et, fréquemment, il faisaient figurer dans les vitraux leurs activités traditionnelles. À Chartres, on voit, dans les verrières, des charrons fabriquant une charrette, des bouchers découpant un bœuf et même un paysan, debout dans une cuve, en train de presser le raisin avec ses pieds!

Certaines sculptures, à caractère plus intellectuel, nous rappellent qu'une école était rattachée à chaque cathédrale. Des bas-reliefs représentent les vertus et les vices mais également, les arts libéraux et les sciences: la philosophie, l'astronomie, l'alchimie, etc.... À Chartres apparaissent les principaux sages de l'Antiquité (Pythagore, Aristote, Cicéron). À Paris, centre culturel de la chrétienté, divers médaillons montrent des scènes de la vie des étudiants.

Enfin, ce qui est trop abstrait pour être mis en images, les constructeurs des cathédrales ont essayé de le suggérer indirectement. Le plan général en forme de croix latine est le plus clair de tous les symboles. Le message mystique apparaît dans le nombre des porches (trois, le chiffre de la Trinité), l'orientation de l'édifice (le chevet tourné en direction de Jérusalem), la position des statues les unes par rapport aux autres ainsi que dans de nombreux détails des vitraux et des sculptures. Rien n'a été fait par hasard. À l'origine, chaque élément du décor ou de l'architecture a été exécuté avec une intention précise même si, de nos jours, nous n'en comprenons pas toujours la signification.

Les caractéristiques régionales sont moins accusées dans le gothique que dans le roman. Pourtant, dans le Midi il existe une famille d'églises nettement particularisée, dont la cathédrale d'Albi est l'exemple le plus célèbre. Construits en briques, ces édifices ont, à l'extérieur, l'aspect massif d'une forteresse. Cette singularité provient du fait que pendant plusieurs générations, l'Église a craint une reprise de la menace cathare.

Dès la première moitié du XIIe siècle, le prestige des cathédrales de l'Île-de-France fut si grand que le style gothique, l'*opus francigenum*, comme on disait alors, s'est trouvé adopté dans son ensemble par les régions voisines puis, de proche en proche, par les pays plus éloignés. Certains maîtres d'œuvres allèrent travailler à l'étranger. Les cathédrales de Canterbury (Angleterre), de Tolède (Espagne), d'Uppsala (Suède) furent commencées par des Français, puis elles furent achevées par des architectes locaux qui leur donnèrent leur particularité nationale.

Les maîtres d'œuvres et leurs équipes

La construction d'une cathédrale exigeait les efforts de toute la population d'une ville pendant deux ou trois générations. Contrairement à la théorie romantique, les travaux n'étaient exécutés, ni par les moines, ni par les fidèles. La participation bénévole resta marginale et exceptionnelle. Les ouvriers étaient des professionnels, payés selon leur spécialité.

À l'époque romane comme à l'époque gothique, le financement constituait le problème majeur. Dans les villages ou dans les villes où l'activité économique était médiocre, il n'était pas question de faire de grands projets. Par goût ou par nécessité, on se contentait des édifices romans déjà existants ou bien on n'entreprenait que des constructions de dimensions médiocres. Par contre, là où le commerce prospérait, on se lançait dans des entreprises ambitieuses. L'expansion du style gothique et le développement urbain ont été simultanés. Une fois les travaux mis en route, il s'agissait de lever des fonds. Tout le monde était tenu de participer: le chapitre de la cathédrale, les marchands, les riches et les pauvres, les féodaux, le souverain etc.... Malgré tout, la plupart des chantiers connurent des arrêts momentanés et des périodes de crise. À partir de la seconde moitié du XIIIe siècle, l'argent devint rarissime et l'enthousiasme de la collectivité diminua. Les cathédrales qui ne s'étaient pas trouvées terminées avant la guerre de Cent Ans, resteront inachevées.

Un homme était l'âme de la construction: le maître d'œuvre. Ce puissant personnage était à la fois architecte, ingénieur, technicien, chef d'entreprise. Il possédait tous les aspects du métier mais il avait également des connaissances secrètes. Au Moyen Âge, et même longtemps après, aucun règlement ne protégeait l'invention. Il était donc normal que celui qui avait inventé une technique nouvelle, ou qui avait été initié à quelque secret, garde son savoir pour lui. S'il transmettait sa science ésotérique, ce n'était qu'à son fils ou à son successeur, et une fois arrivé à l'article de la mort.

French Embassy Press and Information Division

Cathédrale d'Albi, le plus vaste édifice de briques en France (XIIIe siècle, le portail est Renaissance).

Grâce aux archives des chapitres, nous connaissons le nom d'une douzaine de maîtres d'œuvres.[12] Mais, du fait que ces derniers n'ont rien publié ni rien enseigné officiellement, nous ignorons presque tout de leur vie personnelle et de leurs méthodes de travail.[13]

Le maître d'œuvre avait des assistants qui encadraient des centaines d'ouvriers. Au bas de l'échelle, les manœuvres transportaient les matériaux. Les maçons, souvent étrangers au pays, faisaient les travaux de maçonnerie. Les tailleurs de pierre donnaient à chaque pierre la forme qu'elle devait avoir en fonction de la place qu'elle allait occuper dans l'édifice.[14] Enfin, les mieux payés de tous les travailleurs, les tailleurs d'images, sculptaient les bas-reliefs et les statues. Malgré le prestige dont ils jouissaient, ces derniers sont restés anonymes et nous ne savons presque rien sur eux.

La cathédrale permettait à la population d'une ville entière d'assister à la même cérémonie, mais elle n'était pas simplement le lieu où le clergé officiait. Elle était la maison de tous, riches ou pauvres; elle était le centre de la vie municipale, l'asile inviolable des gens poursuivis, le refuge des malheureux, la salle de réunion du peuple de Dieu. Les hommes de plusieurs générations y ont incarné le meilleur d'eux-mêmes, leurs connaissances, leur génie artistique et leur foi, c'est pourquoi elle reste l'expression la plus haute du Moyen Âge chrétien.

NOTES

1 La construction la plus réussie fut l'église du palais de Charlemagne; malheureusement, les constructeurs francs furent incapables de l'imiter.

2 Le plan circulaire ou octogonal fut rapidement abandonné du fait que les constructeurs ne savaient pas édifier les coupoles mais également du fait qu'un plan allongé convenait mieux à une population de plus en plus nombreuse.

3 Les peintures murales ont été exécutées sur les murs une fois terminés et non pas, comme dans le cas des fresques, sur du plâtre encore frais. À la fin du XIXᵉ siècle, l'inspecteur des monuments historiques, Viollet-le-Duc et son ami Prosper Mérimée, eurent le grand mérite de montrer l'importance de ces peintures.

4 Les peintres semblent avoir travaillé en utilisant comme modèle des miniatures et des ivoires byzantins.

5 Le choix des sujets religieux et leur emplacement dans l'édifice était décidé non pas par les constructeurs, mais par le clergé.

6 Le Massif central est riche en pierres volcaniques de couleurs variées. Il n'en est pas moins certain que les motifs décoratifs polychromes ont été influencés par l'art arabe. Il est même possible que des artistes, originaires d'Espagne, soient venus travailler en Auvergne.

7 Il semble avoir été utilisé pour la première fois par le critique italien Vasari vers 1550.

8 Où l'ogive apparut-elle pour la première fois? La question reste obscure. On a cherché son origine en Perse, en Arménie, en Lombardie, en Normandie, en Angleterre (cathédrale de Durham), en France (église de Morienval près de Paris), etc. Il est probable que les constructeurs de l'Île de France n'ont pas inventé l'ogive, mais il est certain qu'ils ont développé les techniques et le style de l'architecture gothique.

9 L'abbé Suger a écrit un récit de la construction de l'église dans lequel il a noté, non pas la forme en pointe des voûtes, mais leur hauteur.

10 Au cours des deux dernières guerres, les bombardements ont fait ressortir la supériorité technique du gothique. D'une façon générale, les structures gothiques ont mieux résisté que les autres aux explosions. Une travée atteinte par une bombe était inévitablement fracturée, mais les travées voisines restaient debout.

11 Jamais de gris ou de demi tons. Malgré les ressources de la chimie moderne, il est impossible de retrouver la richesse de certaines couleurs (rouge et azur, notamment). Les plus belles verrières ont été composées de façon à éviter que la lumière, en pénétrant dans l'édifice, ne produise des taches de couleur. À la Sainte-Chapelle, la luminosité reste uniforme, même lorsque le soleil brille derrière les verrières.

12 Pierre de Montreuil dirigea les chantiers de Saint-Denis et de Paris, Robert de Luzarches dirigea celui d'Amiens...

13 Il existe un manuscrit, unique en son genre, l'album de croquis de Villard de Honnecourt. L'artiste, un maître d'œuvre ou un tailleur de pierres du milieu du XIIIe siècle, a relevé des plans de bâtiments, des croquis de statues et des schémas d'appareils de levage utilisés par les constructeurs.

14 Chaque pierre était taillée comme un élément préfabriqué avant d'être mise en place. La taille des pierres se faisait dans des baraques de bois appelées loges.

LA GUERRE DE CENT ANS

*Une ville fortifiée
attaquée par des pillards.
Manuscript du XVᵉ siècle.*

Philippe IV le Bel avait laissé une superbe postérité: trois beaux fils d'âge adulte, sans compter une fille, Isabelle, mariée au roi d'Angleterre.

L'aîné des fils (Louis X) régna deux ans puis mourut, ne laissant qu'une petite fille de quatre ans. Cette situation était sans précédent dans l'histoire du royaume. Sans hésiter, le second fils (Philippe V) fit entendre que, vu son âge, sa nièce ne pouvait pas régner. Il y eut quelques protestations; néanmoins, Philippe fut couronné. Cinq ans plus tard, ce dernier mourut à son tour sans laisser de postérité masculine. Le troisième et dernier frère (Charles IV) monta sur le trône. Dix-huit mois plus tard, il mourut... Sa femme était enceinte. On attendit la naissance de l'enfant pour prendre une décision. Encore une fille! Et cette fois, il n'y avait plus de frère pour prendre la succession.

Les trois fils de Philippe IV le Bel avaient régné trop peu de temps pour avoir une politique suivie. Ils avaient cherché de nouvelles sources de revenus car les dépenses administratives allaient sans cesse en augmentant. D'une façon générale, le royaume était prospère. La justice royale continuait à gagner en importance sur les justices seigneuriales. Pour faire face è leurs responsabilités accrues dans le domaine judiciaire, les rois venaient d'établir un nouveau tribunal appelé Parlement. Le terme doit être précisé: pendant toute la durée de l'Ancien Régime, les Parlements ne seront pas des assemblées législatives mais des cours de justice. Dès sa fondation, le Parlement de Paris comptait déjà une centaine de juges. Il n'allait pas tarder à grandir et à devenir la cour d'appel pour tout le royaume.

Qui allait succéder au derner fils de Philippe IV le Bel? Apparemment, le peuple ne prit aucune part aux débats. Les barons, assistés par les légistes, furent les arbitres. Allait-on offrir la couronne à Édouard III d'Angleterre, fils d'Isabelle et, par conséquent, petit-fils de Philippe IV le Bel? Ou bien allait-on l'offrir à Philippe de Valois,[1] cousin germain des trois derniers rois?

Édouard III était le plus proche parent par le sang, mais il était jeune (17 ans), il vivait dans son île, enfin il était le roi d'Angleterre. Il descendait de cette lignée rebelle qui, à chaque génération, était entrée en conflit avec les Capétiens. Lui donner la couronne aurait placé la France dans la dépendance de l'Angleterre. Par une réaction instinctive, Édouard III fut écarté, *a priori*. Restait Philippe de Valois. À l'unanimité, les barons se prononcèrent en sa faveur (1328).

Naturel sur le plan national, ce choix était contestable sur le plan juridique. Dans la plupart des fiefs, la succession féminine était reconnue. Mais, avec l'aide des légistes, on trouva des justifications. On déclara que la couronne de France était si noble qu'elle ne pouvait être transmise qu'à des hommes, par filiation masculine. On réussit même à trouver une explication pseudo-légale: sous prétexte que chez les Francs Saliens les femmes ne pouvaient pas hériter de la terre, on parla de « loi salique ». Naturellement, les coutumes guerrières des Francs du ve siècle n'avaient rien de commun avec les mœurs du xive siècle... Mais les formes juridiques étaient respectées; c'était là tout ce que l'on désirait.

Philippe VI, Capétien-Valois

Bel homme, dans la force de l'âge, Philippe VI de Valois monta sur le trône au milieu de l'allégresse générale. À Reims, le jour de son sacre, tous ses vassaux vinrent lui rendre hommage, tous à l'exception d'un seul: Édouard III, duc de Guyenne, roi d'Angleterre.

Édouard était ulcéré par la décision des barons français. Il alla jusqu'à qualifier Philippe de « roi trouvé ». Dans l'espoir d'échapper à une cérémonial qui lui faisait horreur, il se déroba. Pourtant, lorsque Philippe menaça de lui confisquer son fief de Guyenne,[2] il dut se résigner. Dans la cathédrale d'Amiens, en présence de la noblesse des deux royaumes, le Plantagenêt plia le genou devant son suzerain.

— Sire, lui demanda-t-on, devenez-vous l'homme du roi de France pour le duché de Guyenne?
— Voire, répondit le jeune roi.

La réponse était ambiguë; les arrière-pensées l'étaient encore plus.

Depuis plus de trois siècles, les Capétiens s'évertuaient à rassembler les terres du royaume. Les Plantagenêts n'avaient plus qu'un seul fief, la Guyenne, bande côtière allant de Bordeaux aux Pyrénées. Philippe VI aurait aimé compléter l'œuvre de ses prédécesseurs. Quant à Édouard, il aurait voulu régner sur la Guyenne en toute souveraineté, d'autant plus que son rival venait de lui ravir la couronne de France...

Rupture

À peine dissimulés sous le masque de la courtoisie diplomatique, les deux hommes s'épiaient. Chacun d'eux cherchait des partisans. Philippe VI cultivait l'alliance écossaise; Édouard III resserrait ses liens commerciaux avec les Flandres. De menace en menace, on en arriva à la rupture. Philippe confisqua la Guyenne. Édouard riposta en envoyant un défi à « Philippe de Valois qui se dit roi de France » ; en 1339, il débarqua dans la région de Boulogne. Le litige féodal avait dégénéré en un conflit dynastique. La guerre dite « guerre de Cent Ans » commençait. À plusieurs reprises, les hostilités seront suspendues par des trêves mais la lutte reprendra, attisée par les intrigues féodales, les rivalités économiques et, bientôt, par les passions nationales. Cette gigantesque confrontation se terminera par un match nul. Les deux royaumes resteront indépendants, mais l'un et l'autre seront gravement affaiblis.

Dès le début, l'avantage est au Plantagenêt. Une fois débarqué, Édouard s'entend avec les Flamands et, dans la ville de Gand, il se fait proclamer « roi de France et d'Angleterre ».[3] Peu après, par un coup d'audace, il anéantit la flotte française. Le voilà maître de la mer.

Philippe va-t-il réagir? Ce roi qui, dix ans plus tôt, avait été acclamé par toute la nation, se montrait inférieur à la tâche. Il rêvait d'aventures chevaleresques. Son ambition suprême aurait été de diriger une croisade contre les Turcs. Il poussa la naïveté jusqu'à demander à Édouard de l'accompagner! Il fallut l'intervention du pape pour qu'il renonce à son projet. Il envisageait la guerre à la façon des héros de la Table ronde. Sur le champ de bataille, il n'attaquait jamais son adversaire sans lui avoir proposé le combat selon les règles de l'étiquette. Il en arriva à offrir au Plantagenêt de régler leur querelle à l'aide d'un duel.

La cour des Valois

La cour était devenue fastueuse. Chez les Valois, on marchait sur des tapis de soie; les murs étaient tapissés de satin, les sièges étaient garnis de cristal et de pierreries, les tables étaient recouvertes de nappes tissées avec des fils d'argent. On ne se servait que de vaisselle d'or. Les moindres accessoires de toilette exigeaient des garnitures d'hermine et de pierres précieuses. En une seule année, alors que les hostilités avaient déjà commencé, Philippe se fit confectionner quatre ceintures de perles!

À toute occasion, on donnait des fêtes somptueuses qui se prolongeaient plusieurs jours. Les nobles y rivalisaient d'élégance. Les dames échafaudaient de hautes coiffures[4] enrichies de fils d'or et de rubis. Quant aux messieurs, ils portaient des vestes de drap d'or serrées à la taille, des chapeaux garnis de plumes d'autruche et des chaussures — dites chaussures à la poulaine — qui s'étiraient en une longue pointe relevée. Parfois, la pointe était si longue qu'il fallait l'attacher à la cheville à l'aide d'un ruban!

La guerre ne mit pas fin à ce carrousel, loin de là! La veille des combats, on faisait encore des banquets; chaque seigneur voulait paraître digne de son rang. D'ailleurs, les Français étaient sûrs de l'emporter haut la main; au début des hostilités, leurs effectifs étaient nettement supérieurs à ceux de l'adversaire.

Exaltation chevaleresque

En 1346, pour chasser les 18 000 Anglais retranchés près de Crécy, Philippe disposait de 40 000 soldats, sans compter plusieurs milliers de seigneurs. On brûlait d'ardeur. Pour atteindre l'ennemi, on parcourt six lieues sous la pluie. Les troupes arrivent épuisées. Une fois trempées d'eau, les cordes des arcs sont inutilisables; les soldats supplient qu'on les laisse souffler et sécher. Mais la fougue des nobles l'emporte. « Faites commencer la bataille », s'écrie le roi.

Incapables de riposter, les archers français sont cloués sur place. Bientôt, ils sont piétinés par l'offensive précipitée des seigneurs. Les chevaux glissent sur le sol détrempé. Quand ils tombent, les chevaliers, alourdis par leurs armures, sont incapables de se relever. Le bruit des bombardes anglaises achève de semer la panique.[5] En deux heures de temps, l'armée française est détruite. Éperdu, Philippe cherche un abri pour passer la nuit; il arrive devant un château. « Ouvrez, s'écrie-t-il, c'est l'infortuné roi de France! »

La leçon de Crécy ne fut pas comprise. Dans des circonstances analogues, d'autres désastres se renouvelleront et livreront la France aux envahisseurs.

Le Dauphiné

Sur le plan diplomatique, Philippe VI réussit pourtant un coup magistral. Le souverain du Dauphiné cherchait à vendre sa seigneurie au plus offrant. Le dauphin, tel était son titre, était vieux, couvert de dettes et sans héritiers directs. Grâce à d'habiles négociations, le roi de France obtint le Dauphiné pour son fils aîné. Ainsi, tout en conservant une certaine indépendance, cette région située au cœur des Alpes se trouva rattachée à la couronne. Tant que durera la monarchie, l'héritier présomptif du trône portera le titre de dauphin.

Jean II le Bon

Le règne de Jean II fut plus lamentable encore que celui de son père. Faute de pouvoir lui accoler un qualificatif plus glorieux, ses sujets le surnommeront « Jean le Bon ». Par une ironique coïncidence, Jean II est le premier souverain français dont on ait un portrait authentique. Le peintre anonyme a exécuté son œuvre sur une toile qu'il a collée sur un panneau de bois.[6] Le roi, représenté de profil, a un front bas, des lèvres molles, un œil éteint, des joues flasques et une pauvre barbe clairsemée. Les témoignages laissés par les contemporains ne confirment que trop bien l'impression qui se dégage du portrait.

Archives Photographiques

Le roi Jean le Bon. *Portrait anonyme du* XIVe *siècle (musée du Louvre).*

Jean était issu d'un mariage consanguin. Tous les défauts de Philippe VI se retrouvent chez lui, mais encore aggravés. Il était à la fois lent et instable, faible et entêté, indolent et dépensier. La misère de ses sujets ne semble pas avoir troublé son indifférence.

Pendant que le Prince Noir[7] ravageait le Midi de la France, Jean II s'échauffait dans des festins, organisait des tournois, créait des ordres de chevalerie. Au lieu de profiter des ouvertures de trêve qui lui étaient faites, il préféra affronter l'adversaire. Avec des forces quatre fois supérieures à celles des Anglais, les Français furent battus à Poitiers (1356). Jean avait été un modèle de bravoure. Il avait refusé de reculer devant le péril, tant et si bien qu'il s'était fait capturer avec plusieurs milliers de seigneurs!

Jean resta placide; d'ailleurs, il fut traité en roi. Une fois arrivé en Angleterre, on l'installa au château de Windsor. La vie de cour reprit. Le prisonnier fit venir ses serviteurs, son tailleur, son peintre, son fauconnier, ses ménestrels... Pour être agréable à son « cousin » de France, Édouard organisa en son honneur des fêtes auxquelles il eut soin de convier les plus belles filles d'Angleterre...

Fléaux   Entretemps, le dauphin Charles (futur Charles V) s'évertuait à sauver le royaume du naufrage. Les fléaux s'abattaient sur le malheureux pays. Plusieurs hivers exceptionnellement rigoureux avaient gelé jusqu'aux racines des arbres. Les vivres atteignaient des prix exorbitants. La famine décimait les populations rurales. Quand passaient des bandes de soldat — de l'un ou l'autre camp — les campagnes étaient ravagées. L'angoisse, la mauvaise hygiène, la sous-alimentation prolongée, provoquèrent des vagues de folie collective. La peste pénétra dans le Midi puis s'étendit vers le nord. Certains villages perdirent les deux tiers de leur population; au dire des chroniqueurs, rien qu'à Paris, il y aurait eu 50 000 morts en 18 mois.

Mais ce n'était pas tout. En France comme en Angleterre, la guerre entraînait des dépenses et les dépenses entraînaient des impôts. Chaque fois qu'un roi introduisait une nouvelle redevance, il la présentait comme une mesure temporaire. C'est ainsi que Philippe VI prit le monopole de la vente du sel et frappa cette denrée d'un impôt appelé la *gabelle*. Pour aider à payer la rançon de Jean II, on créa les *aides*, un impôt qui frappa les denrées de consommation, notamment les boissons. Une fois introduites, les redevances dites « exceptionnelles » n'étaient jamais supprimées. La guerre de Cent Ans va permettre au principe de l'impôt permanent de s'établir.

Étienne Marcel   Gravement atteints dans leurs intérêts, les bourgeois protestèrent. À Paris les commerçants se placèrent sous la direction d'Étienne Marcel, un riche drapier. En sa qualité de prévôt des marchands, celui-ci contrôlait la plupart des corporations.

Marcel a été un précurseur du régime parlementaire. Il aurait voulu limiter le pouvoir royal, notamment dans le domaine fiscal, en plaçant auprès du souverain une assemblée de bourgeois élus. Profitant de la captivité du roi Jean, il voulut agir au plus vite. Mais ses idées étaient mal comprises. Comme il avait besoin de renforts, il se lia à des seigneurs intrigants qui ne songeaient qu'à leurs intérêts personnels. Il chercha également un appui du côté des bouchers, les plus redoutables des émeutiers car ils savaient manier le couteau mieux que quiconque... Enfin, il essaya de s'allier aux paysans, aux jacques,[8] comme on les appelait alors.

Les paysans étaient poussés par l'énergie du désespoir. Armés de fourches et de bâtons, ils attaquèrent les magasins, incendièrent les châteaux, pillèrent les villes, massacrèrent les gens fortunés. Toute la région parisienne fut terrorisée par les « jacqueries ». Devant la menace, les nobles se solidarisèrent. Dépourvus d'expérience militaire, les paysans étaient incapables de coordonner leurs efforts. La répression fut atroce. Par centaines, les révoltés furent pendus aux branches des arbres.

Discrédité par les excès de ses partisans, Étienne Marcel perdit l'estime des bourgeois et, finalement, il fut abattu dans une rue de Paris. Le dauphin Charles rentra triomphalement dans sa capitale. La première tentative de gouvernement parlementaire avait sombré.

Entretemps, les négociations franco-anglaises se poursuivaient. Jean II obtint sa libération bien que sa rançon n'ait été payée que partiellement. La captivité ne l'avait pas rendu plus avisé. Au lieu d'essayer de soulager son peuple, il envisagea une croisade contre les Turcs! Quand il comprit que son projet était irréalisable, il repartit volontairement en Angleterre, alléguant que sa rançon n'avait pas été versée intégralement! C'est dans ce pays qu'il passa confortablement les dernières années de son existence, et qu'il mourut.

Charles V le Sage et le rétablissement monarchique

Père et fils étaient aussi différents que possible. Alors que ses ancêtres avaient été d'athlétiques guerriers, Charles V était chétif et maladif; c'est à peine s'il pouvait monter à cheval. Par contre, il avait des qualités morales qui faisaient défaut à ses prédécesseurs: il était patient, réfléchi, subtil. Il aimait l'étude et goûtait la compagnie des lettrés. Fort pertinemment, ses contemporains l'ont surnommé Charles le Sage, c'est-à-dire Charles le Savant.

Conscient de ses faiblesses, Charles V évita les batailles rangées, alors que son père et son grand-père les avaient recherchées. Il gouverna surtout en administrateur. Il fit relever les murs des villes, il organisa une armée permanente, il reconstitua une marine. En quelques années, les Anglais s'épuisèrent à vouloir occuper un pays plus vaste que le leur. Harcelés par la guérilla, ils perdirent pied à tel point que, à la fin du règne, ils ne possédaient plus que cinq villes (Calais, Bordeaux, La Rochelle, entre autres) et leurs environs.

Le royaume était infesté de brigands: vagabonds, anciens mercenaires congédiés, aventuriers de toutes sortes... Pour se débarrasser de ces indésirables, le roi les envoya guerroyer en Espagne sous la conduite du capitaine Du Guesclin.[9] L'autorité de la couronne se rétablit; la justice eut les moyens de se faire respecter. Pour être à même de dominer toute agitation éventuelle, Charles V fit construire, à Paris même, une puissante citadelle, la Bastille. À l'extérieur de la capitale, il fit élever le château de Vincennes et son donjon colossal.

Le souverain adorait les livres. Le catalogue de sa bibliothèque montre qu'il possédait plus de 800 volumes parmi lesquels se trouvaient des ouvrages d'astrologie, de sciences divinatoires, de médecine, d'histoire et surtout de jurisprudence. Des lettrés travaillèrent sous l'égide royale. Des légistes rassemblèrent les coutumes du royaume en des recueils appelés coutumiers. Certains de ces coutumiers seront utilisés jusqu'à la fin de l'Ancien Régime. Des érudits traduisirent en français des œuvres d'auteurs latins et étrangers (Ovide, Sénèque, Pétrarque); d'autres composèrent des manuels sur l'art de gouverner. Un ouvrage anonyme, *Le Songe du vergier*, premier en date des traités de science politique écrits en français, résume les principes que le roi s'efforçait de mettre en œuvre.

Grâce aux écrivains qui fréquentaient la cour, le règne de Charles V est relativement bien connu. Le plus fascinant des chroniqueurs de l'époque est une femme, Christine de Pisan.[10] Dans *Le Livre des faits et bonnes mœurs du roi Charles V*, elle a rapporté, avec une pointe de flatterie, de nombreuses anecdotes qui font ressortir les qualités intellectuelles et morales du souverain.

Charles VI, roi fou

Malheureusement, Charles V mourut assez jeune, laissant le royaume à son fils Charles VI, un enfant de 12 ans. Alors commença un long règne (42 ans), encore plus désolant que celui des deux premiers Valois. La régence fut d'abord exercée par les oncles du jeune roi: le duc d'Anjou, le duc de Berry et surtout le puissant duc de Bourgogne.[11] Une fois arrivé à l'âge adulte, le souverain allait rester sous la tutelle de l'un ou de l'autre, à cause de son aliénation mentale.

Selon les chroniqueurs du temps, voici comment débuta la maladie du roi. Par un après-midi d'été, Charles VI, alors âgé de 23 ans, traversait une forêt dans la région du Mans. À la tête d'une petite troupe, il se dirigeait vers la Bretagne, dans l'espoir de ramener le duc de Bretagne dans l'obéissance. Tout à coup surgit un inconnu qui, saisissant la bride du cheval du roi s'écria: « Arrête, ne va pas plus avant, tu es trahi! » Les soldats réussirent à dégager le roi; l'homme lâcha prise et s'échappa. Peu après, comme la troupe se remettait en marche, un page laissa tomber une lance sur un casque. Peut-être se crut-il attaqué, toujours est-il que, piquant son cheval, le roi partit comme un trait, donnant de tous côtés de grands coups d'épée. Il blessa et tua plusieurs hommes. Il fallut le saisir par le dos, le maîtriser, le coucher de vive force, après quoi, il tomba dans un profond sommeil. Lorsqu'il reprit connaissance, il fut bouleversé d'apprendre ce qu'il avait fait et il demanda pardon du tort qu'il avait causé.

L'incident de la forêt avait déclenché la crise mais il est probable que la maladie existait déjà à l'état latent. La plupart des Valois ont présenté des faiblesses physiologiques ou psychiques. Charles avait une lourde hérédité. Depuis deux siècles, aucun des mariages royaux n'était sorti de la famille de saint Louis. Ajoutons à cela que les malheurs des temps troublaient beaucoup d'esprits et que le jeune roi vivait dans une atmosphère de conspirations et de violences susceptible de désorienter un cerveau instable. Dans l'espoir de distraire le malade, on lui amenait des bouffons, on lui mettait entre les mains un jeu de cartes, jeu d'invention toute récente. Au lieu de le laisser reposer, on l'épuisait en fêtes et en cavalcades. Un jour, il faillit y perdre la vie. On avait organisé un bal costumé auquel il devait participer. Avec cinq jeunes seigneurs, il allait paraître costumé en sauvage. Selon l'idée que l'on se faisait alors, les sauvages étaient vêtus de plumes. Pour « habiller » les danseurs, on les avait enduits d'une couche de poix dans laquelle on avait planté des plumes. Un flambeau tomba (accidentellement?) et, en un clin d'œil, les participants devinrent des torches vivantes. Il y eut plusieurs morts. Le roi ne fut sauvé que grâce à la présence d'esprit de sa cousine qui étouffa le feu en l'enveloppant dans les plis de sa robe.[12]

Pendant ses périodes de lucidité, le roi s'intéressait aux affaires de l'État. Les malheurs du royaume et les conséquences de sa maladie l'attristaient beaucoup. Tôt ou tard, son mal le reprenait, malgré l'intervention des médecins, des théologiens, des chirurgiens et des sorciers que l'on avait consultés en désespoir de cause! Lorsqu'il sentait monter la crise, il suppliait que l'on éloigne de lui les objets tranchants puis il sombrait dans l'inconscience. Alors, il battait ceux qui s'approchaient de lui, il déchirait ses vêtements, il faisait des danses obscènes; il oubliait son nom et son titre royal; il soutenait qu'il n'était pas marié et qu'il n'avait pas d'enfants. Il refusait qu'on le lave et même qu'on le touche. En vieillissant, ses intervalles de lucidité sont allés en s'espaçant et, peu à peu, il a glissé vers les ténèbres de la démence.

Il fallait que la monarchie ait un prestige quasi surnaturel pour qu'elle ne s'effondre pas. Malgré tant d'épreuves, le peuple restait attaché à son « pauvre roi », à son « roi bien-aimé ». Très différente était l'attitude des princes. Pendant ce que l'on appelait les « absences » du roi, ceux-ci soignaient leurs intérêts. La cour devint un nœud de vipères. Un duel impitoyable s'engagea entre les deux familles les plus puissantes: d'une part la famille des ducs d'Orléans dirigée par Louis d'Orléans, frère de Charles VI et, d'autre part, la famille des ducs de Bourgogne dirigée par Philippe le Hardi, oncle de Charles VI.

Comme, la plupart du temps, Charles VI n'était qu'un souverain nominal et qu'il n'avait pas d'héritier en âge de régner, son frère, le duc d'Orléans, fut déclaré régent. Ce dernier acquit un pouvoir prépondérant, notamment pendant les « absences » du roi. Louis était autoritaire. Il entendait que la couronne soit respectée, que l'indépendance du royaume soit assurée. Avant tout, il voulait chasser les Anglais de la Guyenne et de la région de Calais afin d'éliminer toute ingérence étrangère.

L'attitude du duc de Bourgogne était diamétralement opposée. Celui-ci protestait contre l'absolutisme monarchique, la dilapidation des deniers publics et surtout contre la guerre anglaise, cause des impôts et des malheurs qui écrasaient le peuple. Selon lui, les agissements du roi devaient être contrôlés par les états généraux ainsi que par des représentants des Parlements et des professeurs de l'Université de Paris. Une habile propagande, des promesses flatteuses, des cadeaux (les vins de Bourgogne étaient déjà célèbres!) lui gagnèrent de nombreux partisans. Presque intégralement, le Parlement et l'Université de Paris passèrent dans son camp.

Le duc de Bourgogne n'aurait pas voulu que la lutte franco-anglaise reprenne. Il y allait de ses intérêts. En effet, par suite du mariage de Philippe le Hardi avec la comtesse des Flandres, la Bourgogne et les Flandres s'étaient trouvées unies sous la même autorité. Or, pour les raisons que l'on connaît, les Flandres souhaitaient maintenir d'étroits rapports économiques avec l'Angleterre. Bientôt, les affaires des marchands flamands amenèrent les ducs de Bourgogne à se détourner de la cause française et à se montrer bienveillants à l'égard de l'Angleterre.

Entretemps, divers incidents avaient rallumé la guerre en Guyenne. Impatient d'en finir avec son rival, le duc de Bourgogne fit assassiner le duc d'Orléans. Dès lors, les deux clans déchirèrent la France. D'un côté, les « Bourguignons » qui désiraient négocier des accords commerciaux avec les Anglais; de l'autre, les partisans du roi et de l'indépendance nationale. Après la mort de Louis d'Orléans, ce parti se rassembla sous la bannière du comte d'Armagnac, un grand seigneur du Midi, farouchement hostile à l'Angleterre. Du fond de son palais, le pauvre fou n'entrevoyait que quelques lueurs du drame.

De nouveau, c'est l'invasion. En 1415, dans la plaine du nord, à Azincourt, 50 000 Français rencontrent quelque 15 000 Anglais. Les seigneurs français bouillonnent d'héroïsme; chacun exige de faire partie de la première attaque. Les nobles ont tellement renforcé leurs armures qu'ils peuvent à peine manier la lance et l'épée.[13] Ils s'élancent vers le combat. Comme ils longent une haie, une volée de flèches les frappe dans le flanc et dans le dos. Les archers anglais n'ont plus aucun mal à repousser la première vague de cavaliers. Ceux-ci, en refluant vers l'arrière, désorganisent le reste des forces. Une fois à terre, les cavaliers ne peuvent plus se relever. 7 000 Français périssent dans un chaos d'hommes et de chevaux; des milliers d'autres sont emmenés en captivité en Angleterre. Parmi les prisonniers se trouve Charles d'Orléans, fils de Louis d'Orléans et cousin du roi.[14] Il restera captif pendant 25 ans.

La noblesse était décimée, le pays était en ruines. Tour à tour harassé par les Anglais, les Bourguignons, les Armagnacs — sans compter les brigands — le pauvre peuple « haïssait mortellement les uns et les autres ».[15] Les paysans ne pouvaient plus travailler dans les champs. Les loups rôdaient jusque dans les faubourgs de Paris. La peste et la variole étendaient leurs ravages. La mort semblait guetter de tous côtés, c'est pourquoi elle revient comme un leitmotiv obsédant dans les œuvres de cette époque. Des artistes, presque toujours anonymes, ont tracé sur les murs des églises et des cimetières, de sinistres farandoles connues sous le nom de « danses macabres ». La main dans la main, les danseurs alternent avec les squelettes. Des gens de toutes conditions y figurent: un roi, une paysanne, un enfant, une chevalier, un évêque, etc.... tous entraînés par le tourbillon fatal.

La fin de l'indépendance... En 1420, Charles VI signait le traité de Troyes. Sous des apparences courtoises, le roi d'Angleterre prenait possession de la France. Voici comment on avait prévu les choses. Madame Catherine, fille de Charles VI, épousait Henri V, le roi d'Angleterre.[16] Charles VI gardait le titre de roi sa vie durant mais, à sa mort, le royaume devait être transmis à Catherine. Dès lors, France et Angleterre allaient se trouver réunies sous le même sceptre...

Restait un dernier obstacle. Charles VI avait un fils prénommé, lui aussi, Charles (le futur Charles VII). Celui-ci devait hériter de la couronne, en vertu des coutumes capétiennes. Pour rendre vaine toute tentative de revendication de sa part, Charles fut renié par le roi. Une fois classé comme bâtard de la reine, il n'avait droit ni au titre de dauphin ni à l'héritage royal. En 1420, Charles VI était complètement dément; on n'eut donc aucune difficulté à lui faire désavouer son fils pour les besoins de la politique.

En réalité, Charles avait probablement été engendré par le roi fou,

Danse macabre. *Peinture murale de l'abbaye de la Chaise-Dieu (Auvergne),*
XVe siècle. De gauche à droite, on reconnaît un pape, un empereur barbu,
un cardinal en prière, un roi, un patriarche.

tout comme ses onze frères et sœurs, presque tous morts en bas âge.
Néanmoins, une fois le doute introduit dans son esprit, le jeune homme
en restera traumatisé. Même après son couronnement, même après avoir
reconquis une grande partie de son royaume, Charles VII sera toujours
un pauvre être, hésitant, mélancolique et misanthrope.

Le traité de Troyes semblait mettre fin à l'indépendance française. Le
« soi-disant dauphin » était dépourvu de moyens. Après la mort de son
père, il se replia dans la vallée de la Loire, la seule région de la France
dont les Anglais ne s'étaient pas encore rendus maîtres. Le « roi de Bourges », comme l'appelaient les moqueurs, vivait misérablement dans son
château de Chinon. Pour tuer le temps, il jouait aux cartes. Il avait
renoncé à porter secours à la ville d'Orléans, la seule place importante
qui résistait encore aux ennemis.

Jeanne d'Arc   C'est alors que survint Jeanne d'Arc. Âgée d'une vingtaine d'années,
elle venait de Domrémy, une petite ville située en Lorraine, sur les confins de la Champagne. Jeanne n'était pas la bergère simplette que certaines pieuses légendes ont popularisée. Elle savait lire et écrire; son père
était le maire de la ville; elle était remarquablement bien informée sur
tout ce qui touchait au drame national.

Le témoignage de diverses personnes qui l'ont connue ainsi que les réponses qu'elle donnera au cours de son procès[17] permettent de suivre les grandes lignes de son épopée. Selon ses déclarations, Dieu l'a chargée de chasser les Anglais et de rendre au roi son royaume. Soutenue par les voix de saint Michel,[18] de sainte Catherine et de sainte Marguerite, elle quitte sa famille en cachette. Elle finit par persuader un seigneur des environs de Domrémy de lui donner une petite escorte. Elle arrive à Chinon (6 mars 1429) et demande à voir le dauphin. Timoré, celui-ci se dissimule parmi les hommes de sa suite mais Jeanne ne se trompe pas.

> — Dieu vous donne bonne vie, gentil roi, dit-elle.
> Et Charles de répondre:
> — Ce n'est pas moi qui suis roi et, montrant l'un des seigneurs, il ajoute: Voilà le roi.
> À quoi Jeanne répond:
> — Ah non, mon gentil prince, c'est vous, et non un autre.

Charles reste réticent. Pendant trois semaines, il fait interroger Jeanne par des théologiens et par des hommes de guerre. La bonne humeur et les connaissances militaires de la jeune fille impressionnent les juges. Pourtant, Charles hésite encore à s'engager. Alors, pour achever de le décider, Jeanne lui aurait communiqué un signe. Un signe de quelle sorte? Toutes les hypothèses sont permises puisque, sur ce point, Jeanne refusera toujours de répondre.

Enfin l'apathie du dauphin est secouée. La petite troupe se dirige vers Orléans. À la tête des opérations, Jeanne fait lever le siège. Première victoire. Presque aussitôt, d'autres villes sont délivrées.

En vêtements masculins, montée sur un cheval de bataille, « Jeanne la Pucelle » combat à la tête des troupes. Le peuple qui l'acclame voit en elle l'envoyée de Dieu. Mais Jeanne sait qu'il ne suffit pas de remporter des succès militaires. Elle se dirige vers Reims, libère la ville et fait sacrer le roi.

Avec l'huile de la Sainte Ampoule, l'archevêque donne l'onction royale; désormais, le « soi-disant dauphin » est personne sacrée. Nul au monde ne peut défaire ce que Dieu a fait.

Tout redevient clair. Aux yeux du peuple, Dieu n'aurait pas aidé le roi s'il n'avait pas été l'héritier légitime. Le traité de Troyes n'a jamais eu aucune valeur. Il faut libérer le royaume au plus vite. Par intérêt, quelques groupes resteront momentanément dans le camp du roi d'Angleterre ou du duc de Bourgogne. Ce sera le cas, notamment, des professeurs de l'Université, des membres du Parlement et de certains bourgeois parisiens.

Arrivée devant Paris, Jeanne est repoussée puis trompée par de fausses promesses. Elle ne parviendra jamais à pénétrer dans la capitale. Sans se décourager, elle poursuit la libération de l'Île-de-France. Des villes se rallient spontanément mais l'ennemi contre-attaque. Anglais et Bourguignons tentent de reprendre Compiègne. Jeanne essaye de débloquer la ville assiégée mais, au cours d'une sortie, elle est capturée par les Bourguignons. Vendue aux Anglais, elle est conduite à Rouen où s'ouvre son procès.

Le procès de Jeanne

Les Anglais qui, enfin, tiennent leur plus redoutable ennemie, ne vont pas la laisser échapper. Pour éviter qu'elle ne devienne la martyre de la cause nationale, ils vont la faire juger par des Français. Bien entendu, pour des raisons diverses, tous les juges sont hostiles à l'accusée. Le tribunal est présidé par l'évêque de Beauvais, Pierre Cauchon. Il se trouve que les récentes opérations militaires dans l'Île-de-France ont occasionné des destructions. Pierre Cauchon a fait de grandes pertes; il en rend Jeanne responsable. D'autre part, il espère se faire nommer évêque de Rouen... Pour parvenir à son but, il a besoin de l'appui du roi d'Angleterre. Les autres juges, une trentaine environ, sont des ecclésiastiques de Normandie, des inquisiteurs, des professeurs de l'Université de Paris, tous gens acquis aux Bourguignons ou aux Anglais.

On veut condamner Jeanne mais — et c'est là la difficulté — il ne faut pas que la question de l'indépendance nationale soit mise en cause dans les débats. Voilà pourquoi presque toutes les questions portent sur des subtilités théologiques ou pseudo-théologiques.[19] Jeanne est longuement interrogée sur ses voix, sur ses divertissements d'enfant, sur son allégeance au pape, sur son costume masculin jugé « malhonnête » etc.... Seule et sans avocat, elle se défend avec courage. Ses réponses sont fermes, lucides, parfois même ironiques. Malgré l'insistance de ses juges, elle refuse de révéler quoi que ce soit à propos du « signe » échangé à Chinon avec le roi.[20]

De toute façon, Jeanne doit être condamnée à mort. On brusque les interrogatoires et on conclut que l'accusée est coupable de « divers erreurs et crimes de schismes, d'idolâtrie, d'invocations de démons et plusieurs autres méfaits. »[21]

Au Moyen Âge, et même longtemps après, un individu inculpé d'intelligence avec le diable était irrévocablement voué au bûcher. D'ailleurs, en l'occurrence, cette condamnation offrait un avantage supplémentaire: elle permettait de discréditer Charles VII. Que penser d'un roi qui devait son trône à une sorcière?

Résurrection nationale

Sitôt condamnée, Jeanne fut brûlée à Rouen, sur la place du Vieux Marché (31 mai 1431). Néanmoins, son histoire ne s'arrête pas là. Au moment de son supplice, il y avait eu des murmures d'indignation, même parmi les Normands qui, par intérêt, sympathisaient avec les Anglais. Elle avait éveillé le réflexe national. L'élan patriotique s'était déclenché. L'une après l'autre, les villes se libéraient et se ralliaient au roi. À mesure que les Anglais se repliaient, leurs anciens partisans se détachaient d'eux. Déjà le duc de Bourgogne abandonnait l'alliance anglaise. Paris acclamait Charles VII (1436).

Le vent avait tourné. Le roi retrouvait son royaume, comme l'avait si bien prédit la Pucelle. La famille d'Arc ainsi que l'opinion générale, réclamèrent la révision du procès de Rouen. Charles fut conduit à ouvrir une nouvelle enquête. Des témoignages furent recueillis sur les lieux où avait vécu la victime. Enfin, 25 ans après sa mort, Jeanne fut solennellement réhabilitée.[22]

Charles VII a été surnommé « Charles le bien-servi ». Il est certain qu'aucun roi n'a bénéficié d'autant de dévouements. Par contraste, sa valeur personnelle n'en paraît que plus mince! Déjà de son vivant, on lui reprochait de n'avoir rien fait pour sauver Jeanne, d'avoir mené les campagnes avec mollesse, d'avoir gaspillé trop de temps avec sa maîtresse, la belle Agnès Sorel etc.... Dans l'ensemble, ces reproches sont justifiés mais il convient de regarder les faits de plus près.

Le pays était ruiné et désorganisé. Les impôts rentraient mal. Pour être en mesure de poursuivre la guerre, Charles VII dut emprunter. Son principal créancier fut Jacques Cœur, un financier originaire de la ville de Bourges. Jacques Cœur était un grand brasseur d'affaires et un spéculateur; il disait avec superbe: « Le roi fait ce qu'il peut. Moi, je fais ce que je veux! » L'histoire se termina mal pour lui. Il était allé trop loin et il

Maison de Jacques Cœur à Bourges. Milieu du xve siècle. Style gothique auquel se mêle déjà une décoration Renaissance.

Charles VII par Jean Fouquet. Milieu du xve siècle. Le caractère à la fois apathique et tourmenté du roi transparaît dans ce portrait d'un réalisme psychologique étonnant.

avait fait quelques opérations assez louches. Le roi en profita pour donner l'ordre qu'il soit arrêté et que ses biens soient confisqués. Sa fortune s'écroula comme un château de cartes.

Malgré tant d'événements providentiels, Charles restera indolent. Marqué par une hérédité morbide, traumatisé par le reniement de son père, dominé par des personnalités plus fortes que la sienne, il a suivi les événements plutôt qu'il ne les a dirigés. Même après avoir été fêté par les Parisiens, il continuera à résider dans la région de la Loire, préférant la solitude aux honneurs.

Le dauphin ne cachait pas le mépris qu'il éprouvait à l'égard de son père. Doué d'une volonté d'acier, le futur Louis XI rongeait son frein. Il attendait avec impatience l'heure où il pourrait, enfin, rassembler les terres françaises sous son autorité.

NOTES

1 Philippe de Valois était le fils d'un frère cadet de Philippe IV le Bel. Il a fondé la branche des Capétiens-Valois qui allait régner jusqu'à la fin du XVIe siècle.

2 Reste du fief d'Aquitaine qui avait été apporté à la famille des Plantagenêts par Éléonore d'Aquitaine.

3 Les souverains britanniques porteront ce titre jusqu'au traité d'Amiens en 1802.

4 Cette mode des lignes pointues est à comparer avec les décors flamboyants et les ogives très aiguës du gothique du XIVe siècle. (Voir p. 192.)

5 La poudre à canon, invention d'origine chinoise, aurait été employée pour la première fois en Occident par les Anglais à la bataille de Crécy. Les premières bombardes faisaient surtout du bruit.

6 Cette peinture, peinte vers 1360, est le premier portrait proprement dit, exécuté au nord des Alpes. Jusqu'au XVIe siècle, la toile sera considérée comme une matière trop fragile pour être utilisée par un peintre, à moins qu'elle ne soit collée sur un panneau de bois. (Voir pp. 197 et 207.)

7 Fils du roi Édouard III d'Angleterre.

8 Le prénom Jacques était très répandu à la campagne.

9 La Castille était divisée par un conflit dynastique auquel Français et Anglais s'étaient mêlés.

10 Elle avait grandi à la cour car elle était la fille de Thomas Pisan (originaire de Pise en Italie), médecin et astrologue du roi.

11 Philippe le Hardi, frère de Charles V. Il avait reçu le duché de Bourgogne en apanage. Voir plus loin.

12 Ce bal — dit bal des ardents — aurait été organisé en vue de causer la mort de Charles VI.

13 À cette époque, l'armure pouvait peser autant que l'homme lui-même. Le corps du cheval était également revêtu d'une armure partielle.

14 Pendant sa captivité, il écrivit des poésies d'un goût raffiné.

15 Anonyme, *Journal d'un bourgeois de Paris de 1405 à 1449*, année 1423.

16 Shakespeare a repris cet épisode dans sa pièce *Henry V*.

17 La minute des interrogatoires du procès constitue le document le plus important que l'on possède à propos de Jeanne. Voir: *Procès de condamnation de Jeanne d'Arc*, éd. Champion, Champion 1920.

18 Saint patron de la France. saint Georges était le patron de l'Angleterre.

19 Par exemple, quand on lui demanda si elle était en état de grâce, elle répondit: « Si je n'y suis pas, que Dieu veuille m'y mettre et, si j'y suis, que Dieu veuille m'y garder.»

20 La question du signe reste une énigme. Récemment certains historiens ont avancé une hypothèse. Jeanne aurait été la demi-sœur de Charles VII (fille adultérine de la reine, on l'aurait fait élever par une famille d'honorables bourgeois) et elle l'aurait reconnu à une ressemblance, à un bijou ou à un secret de famille. La thèse est séduisante mais difficile à prouver.

21 Sentence définitive. Cité dans: *Procès de condamnation de Jeanne d'Arc*, *op. cit.*, p. 390.

22 Elle a été canonisée par l'Église catholique en 1920.

LE PARIS DU XVe SIÈCLE

Trois villes en une

Il y a longtemps que Paris n'est plus une bourgade. L'agglomération a débordé sur les deux rives, si bien que l'on distingue trois parties principales: l'île de la Cité avec la cathédrale et le Palais de Justice où siègent les juges, la ville marchande sur la rive droite et « l'Université », c'est-à-dire le quartier des écoles, sur la rive gauche.

Les remparts construits par Philippe Auguste enveloppent les quartiers les plus anciens. Ces fortifications, flanquées de **67 tours**, sont imposantes; malheureusement, elles sont trop étroites. Sous le règne de Charles V, on a commencé à construire une seconde enceinte qui ne s'est trouvée terminée que 20 ans plus tard, sous le règne suivant.

La Cité

La ville est célèbre pour sa beauté. On dit « Paris sans pair ». On va jusqu'à prétendre que Paris veut dire Paradis! La Cité constitue le cœur de la capitale. Outre la cathédrale, elle contient 18 autres églises paroissiales. À l'intérieur de Notre-Dame, on peut admirer des tombeaux, des statues de souverains et de nombreux reliquaires. Les jours de cérémonie, on tend des tapisseries contre les murs et autour des piliers et l'on suspend des bandes de velours écarlate au fond du chœur. À certaines fêtes, près de la porte principale, on expose sur un lit ses enfants abandonnés, dans l'espoir d'exciter la charité des fidèles. Les marchands se sont infiltrés dans tous les coins. Près des porches, entre les contre-forts, ils ont installé des baraques de planches où ils vendent des chandelles, des statuettes, des articles de piété... Non loin de là se trouve la meilleure taverne de la ville, la Pomme de Pin; elle subsistera jusqu'au XVIIe siècle.

Le Palais, où habitait saint Louis, n'est plus la demeure du roi. Il est devenu le siège de la justice royale et de l'administration des finances. À toute heure du jour, dans la grande salle du Palais, les avocats confèrent avec leurs clients. À la grosse tour d'angle, on voit la première horloge publique qui ait été érigée à Paris.[1]

Les ponts et les rues

Deux ponts, l'un en bois, l'autre en pierre, relient l'île avec chacune des deux rives. D'un bout à l'autre, ils sont bordés des maisons. À lui tout seul, le pont Notre-Dame porte 97 maisons, sans compter les moulins accrochés aux piles. Le pont de bois, dit Pont-au-Change, est le centre du commerce des métaux précieux; bijoutiers, ciseleurs, orfèvres et changeurs d'argent y sont rassemblés. Il conduit tout droit au Châtelet,[2] une forteresse dont les grosses tours servent de prison.

À elle seule, la rive droite compte environ 200 rues. Larges de 3 ou 4 m, les rues sont sinueuses et encombrées d'obstacles; si les voies principales sont pavées avec de grosses dalles, la plupart des ruelles sont encore en terre. Le premier étage des maisons surplombe le passage. Parfois, le second étage avance encore davantage; il arrive qu'il doive être soutenu par des piliers extérieurs. Du linge sèche aux fenêtres et sur des cordes tendues au-dessus de la voie publique.

Les demeures de pierre sont encore exceptionnelles. La plupart des constructions sont formées par un assemblage de poutres de bois entre lesquelles on a tassé du plâtre ou de la terre battue. Il n'est guère de maison qui n'ait sa statue de saint sculptée au portail et son enseigne, de bois ou de ferronnerie, suspendue à la hauteur du premier étage. Certaines de ces enseignes sont célèbres; elles suppléent à l'absence de numéros. On habite en face de *La Fleur de lys* ou du *Mouton Doré*, à côté des *Deux Saumons* ou des *Trois Couronnes*...

Gare à l'eau et à la boue...

Les odeurs de la ville sont fortes. L'hygiène n'a fait aucun progrès depuis le Moyen Âge. Il n'existe que 16 fontaines d'eau courante. Quelques privilégiés ont un puits, mais l'eau qu'ils en tirent est médiocre. Dès le matin, des porteurs d'eau portent leurs seaux jusqu'à la porte de leurs clients. Il n'existe aucun égout. Les Parisiens ont l'habitude de jeter leurs eaux par la fenêtre en criant « gare à l'eau »! Et tout, absolument tout, doit s'écouler par le caniveau central qui, le plus souvent, est encombré par les ordures des bêtes et des gens ainsi que par les rebus des multiples ateliers. À côté du Châtelet, le centre du commerce de la boucherie est, non seulement un marché, mais également un abattoir...

Les rues commerçantes Le marché le plus important, les Halles, se compose de galeries superposées. Les denrées lourdes, grains, cuirs, poteries, se vendent en bas. Les choses plus légères, comme les vêtements, se vendent en haut. Au pied de la tour Saint-Jacques se pressent les boutiques des écrivains publics; c'est là qu'il faut aller pour se faire écrire ou se faire lire une lettre. Au bord de la rivière sont rassemblés les commerces qui ont besoin d'une grande quantité d'eau: moulins, teintureries et fabriques de drap.

La Seine constitue le grand axe de communication. L'association des bateliers est la plus puissante de la ville. Depuis des temps immémoriaux, elle a le monopole des transports fluviaux, à partir de la Champagne en amont, jusqu'au commencement de la Normandie en aval. Selon les occasions et les besoins de la capitale, les bateliers achètent et vendent en gros. Ils jouent un rôle si important qu'ils ont donné leurs armoiries à la ville: un bateau sur fond bleu et rouge. Leur groupement professionnel a constitué le point de départ de l'administration municipale et leur ancien lieu de rassemblement, près de la Seine, est devenu l'Hôtel de Ville. C'est là que siègent le prévôt des marchands et les échevins.[3]

Le quartier des écoles La rive gauche a moins évolué que la rive droite. Les couvents y sont encore plus nombreux qu'ailleurs. Depuis la fondation de la Sorbonne au XIIIe siècle, les collèges se sont multipliés; ils groupent des milliers d'étudiants et de professeurs venus de l'Europe entière. Le monde universitaire est souvent agité et bruyant. Le commerce n'a pas envahi le quartier des écoles. Seuls y prospèrent les métiers liés à la vie intellectuelle: copistes, relieurs, miniaturistes. Chaque année, au mois de juin, les étudiants vont à la foire du Lendit, à Saint-Denis.[4] C'est là que se tient le grand marché du parchemin.

Bêtes et gens Malgré son importance commerciale et sa prééminence intellectuelle, la ville est encore toute pénétrée de vie rurale. Les belles demeures sont entourées de jardins et de dépendances. Derrière les maisons de moindre importance, s'entassent des écuries, des poulaillers, des cours. Les chevaux sont absolument indispensables à la vie urbaine mais ils ne sont pas les seuls animaux qui vivent à l'intérieur des remparts! En principe, il est défendu d'élever du bétail dans les maisons... L'interdiction, si souvent répétée, ne doit pas avoir grand effet! L'odeur de ferme pénètre partout. La plupart des familles ont poules, lapins, oies. Vaches et porcs ne sont pas rares. Il arrive que les propriétaires laissent leurs bêtes libres d'aller chercher leur nourriture où bon leur semble. Les petits cochons noirs sont d'ailleurs les meilleurs nettoyeurs des rues! Aussitôt franchis les murs de la ville, c'est la campagne qui commence. L'une des îles de la Seine porte le nom symptomatique de l'île aux Vaches; plus tard, elle deviendra l'île Saint-Louis.[5]

Les cris de Paris   Paris fascine les visiteurs par son animation. Le petit peuple discute, travaille, court à ses affaires. Les femmes vont chercher de l'eau à la fontaine; les infirmes, les étudiants pauvres, mendient leur pain. Les chevaux attendent attachés aux portes; la clientèle riche défile devant les boutiques. Au milieu de la confusion, les processions et les enterrements se frayent un chemin. Des marchands ambulants, des deux sexes, vont et viennent s'efforçant d'attirer l'attention sur leur marchandise: lait pour les nourrices, fromages de Brie, bon vinaigre, charbon, allumettes, moutarde etc.... Un auteur anonyme s'est amusé à mettre en vers les cris de Paris:

> Figues de Marseille, figues.
> Carpes vives, carpes vives.
> Beau épinards, lard à pois.
> Escargots; tripes de morue.
> Beaux raisins, bon pruneau de Tours...
> Ainsi vont criant par les rues
> Leurs états chacun tous les jours.[6]

Mais le soir tombe. Vers huit heures, la grosse cloche de Notre-Dame sonne le couvre-feu, entraînant les sonneries des autres églises. On ferme les portes des remparts. On tend des chaînes à travers les rues pour empêcher que les attroupements ne puissent se former. Aux carrefours, on allume des chandelles devant les images pieuses; c'est à peu près le seul éclairage qui existe. Si, la nuit venue, on se hasarde dehors, il faut tenir une lanterne à la main, sinon on est passible d'emprisonnement. Les seules personnes que l'on s'expose à rencontrer sont les veilleurs, les hommes du guet[7] et les voleurs... La nuit, tous les bons bourgeois dorment dans leur lit.

NOTES

1   Elle avait été construite par Philippe IV le Bel. Cette tour d'angle, ainsi qu'une partie du palais de saint Louis (la Conciergerie), subsiste aujourd'hui. L'horloge a été remplacée au XVIe siècle.

2   Ce bâtiment, détruit par un incendie, se dressait à l'emplacement de l'actuelle place du Châtelet.

3   Les échevins étaient des magistrats qui assistaient le prévôt des marchands.

4   La foire du Lendit était la plus ancienne foire de France. Elle avait été établie par le roi Dagobert. Elle se tenait sur un domaine appartenant à l'abbaye de Saint-Denis.

5   Les premières maisons seront construites au XVIIe siècle.

6   Franklin, *La Vie privée d'autrefois, l'annonce et la réclame*, Plon 1887, p. 221.

7   À tour de rôle, les hommes des divers métiers gardaient les remparts et les portes pendant la nuit. Le service du guet n'était pas rémunéré et il était considéré comme une obligation pénible.

DE LA SOCIÉTÉ FÉODALE
À LA VICTOIRE
DE LA MONARCHIE

Château de Langeais, Touraine.
Construit par Louis XI
au milieu du XVe siècle,
il est mi-château-fort,
mi-demeure de plaisance.

Toute division qui tend à segmenter la continuité historique a quelque chose d'arbitraire. Quand finit le Moyen Âge et quand commence la Renaissance? Aucun événement, si important soit-il, ne constitue une séparation catégorique. Pourtant, insensiblement, au cours du xve siècle, de profonds changements se dessinent. À cause de la guerre de Cent Ans, les tendances nouvelles sont apparues plus tard en France qu'en Italie. Longtemps, les architectes, les peintres, les écrivains français sont restés fidèles aux traditions médiévales mais, à partir de la seconde moitié du siècle, à leur tour, ils vont être dominés par l'esprit de la Renaissance.

Dans le domaine politique, cette période correspond aux règnes de Louis XI, Charles VIII et Louis XII. La France venait de subir plus de cent années de guerres. Malgré les victoires de Jeanne d'Arc et de Charles VII, les Anglais occupaient encore les régions du nord. Les campagnes étaient ravagées; la misère et les luttes intérieures avaient désorienté de nombreux individus. Depuis plus d'un siècle, la noblesse guerroyait et des bandes de soldats vivaient de pillage. De toute urgence, le pays avait besoin de retrouver un équilibre de paix.

Le futur Louis XI était tellement anxieux de faire l'unité nationale qu'il consultait les astrologues pour savoir quand son père allait mourir! Lorsque, enfin, il reçut la nouvelle tant attendue, il se hâta d'aller se faire sacrer. À Reims, à l'issue de la cérémonie religieuse, on lui offrit un banquet. Pour savourer pleinement son bonheur, le nouveau souverain prit sa couronne et l'installa sur la table, devant lui, entre deux plats de viande.

Le roi d'Angleterre avait déjà perdu la plupart de ses anciennes possessions continentales, notamment la Guyenne et la Normandie. Cependant, il tenait encore le littoral entre Calais et Boulogne; à tout moment, il pouvait lancer une nouvelle offensive vers le sud. Le danger était d'autant plus grand qu'il était allié au duc de Bourgogne et au duc de Bretagne.

Le génie de Louis XI a consisté à diviser ses ennemis en exploitant leurs discordes. Il commença par disloquer l'alliance anglo-bourguignonne en invitant Édouard de York, roi d'Angleterre, à traiter séparément. Celui-ci était tout disposé à négocier car son pays était aux prises avec de graves difficultés politiques et financières. Deux familles rivales, la maison de York et la maison de Lancaster se disputaient le trône.[1] Ce conflit, appelé guerre des Deux-Roses, obligeait Édouard à garder ses forces pour défendre sa couronne.

L'entrevue du roi de France et du roi d'Angleterre a touché à la farce. Le chroniqueur Commines[2] raconte que les deux rois étaient venus camper, chacun avec son armée, à Picquigny, dans les environs d'Amiens (1475). Louis XI sut créer une atmosphère de détente. Il fit dresser des tables, entassa des victuailles et convia les soldats anglais à venir manger et boire. En quelques heures, l'armée britannique était hors d'état de combattre! Le festin se prolongea trois ou quatre jours.

Entretemps, on avait pris de grandes précautions pour assurer la protection des souverains.[3] Pour empêcher toute tentative d'enlèvement, on avait construit, au milieu d'un pont, une forte barrière de bois allant d'un parapet à l'autre. Chacun de son côté de la barrière, les deux rois engagèrent leurs pourparlers. De part et d'autre, ils se montrèrent enchantés de se voir et, bientôt, ils commencèrent à s'embrasser en passant la tête par les trous!

Naturellement, on tomba d'accord. Les hostilités allaient être suspendues pendant sept ans. Le roi d'Angleterre allait rembarquer ses troupes; en compensation, il recevrait 75 000 écus d'or. Par la même occasion, il s'engageait à acheter d'importantes quantités de vin de Bordeaux...[4] Louis XI invita son « cousin » à venir à Paris où il trouverait de belles dames... et un cardinal disposé à tout arranger avec le Ciel! L'entretien se termina sur ces plaisanteries d'un goût douteux.

Aucun traité officiel n'a jamais terminé une guerre qui, pourtant, durait depuis plus d'un siècle. Le roi d'Angleterre gardait Calais; en principe, il n'avait pas renoncé à ses prétentions sur le trône de France mais il n'avait pas les moyens de les faire valoir.[5] Conclue pour sept ans, la trêve

Archives Photographiques

Louis XI,
portrait anonyme.

se prolongea d'elle-même car, l'un comme l'autre, les deux souverains se trouvèrent trop occupés pour reprendre les hostilités.

Des féodaux turbulents

Une fois la menace anglaise écartée, Louis XI se consacra à la lutte contre la féodalité. À l'intérieur du royaume, les possessions féodales constituaient des centaines d'enclaves plus ou moins indépendantes. Bien qu'apparentés, de près ou de loin, à la famille royale, les grands seigneurs entendaient conduire leurs affaires à leur guise. Ils aspiraient à s'agrandir, à conquérir des royaumes lointains, à surpasser le roi en magnificence. Les barons de moindre importance étaient tout aussi avides de puissance. Depuis le départ des troupes anglaises, ils s'ennuyaient dans leurs donjons à demi ruinés. La personnalité du souverain était, pour le moins qu'on puisse dire, peu sympathique. L'administration de la couronne rognait, l'une après l'autre, leurs anciennes prérogatives. Aigris, inquiets, désœuvrés, les seigneurs cherchaient à tromper le temps. Quand ils ne pouvaient pas chasser, ils se distrayaient en lisant des romans de chevalerie.[6] Alors, sur les coursiers du rêve, ils s'élançaient vers la gloire et la fortune.

Réunion de la Bourgogne

Louis XI comprit que, pour dompter la noblesse, il fallait, d'abord, soumettre le duc de Bretagne et le duc de Bourgogne, les deux colosses qui, au cours de la guerre de Cent Ans, s'étaient alliés aux Anglais. Longtemps, le duc de Bourgogne avait caressé l'espoir de devenir roi de France. Ses états, vastes comme un royaume, s'étendaient des Alpes à la Hollande.

Heureusement pour Louis XI, le duc de Bourgogne, Charles le Téméraire, s'était lancé dans une politique d'expansion imprudente. Il avait fait des dépenses disproportionnées et s'était attiré de nombreux ennemis. En janvier 1577, à la tête de ses dernières troupes, il tenta de prendre d'assaut la ville de Nancy. Il fut tué dans la mêlée. Le lendemain de la bataille, on retrouva son corps collé à la glace d'un ruisseau.

Charles le Téméraire ne laissait qu'une fille âgée de 20 ans, Marie de Bourgogne. Louis XI, qui guettait la proie, s'empressa d'envoyer des fonctionnaires royaux en Bourgogne. Sans coup férir, cette belle province fut définitivement rattachée à la couronne.

Par contre, les villes des Flandres résistèrent aux tentatives de mainmise royale. Les bourgeois, notamment les riches drapiers, tenaient avant tout à conserver leurs institutions locales, garantes de leurs intérêts économiques. La politique autoritaire et centralisatrice de Louis XI leur était odieuse. Pour y échapper, ils choisirent de reconnaître Marie de Bourgogne pour leur souveraine.

Louis XI tenta de rattraper les Flandres par un mariage. Il aurait aimé unir la jeune duchesse à son fils, le futur Charles VIII. Le projet échoua. Rien d'etonnant: Marie avait vingt ans; le dauphin n'avait pas même sept ans! Depuis sa naissance, la riche héritière était convoitée par les plus hauts partis. En définitive, ce fut Maximilien, l'archiduc d'Autriche qui obtint sa main.[7] Le roi de France fut incapable de s'opposer à cette union. Chose plus grave, les Flandres allaient se trouver rattachées à l'Autriche. Mais, à cette époque, personne ne pouvait prévoir les guerres qui, au siècle suivant, allaient opposer la France à la Maison d'Autriche.

De toute façon, Louis XI avait acquis la Bourgogne et il avait éliminé son principal adversaire. Le pouvoir monarchique l'emportait définitivement sur la féodalité. Privé de ses anciens alliés, le duc de Bretagne était voué à l'échec. Il n'avait pour héritière qu'une fille, Anne. Louis XI mourra trop tôt pour assister au dénouement de cette affaire mais, quatre ans après sa mort, il remportera un ultime succès diplomatique: son fils Charles VIII épousera Anne, l'héritière de la Bretagne.

L'« Araignée »   De tous les souverains, Louis XI est l'un de ceux qui retiennent le plus l'attention, tant par l'importance historique de son époque que par sa bizarre personnalité. Pendant ses 22 ans de règne, il a presque toujours été en déplacements. Les messagers avaient grand mal à le suivre. Pourtant, il était torturé par la goutte, par des douleurs d'estomac et par des hémorroïdes. Il avait également une maladie de peau, rebelle à tout traitement, qui ressemblait étrangement à la lèpre.[8] Tout autre aurait dissimulé ses handicaps sous un brin de toilette, mais Louis XI était l'homme le plus mal habillé du royaume! Il détestait le luxe; il se plaisait à fréquenter les tavernes et à pêcher, incognito, sur les berges de la Seine. Vindicatif et méfiant, il ne s'est jamais confié, pas même à ses proches.

Malgré son avarice, il savait dépenser lorsqu'il s'agissait d'acheter les gens dont il avait besoin. Ses ennemis étaient intrigants et cruels; lui l'était encore davantage. Charles le Téméraire n'exagérait guère lorsqu'il l'appelait « l'universelle araignée ». Dans sa lutte contre les féodaux dissidents, il a employé toutes les ruses: la flatterie, l'espionnage, le mensonge, le crime, la corruption etc.... On peut le blâmer au nom de la morale. Encore faut-il reconnaître que les intentions de ses adversaires ne valaient pas mieux. D'ailleurs, à ses yeux, la fin justifiait les moyens. « Je suis France », disait-il. Les autres, « Bourgogne », « Bretagne » etc.... toujours plus ou moins complices de l'Angleterre, étaient tout, sauf la France.

Sans être supérieur, Louis XI était cultivé et subtil. Il connaissait l'italien; il avait un style précis et élégant;[9] enfin, il était passé maître dans l'art des négociations. Il fut le premier souverain qui ait ébauché une politique économique. Il encouragea l'industrie, protégea les nouvelles manufactures de soieries et de tapisseries; il s'intéressa à l'exploitation des mines; il organisa des foires; enfin, il améliora le réseau routier. Pour fortifier l'unité nationale, il établit les premières lignes

French Government Tourist Office

Château d'Amboise (Touraine). Édifice gothique, à l'origine. À la fin du xvᵉ siècle, Charles VIII le fit remanier pour le rendre plus confortable et le décorer à la mode italienne. Premier foyer de la Renaissance française.

postales. Sans doute était-il désireux de faciliter les communications entre ses sujets mais il apercevait également un autre avantage: la surveillance de la correspondance!

Alors qu'à Florence, sous l'égide de Laurent de Médicis, à Venise, à Rome, les princes protégeaient les artistes, Louis XI n'en avait ni le temps, ni le désir. Il ne s'intéressait guère qu'aux livres. Il avait des enlumineurs, notamment le célèbre peintre Jean Fouquet. Il encouragea le développement de l'imprimerie et, en 1570, malgré l'opposition des copistes, il fit installer la première presse parisienne dans les caves de la Sorbonne.

Louis XI avait la hantise de la mort; aussi s'entourait-il de médecins, d'astrologues et d'un invraisemblable assortiment de reliques. Malgré tant de précautions, il mourut (1483), laissant son royaume à son fils, un adolescent de 16 ans.

Charles VIII et sa chimère

Tout l'opposé de son père,[10] Charles VIII allait se lancer dans des expéditions lointaines et chimériques. Peu instruit, maladif comme ses ancêtres, il avait passé son enfance au château d'Amboise, à lire des romans de chevalerie. Il avait une vingtaine d'années lorsque des ambassadeurs venus d'Italie l'engagèrent à faire valoir ses droits sur le royaume de Naples.[11] À cette époque, l'Italie était une mosaïque de républiques et de principautés plus ou moins importantes, jalouses les unes des autres, vivant dans une perpétuelle atmosphère de querelles, d'intrigues et de guerres. Incapable de voir que l'on cherchait à se servir de lui, le jeune écervelé donna dans le piège. Ses droits sur le royaume de Naples étaient vagues, et encore plus difficiles à faire reconnaître. Tous les conseillers du roi étaient hostiles au projet; le peuple était grevé d'impôts, les nobles risquaient de causer de nouveaux troubles, le trésor était vide...

Peu importe! Passant outre, Charles VIII se dirige vers l'Italie, empruntant de ville en ville l'argent nécessaire à la campagne. Comme il ne rencontre aucune résistance, il s'avance allégrement dans le guêpier. Arrivé à Naples, une révolution de palais le rend maître de la ville. Il n'est pas plus tôt installé que les états italiens, mettant leurs rivalités momentanément de côté, se liguent contre l'intrusion étrangère. Alors, de peur de se trouver bloqué dans le sud de la péninsule, le jeune roi quitte Naples, encore plus vite qu'il n'y est arrivé.

Cette fois, il y a des combats. Loin de leurs bases, les Français sont en infériorité numérique. Leur courage, la fameuse *furia francese*, les sauve. Les nobles rivalisent de vaillance. L'un d'eux, Bayard, « le chevalier sans peur et sans reproche », restera le symbole des vertus chevaleresques.

Sur le plan matériel, le bilan est négatif. Selon le mot de Commines, l'entreprise n'a rapporté que « de la gloire et de la fumée ».[12] On a prétendu que, grâce à leur campagne en Italie, les Français ont découvert l'art de la Renaissance. C'est une exagération; l'esprit de la Renaissance s'était déjà manifesté en France. Il n'en reste pas moins vrai que l'expédition a mis à la mode les œuvres italiennes et a accéléré la marche des idées nouvelles. Les nobles ont admiré les palais construits pour le confort et le plaisir; ils ont envié les riches soieries, les armures finement ciselées, les jardins spacieux et les fontaines. Plus d'un, une fois de retour dans ses terres, a voulu donner un peu de lumière et de gaieté à son vieux château féodal.

Charles VIII ne renonça jamais à son rêve napolitain; ce fut la grande obstination de sa faible tête. Il envisageait une seconde expédition lorsqu'un « accident » mit fin à ses projets. Il se trouvait dans son château d'Amboise. Un jour, comme il entrait dans une galerie où des travaux étaient en cours, il se frappa le front contre une porte.[13] Le coup ne semble pas avoir été très douloureux car, aussitôt après, il se mit à regarder les pages qui jouaient à la balle dans les fossés et à bavarder avec les gens de sa suite. Pourtant, quelques heures plus tard, il tomba à la renverse, perdit la parole et, le soir même, il mourut (1498). Il avait à peine 27 ans.

Louis XII, père du peuple

Comme Charles VIII ne laissait pas de postérité, son cousin, le duc d'Orléans, devint roi sous le nom de Louis XII.[14] Au dire de Commines, le nouveau souverain, « sagement entra en possession de son royaume ».[15] C'était un homme d'âge mûr qui avait connu des moments difficiles.

Toute sa vie il resta simple, courtois, compréhensif, soucieux de faire respecter la justice. Au cours de ses déplacements, il écoutait les vœux de ses sujets et il s'efforçait de les satisfaire. Il s'appliquait à baisser les impôts ou, tout au moins, à les rendre tolérables. De son vivant, il a été appelé « le Juste » et « le Père du peuple ». Il est l'un des rare souverains qui ait réussi à concilier les aspirations vers la liberté avec la nécessité d'une centralisation administrative. « La France, a écrit son contemporain Machiavel, tient le premier rang parmi les états bien gouvernés.»[16]

Le royaume devint le pays le plus peuplé d'Europe. De nombreux paysans purent acheter des terres. L'industrie et le commerce montèrent en flèche. Pendant ce règne, les Français semblent avoir connu « la joie de vivre ».

L'échiquier italien   En politique étrangère, Louis XII fut loin d'être aussi sage. Il revendiqua le duché de Milan sur lequel, incontestablement, il avait des droits.[17] En une vingtaine de jours, il prit possession de la région, après quoi il entra à Milan sur un cheval caparaçonné d'or, acclamé par une population enthousiaste. Malheureusement, la possession du Milanais l'entraîna à son tour dans le labyrinthe des intrigues italiennes. Il reprit à son compte les prétentions de son prédécesseur sur le royaume de Naples. Cela lui attira la haine du roi d'Espagne qui, lui aussi, cherchait à prendre pied dans le sud de la péninsule. Selon Machiavel, les Français se montrèrent meilleurs guerriers que diplomates. Sous l'égide du roi d'Espagne, plusieurs principautés se liguèrent pour chasser les « étrangers », les « barbares », autrement dit les Français. L'empereur ne tarda pas à se joindre à cette ligue. Effrayé par l'expansion du conflit, Louis XII jugea prudent de se retirer. L'Italie était devenue à la fois l'échiquier diplomatique et le terrain de bataille des grandes puissances européennes.

L'âge nouveau   Tandis que les souverains étaient absorbés par l'imbroglio italien, la face du monde se transformait. Christophe Colomb et Vasco de Gama, entre autres, venaient d'apercevoir des contrées dont on n'avait jamais soupçonné l'existence. La Bible, imprimée depuis peu, ouvrait aux croyants de nouvelles perspectives. Confusément, les hommes cherchaient à élargir le cadre dans lequel, jusqu'alors, leurs ancêtres avaient vécu. Les lettrés, les curieux, avides de connaissances, semblaient animés par une confiance illimitée dans les ressources de l'intelligence. Depuis les débuts de la civilisation chrétienne, l'humanité était orientée vers l'étude de Dieu. Désormais, elle allait s'orienter vers tout ce qui est proprement humain: l'exploration du monde physique, l'étude des langues et des philosophies de l'Antiquité, la recherche du bonheur et de la beauté. Dans un univers qui semblait rajeuni, les hommes éprouvaient une sourde espérance.

Le 1er janvier 1515, Louis XII mourut. Son cousin, François 1er, monta sur le trône. Ce jeune colosse de vingt ans, beau, ardent, cultivé, incarnait l'idéal de sa génération. Avec lui, la Renaissance française allait prendre son essor.

NOTES

1 La rose blanche de la maison de York venait de chasser la rose rouge de la maison de Lancaster.

2 Voir Commines, *Mémoires*, Champion 1924, tome II, ch. 9–10.

3 Sept ans plus tôt, au cours d'une entrevue diplomatique, Louis XI avait été enlevé par son ennemi le duc de Bourgogne.

4 On a dit que cet accord n'avait été qu'une affaire de marchands !

5 Les souverains anglais allaient continuer à porter le titre de « roi de France et d'Angleterre » jusqu'en 1802. Ils conserveront Calais jusqu'en 1559.

6 La vogue des romans de chevalerie atteignit son maximum durant la seconde moitié du xve et la première moitié du xvie siècle.

7 Maximilien de Habsbourg, archiduc d'Autriche. Par la suite, il allait devenir empereur d'Allemagne. Le mariage de Maximilien et de Marie allait permettre aux Habsbourg de dominer l'Europe centrale. Charles Quint, le petit-fils, deviendra le monarque le plus puissant de son temps.

8 Il est possible que Louis XI ait été lépreux et qu'il ait réussi à dissimuler son mal. Les lépreux étaient tenus à l'écart de la société.

9 Il écrivit de nombreuses lettres ainsi qu'un manuel sur l'art de régner, *Le Rosier des guerres*, dont voici une sentence : « On ne doit pas batailler pour batailler mais pour avoir la paix. »

10 Le fils ressemblait si peu à son père qu'un bruit circula à propos de sa naissance. On raconta que la reine avait donné le jour à une fille (le couple royal en avait déjà deux), qui, au moment de l'accouchement, avait été remplacée par un nouveau-né mâle, préparé tout exprès... Cette histoire est probablement dépourvue de fondement mais, pour éviter de pareils racontars, il fut décidé que, dorénavant, les reines accoucheraient en public. Jusqu'au xixe siècle, les naissances royales auront lieu en présence des courtisans et des simples curieux...

11 Deux siècles auparavant, un frère de saint Louis était devenu roi de Naples. Les Capétiens avaient été chassés du sud de l'Italie mais ils n'avaient pas renoncé à leurs droits.

12 Commines, *op. cit.*, tome III, ch. 3.

13 Cette porte n'existe plus. Il est donc vain de supputer comment l'accident a pu se produire. Selon certains historiens, l'accident de la porte n'aurait été qu'une coïncidence. Le roi venait de manger une orange qui lui avait été envoyée d'Italie par Ludovic Sforza. On a parlé d'empoisonnement, d'apoplexie, de crise d'épilepsie...

14   Louis XII était le fils du poète Charles d'Orléans qui avait été capturé à Azincourt. Devenu roi, Louis XII fit annuler son premier mariage pour pouvoir épouser Anne de Bretagne, la veuve de son prédécesseur. Par ce procédé plutôt cynique, il empêcha la Bretagne de se redétacher de la couronne.

15   Commines, *op. cit.*, tome III, ch. 27.

16   Machiavel, *Le Prince*, ch. 19.

17   Il tenait ces droits de sa grand-mère Valentine Visconti, la fille du duc de Milan.

MARCHANDS, CHARLATANS OU SAVANTS

Épices ou médicaments   Un chroniqueur écrivant vers 1250 nous apprend que, de son temps, les apothicaires vendaient des herbes, des médicaments, du poivre, de la cannelle, de l'anis, du sucre, de la réglisse, de la cire et des cierges...[1] L'apothicaire du XIIIᵉ siècle ne se distinguait pas de l'épicier. L'un et l'autre faisaient le commerce des épices, c'est-à-dire des substances employées à la fois comme condiments et comme remèdes.

Néanmoins, à partir du XIVᵉ siècle, les deux domaines commencèrent à se séparer. En principe, la Faculté de médecine s'efforça de surveiller la vente de ce qui était susceptible d'être dangereux pour la santé. Théoriquement tout au moins, elle exigea que les apothicaires aient des connaissances pharmaceutiques et qu'ils possèdent, dans leur officine, au moins un manuel relatif à leur art. Plusieurs édits réitérèrent le même avertissement: « Qui est épicier n'est pas apothicaire et qui est apothicaire n'est pas épicier.»

Malgré tout, dans l'esprit de bien des gens, les deux branches restèrent confondues. Les ouvrages de pharmacie n'étaient que des traductions en latin d'ouvrages grecs ou arabes. Les superstitions, l'esprit de routine et la malhonnêteté des praticiens faisaient obstacle au progrès et, jusqu'au XVIIIᵉ siècle, la pharmacie allait demeurer à peu près stationnaire.

Quelques remèdes   Laissons de côté tout ce qui est antérieur au XVᵉ siècle ainsi que tout ce qui relève des superstitions populaires et des boniments des charlatans.

Contentons-nous d'envisager quelques remèdes recommandés par les professionnels réputés pour leur science. Au xvie siècle, l'apothicaire personnel de François Ier offrait, entre autres, la préparation suivante:

Contre la jaunisse: prendre des vers de terre, laver avec du vin blanc et faire sécher. Donner une petite cuillerée avec du vin blanc.

À la même époque, d'autres apothicaires, non moins célèbres, recommandent encore:

Pour multiplier les cheveux: prendre trois escargots, les retirer de leurs coquilles. Faire bouillir dans de l'eau et recueillir la graisse. Ajouter trois cuillerées d'huile d'olive et une cuillerée de miel. Faire bouillir le tout. Oindre la tête fréquemment avec le mélange ainsi obtenu.
Contre la colique: plonger le patient dans de l'huile, tout au moins jusqu'aux reins.
Pour se garantir de la morsure de toutes les bêtes sauvages: se lier un diamant au bras droit ou s'oindre le corps de graisse de lion.
Pour empêcher qu'une femme mariée s'abandonne à un autre qu'à son mari: lui faire prendre secrètement le foie d'une hirondelle que l'on aura brûlé, mis en poudre et mélangé à du vin.
Contre le mal de dents, appliquer une dent de taupe...

En plein xviie siècle, les esprits distingués attribuaient encore de hautes vertus thérapeutiques aux venins et aux excréments d'animaux ainsi qu'à la graisse et aux excréments humains...[2] Personne ne mettait en doute la valeur médicinale des pierres précieuses. L'or était regardé comme un remède contre la lèpre. « Le saphir, lit-on dans un traité de l'époque, réjouit le cœur et guérit les ulcères de l'intestin.»

Études médicales   Les médecins ne valaient pas mieux que les apothicaires. Au xive siècle, la faculté de médecine de Paris ne possédait qu'une quinzaine de volumes, et rares étaient les étudiants qui les lisaient intégralement. Ces manuels n'étaient d'ailleurs que des traductions d'ouvrages compilés par les Arabes au cours du Moyen Âge ou écrits par des savants de l'Antiquité... Galien et Hippocrate faisaient toujours autorité. Les thèses portaient sur des sujets spéculatifs plus ou moins bizarres. Voici quelques titres:

La nécessité de la mort est-elle innée? (année 1572)
L'air est-il plus nécessaire que la nourriture et la boisson? (année 1589)
L'eau est-elle plus salutaire que le vin? (année 1622)

La musique est-elle efficace dans les maladies? (année 1624)
La femme est-elle un ouvrage imparfait de la nature?* (année 1646)
Les Parisiens sont-ils sujets à la toux quand souffle le vent du nord?
(année 1668)[3]

Pendant des siècles, médecine et astrologie sont restées inséparables. Quand un médecin était appelé auprès d'un malade, il commençait par étudier l'état du ciel puis il dressait une ordonnance, en latin, bien entendu! À l'époque de Louis XIV, le doyen de la Faculté de médecine déclarait encore que la peste était causée par les éclipses et par la conjonction défavorable de certaines étoiles. Les meilleurs praticiens affirmaient que l'homme est soumis à l'influence des astres mais également à celle des nombres. À leurs dires, le nombre 7 et ses multiples détermineraient des crises redoutables. La 7e heure décide de la vie de l'enfant; à 7 mois les dents apparaissent; à 14 ans commence la puberté; à 21 ans l'enfant est homme; à 49 ans son âge le rend parfait; 70 ans est le terme ordinaire de la vie etc....

Ces messieurs de la Faculté

Les médecins s'entendaient à en imposer à leur clientèle. Ils faisaient payer leurs services à prix d'or; ils ne paraissaient aux cérémonies officielles qu'en robe rouge et bonnet carré. Au xviie siècle, ils se singulariseront par une ample perruque et une longue barbe à laquelle Molière fera maintes allusions. Pour faire leurs visites, ils employaient de préférence une mule, bête dont la démarche tranquille convenait à la dignité de la profession!

Les médecins étaient tenus de veiller sur l'âme de leurs patients. Depuis le Moyen Âge, il leur était interdit de faire plus de trois visites à un malade qui ne se serait pas confessé au cours de sa maladie. Loin de s'assouplir, ce règlement deviendra encore plus sévère à la fin de l'Ancien Régime.

Outre les médicaments, les saignées et les lavements ont constitué, jusqu'au xviiie siècle, les procédés thérapeutiques les plus courants. Mais, pour ces traitements, il fallait avoir recours à un autre corps de métier, celui des chirurgiens-barbiers. Les médecins faisaient partie de la catégorie des clercs, c'est-à-dire des lettrés, et leurs statuts professionnels leur interdisaient de se servir de leurs dix doigts. Pour toutes les besognes matérielles jugées dégradantes, ils s'en remettaient à de pauvres diables qu'ils accablaient d'ailleurs de leur mépris.

Perruquiers-barbiers et chirurgiens-barbiers

Du fait qu'ils avaient des instruments tranchants, les barbiers avaient, depuis des temps immémoriaux, pratiqué des incisions, pansé des plaies et soigné les blessures. Vers le xiiie siècle, on commença à sentir qu'il existait tout de même quelque différence entre l'art de faire la barbe et l'art de couper les chairs! Peu à peu, on distingua les perruquiers-barbiers d'une part, et les chirurgiens-barbiers, d'autre part. En principe, seuls ces derniers avaient le droit de pratiquer, outre la coiffure, des opérations chirurgicales.

Les médecins continuèrent à traiter les chirurgiens-barbiers comme des parias: ils leur interdisaient de porter la robe longue et le bonnet carré; ils les obligeaient à utiliser le français — jamais le latin — dans l'exercice de leurs fonctions. Enfin, ils les astreignaient à jurer obéissance à la toute-puissante Faculté de médecine et à payer une redevance. Pendant cinq siècles, les trois corps de métier allaient se faire une guérilla sans répit. Les perruquiers-barbiers voulaient se faire assimiler aux chirurgiens-barbiers et s'arrangeaient à pratiquer la chirurgie plus ou moins officiellement. Les chirurgiens-barbiers étaient dévorés par le désir de s'incorporer au corps médical. Quant aux médecins, ils exploitaient les rivalités qui opposaient les uns aux autres et tenaient pour méprisable tout ce bas monde qui travaillait de ses mains...

Dissections taboues

À toutes ces querelles s'ajoutait une autre source de conflits: la question des dissections. L'Église regardait l'ouverture du corps comme une profanation. Au XIVᵉ siècle, les dissections étaient encore rarissimes; on signale deux dissections publiques à l'Université de Bologne en Italie. La célèbre Université de Montpellier[4] dissèque un cadavre par an. Au XVIᵉ siècle, l'Université de Paris pratique des dissections une ou deux fois par an, tout au plus. Il fallait donc procéder dans la clandestinité. Les jours d'exécution, les barbiers les plus entreprenants s'arrangeaient avec le bourreau pour dérober un cadavre. Encore devait-on faire vite, disséquer derrière porte close et, au besoin, se battre contre la gendarmerie!

Ambroise Paré

Malgré tant d'obstacles, le XVIᵉ siècle vit paraître l'un des grands pionniers de la chirurgie moderne: Ambroise Paré. Rentré en apprentissage chez un simple barbier, Paré commença à raser, à peigner et à panser les plaies. Il devint chirurgien-barbier mais il n'apprit jamais le latin et ne fit jamais partie du corps médical, heureusement d'ailleurs! Poussé par son dévouement et son amour du métier, il suivit les armées en campagne. Les guerres contre Charles Quint font de nombreux blessés. Par l'expérience, Paré découvre le moyen d'arrêter les hémorragies; au lieu de procéder à la cautérisation au fer rouge, il ligature les artères. Il réussit des opérations délicates: amputations, trépanations, opérations de la pierre etc. Grâce à l'importance de ses publications[5] et à la réputation qu'il acquiert auprès des grands personnages de la cour, il fait faire à la chirurgie un progrès décisif.

La revanche des chirurgiens

Néanmoins, il faut attendre le XVIIᵉ siècle pour que s'affaiblisse quelque peu le préjugé contre le travail manuel. Au début de son règne, Louis XIV crée la première chaire de chirurgie. Les médecins n'osent pas protester. Le roi fait lui-même appel aux chirurgiens. Il est opéré d'une fistule à l'anus.[6] L'opération réussit. À la cour, l'effet est retentissant. Louis paye en roi. Le chirurgien est anobli. Il a le droit de se dire « noble et gentilhomme » tout en continuant à exercer son métier![7] Ces faveurs sont autant d'affronts pour la Faculté de médecine.

À partir du XVIIIe siècle, l'esprit scientifique se développera parmi les élites. Au lieu de s'user dans des rivalités sordides, pharmaciens, médecins et chirurgiens commenceront enfin à vivre en bonne intelligence et à se prêter un mutuel appui.

NOTES

1 Jean Gœutot, auteur d'un ouvrage intitulé *L'Entretien de la vie.*

2 Madame de Sévigné, entre autres, utilisait de tels remèdes et les recommandait à sa fille.

3 Toutes ces thèses concluent par l'affirmative sauf celle qui est marquée d'un astérisque.

4 L'Université de Montpellier possédait la Faculté de médecine la plus ancienne et la plus célèbre de France. Rabelais y a fait ses études médicales.

5 Paré a publié un traité sur la peste et la petite vérole, ainsi que de nombreux traités de chirurgie.

6 En 1686.

7 Sous l'Ancien Régime, à moins d'une autorisation spécialement accordée par le roi, un noble qui se livrait à un travail manuel ou à un commerce de détail, perdait sa qualité de gentilhomme.

LE SIÈCLE
DE LA RENAISSANCE

Armure de François Ier.
(Musée de l'Armée,
Hôtel des Invalides.)

I FRANÇOIS Iᵉʳ: LE ROI CHEVALIER

Départ en fanfare

Aussitôt sacré, François, Iᵉʳ reprit les projets italiens de ses prédécesseurs. Il passa les Alpes et, à la tête de ses troupes, il remporta la victoire de Marignan (1515). Le Milanais est à lui. Le soir de la bataille, il se fait armer chevalier par Bayard. Tout semble sourire à cet enfant chéri de la fortune: son règne commence comme une féerie.

Bientôt, le jeune roi doit porter son attention sur l'échiquier diplomatique. L'empereur d'Allemagne est âgé. Une nouvelle élection est imminente. Toutes les cours d'Europe se mettent à s'agiter. Le Saint Empire romain germanique est constitué par une multitude d'états, moitié indépendants, moitié fédérés. En vertu d'antiques usages, l'empereur va être élu par sept électeurs: trois archevêques et quatre princes.

François Iᵉʳ pose sa candidature. Il achète des électeurs.[1] Charles de Habsbourg, son concurrent, en fait autant. C'est un marchandage éhonté. Charles de Habsbourg est archiduc d'Autriche et roi d'Espagne. Il est poussé par de puissants banquiers allemands. Il a surtout l'avantage d'être le petit-fils de l'ancien empereur et d'incarner la tradition austrogermanique. Au dernier moment, deux électeurs qui avaient promis leur voix à François Iᵉʳ, la donnent à son rival et Charles est proclamé empereur d'Allemagne, sous le nom de Charles Quint.[2]

Charles Quint

De beaucoup, le nouvel empereur est le souverain le plus puissant du monde. De son père, l'archiduc d'Autriche, il avait hérité de l'Autriche, de la Franche-Comté et des Flandres.[3] De sa mère, Jeanne la Folle,[4] il avait hérité de l'Espagne et de la Nouvelle-Espagne, autrement dit des immenses contrées d'Amérique que les conquistadors continuaient à découvrir. Il a pu dire que le soleil ne se couchait jamais sur ses états. Mais il visait plus haut encore! Il aspirait à établir une sorte de monarchie universelle. À ses yeux, le pape et l'empereur devaient constituer deux autorités absolues et complémentaires; l'un régnant sur l'Église, l'autre sur les hommes.

Les possessions de Charles Quint cernaient la France. Du nord au sud, c'était les Flandres, l'Allemagne, l'Autriche, l'Espagne sans compter le royaume de Naples et d'autres puissants atouts en Italie.

François Iᵉʳ rechercha l'alliance de Henri VIII, roi d'Angleterre. Dans l'espoir de le charmer, il le reçut magnifiquement dans un camp constitué par des tentes de soieries et des draperies tissées de fils d'or. L'entrevue du « Camp du drap d'or » frappa l'imagination des contemporains mais elle n'aboutit pas au résultat escompté, bien au contraire! Quelques jours plus tard, Henri VIII s'alliait avec Charles Quint. Fièrement, le Roi-Chevalier affronta la situation. « Toute l'Europe se ligue contre moi, dit-il, eh bien, je ferai face à l'Europe! »

Désastre de Pavie et captivité

Le conflit recommence à propos du Milanais et du royaume de Naples. De nouveau, François Ier dirige ses troupes vers l'Italie; il tente de s'emparer de la ville de Pavie mais son armée est mise en déroute (1525). Plutôt que de fuir, le roi préfère se faire tuer sur place. Il est saisi et emmené dans une forteresse. Il écrit lui-même à sa mère pour lui apprendre l'étendue de la catastrophe. « De toutes choses, lui dit-il, il ne m'est demeuré que l'honneur et la vie sauve! »

Transféré à Madrid, François Ier est incarcéré en haut d'un donjon, dans une pièce dépourvue de tout confort où il n'a qu'une étroite fenêtre grillagée. Miné physiquement et moralement, il tombe malade. Charles Quint refuse de libérer son ennemi à moins que celui-ci ne s'engage à lui livrer la Bourgogne.[5] Au bout de six mois, n'y pouvant plus tenir, le roi se résigne à signer le traité de Madrid, tout en faisant remarquer qu'il agit sous la contrainte. Il va donc retrouver sa liberté mais, en gage de ses promesses, il doit remettre ses deux fils aînés à son adversaire.

Les deux petits princes, âgés respectivement de huit ans et demi et de sept ans, partent remplacer leur père en Espagne. Il a été convenu qu'ils seraient traités humainement; en réalité, pendant trois ans, il seront enfermés dans diverses forteresses et malmenés par des gardiens brutaux. Leur santé va s'altérer et ils vont oublier jusqu'à leur langue maternelle. Cette épreuve laissera des traces indélébiles sur la personnalité du plus jeune, le futur Henri II.[6]

Le champion de la liberté

Sitôt franchie la frontière, François Ier saute sur un cheval en s'écriant: « Je suis encore roi! » Naturellement, il n'a aucune intention de céder la Bourgogne à son ennemi. Il allègue qu'une promesse extorquée sous la contrainte est dépourvue de valeur. Enfin, il maintient qu'on ne peut disposer d'un pays contre le gré de ses habitants; de leur côté, les Bourguignons déclarent hautement qu'ils entendent rester Français. Il ne se contente pas d'invoquer des arguments juridiques; il monte une vaste opération diplomatique. L'impérialisme avide de Charles Quint constitue un péril mortel pour les hommes et les états qui sont anxieux de préserver leur indépendance. Devant la menace, l'Europe libre se rallie d'instinct autour du roi de France. Celui-ci va savoir tirer parti des circonstances.

Oubliant ses ressentiments, François Ier renoue avec Henri VIII, le roi d'Angleterre, qui est toujours prêt à changer de camp selon ses intérêts du moment.[7] Il conclut également des accords avec les luthériens et les princes protestants allemands. Pour des raisons à la fois politiques et religieuses, ceux-ci sont les ennemis acharnés de l'absolutisme de Charles Quint.

Alliances avec « les hérétiques »

De la part du roi de France, cette alliance est une audace révolutionnaire. Le jour de son sacre, l'« Oint du Seigneur » ne s'est-il pas engagé à défendre l'Église contre les hérésies? Il nomme les évêques et les principaux dignitaires ecclésiastiques; il porte le titre de « Fils aîné de l'Église ». D'ailleurs, ses sujets restent en majorité catholiques. Si, dès le second quart du XVIᵉ siècle, la Réforme a fait des adeptes parmi les lettrés et les bourgeois, la masse française réagit violemment contre les luthériens et les « bibliens ». À plusieurs reprises, le peuple a dressé des bûchers aux carrefours de Paris et il est allé voir brûler les « hérétiques » avec une joie sauvage.

Par son intervention personnelle, François Iᵉʳ a sauvé plusieurs personnes qui étaient soupçonnées d'hérésie, mais il est resté fidèle à la foi traditionnelle. Quand il s'allie aux luthériens allemands, ce n'est pas par solidarité religieuse, c'est par nécessité politique. Alors que la majorité de ses contemporains placent l'allégeance à leur religion bien avant l'allégeance à leur pays, lui, il fait passer l'intérêt national d'abord. Toutefois, il n'essaye pas d'entraîner son peuple dans le camp de la Réforme. Même s'il le voulait, cela lui serait probablement impossible; une tentative de révolution religieuse mettrait en péril la dynastie et l'unité nationale. Il est donc forcé de manœuvrer entre deux facteurs contradictoires mais inéluctables: la population française est en majorité catholique (et même farouchement catholique); par contre, pour sauver son indépendance, la France doit s'allier aux protestants étrangers.

L'alliance avec Soliman le Magnifique, sultan de Turquie, est encore plus scabreuse. Originaires d'Asie centrale, musulmans fanatiques, les Turcs sont les pires adversaires du christianisme. Après avoir conquis Constantinople, les Balkans et la Hongrie, ils ont progressé jusqu'au cœur de l'Europe. Leurs armées campent sous les murs de Vienne. Indigné par l'alliance franco-turque, Charles Quint accuse François Iᵉʳ de jeter contre lui les chiens, autrement dit, les Turcs! Le roi de France fait répondre à son ennemi: « Je m'aide d'un chien, mais c'est pour conserver mon troupeau contre la dent du loup! »

Accords ambigus

À quatre reprises, les deux adversaires conviendront d'arrêter les hostilités.[8] Alors, brusquement, le décor changeait. Soudain, les souverains qui venaient de se battre à mort, rivalisaient d'amabilités, se donnaient des fêtes somptueuses, des joutes, des tournois, des banquets... Mais, chaque fois, leur accord était chargé d'arrière-pensées. Charles Quint faisait mine de renoncer à la Bourgogne alors qu'il n'attendait qu'une occasion propice pour s'en emparer. Quant à François Iᵉʳ, il prétendait renoncer au Milanais et au royaume de Naples, alors que l'Italie était sa tentation permanente. Momentanément assoupi, le conflit franco-autrichien ne s'éteignit jamais complètement. Il allait reprendre pendant les règnes suivants et se poursuivre jusqu'au milieu du XVIIe siècle.

La cour   De nombreux ouvrages, plus romanesques qu'historiques, ont exagéré le côté frivole de François Ier.[9] En réalité, le roi était un diplomate subtil. Il avait conscience de la gravité des problèmes intérieurs et extérieurs, mais cela ne l'empêchait de se divertir à ses heures et de s'intéresser aux choses de l'esprit. À cette époque fertile en contrastes, les drames et les festivités se côtoyaient, sans que personne n'en paraisse surpris.

Au cours du règne, la cour prit une ampleur qu'elle n'avait jamais connue ; entre cinq et six cents personnes s'y trouvèrent rassemblées. Les membres les plus influents de la famille du roi furent d'abord sa mère, Louise de Savoie, puis sa sœur, Marguerite d'Angoulême. Cette princesse, surnommée « la Marguerite des Marguerites », était douée d'un goût exquis. Elle protégea les artistes et les hommes de lettres et fut elle-même un écrivain de valeur.[10] Lorsque, par son mariage, elle devint reine de Navarre, elle accueillit auprès d'elle les humanistes qui se trouvaient menacés du fait de leurs sympathies pour la Réforme.

Outre le personnel de l'administration royale, la cour comprenait des ambassadeurs étrangers ainsi que des artistes et des écrivains. Clément Marot était « valet du roi » ; ce poste, purement théorique, lui rapportait une pension. Sans être savant, François Ier s'intéressait à tout. Doué d'une mémoire fidèle, heureux d'apprendre, il aimait surtout la compagnie des érudits. Souvent, il s'amusait à versifier. S'il était un poète médiocre, il était un causeur charmant. Les hommes d'élite trouvaient en lui un protecteur éclairé et un ami.

Archives Photographiques

François Ier *par Jean Clouet (musée du Louvre).*

Château de Blois. À droite, aile Louis XII (début du XVIᵉ siècle) en briques et pierres. Les éléments médiévaux (pinacles) et italianisants (motifs décoratifs) s'y combinent. À gauche, aile François Iᵉʳ (entre 1515 et 1525) à l'ornementation purement Renaissance. L'escalier à claire-voie donne un puissant relief. Il est construit autour d'une double vis en hélice. Notez la salamandre, emblème de François Iᵉʳ.

French Embassy Press and Information Division

La cour donnait le ton en toutes choses: vêtements, fêtes, décoration, architecture... Ses rapports avec le reste du royaume étaient nombreux. La plupart des gentilshommes allaient servir le roi trois mois par an; une fois de retour dans leur château ou leur manoir, ils s'efforçaient d'y introduire les modes nouvelles. Les bourgeois et les paysans pouvaient apercevoir le roi car la cour était presque toujours en déplacements. François Iᵉʳ était d'humeur changeante; il était rare qu'il reste plus de quinze jours de suite dans le même endroit. Il ne se plaisait guère à Paris. Jusqu'à sa mort, il a vagabondé de château en château, poussé par le désir de profiter de la chasse, de surveiller la construction d'une nouvelle demeure, de rendre visite à telle ou telle ville, de manifester la présence royale dans une région écartée ou, tout simplement, poussé par le démon du voyage. Rien d'étonnant; ses illustres contemporains, Rabelais, Du Bellay, Érasme, Ronsard, Montaigne, etc. étaient tous possédés par la passion du voyage.

De gré ou de force, la cour suivit les pérégrinations royales... Dans ses *Mémoires*, le sculpteur italien Benvenuto Cellini rapporte qu'il fallait 12 000 chevaux pour déplacer tout le monde. Les princesses circulaient en coche ou en litière. Les dames de qualité montaient en croupe, derrière un cavalier, le visage masqué pour préserver la blancheur de leur teint. À l'arrivée, les domestiques se précipitaient pour installer la chambre du roi. Comme la plupart des châteaux étaient dépourvus de mobilier, il fallait, au plus vite, dresser le lit et accrocher des tapisseries au mur. Tant bien que mal, la suite royale campait dans des salles vides, des chambres d'auberge ou des tentes. Malgré le peu de confort, les dames étaient nombreuses. « Une cour sans dames, disait Brantôme, est un jardin sans fleurs. » Les deux reines, épouses successives du roi, furent de braves femmes effacées; d'autres dames, par contre, furent plus encombrantes! François Ier ne fut pas un coureur éhonté comme le prétendait Victor Hugo, mais il égaya sa jeunesse de plusieurs amourettes passagères. Arrivé sur le trône, il se montra plus rangé: il eut une maîtresse à la fois, quatre en tout au cours de son règne!

Le Collège de France

De toutes les initiatives de François Ier, la fondation du Collège de France est restée la plus célèbre. Parmi les contemporains du roi, quelques hommes d'élite sentaient qu'il était urgent de combler les lacunes d'un enseignement universitaire étroit et anachronique. Au nom de la religion, les professeurs de la Sorbonne, par exemple, refusaient de laisser introduire des disciplines nouvelles telles que le grec et l'hébreu. Seul le roi pouvait forcer l'obstacle. L'humaniste Guillaume Budé lui lança un appel: « Accordez Prince, écrivit-il dans la préface de ses *Commentaires sur la langue grecque,* une part de votre sollicitude, de votre magnificence à la profession la plus libérale et la plus utile de toutes! Appliquez votre haute pensée et votre générosité à encourager les Lettres et les bonnes études. »

Peu après, contournant l'opposition de l'Université, le roi institua des lecteurs royaux qui ne dépendaient que de lui seul. Comme le titre l'indique, les lecteurs lisaient et commentaient des textes latins, mais également des textes grecs et hébreux. La nouvelle fondation prit le nom de Collège des trois langues. Le programme ne tarda pas à s'élargir; d'autres lecteurs vinrent enseigner la médecine, les mathématiques, la philosophie grecque et latine. Les professeurs étaient libres; les cours étaient gratuits et ouverts à tous. La Sorbonne eut beau protester, le succès dépassa toutes les expectatives. Sans la nommer de façon précise, Rabelais célébra cette entreprise dans l'admirable lettre de Gargantua à son fils.[11]

Un prince cultivé

Dans le même esprit, François Ier s'efforça de rassembler une bibliothèque encyclopédique. Il chargea son bibliothécaire Guillaume Budé de lui faire acheter des manuscrits en Italie, en Égypte et jusqu'en Asie Mineure. À ses yeux, l'étude de l'Antiquité était le meilleur moyen d'enrichir la culture française. Loin de mépriser la langue nationale, il lui assura son triomphe définitif. En 1539, par ordonnance royale, le français devint la langue administrative du royaume. Ainsi, le latin mais aussi les dialectes provinciaux se trouvèrent éliminés des tribunaux et des services gouvernementaux.[12]

François Ier chercha également à encourager les recherches géographiques. Sous son égide, Verrazzano explora les côtes américaines de Terre-Neuve à la Floride. Sur la carte dressée par l'explorateur figurait une île appelée La Nouvelle-Angoulême.[13] Quelque temps plus tard, ce même lieu allait prendre le nom de New Amsterdam puis, finalement, de New York.

L'expédition de Jacques Cartier aboutit à un résultat plus concret. Parti à la recherche d'un passage vers la Chine, Cartier découvrit un fleuve qu'il appela le Saint-Laurent, en l'honneur du saint célébré ce jour-là. Au nom du roi, il prit possession de la Nouvelle-France et il repéra les lieux où, dans les années à venir, allaient s'édifier Québec et Montréal.

Lorsque François Ier mourut[14] (1547), le royaume était intact; la civilisation française était la plus brillante du monde. Pourtant, diverses difficultés demeuraient en suspens. Les finances royales accusaient un déficit grandissant, la famille des Habsbourg constituait toujours une menace potentielle; la question italienne n'était pas résolue. Enfin, loin de s'apaiser, les querelles religieuses s'étendaient et s'envenimaient.

II HENRI II: LE « BEAU TÉNÉBREUX »

Un destin sombre

Dans l'ensemble, le règne de Henri II paraît plus sombre que celui de son père. Même aux heures critiques, François Ier restait jovial, imaginatif et dynamique. Henri, par contre, était mélancolique, taciturne et lent; seuls les exercices violents, chasses ou tournois, étaient susceptibles de le passionner.

Privé d'affection pendant ses premières années, il avait ensuite subi une cruelle incarcération en Espagne. À quatorze ans, on l'avait marié à une femme peu attirante, Catherine de Médicis. Celle-ci était la fille de Laurent de Médicis, l'ancien maître de Florence. Comme elle n'était pas de sang royal, la cour de France l'accueillit assez mal; plus d'une fois, elle fut appelée « le sac d'écus », « la marchande florentine » ou « la grosse banquière ». Catherine resta dans l'ombre... en attendant.

Diane de Poitiers

Indifférent à l'égard de sa femme, Henri II demeurera jusqu'à sa mort fidèle à Diane de Poitiers. Diane avait vingt ans de plus que le roi mais, à ce qu'on dit, les belles femmes n'ont pas d'âge! Grand amateur de romans de chevalerie, Henri se conduisit en amant exemplaire. Comme les Amadis et les Lancelot, il célébra dévotement celle qu'il appelait « ma Dame »...

Diane de Poitiers exerça un empire absolu sur le monarque et sa cour. Rien n'échappait à son regard; elle tirait les ficelles de la politique; les ambassadeurs étrangers venaient la saluer avant la reine. Naturellement, c'est elle qui portait les bijoux de la couronne. Sur les armures, les tapisseries, les bâtiments royaux, se répétait le célèbre monogramme ⌘. On y discerne, entrecroisés, le H de Henri et deux D pour Diane. On peut également y voir deux croissants de lune, emblèmes de la déesse de la nuit ou bien deux arcs, emblèmes de la déesse de la chasse. Fier de sa conquête, le roi ne s'habillait que de noir et de blanc, couleurs de sa dame!

Humanistes et « bibliens »

Malheureusement, ce souverain à l'esprit lourd, entouré d'une cour intrigante, s'est trouvé devant le grand problème du siècle: la réforme religieuse.

Au début du règne de François Ier, le renouveau d'intérêt pour les questions religieuses constituait l'un des aspects du mouvement humaniste. Quelques esprits distingués cherchaient à étudier l'Évangile avec la précision et le zèle que d'autres apportaient à l'étude des auteurs grecs et latins. Non loin de Paris, dans la petite ville de Meaux, Lefèvre d'Étaples,[15] un savant prélat, animait un petit groupe d'ecclésiastiques. Chrétiens ardents, souvent mystiques, ces hommes voulaient retrouver la Bible authentique et la faire connaître aux fidèles. Ils répandirent des traductions des Écritures dans les paroisses et prêchèrent par l'exemple. À l'origine, ils n'avaient aucune intention de se séparer de l'Église romaine dont ils respectaient le dogme et les traditions. En mettant les fidèles en contact avec la Parole de Dieu, les « bibliens » de Meaux espéraient sauver les âmes et remédier aux abus qui défiguraient l'Église du Christ.

Les gens honnêtes avaient toute raison d'être scandalisés. Les ordres monastiques étaient tombés dans le discrédit. La plupart des moines étaient ignorants ou cupides; beaucoup d'entre eux égayaient la verve

Jean Goujon, Diane au Cerf. *Groupe de marbre exécuté en l'honneur de Diane de Poitiers, maîtresse de Henri II. Noter les* ⌘ *et les bois dorés du cerf (musée du Louvre).*

Archives Photographiques

des satiriques par leurs mœurs dissolues. Les bénéfices ecclésiastiques se négociaient comme des biens matériels; Rabelais, Ronsard, l'architecte Philibert Delorme en furent pourvus, à titre de récompenses.[16] Les fils des grandes familles cumulaient prieurés, abbayes et évêchés, se souciant peu — sinon pas du tout — de leurs responsabilités spirituelles. La ville de Lyon eut un archevêque de onze ans![17] Des cardinaux et même des papes portaient l'épée. Des hommes d'élite souhaitaient réformer l'Église par l'intérieur, sans toucher au dogme mais, à partir de 1525, ils se trouvèrent submergés par les événements.

Réforme et persécutions   En l'espace de quelques années, les traductions du Nouveau Testament, des Psaumes puis de l'ensemble de la Bible,[18] avaient atteint tous les milieux. D'abord coûteux et encombrants, ces ouvrages étaient devenus relativement bon marché et maniables. Les écrits luthériens traversaient les frontières et se répandaient comme une contagion. Certains prédicateurs commençaient à attaquer le culte des saints, le Purgatoire, les indulgences, le célibat ecclésiastique et même la messe.[19] Alors se déclencha la réaction. La Sorbonne et le Parlement de Paris font poursuivre les suspects et brûler les « mauvais livres ». Il est interdit de traduire ou de réviser les textes des Écritures.[20] Les hommes du groupe de Meaux se dispersent; les uns, restés « bibliens », cherchent refuge auprès de Marguerite de Navarre; les autres rompent avec la tradition et descendent prêcher dans la rue.

Au début, François Ier hésite, temporise. Il a besoin de l'aide des luthériens allemands; d'ailleurs, il a horreur du fanatisme et de la violence. Quelques esprits distingués s'efforcent de prêcher la concorde mais l'esprit de violence l'emporte. Aux yeux de la masse, l'exécution des « évangélistes » constitue un spectacle de choix. En général, les fidèles de la nouvelle religion se montrent plus courageux que diplomates. En dépit des interdictions, ils se rassemblent sur les places publiques ou au pied des murs des villes pour écouter leurs prédicateurs. Les sanctions ne font que fortifier leur foi.

En 1536, Calvin publie, en latin puis en français, l'*Institution de la religion chrétienne*. Cette œuvre magistrale est à la fois une profession de foi et un traité de théologie. Elle s'adresse, non plus aux seuls lettrés, mais à tous les fidèles. L'auteur a dédicacé son ouvrage à François Ier afin de pouvoir, dans une longue épître, plaider la cause des pauvres persécutés et implorer la protection royale. Malgré cela, l'intolérance s'intensifie.

Chaque fois que le conflit avec Charles Quint semble s'apaiser, la situation des « évangélistes » s'aggrave encore. N'osant rentrer en France, Clément Marot meurt à l'étranger.[21] L'humaniste Étienne Dolet est brûlé sur la place publique.[22] Des imprimeurs, des colporteurs de livres bibliques, des prêtres ou de simples artisans soupçonnés d'hérésie, subissent le même sort. Le quart des biens des « hérétiques » est promis aux dénonciateurs!

Pourtant, jusqu'à la mort de François Ier, il paraît encore possible d'envisager une entente. Une fois Henri II sur le trône, le fanatisme triomphe. Les deux partis durcissent leurs positions. Diane de Poitiers hait les réformés qui ont osé blâmer sa conduite personnelle! Arrestations et condamnations à mort se multiplient. Ceux que l'on commence à appeler « les huguenots »[23] tiennent des assemblées clandestines qui réunissent plusieurs centaines de personnes. Plutôt que de se rétracter, les condamnés affrontent les flammes en chantant des psaumes.

Une paix bâclée Entretemps, la guerre contre l'Angleterre et la Maison des Habsbourg reprend. De nouveau, la France doit chercher l'alliance des luthériens allemands. Paris est menacé par les armées espagnoles mais, brusquement, la situation se renverse. Un chef prestigieux, François de Guise, bat les Espagnols et reprend Calais aux Anglais. À son retour, les Parisiens l'acclament comme un héros. Le poète Ronsard célèbre la victoire par un livre d'*Odes* dans lequel Henri II apparaît fort comme Achille et sage comme Jupiter!

La France a repris l'avantage. La Maison d'Autriche, son ennemie héréditaire, est minée par les difficultés économiques et religieuses. Charles Quint vient d'abdiquer, laissant l'Espagne à son fils, l'Autriche et l'Empire à son frère. Henri II pourrait se montrer exigeant. Au lieu de cela, il renonce à l'Italie et ne demande que la ville de Calais et trois villes de Lorraine (Metz, Toul et Verdun), communément appelées les Trois-Évêchés. Cette paix bâclée choque de nombreux contemporains.

Certes, l'argent manque dans le trésor mais le roi est surtout gêné par la contradiction entre sa politique étrangère et sa politique intérieure; allié avec les luthériens allemands, il persécute les protestants français. Cela ne peut durer; il lui faut la paix tout de suite. Le traité est signé au Cateau-Cambrésis (1559). Les souverains vont être libres de consacrer tous leurs efforts à la lutte contre « l'hérésie ».

La mort de Henri II Selon la coutume, on célèbre la paix par deux mariages royaux[24] puis on en arrive aux fêtes. Il y a messes, processions, banquets, cavalcades. Enfin, un tournoi doit couronner les réjouissances. On a construit une lice au milieu de la rue la plus large de Paris. Du haut des tribunes, les dames et les notables vont observer les protagonistes. Diane de Poitiers siège à côté des reines.

Vêtu de noir et de blanc, Henri II est ravi de déployer son adresse devant les grands personnages du monde. Deux jours de suite, il se distingue. Le troisième jour, il court encore contre le duc de Savoie puis contre le duc de Guise. Il fait chaud; vers midi, la reine le prie de prendre quelque repos. Elle ajoute qu'elle a le pressentiment qu'il va lui arriver malheur... Mais Henri n'écoute plus; il donne déjà l'ordre qu'on l'arme au plus vite. Il monte en selle et, brusquement, s'élance au galop contre Montgomery, le capitaine de sa garde. Les combattants se heurtent, se remettent d'aplomb. Le roi prend une lance neuve. Montgomery, on ne sait pourquoi, garde sa lance ébréchée. De nouveau, les chevaux s'élancent l'un vers l'autre. La lance de Montgomery heurte la visière qui probablement est mal attachée, pénètre dans l'œil gauche du roi et ressort par la tempe. Henri s'effondre sur le cou de son cheval.

— Je suis mort, dit-il.

Des clameurs retentissent. Diane suit son amant des yeux; elle ne le reverra plus. Henri II succombera dix jours plus tard.[25]

III LES TROIS FILS DE HENRI II

Catherine de Médicis

La mort de Henri II frappa la France de stupeur. Le nouveau roi (François II) était un adolescent de 16 ans, tuberculeux, borné et violent. Sortant de l'ombre, la reine-mère s'empara du pouvoir. Elle allait le garder pendant près de 30 ans.

Le comportement politique de Catherine s'explique en partie par son histoire personnelle. Arrivée à la cour de France 25 ans auparavant, elle avait subi de lourdes humiliations. Diane de Poitiers avait monopolisé la première place; la noblesse avait méprisé ses origines bourgeoises. Enfin, on lui avait reproché de ne pas donner d'héritiers à la couronne. À plusieurs reprises, elle avait failli être répudiée jusqu'à ce que la maternité lui prépare sa revanche. Après dix ans de stérilité, elle eut un fils puis une succession de garçons et de filles, en tout dix enfants!

Henri II était à peine mort que Diane quitta la cour pour toujours. Catherine reprit à sa rivale les bijoux de la couronne et le château de Chenonceaux, mais elle n'allait pas se contenter de ces satisfactions d'amour propre! Cette petite femme épaisse, au visage imperturbable, toujours vêtue de noir, était possédée par deux passions: l'instinct maternel et l'amour du pouvoir. À tout prix, elle voulait sauvegarder l'héritage de ses enfants. Michel de Nostradamus, l'astrologue le plus célèbre de son temps, lui avait prédit que trois de ses fils régneraient puis que sa race s'éteindrait...

Catholiques et huguenots

La France traversait la crise la plus grave de son histoire depuis la guerre de Cent Ans. Catholiques et protestants s'affrontaient dans un climat de fanatisme. Chaque parti semblait décidé à exterminer son adversaire. Les catholiques, toujours en majorité, avaient à leur tête le duc

Château de Chenonceaux. Construit par un financier (vers 1515). Henri II l'acheta et l'offrit à Diane de Poitiers. Lorsqu'elle s'en empara, Catherine de Médicis fit ajouter la galerie supérieure du pont.

de Guise, membre d'une famille nombreuse, puissante et suprêmement ambitieuse. Taillé en Hercule, remarquable chef de guerre, Henri de Guise était l'homme le plus populaire du royaume; les Parisiens l'idolâtraient.

Le parti protestant groupait près du tiers de la population; néanmoins, à Paris, il était faible donc vulnérable. La Réforme avait gagné tous les milieux sociaux; après les érudits et les bourgeois, elle avait attiré des nobles et même des personnes apparentées à la famille royale. Grâce à la noblesse, les réformés avaient de vrais chefs militaires, entre autres l'amiral Coligny et le jeune roi de Navarre, le futur Henri IV.[26] Par contre, les grands pouvaient nourrir des arrière-pensées d'ordre politique; certains d'entre eux espéraient que la révolution religieuse affaiblirait l'absolutisme de la couronne.

Chaque camp avait des appuis à l'étranger. Au nom de la religion, Philippe II, le roi d'Espagne, se croyait autorisé à intervenir dans les affaires françaises. Sous prétexte de lutter contre « l'hérésie », il entretenait en France un état de guerre civile. Quant aux protestants, ils étaient encouragés par Élisabeth Ière, la reine d'Angleterre. Celle-ci espérait également profiter des circonstances. Elle était particulièrement anxieuse de reprendre le port de Calais.

Après dix-huit mois de règne, le pauvre François II mourut d'une tumeur. Son frère, Charles IX, n'avait que dix ans. Catherine savait que

Double jeu de Catherine de Médicis

si l'un des deux partis venait à l'emporter, il mettrait le roi et le royaume sous sa tutelle. Aussi, pour conserver le pouvoir, s'est-elle ingéniée à maintenir l'équilibre entre les deux blocs: les catholiques et leurs alliés espagnols d'une part, les protestants et leurs alliés anglais, d'autre part.

Malheureusement, la vieille reine a mêlé à son jeu diplomatique de sombres intrigues de cour. C'était dans son caractère sournois.[27] Il faut reconnaître que les circonstances ne lui permettaient guère de procéder autrement. Officiellement, elle devait se montrer du côté des catholiques et garder de bons rapports avec Philippe II, le défenseur de la foi. Dirigé par les Guises et aidé par l'Espagne, le parti catholique était le plus fort et, par conséquent, le plus dangereux pour l'autorité royale. Lorsqu'il semblait sur le point de l'emporter, discrètement, Catherine rétablissait l'équilibre en utilisant les forces protestantes pour faire contrepoids.

La Médicis était incapable de comprendre les questions théologiques. Nièce de deux papes, elle était catholique par tradition de famille mais, en son fort intérieur, elle était matérialiste, dominatrice et superstitieuse. Obstinément, elle chercha à maintenir l'unité nationale en neutralisant les conflits d'opinion. Elle présida des « colloques », c'est-à-dire des débats entre évêques catholiques et ministres protestants. Le plus important, le colloque de Poissy, sombra dans le chaos. Elle accorda des « édits de tolérance » qui permettaient aux réformés d'avoir un certain nombre de lieux de culte. Mais les passions étaient déchaînées et quelque incident venait toujours rallumer la guerre. Au risque de paraître suspecte aux catholiques, Catherine essaya de soutenir le petit groupe des « politiques » c'est-à-dire des partisans de la tolérance. Grâce à sa protection, Michel de l'Hospital devint Chancelier du Parlement de Paris. Celui-ci fit entendre des paroles d'une rare élévation morale: « Ôtons, disait-il, ces mots diaboliques, noms de partis et séditions, luthériens, huguenots, papistes: changeons-les pour le nom de chrétiens... » Malheureusement, de tels propos éveillaient la méfiance des deux côtés.

Religion et société   La coexistence de deux religions semblait à peu près impensable. D'ailleurs, les institutions sociales léguées par le Moyen Âge ne s'y prêtaient pas. En ville comme à la campagne, la paroisse constituait le centre de la vie locale. Seuls les ecclésiastiques enregistraient les naissances, mariages et décès. Dans le monde du travail, le passage du rang d'apprenti à celui d'ouvrier, ou du rang d'ouvrier à celui de maître, s'accompagnait d'une cérémonie religieuse. À l'occasion des fêtes liturgiques ou patronales, tous les habitants devaient cesser leur travail; ceux qui ne suivaient pas les processions devaient, au moins, pavoiser la façade de leur maison. Toute forme d'activité était associée à des coutumes catholiques. Le domaine séculier, à proprement parler, n'existait pas.

Dans les pays encore peu unifiés comme l'Allemagne ou la Suisse, des communautés régionales passèrent à la Réforme sous l'égide de leur prince. En France, la centralisation monarchique, déjà considérablement avancée, s'opposait à la formation d'une mosaïque religieuse. Ne trouvant pas de place dans la société, certains protestants tentèrent de faire glisser toute la population de leur côté en convertissant la famille royale. Ce projet chimérique leur fit commettre des imprudences que le parti catholique ne manqua pas d'exploiter.[28]

Les noces de sang

Catherine n'en continua pas moins son jeu de bascule. Pour calmer l'ardeur belliqueuse des uns et des autres, elle entretenait une armée de filles d'honneur surnommée « l'escadron volant ». Ces jeunes beautés réussissaient à capter des secrets et à retenir des hommes de guerre dans leurs filets! C'est dans ce petit monde, tout entiché de Pétrarque et de romans de chevalerie, que Ronsard connut la plupart des héroïnes de ses *Sonnets*. Toujours dans le même but, Catherine multiplia les festins, les mascarades et les bals; huguenots et papistes devaient danser et banqueter ensemble! Dans l'espoir de resserrer les liens, la vieille reine parcourut toutes les provinces, accompagnée de sa cour et de ses enfants. Enfin, elle combina ce que nous appellerions des « mariages mixtes ». C'est ainsi qu'elle força l'une de ses filles à épouser Henri de Bourbon, roi de Navarre et ardent champion de la Réforme. Toute la noblesse du royaume fut conviée à ces noces qui, théoriquement, devaient rétablir l'équilibre intérieur de la France.

Un concours de circonstances précipita le drame. L'Espagne devenait de plus en plus menaçante.[29] D'autre part, le roi Charles IX, maladif et névrosé, aspirait à s'émanciper de la tutelle maternelle. Il avait pris pour confident l'amiral Coligny, vieux guerrier huguenot, calme et imposant. Or l'amiral, anxieux de passer à l'action, poussait le jeune roi à s'allier aux forces protestantes et pour lutter contre l'Espagne. La reine-mère n'entendait pas les choses de cette façon! Elle préférait maintenir une paix, même boiteuse, avec l'Espagne, plutôt que de se lancer dans une guerre hasardeuse. Au désaccord politique s'ajoutait la jalousie. Catherine était ulcérée par l'ascendant que Coligny prenait sur son fils.

La Saint-Barthélemy

La vieille reine a décidé la perte de son rival. Quatre jours après la célébration du mariage royal, elle charge le « tueur » du roi d'abattre Coligny dans une embuscade. L'opération échoue. Coligny est blessé mais il va se remettre.[30] Alors, pour ne pas se démasquer, Catherine fait croire à son fils que les protestants complotent contre lui et qu'il faut, d'urgence, supprimer leurs chefs. Évidemment, Coligny fait partie du groupe qui doit être éliminé. Le jeune roi hésite; son cerveau se brouille:

— Vous n'osez pas! lui lance Catherine.

Charles perd contrôle de lui-même.

— Eh bien soit! dit-il. Mais qu'on les tue tous pour qu'il n'en reste pas un pour me le reprocher!

L'ordre est saisi au vol. Dans tous les quartiers de Paris, des volontaires bouillonnent d'impatience. Le dimanche 24 août 1572, jour de la fête de Saint-Barthélemy, vers quatre heures du matin, le tocsin sonne à la tour d'une église. C'est le signal convenu. Coligny tombe l'un des premiers. Les protestants qui, à l'occasion du mariage, se trouvent au Louvre, sont massacrés dans la cour. La racaille se rue sur les huguenots ou sur ceux qui sont présumés tels. Partout on égorge, on pend, on jette à la Seine. Le pillage commence.

D'une fenêtre du Louvre, Catherine et son fils assistent peut-être au massacre mais le déchaînement de la populace ne tarde pas à les alarmer. Le soir, le roi donne l'ordre que l'on protège les huguenots. Trop tard. Une fois déclenchée, la fureur sanguinaire ne peut plus être arrêtée. Elle durera quatre jours.

Quel fut le nombre des victimes? On en discute encore et souvent avec passion. Environ 6 000 disent les uns; 60 000 prétendent les autres. Quand la folie fut enfin calmée à Paris, elle gagna les villes de province. Très vite, la nouvelle du massacre fut connue à l'étranger. Le pape fit célébrer l'événement avec solennité. À Venise, à Madrid, on organisa des réjouissances. En Angleterre, chez les luthériens allemands, on s'indigna.

Le massacre de la Saint-Barthélemy ne résolut rien. Les deux religions continuèrent à s'affronter. Catherine de Médicis demeura stigmatisée par la réputation la plus sinistre. Quant à Charles IX, rongé par la fièvre et les excès, il mourut quelques mois plus tard. Pendant son agonie, il aurait été hanté par la vision des massacres dont il se sentait responsable.

Bal donné à la cour de Henri III (1581) à l'occasion du mariage de l'un des favoris du roi. À gauche, sous le dais, Henri III et Catherine de Médicis (en noir). À droite une chanteuse (de dos) et un groupe de musiciens (École française, musée du Louvre).

Le dernier Valois

Henri III, le troisième frère, le favori de sa mère, monta sur le trône. Ses sujets attendaient beaucoup de lui. Il avait voyagé,[31] il était cultivé et curieux de tout. Malheureusement, déséquilibré comme ses frères et sœurs, il ne tarda pas à décevoir tout le monde. Il s'inondait de parfums, s'ornait de colliers, de pendants d'oreille et de bagues. Lorsqu'une impulsion le poussait à la dévotion, il suivait des processions, à moitié nu, se flagellant en pleine rue. Par contre, lorsqu'il était en gaieté, il sortait incognito, courait les mauvais lieux ou s'amusait à jeter les passants dans la boue. Il lui arrivait de se travestir en femme... ou en moine! Alors que ses prédécesseurs avaient vécu d'une façon relativement familière avec leur entourage, lui voulut paraître en demi-dieu. Autour de sa table et de son lit, il fit dresser des barrières dorées. Malgré la misère générale, il déploya un faste oriental et couvrit ses favoris de richesses. Le roi et ses « mignons », frisés, fardés, rutilants de bijoux, devinrent les cibles de la satire. À Paris, notamment, parurent des milliers d'écrits anonymes, libelles, chansons, affiches, d'un ton parfois fort leste.[32]

Henri III tenta d'introduire des réformes administratives judicieuses mais, manquant d'autorité, il ne put les faire appliquer. Comme sa mère, il s'efforça de maintenir un équilibre entre catholiques et protestants mais, au cours de ses quinze années de règne, les violences ne firent que s'accroître. Le royaume était ruiné; le prestige de la monarchie était tombé à son point le plus bas.

La guerre des trois Henri

Depuis la Saint-Barthélemy, les protestants n'avaient plus aucune confiance dans les Valois. Ils vivaient sur le pied de guerre, retranchés dans des villes fortifiées telles que La Rochelle[33] ou Montauban. Leur dernier espoir reposait sur Henri de Navarre. Du côté catholique, le prestige de Henri de Guise surpassait celui du roi. Dès que ce dernier prenait quelque mesure de tolérance, les fanatiques l'accusaient de trahison. Les moines, les prédicateurs, les étudiants poussaient la population à la révolte. Les Parisiens parlaient de s'emparer du Louvre et de jeter le dernier Valois dans un monastère...

Les passions étaient d'autant plus féroces que le dénouement paraissait imminent. Henri III n'avait pas de postérité. Le couple royal consultait médecins, théologiens, astrologues, sorciers, sans résultat aucun! Or, par voie masculine, le plus proche héritier de la couronne était Henri de Bourbon, roi de Navarre, descendant du sixième fils de saint Louis. L'hostilité à son égard provenait, non pas tellement de sa parenté lointaine,[34] que du fait qu'il était protestant. Pis que tout: il était hérétique et relaps! Au moment de la Saint-Barthélemy, il avait fait mine de se convertir puis, une fois hors de danger, il était retourné au protestantisme. Pour lui barrer le chemin du trône, les catholiques intransigeants constituèrent une ligue — la Ligue — et prirent le duc de Guise pour chef. Ce superbe guerrier semblait avoir tous les atouts en sa faveur. Il recevait des subsides de la cour de Madrid, il agissait au nom de la religion, il était le véritable maître de Paris...

Henri III tente de réagir mais, devant l'hostilité grandissante des Parisiens, il doit fuir la capitale. C'est le triomphe des Guises. Au même moment, le roi d'Espagne s'apprête à lancer contre l'Angleterre la flotte la plus colossale qu'on ait jamais vue. Transportées par plus de 130 vaisseaux, les troupes espagnoles vont débarquer, renverser Élisabeth la reine hérétique et restaurer le catholicisme dans le pays. De tous côtés, les forces catholiques semblent s'approcher d'une victoire totale...

Coups de théâtre Pendant cette seconde moitié de 1588, on dirait que le sort s'amuse à déjouer les prévisions humaines. Sur terre comme sur mer, le temps est perturbé. La Grande Armada est battue par la flotte anglaise puis anéantie par un ouragan. L'Angleterre et le protestantisme sont sauvés. Henri III relève la tête. Il s'établit dans son château de Blois et convoque les états généraux.

En tant que membre de la noblesse, Henri de Guise arrive à Blois. Il se croit invulnérable et regarde du haut de sa grandeur le petit Henri III. Pendant quelques jours, les deux rivaux s'observent. Le matin du 23 décembre (1588), comme il se dirige vers la salle du conseil, Guise est assassiné sur l'ordre du roi. Dans la poche du mort on trouvera un billet écrit de sa main: « Pour entretenir la guerre en France, il faut 700 000 livres tous les mois.» Le lendemain, les principaux ligueurs sont tués ou arrêtés.

On prétend que, en voyant le corps du duc de Guise étendu par terre, Henri III a donné un coup de pied au visage puis il s'est exclamé: « Mon Dieu, qu'il est grand! Il paraît encore plus grand, mort que vivant.» Ensuite, il est allé annoncer la nouvelle à sa mère:

— Je suis roi maintenant, lui dit-il. J'ai tué le roi de Paris!
— Bien taillé, mon fils, répond la vieille reine. Maintenant, il faut recoudre.

En effet, Henri III se retrouve seul, sans ressources, au milieu d'un royaume déchiré par la guerre civile. Le pape, les ligueurs, la Sorbonne le déclarent déchu. De toute urgence, il lui faut un allié. Il n'a pas le choix: son seul espoir est le roi de Navarre.

La légitimité monarchique Henri de Bourbon, roi de Navarre, est l'adversaire de la Ligue mais, avant tout, il est *le Capétien*, l'héritier légitime, le symbole de la continuité dynastique. En dépit de l'opposition des catholiques, Henri III n'a jamais perdu l'espoir de le faire reconnaître comme son successeur. Secrètement, les deux hommes sont restés en rapports. Leur principal intermédiaire a été un homme d'une discrétion exemplaire: Michel de Montaigne.[35] L'auteur des *Essais*, déjà illustre, est apprécié des deux côtés. Il joue son rôle de messager entre Henri de Bourbon et le dernier Valois avec un tact incomparable. Dans son œuvre littéraire, c'est à peine s'il fera allusion à ses rapports avec « les princes ».

Une fois le roi parti, Paris est tombé entre les mains des ligueurs les plus farouches. Les deux Henri combinent leurs forces et s'apprêtent à reprendre la capitale d'assaut. Ils installent leur camp non loin des murs de la ville. Un matin, un jeune moine se présente de la part des Parisiens et demande à parler au roi. Celui-ci est dans sa chambre, assis... sur sa chaise percée. À l'époque, cette position n'interdit pas de recevoir, bien au contraire! Voulant se montrer déférent à l'égard d'un ecclésiastique, Henri III donne l'ordre qu'on le fasse rentrer sans tarder. Aussitôt introduit, le moine tire un couteau de sa manche et frappe le roi au bas-ventre (1589).

Pendant ses dernières heures, Henri III fait rassembler les principaux nobles autour de son lit et, montrant le Navarrais il leur dit:

— Voilà votre roi.

Mais, avec Henri IV, c'est un autre âge qui commence.

NOTES

1 Guillaume du Bellay (oncle du poète Joachim du Bellay) fut le principal négociateur de François Ier en Allemagne.

2 Ainsi désigné afin de ne pas le confondre avec le roi de France Charles V.

3 Les Flandres venaient de sa grand-mère Marie de Bourgogne.

4 Les parents de Jeanne la Folle (les Rois Catholiques) avaient achevé la reconquête de l'Espagne sur les Arabes et avaient unifié le pays.

5 Qu'il réclamait au nom de sa grand-mère Marie de Bourgogne.

6 L'aîné, François, mourut subitement à 20 ans. On parla de poisons.

7 Persuadé qu'il jouait le rôle clé dans cette affaire, Henri VIII disait: « Qui je défends est maître.»

8 Les quatre guerres entre François Ier et Charles Quint ont occupé les périodes suivantes: 1521–1526; 1527–1529; 1533–1538; 1542–1547.

9 Notamment *Le Roi s'amuse* de Victor Hugo et l'opéra *Rigoletto* de Verdi. Ces œuvres sont dépourvues de valeur historique.

10 Elle est l'auteur de poésies, de contes, de pièces de théâtre et d'un recueil de nouvelles intitulé l'*Heptaméron*.

11 Voir: Rabelais, *Pantagruel*, ch. 8.

12 La même ordonnance rendit obligatoire l'enregistrement dans chaque paroisse des baptêmes, mariages et décès. Ainsi naquit le principe de l'état civil.

13 Avant d'être roi, François Ier portait le titre de comte d'Angoulême.

14 Malgré une constitution exceptionnelle chez les hommes de sa famille, François Ier fut emporté en quelques jours, à 52 ans, par une tumeur. On a parlé de maladie vénérienne. La nature du mal demeure impossible à préciser. Comme tous les Valois, il avait une hérédité chargée; d'ailleurs, il avait abusé de ses forces.

15 Lefèvre d'Étaples publia une traduction des Psaumes, un commentaire des Épitres de saint Paul puis, en 1523, la première traduction française du Nouveau Testament.

16 Philibert Delorme reçut trois abbayes; Ronsard en reçut également trois, coup sur coup, où il ne résida jamais.

17 Charles de Bourbon. Il fut ensuite cardinal à 20 ans.

18 La première traduction française intégrale de la Bible parut chez l'imprimeur Robert Estienne en 1532.

19 En 1534, des « Placards » contre la messe furent affichés sur les murs de Paris et jusque sur la porte de la chambre du roi.

20 La Faculté de théologie décréta que les nouvelles traductions « qui se font du grec ou de l'hébreu... n'étaient point utiles à l'Église, même pernicieuses (et)... que les prélats par tous les moyens devaient les exclure de l'Église ». Voir Imbart de la Tour, *Origines de la Réforme*, Hachette 1909, Vol. III, p. 233.

21 Malgré la protection royale, Marot avait fait de la prison à plusieurs reprises. Après la publication de sa traduction des Psaumes (1542) il se réfugia à Genève puis en Italie.

22 Il avait été accusé d'athéisme pour avoir traduit Platon et favorisé la diffusion des Saintes Écritures.

23 L'origine de ce surnom reste mystérieuse. On a prétendu que, à Tours, des réformés s'assemblaient au pied d'une tour, dite tour de Saint-Hugues; on y a vu aussi la déformation de l'allemand Eidgenossen (confédérés).

24 Philippe II d'Espagne (fils de Charles Quint) épousait une fille de Henri II et le duc de Savoie épousait une sœur de Henri II.

25 Au siècle suivant, Madame de La Fayette écrira une excellente description de l'événement. Voir *La Princesse de Clèves* (3ᵉ partie).

26 Petit-fils de Marguerite d'Angoulême.

27 Elle venait de la cour de Florence où avait vécu Machiavel.

28 Par la conjuration d'Amboise (1560), les réformés tentèrent d'enlever le jeune François II afin de le soustraire à la mainmise des Guises. Le complot fut découvert et puni par des exécutions massives.

29 L'Espagne se trouvait libre en Méditerranée du fait qu'elle venait de battre la flotte turque à Lépante (1571).

30 Il a été soigné par le célèbre chirurgien Ambroise Paré.

31 Élu roi de Pologne, il avait accepté ce trône en attendant mieux...

32 Le chroniqueur Pierre de l'Étoile a inséré certains de ces écrits dans son *Journal*.

33 Ce port leur permettait de recevoir des secours de l'Angleterre.

34 Dix générations séparaient saint Louis de Henri de Navarre.

35 Il était Gentilhomme de la Chambre du Roi, membre du Parlement de Bordeaux et, à deux reprises, fut élu maire de cette ville.

LA VIE QUOTIDIENNE DU TEMPS DES DERNIERS VALOIS

Expansion économique et inflation

Entre le Moyen Âge et l'époque de la Renaissance, la bourgeoisie est allée en grandissant, en nombre et en influence. Dès la fin du xve siècle, le développement du commerce, la vogue des produits de luxe,[1] l'ouverture de routes nouvelles et de marchés plus étendus, ont offert aux ambitieux qui, au départ, disposaient de quelques moyens, la possibilité de s'enrichir. Le xvie siècle s'ouvre sous le signe de l'expansion économique. La spéculation entre en jeu. Dans tous les pays, le capitalisme devient une force de premier ordre.

Le bourgeois français cherche à s'enrichir surtout parce que l'argent lui ouvre les chemins de l'ascension sociale.[2] Beaucoup de négociants qui ont réussi dans les affaires, se font construire de confortables demeures de pierre; quelques-uns s'offrent même des châteaux qui rivalisent en luxe avec ceux du roi. Quelques familles, modestes à l'origine, accèdent aux plus hautes fonctions de la magistrature ou de l'Église. Les nobles se raidissent dans leurs traditions; néanmoins, si leur situation financière devient trop gênante, ils en arrivent à marier leurs fils avec des filles de marchands, avantageusement dotées.

Dans tout l'Occident, l'afflux, en quantités massives de métaux précieux provenant des mines d'Amérique, entraîne une inflation sans précédent.[3] Entre 1500 et 1600, la plupart des impôts vont doubler; la majorité des prix vont tripler; le pain va même quintupler. Par contre, les salaires ouvriers n'augmentent que très lentement. Les petites gens qui n'ont que leurs deux bras pour travailler, sont presque fatalement voués à rester des journaliers ou de simples artisans. Une séparation de plus en plus nette apparaît entre le prolétariat et la bourgeoisie aisée. Lyon, la seconde ville du royaume (environ 200 000 habitants), connaît, à plusieurs reprises, des grèves retentissantes. Insensiblement, la société patriarcale du Moyen Âge a fait place à une société capitaliste, hiérarchisée en fonction de la fortune.

Le logis

Entre les riches qui vivent dans l'opulence et les pauvres qui manquent souvent de pain, la plupart des familles jouissent d'une aisance relative. En ville, les ménages de la classe moyenne disposent généralement de deux pièces: cuisine et chambre. Les lits, entourés de rideaux ou de panneaux de bois, permettent de s'isoler et de se protéger quelque peu contre le froid. À part les lits, les meubles les plus répandus sont les coffres.

Selon les besoins, ils servent de siège, de malle, d'armoire; une fois recouverts d'un matelas, ils peuvent même servir de lit. Pour avoir les pieds au chaud, on étend sur le sol de la paille ou du foin. Un seul feu sert à la cuisine et au chauffage. Même chez les riches, l'encre gèle en hiver.

Évidemment, on se lave peu, encore moins qu'au Moyen Âge. Les prédicateurs, catholiques ou protestants, considèrent les bains comme dangereux pour la morale. Il est certain que les établissements de bain où, parfois, les deux sexes se baignent ensemble, sont loin d'être des écoles de vertu! Le célèbre agronome Olivier de Serres, recommande de se laver souvent les mains et *quelquefois* la figure avec de l'eau, du vin et d'autres « liqueurs » (alcools). Dans toutes les classes sociales, on se mouche avec ses doigts. On change de linge lorsqu'on est trop incommodé par les poux ou autres « bestioles » ou bien lorsqu'on veut faire des effets d'élégance.

À table   À table, les messieurs restent couverts. La plupart des gens n'ont pas besoin de cuiller pour manger. On prend la viande directement au plat, avec ses doigts; les délicats ne se servent que de trois doigts. Quant aux sauces et aux potages, on les boit à l'écuelle. Dans les meilleures maisons, la plupart du temps, il n'y a qu'une écuelle pour deux convives. Partager une écuelle est regardé comme une preuve d'amitié. Les personnes particulièrement distinguées s'essuient les doigts à leur serviette ou à la nappe.

L'usage de la cuiller ne se répand qu'à la fin du siècle, lorsque Henri III lance la mode de la fraise. Quand on est à table, ce col raide, de plus en plus protubérant, constitue un obstacle quasi insurmontable. On essaye de se protéger en mettant une serviette. D'un convive qui ne réussit pas à nouer les deux coins de sa serviette, on dit: « Il n'arrive pas à joindre les deux bouts! » L'expression passera dans la langue. Bon gré mal gré, on se résigne à employer la cuiller. Quelques extravagants, pour ne pas les appeler des anormaux, vont jusqu'à employer un instrument à deux dents: la fourchette. Mais c'est là un objet bizarre que l'on ne voit guère que sur la table du doge de Venise... Les Français se méfient de ces innovations diaboliques et Louis XIV, tout comme ses ancêtres, mangera avec ses doigts!

Quand on ne se sert pas directement au plat, on place les aliments sur des tranches de pain épais, ou bien sur des écuelles de bois ou d'étain. L'emploi d'ustensiles de faïence est exceptionnel. À la fin du siècle, les bourgeois enrichis voudront avoir leur vaisselle d'argent, tout comme les nobles.

Traditions et nouveautés
culinaires   La nourriture de base reste le pain. « Du pain », ne cessent de crier les mendiants. Dans les familles bourgeoises, les repas se composent essentiellement de viandes rôties ou bouillies, de fromage, d'œufs ou de poisson. Les petites gens consomment surtout du porc et, les jours maigres, du hareng ou de la morue. Les légumes, peu appréciés, n'offrent guère de variété. Chez les pauvres, on bout la viande avec des choux, des fèves ou des pois. Chez les riches apparaissent quelques mets empruntés à la cuisine italienne: les artichauts (d'origine arabe), les asperges, le melon et les truffes.[4] D'une façon générale, le goût tend à se raffiner; aux accumulations de victuailles, on commence à préférer les préparations plus délicates. Parmi les dernières nouveautés culinaires, il faut signaler le dindon et le haricot, empruntés à l'Amérique, et surtout le sucre.

Originaire des Indes, la canne commence à être cultivée aux Canaries et aux îles du Cap-Vert. Par la suite, elle sera introduite aux Antilles où elle trouvera son terrain d'élection. Au XVIe siècle, la ville de Venise détient encore le monopole du raffinage et de la vente du sucre. Catherine de Médicis est d'une gourmandise notoire. Lorsqu'elle devient reine de France, elle contribue à diffuser la vogue de la cuisine italienne et, notamment, des préparations à base de sucre. Certains cuisiniers se rendent célèbres par leurs gelées, confitures, fruits confits et autres « sucreries ». Évidemment ce sont là des friandises que seuls les plus fortunés peuvent s'offrir. Jusqu'au XVIIe siècle, les apothicaires auront le privilège exclusif de la vente au détail des confiseries. D'ailleurs, tant qu'il restera rare et cher, le sucre passera pour avoir de grandes vertus médicinales!

La vigne se cultive dans presque toutes les régions, même en Normandie et en Bretagne. Les vins de la région parisienne sont hautement appréciés. Inutile de dire que les contemporains de Rabelais font honneur au vin! Les riches ont une cave bien garnie; les pauvres se contentent d'un breuvage obtenu en mélangeant de l'eau avec le dépôt tombé au fond du tonneau.

Distractions Les distractions varient d'un milieu à l'autre. À Paris et même en province, quelques esprits distingués se plaisent à réunir des écrivains, des magistrats, des érudits, des artistes.[5] Comme les pièces n'ont pas encore d'affectation spécifique, on se tient de préférence là où il y a un bon feu; on ne commencera à employer le mot *le salon* qu'au siècle suivant. Tour à tour, la conversation roule sur l'histoire, les belles lettres, la philosophie, la galanterie. Dans ces réunions, l'élément masculin est encore prépondérant mais déjà quelques femmes réussissent à donner le ton. Les derniers Valois se piquent de littérature. Imitant l'exemple italien, ils tentent de constituer une « Académie de poésie et de musique ». Momentanément, Ronsard anime le groupe mais l'entreprise avorte à cause des troubles politiques. Au siècle suivant, l'idée sera reprise par Richelieu.

La plupart des gentilshommes méprisent ou ignorent les considérations d'ordre intellectuel. Quand ils ne sont pas accaparés par la guerre ou les intrigues de la cour, ils vivent sur leurs terres. Les plus sages d'entre eux mènent une existence campagnarde et administrent leurs domaines eux-mêmes. Pendant leurs loisirs, ils chassent, ils lisent des romans de che-valerie[6] ou ils se livrent aux plaisirs les plus terre à terre...

Chez les riches comme chez les pauvres, on aime à se rassembler le soir, au coin du feu, en famille ou avec quelques voisins. Au cours des veillées, on bavarde de tout mais il semblerait qu'on éprouve une pré-dilection pour les histoires grivoises.[7] Parfois, les femmes se couvrent le visage avec un masque ou bien elles font mine de se retirer... Pendant des heures, on discute de la modification du calendrier. Selon la tradi-tion médiévale, l'année commençait au printemps, le 1er avril. Or, en 1564, par un édit royal, Charles IX fixe le début de l'année au 1er janvier. C'est désormais à cette date que l'on donnera les étrennes. Tout à coup, le 1er avril n'est plus rien! On en rit et, ce jour-là, on s'amuse à donner des cadeaux cocasses à ses amis. L'habitude subsistera.

La danse reste le divertissement par excellence. Sous l'influence de la mode italienne, les ballets de cour donnent lieu à de majestueuses choré-graphies interprétées par les princes et les princesses. Ces présentations savantes et cérémonieuses ne sont pas du goût de tout le monde et c'est à la campagne que l'on danse avec le plus d'entrain. À l'occasion d'une noce ou d'une fête, villageois et villageoises s'amusent franchement. Ils s'amusent si, toutefois, ils ne craignent pas de manquer de pain, s'ils ne se sentent pas trop directement menacés par les collecteurs d'impôts, les épidémies de peste, les intempéries, les guerres ou les brigands...

NOTES

1   Notamment: soieries, tapisseries, dentelles, miroirs et gourmandises.

2   Montaigne, Lefèvre d'Étaples, le chancelier Michel de l'Hospital descen-daient de familles de marchands.

3   Les 4/5 de l'or et de l'argent américain arrivaient en Espagne mais, du fait que ce pays laissait péricliter ses industries nationales, une grande partie de la richesse passait à l'étranger.

4   Suivant l'exemple italien, les Français commencèrent, vers le milieu du XVIe siècle, à chercher les truffes en se servant de cochons muselés.

5   Ces cercles mondains furent fréquentés par des hommes tels que Michel de l'Hospital, l'imprimeur Robert Estienne, Agrippa d'Aubigné, Baïf, Ronsard et les autres poètes de la Pléiade.

6   Au cours de la première moitié du siècle, furent publiées plus de 80 adapta-tions des chansons de geste du Moyen Âge. À partir de 1540, *Amadis de Gaule*, traduit de l'espagnol, connut plusieurs réimpressions. Vers la fin du siècle, la mode des romans de chevalerie commença à décliner à la cour, mais elle persista à la campagne.

7   On sait peu de choses sur ces veillées. On en retrouve quelques échos chez Rabelais, Marguerite de Navarre (l'*Heptaméron*) ainsi que chez quelques écrivains secondaires tels que Noël du Fail (*Propos rustiques*).

DE L'ART MÉDIÉVAL
À LA RENAISSANCE

Château de Chaumont (Touraine).
Édifice de transition, fin xve.
Plan encore médiéval
mais décor Renaissance.

I LA FIN DU MOYEN ÂGE

Persistance du gothique

Le gothique s'était imposé à tous les domaines de l'architecture. Les constructeurs l'utilisaient pour l'édification des ponts, des fortifications, des bâtiments monastiques et seigneuriaux ainsi que pour les résidences bourgeoises. Ils allaient continuer à l'employer à l'époque de la Renaissance et même encore au XVIIe siècle, dans un grand nombre d'édifices religieux.

Néanmoins, au cours de la seconde moitié du XIIIe siècle, le gothique a subi une modification profonde. La structure de base est restée la même, mais l'esprit a changé. De plus en plus, les architectes recherchent l'ornement, la ligne gracieuse et la fantaisie. La tendance nouvelle se manifeste d'abord dans la composition des rosaces. Du centre de la baie partent des rayons qui se divisent et se subdivisent avec un mouvement élégant. Les courbes sinueuses sont agencées avec un art qui, dans certains cas, dégénère en virtuosité.

Le gothique flamboyant

À partir du XIVe siècle, la décoration devient exubérante, au point qu'elle arrive à masquer la structure ogivale. Cette dernière phase du gothique a reçu le nom de gothique flamboyant. Les croisées d'ogives se décomposent de façon à former des cloisonnages savants. Les ogives se diversifient. Les unes s'aplatissent en forme d'accolade; d'autres s'étirent

Cathédrale de Rouen (XIVe et XVe siècles). À droite, la tour de Beurre, ainsi appelée du fait qu'elle fut construite avec l'argent versé par les paroissiens pour obtenir la permission de manger du beurre pendant la Carême (fin XVe, début XVIe siècle).

Archives Photographiques

en hauteur; d'autres dessinent une double courbe (courbe et contre-courbe) et se terminent par une pointe aiguë. C'est l'époque où la haute société raffole de tout ce qui est pointu, que ce soit dans le domaine de la mode ou de l'architecture. À l'extérieur, les édifices s'ornent de galeries ajourées, de pinacles, de lancettes. Au-dessus des porches s'élèvent des pignons travaillés comme des dentelles de pierre.[1]

Bien qu'il ait produit des œuvres remarquables, le gothique flamboyant s'est trouvé éclipsé, à la fois par le grand art des cathédrales qui l'a précédé et par l'art de la Renaissance qui le supplantera. Il a également souffert du fait que son développement a coïncidé avec la période de la guerre de Cent Ans. La France subit des désastres. Le trésor royal est vide. D'ailleurs, les premiers Valois manifestent peu d'intérêt pour les constructions de grande envergure. Les architectes cherchent à se réfugier dans les régions épargnées par la guerre, mais leur activité restera précaire et dispersée. Une seule province connaît une période de prospérité: la Bourgogne. Grâce au gouvernement de ses ducs, grâce, surtout, à son union politique avec les Flandres, elle devient, à la fin du XIVe siècle et pendant la première moitié du XVe siècle, le véritable foyer de la civilisation. C'est l'époque où Dijon surpasse Paris.

Si l'architecture est peu originale, par contre, la sculpture, la tapisserie et la peinture prennent leur essor. Ces arts appelés « mineurs » flattent le goût d'une société avide de luxe et exigent des moyens financiers relativement modestes.

Claus Sluter, Le Puits de Moïse *à Dijon (vers 1390).*

La sculpture, expression
des sentiments

Par suite de la fermeture des chantiers de construction, les sculpteurs sont forcés de sortir du cadre architectural. Les statues deviennent autonomes; la plupart sont destinées à orner un oratoire ou un appartement privé. Même les sujets religieux sont traités avec réalisme. Les artistes cherchent, avant tout, à exprimer les sentiments humains. Jamais on n'a fait autant de Vierges à l'Enfant; on en fait en marbre, en bois, en albâtre, en ivoire etc.... Ce sont de charmantes dames, élégamment drapées. Leur visage rayonne d'amabilité. L'Enfant est un adorable poupon; il sourit à sa Mère; parfois, il tient à la main un fruit ou un oiseau.

Dans un registre diamétralement opposé, d'autres statues expriment le désespoir, la souffrance physique, l'horreur de la mort. Pour la première fois dans l'iconographie, le Christ apparaît, non plus comme un Dieu triomphant, mais comme un cadavre inerte. Son corps, qui vient d'être descendu de la croix, repose sur les genoux de la Vierge; ce thème porte le nom de Pietà.[2] D'autres groupes le représentent entouré par des saints et des saintes, au moment de la mise au tombeau.

Prééminence de la
sculpture bourguignonne

Le sculpteur le plus célèbre du début du xve siècle est Claus Sluter. Cet artiste, originaire de Hollande, travailla pour les ducs de Bourgogne. À Dijon, il réalisa, entre autres, le *Puits de Moïse*. Il s'agit d'un gigantesque calvaire dont le socle est flanqué de statues de prophètes, parmi lesquelles se trouve celle de Moïse. Le réalisme des draperies, l'expression véhémente des visages, donnent à l'œuvre un caractère puissamment dramatique.

L'art funéraire prend un développement considérable. Auparavant, les grands personnages s'étaient fait enterrer dans une église, sous une simple dalle gravée. Désormais, ils vont chercher à entourer leurs restes d'un appareil pompeux. Les tombeaux des ducs de Bourgogne exigent plus de vingt ans de travail.[3] À la partie supérieure, une statue montre le défunt, dans la fleur de l'âge, drapé dans les plis de son manteau de cour. Autour du socle, des statuettes de marbre représentent des pleurants au visage ravagé par la douleur. Ils sont revêtus de capuchons comme l'étaient les moines qui, au moment des funérailles, escortaient les ducs jusqu'à leur dernière demeure.

La tapisserie

Parmi les princes et les riches bourgeois, la tapisserie fait fureur. Cet art s'était développé à partir de l'époque des croisades.[4] Saisis d'admiration par les tapis d'Orient, les chrétiens étaient rentrés chez eux avec le désir d'égayer leurs demeures. Ils commencèrent à habiller les murs de leurs châteaux de tentures de couleur et, aussitôt, ce fut un changement d'atmosphère.

Du xive au xvie siècle, les tapisseries constituent le décor de la vie seigneuriale. Elles charment la vue mais elles protègent également contre les regards indiscrets et contre les courants d'air. On les accroche aux murs (il n'en faut pas moins de six ou huit pour garnir une salle), on les tend à travers les galeries, on les suspend autour des lits, on les emporte même en campagne pour doubler les tentes. Rien de surprenant que tant d'œuvres aient péri!

Les artistes utilisent des thèmes sacrés ou profanes: scènes empruntées à la Bible ou à des romans, épisodes historiques, batailles, légendes, chasses, pastorales, allégories etc.... Les Valois possèdent des centaines de tapisseries mais leurs rivaux, les ducs de Bourgogne, sont beaucoup mieux pourvus qu'eux. Depuis que ces derniers ont acquis les Flandres, leur pouvoir s'est étendu sur les villes qui ont les ateliers de draps et de tapisseries les plus importants du monde. La ville d'Arras est si célèbre que son nom est devenu synonyme de tapisserie (*arras* en anglais, *arazzo* en italien).

L'Apocalyse d'Angers et La Dame à la Licorne

La tapisserie la plus ancienne et, en même temps, la plus gigantesque qui nous soit parvenue, est celle de *l'Apocalypse d'Angers*. Elle fut commandée par le duc d'Anjou,[5] à la fin du XIVᵉ siècle, pour décorer les murs et les piliers de la cathédrale d'Angers. Les dessins furent inspirés par les miniatures d'un manuscrit prêté par le roi Charles V. Sur plus de 140 m de long se développe, comme sur un film fixe, la vision de la fin du monde selon saint Jean.

À la fin du XVᵉ siècle et au XVIᵉ siècle, les artistes se plaisent à présenter leurs scènes contre un fond de verdure. Dans ces œuvres appelées « verdures », l'arrière-plan est constitué par des feuillages parsemés de fleurs et de petits animaux. Parfois, au lieu d'être vert, le fond est rose. C'est le cas de la plus charmante de toutes les tentures, la *Dame à la Licorne*.[6] Chaque panneau représente une jeune fille, assise au milieu d'un jardin féerique. La demoiselle, dont l'identité reste une énigme, est entourée par un lion qui porte ses armoiries et par une licorne, animal fabuleux qui symbolise la virginité.

Tapisserie de la Licorne *(fin XVᵉ siècle). On croit y voir l'allégorie des cinq sens. Ici la vue (musée de Cluny).*

Archives Photographiques

La miniature

Malgré la guerre de Cent Ans, l'art de la miniature atteint son apogée. L'habitude d'agrémenter certaines parties des manuscrits remontait à l'Antiquité. À l'époque carolingienne, les manuscrits les plus riches étaient ornés de motifs décoratifs, parfois même de dessins rudimentaires représentant des personnages bibliques. À partir du XIIe siècle, la miniature devient un petit tableau composé dans un style analogue à celui des médaillons des vitraux. Les personnages se profilent contre un fond de couleur unie (bleu, or etc.) ou contre un quadrillage. La scène peut être logée à l'intérieur de la première lettre d'un paragraphe, ou bien être placée dans la marge.

Au XIVe siècle, la miniature s'est émancipée; souvent elle occupe une page entière. Les personnages sont campés dans un décor plus réaliste: un jardin, un intérieur, une rue etc.... Pour la première fois apparaît une ébauche de perspective. Les artistes ne travaillent plus exclusivement à des ouvrages religieux; ils illustrent également des romans, des récits historiques, des légendes, des traités de chasse.

Les Très Riches Heures du duc de Berry

Le plus précieux de tous les manuscrits est celui que l'on appelle les *Très Riches Heures du duc de Berry*. Il fut exécuté au début du XVe siècle par les trois frères Limbourg,[7] pour le compte du duc de Berry, un prince épris de beauté. L'ouvrage comprend, entre autres, douze tableaux illustrant les mois de l'année. Chaque page présente, au premier plan, une scène de la vie seigneuriale ou de la vie rurale et, à l'arrière-plan, un château appartenant à la famille du duc de Berry.

Les Très Riches Heures du duc de Berry, *miniatures des frères Limbourg. Ici le mois de septembre (musée de Chantilly).*

Archives Photographiques

195]

Nativité. Peinture sur bois attribué au Maître de Moulins. À droite, le donateur, l'évêque d'Autun (fin XVᵉ siècle).

Le mois de septembre nous fait voir les vendanges devant le château de Saumur. Vendangeurs et vendangeuses sont représentés au naturel; plusieurs, tête baissée, sont en plein travail. Un gros rustre à face rouge est en train d'avaler une grappe de raisin au plus vite. Une coquette rajuste sa coiffe. Un char à bœufs va emporter la récolte au pressoir. De petits ânes participent au travail. L'un d'eux se dirige vers la rampe qui conduit aux cuisines du château; un autre redescend, paniers vides, chercher un nouveau chargement. On devine que le pressoir est situé, avec les cuisines, dans le bâtiment contigu au château dont on aperçoit les cheminées gigantesques.

Le château proprement dit est la représentation fidèle du château de Saumur, tel qu'il apparaissait au XVᵉ siècle. On reconnaît l'appareil militaire typique des constructions féodales: créneaux, meurtrières, mâchicoulis, pont-levis etc.... La barrière que l'on voit au pied de la rampe servait aux tournois. C'est là que, les jours de fête, on dressait les lices et les tribunes pour les spectateurs.

La scène de vendanges est prise sur le vif. Le château est réaliste. Deux éléments, néanmoins, n'appartiennent pas au monde réel: les bannières et la couleur du ciel. Sans doute l'artiste a-t-il voulu flatter son patron en amplifiant la taille et la somptuosité de ses bannières. Quant au bleu du ciel, si peu habituel en France, il semble avoir été voulu intentionnellement. Dans d'autres miniatures, le peintre a représenté le ciel avec des tonalités vraies mais ici, à l'aide du fond, il a cherché à donner au château quelque chose de féerique.

Les primitifs   Les peintures destinées à orner les églises et les demeures privées, ont été exécutées sur des panneaux de bois.[8] Ces « primitifs », comme on les appelle, sont également caractérisés par des couleurs d'une intensité vibrante. Quel que soit le sujet, les artistes ont recherché les éléments réalistes. Les moindres détails sont notés: les cils et les rides du visage, les feuillets d'un livre, la monture des bijoux, les gouttes d'eau qui jaillissent d'une source. Les personnages bibliques, les saints et les saintes, sont vêtus comme l'étaient les hommes et les femmes du xve siècle. Derrière la scène principale apparaît, en perspective, l'intérieur d'une habitation ou bien un paysage charmant de pittoresque. On peut distinguer une route, des champs, une rivière, une ville entourée de remparts etc....

En France, comme dans le reste de l'Europe, de nombreux ateliers ont produit des peintures sur bois. Chaque région et même chaque école a donné à ses « primitifs » des traits distinctifs. Pendant la première moitié du xve siècle, la Bourgogne s'est trouvée dans une situation privilégiée. Ses ducs passaient de nombreuses commandes aux artistes, et l'union politique avec les Flandres créait des liens culturels entre les deux pays. Les peintres bourguignons avaient l'avantage de pouvoir travailler avec les peintres flamands, notamment avec ceux qui appartenaient à l'école de Van Eyck.

Fouquet   Le plus grand peintre de la cour de Charles VII et de Louis XI fut Jean Fouquet. Son œuvre comprend des portraits remarquables par leur réalisme, des tableaux religieux ainsi que des miniatures. Fouquet excellait à rendre les plus petits détails. Certaines de ses peintures ont été exécu-

La Vierge à l'Enfant par Jean Fouquet. La Vierge est représentée sous les traits d'Agnès Sorel, la célèbre « Dame de beauté », maîtresse de Charles VII (xve siècle, musée du Louvre).

tées avec un pinceau qui ne comportait qu'un seul poil. Cette minutie, poussée à l'extrême, ne l'empêchait pas de donner à ses œuvres une composition harmonieuse. (Voir ill., p. 146.)

II   LA RENAISSANCE

Diversité de la Renaissance

Il peut paraître singulier de parler de renaissance après la richesse de la civilisation médiévale. Il s'agit, évidemment, de la re-naissance des arts et des lettres de l'Antiquité gréco-latine. Le XVIᵉ siècle a été une période complexe, agitée par des aspirations multiples, souvent même contradictoires. Dans les œuvres d'art qu'il a produites, trois courants profondément différents se distinguent: l'influence italienne, l'imitation de l'Antiquité et la persistance de la tradition française. À des degrés qui ont varié selon les circonstances et la personnalité des artistes, les créations de la Renaissance ont toutes été touchées par ces trois tendances.

Depuis longtemps il existait des contacts politiques et culturels entre la France et l'Italie. Déjà du temps de Charles V, des lettrés français avaient goûté la littérature italienne. Le miniaturiste Fouquet avait fait un long séjour à Rome. Des artistes italiens étaient venus travailler pour des seigneurs français. Les relations étaient, néanmoins, restées limitées jusqu'à ce que, à la fin du XVᵉ siècle, commencent les expéditions françaises dans la péninsule. Alors, brusquement, la décoration italienne affecta les divers aspects de l'activité artistique.

Découverte de l'Italie

Le XIVᵉ siècle, le *trecento*, avait été l'âge d'or de la civilisation italienne. Des génies s'étaient manifestés et avaient formé des élèves. En Italie, les artistes avaient l'avantage de pouvoir étudier des vestiges importants de l'art romain. Dans des villes comme Rome ou Florence, ils trouvaient des protecteurs éclairés et un climat favorable à la vie de l'esprit.

French Embassy Press and Information Division

Château d'Azay-le-Rideau construit pour un financier dans un îlot de l'Indre (1518). Les éléments militaires ne jouent plus qu'un rôle ornemental.

Les seigneurs français qui participèrent aux guerres d'Italie furent émerveillés, en arrivant au sud des Alpes, par les jardins, les palais, les fontaines, les vastes escaliers, les armes finement ciselées. Charles VIII trouva le pays un vrai paradis. Quand il dut regagner la France, il rapporta dans ses bagages des milliers d'objets antiques et surtout italiens: bronzes, médailles, statues etc. Il se hâta de faire venir des artistes d'Italie afin de donner à son château d'Amboise ce cachet d'élégance qu'il avait admiré outre-monts (voir ill., p. 157). La Renaissance, au sens traditionnel du mot, commençait.

L'influence italienne se manifesta d'abord à la cour, puis elle gagna les résidences de l'aristocratie. Du point de vue géographique, son centre d'expansion fut la Touraine. La région qui s'étend entre Orléans et Tours avait servi de refuge à Charles VII pendant les heures les plus sombres de la guerre de Cent Ans. C'est de là qu'étaient parties les campagnes de Jeanne d'Arc et le mouvement de résurrection nationale. Même après la libération de Paris, Charles VII avait choisi de rester sur les bords de la Loire. Ses successeurs avaient manifesté la même préférence. Nobles et financiers enrichis avaient suivi l'exemple des souverains, si bien que les « châteaux de la Loire », comme les appellent les guides touristiques, constituent un groupe relativement homogène.

Changement d'atmosphère

À l'époque de la Renaissance, le château n'est plus une forteresse mais une résidence de plaisance. Le royaume est pacifié. Le pouvoir monarchique s'est imposé. Les seigneurs n'ont plus les moyens de faire des guerres privées; par mesure de prudence, le roi leur a interdit d'avoir des garnisons et des citadelles. Le donjon féodal a perdu sa raison d'être. D'ailleurs, un besoin de renouveau anime les esprits. Chacun aspire à vivre dans un cadre agréable. On ne se contente plus de prendre le jour sur une cour intérieure; on veut des fenêtres larges. Le développement des baies entraîne celui des jardins. Dans la cour des châteaux forts, il y avait juste la place pour un jardinet. Au XVIe siècle, on cherche à entourer les demeures de jardins d'agrément et on commence à ouvrir des perspectives dans les forêts.

L'architecture, la tradition nationale

Les Italiens exécutent ou inspirent la plupart des décors mais, presque toujours, ce sont des Français qui dirigent les travaux de construction. L'architecture ne rompra jamais complètement avec les traditions nationales. Au début de la Renaissance, de nombreux châteaux ont été édifiés sur les soubassements d'un bâtiment médiéval antérieur (Blois, Amboise). Dans certains cas, on s'est contenté de rajeunir une ancienne forteresse en ouvrant des fenêtres, en abattant certains murs et en plaquant un décor au goût du jour (Chaumont).

Pendant la première moitié du siècle, le château garde des vestiges de son ancien appareil militaire. L'édifice a la forme d'un quadrilatère

French Government Tourist Office

Château de Chambord, commencé par François Ier en 1519. Dans la tour centrale, haute de 44 m, s'enroule un double escalier en spirale.

CHAMBORD .. Le Château

renforcé aux coins par de grosses tours d'angle (Chaumont, Chenonceaux, Azay-le-Rideau, Chambord). La porte d'entrée est précédée par un pont-levis; le haut des murs est garni de mâchicoulis. Mais, du fait qu'ils n'ont plus de fonction pratique, ces éléments ont été transformés en décorations. Les tours confèrent un caractère de noblesse à l'édifice; les mâchicoulis dessinent un gracieux feston; le pont-levis devient une passerelle élégante: il n'enjambe plus un fossé boueux, mais un bras de rivière ou une pièce d'eau.

Les architectes français n'ont pas cherché à copier les palais italiens. Au lieu de construire des toits en terrasses, comme on le faisait au sud des Alpes, ils sont restés fidèles aux toitures élevées. Les toits à forte pente sont évidemment mieux adaptés que les terrasses à un climat pluvieux. Ils sont également plus conformes à la tradition française qui, dans toute construction, se plaît à accentuer les lignes verticales. Chambord, le plus vaste des châteaux de la Renaissance, est flanqué de grosses tours circulaires.[9] Pour appuyer le mouvement ascendant de l'édifice, les architectes ont hérissé les toitures de lucarnes, de toits en poivrières et de plusieurs centaines de cheminées monumentales.

Le décor, l'italianisme

L'innovation est dans la décoration, surtout dans la décoration intérieure. Pendant la première moitié du siècle, les Français n'ont connu l'art de l'Antiquité que d'une façon indirecte et confuse; par contre, ils ont vénéré l'art italien. Les cours des châteaux s'ornent de statues, de médaillons et de pilastres finement travaillés. Les arcs brisés du style gothique ont été remplacés par des arcs en plein cintre. Les salles d'apparat ne sont plus jamais voûtées; elles ont des plafonds décorés de peintures ou de caissons de bois sculpté. Le répertoire décoratif comprend quelques éléments antiques, mêlés à une multitude d'éléments empruntés à l'Italie. On trouve des guirlandes de fleurs, des niches en forme de coquille, des rinceaux, des frises représentant des enfants etc. Les thèmes consistent surtout en allégories et en scènes mythologiques. Les nymphes, les centaures, Diane, Vénus, Apollon, Hercule sont les personnages favoris.

Deux tendances: l'école de Fontainebleau; les Clouet

À Fontainebleau, Français et Italiens ont travaillé ensemble. Pour décorer cette demeure qu'il voulait plus somptueuse que toutes les autres, François Ier fit venir d'Italie des artistes de premier ordre: Primatice, Rosso, Benvenuto Cellini. De la collaboration des maîtres italiens avec leurs disciples français naquit un groupe auquel on a donné le nom d'école de Fontainebleau. En peinture comme en sculpture, la nudité devient une condition expresse de la beauté. La grande galerie du château est conçue comme un hymne en l'honneur du souverain: tous les éléments de la décoration concourent à célébrer sa grandeur. Les initiales et les emblèmes de François Ier alternent avec les dieux et les déesses de l'Olympe.

À la même époque, dans un esprit tout à fait différent, les Clouet, le père et le fils, font les portraits des grands personnages de la cour. Dans leurs dessins et dans leurs peintures, ils s'attachent à faire ressortir la vérité psychologique. Par le réalisme du trait et du coloris, la finesse des détails, ils poursuivent la tradition des miniaturistes (voir ill., p. 170).

Besoin de simplicité

L'influence italienne allait persister jusqu'à la fin du règne des Valois. Du temps de Catherine de Médicis, la présence à la cour de nombreux

Château de Fontainebleau, commencé par François Ier en 1539. Le roi voulait en faire le centre de la vie artistique du royaume. La simplicité de forme de l'Antiquité commence à l'emporter sur la fantaisie de la décoration italienne.

French Government Tourist Office

Château de Fontaine-bleau, salle de bal de Henri II (vers 1550), œuvre de l'architecte Delorme et d'une pléiade de décorateurs italiens et français (Primatice, Nicolo dell'Abbate). Le goût de l'Antiquité s'impose définitivement.

Italiens contribua à imposer les modèles italiens en matière de cérémo-nial, de musique, de danse, de théâtre, de cuisine etc.... Néanmoins, les modes étrangères et l'exubérance de la décoration finirent par lasser. À partir de 1540, les artistes français commencèrent à réagir contre une ornementation qui leur paraissait excessive. Tout en continuant à utiliser quelques motifs italiens, ils cherchèrent à retrouver la pureté des formes en étudiant l'art de l'Antiquité. Ce retour aux sources constitue ce que l'on appelle le mouvement humaniste.[10]

Le retour à l'Antiquité; l'humanisme

Les humanistes estimaient nécessaire une réforme générale de la philosophie, de l'Église, du droit, de l'art. Ils voulaient permettre à l'homme d'atteindre son développement total en le débarrassant des erreurs et du mauvais goût qui l'avaient paralysé. Tous ont cru qu'ils arriveraient à la vérité en remontant aux sources. Mais les sources n'étaient pas les mêmes pour toutes les disciplines, et cette variété provo-qua les contradictions et les luttes du XVIe siècle. Les sources du langage étaient, pour le latin, le style de Cicéron, pour le grec, celui de Platon. Les sources de la religion étaient, pour les uns la Bible, pour les autres les Pères de l'Église. Les philosophes se jetaient à la tête les traités de Platon, d'Aristote, des sceptiques et des stoïques... Quant aux artistes, ils avaient une connaissance bien étroite de l'Antiquité; tout au plus pouvaient-ils s'initier à l'art romain. Les œuvres grecques leur resteront à peu près inconnues. La plupart des Français ne pouvaient étudier les monuments anciens qu'à travers les livres et les dessins. Malgré tout, en ce qui concerne l'histoire de l'art, le mouvement humaniste eut le grand mérite d'inciter les sculpteurs et les architectes à la réflexion, et de les amener à lire les traités des théoriciens.

En se mettant à l'école des anciens, les humanistes comptaient pouvoir égaler leurs modèles. Écrivains ou artistes, ils estimaient que l'imitation est un moyen, et non une fin. Les jeunes auteurs de la Pléiade qui, en 1549, signèrent la *Défense et illustration de la langue française*, voulaient enrichir la langue de mots tirés du grec et du latin afin de lui permettre d'exprimer les nuances de la pensée et de produire des œuvres littéraires. À la même époque, les architectes se penchaient sur les ouvrages latins, notamment sur le *Traité d'architecture* de Vitruve.[11] Les plus ambitieux se mettaient, à leur tour, à publier. Philibert Delorme fit imprimer un *Traité d'architecture* qu'il signa de son nom.[12] Il alla jusqu'à placer son propre portrait en frontispice. Nous sommes loin de l'anonymat des maîtres du Moyen Âge. L'artiste est devenu une personnalité de premier plan. Parfois, le roi le récompense en lui accordant une pension. L'architecte est à la fois érudit et savant. Il a étudié les belles-lettres mais également la perspective, l'anatomie, la philosophie, l'esthétique. Il a une haute idée de son art et il entend le faire respecter.

Deux noms dominent l'histoire de l'architecture du temps des derniers Valois: Philibert Delorme et Pierre Lescot. Delorme exécuta de nombreux ouvrages pour Henri II et Diane de Poitiers. Il travailla au château de Fontainebleau (salle Henri II), au château de Saint-Germain-en-Laye; il dessina les plans du château d'Anet et, sur la fin de sa vie, il travailla, pour Catherine de Médicis, au palais des Tuileries.[13] Delorme construisit également le tombeau de François Ier. Il s'agit d'un véritable monument en forme d'arc de triomphe, comprenant une arcade centrale et deux passages latéraux. Les colonnes de style dorique et les bas-reliefs illus-

Philibert Delorme

Archives Photographiques

Delorme, tombeau de François Ier.

French Government Tourist Office

Le Louvre de Jean Goujon (sculpteur) et de Pierre Lescot (architecte). Seconde moitié du XVIᵉ siècle.

trant la vie du souverain, expriment l'amour que Delorme éprouvait pour l'art de l'Antiquité.

Pierre Lescot
    La principale œuvre de Pierre Lescot qui nous soit parvenue est la partie du Louvre dite « Louvre de Henri II ». François Iᵉʳ avait fait raser le vieux donjon féodal pour pouvoir édifier, sur le même emplacement, un palais grandiose. La nouvelle construction ne fut achevée que sous le règne de Henri II. La façade est d'une simplicité parfaite. Toute la décoration est classique. Les fenêtres sont surmontées de frontons. Des colonnes corinthiennes encadrent des niches et des bas-reliefs. Les sculptures sont l'œuvre de Jean Goujon.[14] Elles garnissent, sans apporter de lourdeur, car elles ont été conçues et exécutées en fonction de l'architecture. Les thèmes, d'inspiration antique, comprennent des trophées, des figures symboliques et des divinités de l'Olympe.

Jean Goujon
    L'architecte Pierre Lescot et le sculpteur Jean Goujon ont travaillé en collaboration à de nombreux édifices, notamment à la fontaine des Innocents à Paris. Il s'agit d'une fontaine monumentale ornée de bas-reliefs représentant des nymphes versant l'eau d'une urne. Les sculptures de Jean Goujon sont l'une des réalisations les plus représentatives du XVIᵉ siècle. Le thème mythologique semble animé par l'esprit du paganisme. Les longues silhouettes féminines ont une grâce fluide. Le modelé des corps se laisse deviner sous des voiles si légers qu'ils paraissent transparents.

    L'œuvre la plus célèbre de Jean Goujon est une statue de Diane qui, à l'origine, ornait l'entrée du château d'Anet, demeure de Diane de Poitiers. Ce superbe marbre blanc représente la déesse nue, un arc à la main, assise à côté d'un cerf dont les bois sont dorés. Autour du socle, le célèbre monogramme de Henri II et de Diane de Poitiers, , précise l'identité de la propriétaire du château. Sans doute, en exaltant la beauté de la Diane de la mythologie, le sculpteur s'est-il plu à rendre hommage à cette autre Diane, la maîtresse du roi (voir ill., p. 174).

Comme il était protestant, Jean Goujon n'a pas été attiré par la sculpture religieuse. De toute façon, les allégories et les sujets mythologiques correspondaient intimement à son génie épris de beauté plastique.

Germain Pilon

Germain Pilon, par contre, était un catholique ardent qui a surtout travaillé pour les églises. Il exécuta, entre autres, les statues destinées à orner les tombeaux monumentaux des Valois. L'effigie qu'il a donnée de Catherine de Médicis est un véritable tableau d'histoire. Le visage, alourdi par l'âge, est celui d'une femme fourbe et autoritaire. Quelle que soit la matière employée, bronze, marbre ou pierre, Pilon a toujours recherché le détail réaliste et l'expression des physionomies.

L'œuvre la plus connue de Germain Pilon est un groupe de bronze appelé Les Trois Grâces. Les statues portent une urne qui était destinée à contenir le cœur de Henri II. L'ensemble fut placé dans l'église d'un couvent parisien. Lorsqu'ils virent ces trois superbes silhouettes féminines à demi nues, les religieux se sentirent fort embarrassés. L'œuvre, par son caractère païen, les gênait. Ils finirent par l'accepter, mais à la condition d'en changer le nom. C'est ainsi que Les Trois Grâces sont devenues... Les Trois Vertus!

Bernard Palissy

À la même époque, Bernard Palissy réalisait, avec de la faïence émaillée, des plats, des vases, mais également des statues et des grottes artificielles. Huguenot fervent et travailleur acharné, il avait, après des années de recherches, trouvé un procédé original pour fabriquer des émaux

Archives Photographiques

Jean Goujon, Nymphes *de la fontaine des Innocents (vers 1549).*

blancs et des émaux de couleur. Palissy était un artiste mais aussi un savant. Il était passionné par l'étude de la faune, de la flore et des minéraux. L'un des premiers dans l'histoire de la science, il chercha à expliquer la formation des terrains et l'origine des fossiles.

Les plats émaillés de Bernard Palissy étaient destinés, non pas au service de table, mais à la décoration. Ils représentent, en relief, une sorte de leçon d'histoire naturelle. On y trouve, rendus avec un réalisme total, des serpents, des crabes, des lézards, des escargots, des branches moussues etc....

Baroque et classicisme   Le réalisme de Germain Pilon et l'exubérance de Bernard Palissy sont déjà loin de la simplicité des décors antiques de Pierre Lescot et de Jean Goujon. Dès la seconde moitié du XVIᵉ siècle se manifestent deux courants qui vont se poursuivre au siècle suivant: le classicisme et le baroque.

Il ne se constituera jamais deux écoles. Il s'agit, uniquement, de deux tendances qui, chez certains artistes et certains écrivains, ont pu exister simultanément. Le baroque, comme l'avait fait le gothique flamboyant, accumule les ornements. Il recherche la couleur, le pittoresque, le relief accentué, les gestes expressifs. Volontiers, il laisse parler les sentiments et l'imagination.

Le classicisme, au contraire, recherche les formes régulières. Il aime la simplicité, l'ordre, la symétrie. Peu à peu, il élimine les détails inutiles. Il ne bannit pas les ornements *a priori*, mais il exige qu'ils restent soumis

Bernard Palissy, plat émaillé (musée du Louvre).   Archives Photographiques

Archives Photographiques

Germain Pilon, Les Trois Grâces (vers 1560).

à l'ordonnance de l'ensemble. Il va chercher ses modèles chez les Anciens et, surtout, il se soumet au critère de la raison.

Au siècle suivant, entre la tendance baroque et l'idéal classique, va apparaître une riche gamme de créations.

NOTES

1 Parmi les chefs-d'œuvre du gothique flamboyant citons: la cathédrale de Strasbourg (fin XIIIe et XIVe), l'église Saint-Maclou et la cathédrale de Rouen (fin XIIIe au XVIe), le chœur de l'église du Mont-Saint-Michel (XVe), l'église Saint-Vulfrand à Abbeville (XVe et XVIe) et l'église Saint-Eustache à Paris (XVIe).

2 Du mot italien, *pietà* (pitié).

3 Claus Sluter travailla aux tombeaux des ducs de Bourgogne.

4 Aucune tapisserie antérieure au XIVe siècle ne nous est parvenue. (Rappelons que la « Tapisserie de la Reine Mathilde » n'était pas une tapisserie mais une broderie.)

5 Le duc d'Anjou ainsi que le duc de Berry (voir plus loin) étaient frères du roi Charles V.

6 Exécutée à la fin du XVe siècle, sans doute comme cadeau de mariage, pour une jeune fille de l'aristocratie.

7 Originaires des Flandres, les frères Limbourg vivaient à Paris à l'époque du règne de Charles V.

8 Le primitif le plus ancien qui nous soit parvenu est le portrait du roi Jean le Bon. La peinture a été exécutée sur une toile collée sur un panneau de bois (voir ill., p. 136). La plupart des primitifs ont été exécutés directement sur le bois.

9 À Chambord, le plan traditionnel est d'autant plus frappant que l'édifice n'a pas été édifié sur les soubassements d'un bâtiment antérieur. François Ier fit entreprendre les travaux après son retour d'Espagne. Plusieurs architectes travaillèrent à Chambord, notamment Denis Sourdeau et Pierre Nepveu.

10 Au début du siècle, les premiers humanistes s'étaient surtout consacrés à l'étude des langues anciennes et à la préparation d'éditions correctes des textes. Peu à peu, ils avaient commencé à commenter les textes profanes ainsi que les Saintes Écritures. Le mouvement biblien est l'un des aspects de l'humanisme.

11 Architecte et théoricien romain du premier siècle avant Jésus-Christ. À l'époque de la Renaissance, son *Traité d'architecture* fut réédité plusieurs fois puis traduit en français.

12 Philibert Delorme publia *le Traité d'architecture* à la fin de sa vie, en 1567.

13 Malheureusement détruits en 1871 au moment de la Commune.

14 Jean Goujon admirait passionnément l'art de l'Antiquité. C'est lui qui prépara les gravures explicatives de la première édition française du *Traité d'architecture* de Vitruve (1547).

HENRI IV

Henri IV *par Pourbus.*
Le roi porte le cordon
de l'ordre du Saint-Esprit.
Archives Photographiques

ROI DE LA PACIFICATION

À la conquête de son royaume

Roi protestant d'un pays catholique, Henri IV dut conquérir son royaume pied à pied. Il est dépourvu de tout. Il en plaisante d'ailleurs, avec sa courageuse gaieté: « Me voici, dit-il, un roi sans royaume, un mari sans femme[1] et un prince sans argent! »

Fanatisé par la Ligue, Paris constitue une citadelle d'hostilité. Les gouverneurs de provinces, les principales villes, refusent de donner leur allégeance à « l'hérétique ». Henri III est à peine mort qu'un grand nombre de seigneurs quittent l'armée royale, déclarant que leur conscience leur interdit de servir un huguenot. D'un coup, les effectifs se trouvent réduits de moitié. L'argent fait défaut. Comme on ne leur paye pas leur solde, les mercenaires étrangers menacent de se retirer. Réduit à la condition d'un simple chef de bande, Henri IV doit emprunter, hypothéquer son domaine, mettre en gage les bijoux de la couronne. Ses adversaires lui sont supérieurs en nombre. Néanmoins, fort de son bon droit, il combat vaillamment, « continuellement le cul en selle ».[2] Le premier à entrer dans la mêlée, il répète à ses compagnons: « Ralliez-vous à mon panache blanc, il vous conduira à la victoire et à l'honneur! »

Dépenaillé, plus ou moins sale et malodorant, Henri mène la vie rude des soldats. Sa constitution vigoureuse et sa bonne humeur semblent l'y avoir prédisposé. En vrai troupier, il a toujours quelque amour en tête. Entre deux équipées, il griffonne des billets débordants de passion: « Mon vrai cœur, mes chers amours... Je vous baise, mon amie, un million de fois les mains... »[3]

Cinq années durant, Henri remporte des victoires (Arques, Ivry) mais le but semble s'éloigner de plus en plus. Il a beau s'engager à respecter l'Église catholique, ses sujets refusent de le reconnaître. « Qu'il se convertisse! » répètent les bonnes gens, mais il refuse de céder à ces catholiques qui lui mettent le couteau sous la gorge.

À plusieurs reprises Paris est encerclé par l'armée royale. La famine fait des milliers de victimes; on va jusqu'à essayer de manger du pain fabriqué avec les os des morts des cimetières. En dépit des souffrances, les ligueurs redoublent de violence. En chaire les prédicateurs vomissent des injures contre celui qu'ils appellent « le chien roux », « le loup », « l'hérétique », « l'antéchrist » etc.... Des sermons délirants durent des cinq et six heures. Les partisans de la tolérance religieuse, les « politiques », sont poursuivis, excommuniés, menacés de mort.

Pourtant la Ligue s'essouffle. Les meneurs parlent d'élire un roi, mais ils ne parviennent pas à s'entendre sur le choix. Démasquant son jeu, le roi d'Espagne revendique le trône de France pour sa fille. Cette ingérence étrangère choque la conscience nationale. Les gens de bon sens souffrent de l'absurdité de la situation. Clandestinement, sept Parisiens composent un pamphlet burlesque, la *Satire Ménippée*. L'ouvrage circule de main en main, sous le manteau. Hérissée de sarcasmes contre la Ligue et le roi d'Espagne, la *Satire Ménippée* contribue à fortifier le parti de la tolérance.

Conversion...

La situation semble sans issue. Ni la Ligue ni le roi ne peuvent s'imposer. Profitant de la confusion, les armées étrangères envahissent le pays. Le peuple souffre, et personne n'en est plus conscient que Henri IV lui-même. « Je ne veux pas régner sur un cimetière », répète-t-il. Discrètement, il s'informe et négocie. Enfin, en juillet 1593, il se décide à faire « le saut périlleux ».[4]

« Paris vaut bien une messe! » Ce mot historique, Henri IV ne l'a vraisemblablement jamais prononcé. Peut-être ne l'a-t-il jamais pensé. La conversion du roi fut-elle sincère? La question est impossible à trancher. Henri n'avait rien d'un fanatique; néanmoins, il n'était pas cynique. Sa religion, plus inspirée par le sentiment que par les dogmes, pouvait s'accomoder d'une conversion. Ce qui lui importait, c'était de protéger les réformés, de sauver l'unité nationale, tout en restant bon chrétien et en conservant sa dignité. Avant de se lever, le jour de son abjuration, il s'entretint longuement avec des calvinistes; « Il leur dit en pleurant qu'ils priassent bien Dieu pour lui, qu'ils l'aimassent toujours et qu'il les aimerait... et ne permettrait jamais que leur fût fait... violence aucune à cause de leur religion. »[5]

Alléguant qu'il avait déjà fait mine de se convertir, des fanatiques crient au scandale. Mais la Ligue a perdu sa raison d'être. Désormais, le roi est de la religion de la majorité de ses sujets: il a tous les droits. Sans attendre d'avoir repris la ville de Reims, il se fait couronner dans la cathédrale de Chartres. Bravant les interdictions, des centaines de catholiques vont acclamer leur souverain.

La générosité et la bonhomie font le reste. Henri IV pénètre enfin dans sa capitale, suivi par son ami Sully et ses anciens compagnons d'armes. Pressés aux fenêtres ou dans les rues, les Parisiens crient sur son passage: « Vive le roi, vivent la paix et la liberté! ». Déjà inquiets pour sa sécurité, les amis du monarque voudraient dresser des barrières. « Laissez-les, répond celui-ci. Ils sont affamés de voir un roi! »[6]

Henri se montre beau joueur; il pardonne aux anciens ligueurs et achète leur soumission. L'une après l'autre, les villes de province rentrent dans l'obéissance. Il ne reste plus qu'à calmer les passions religieuses et à chasser les garnisons étrangères.

L'édit de Nantes

Les protestants sont inquiets; certains gardent rancune au roi de son abjuration. Du côté catholique, les fanatiques souhaitent encore l'annihilation des huguenots. Henri ne s'en laisse imposer ni par les uns ni par les autres. En 1598, il fait triompher le régime de la tolérance en accordant un édit « perpétuel et irrévocable », connu sous le nom d'édit de Nantes.[7] Pour la première fois dans l'histoire, deux églises chrétiennes vont pouvoir subsister côte à côte.

« La mémoire de toutes choses passées » est déclarée « éteinte ». Le catholicisme est réaffirmé comme étant la religion officielle du royaume. Partout où il avait été supprimé, le culte romain est rétabli. Ceci dit, personne ne devra être inquiété pour ses opinions religieuses, ni contraint de faire quoi que ce soit contre sa conscience. Les réformés sont réintégrés dans leurs droits civils; ils sont, notamment, autorisés à tester. Ils peuvent accéder à tous les emplois publics; certaines charges leur sont réservées.

Les deux religions sont loin d'être placées sur un pied d'égalité. Le catholicisme est restauré de droit. Par contre, le culte protestant est toléré dans un nombre limité d'endroits et sous des conditions nettement spécifiées.[8] Vu les dangers d'émeute, les réformés ne peuvent s'assembler ni à la cour ni dans Paris. Ils peuvent, néanmoins, construire des temples à cinq lieues de la capitale. Le clergé protestant est autorisé à réunir des synodes, à condition de ne conclure aucun pacte avec l'étranger. Enfin, un accord annexe accorde aux huguenots des châteaux et des villes fortifiées où, en cas de danger, ils pourront se réfugier. Ces « places fortes » rassurent ceux qui ont connu les persécutions mais elles ne tarderont pas à provoquer le ressentiment des catholiques.[9]

Dans ses grandes lignes, l'édit de Nantes ressemble aux édits de tolérance qui avaient été accordés par les derniers Valois. Mais Henri IV parle et agit en maître; c'est la différence capitale. Comme il est impossible d'extirper les rancunes qui se sont accumulées depuis deux ou trois générations, il use d'autorité; il impose la paix religieuse. « Vivez fraternellement », répète-t-il. C'est plus qu'un conseil, c'est un ordre.[10]

Résurrection nationale   La menace espagnole doit finir. Prenant l'initiative des opérations, Henri IV attaque les Espagnols en Bourgogne et en Picardie. Il combat avec fougue, souvent avec imprudence. Surpris par l'élan des Français, Philippe II rend ses conquêtes puis, par le traité de Vervins (1598), il renonce à ses prétentions sur le trône de France. Presque simultanément, la paix intérieure et la paix sur les frontières se trouvent réglées. Enfin, le roi va pouvoir se consacrer à l'œuvre de reconstruction nationale qui lui tient tant à cœur.

Le pays est désorienté et ruiné. La misère est générale. Trois millions de personnes auraient péri au cours des guerres civiles. Des milliers de châteaux sont éventrés; les voies de communication sont à l'abandon. Faute d'animaux de trait, les paysans s'attellent eux-mêmes à leur charrue. À Paris, des centaines de sans-logis couchent dans les cimetières.

À défaut de théories économiques, inconnues à son époque, Henri IV apporte à la tâche un solide bon sens et une gaieté dynamique. Bien qu'il frise la cinquantaine, il déborde de vitalité. Il adore la vie saine et productive; il n'est jamais plus heureux qu'à la campagne. Fuyant le protocole, il se plaît à s'égarer — ou à faire semblant de s'égarer — pour se retrouver au milieu du peuple. Son langage imagé, son accent méridional, ses plaisanteries plutôt gauloises, vont droit au cœur des humbles. On l'a vu, le dimanche matin, s'arrêter chez des paysans pour s'assurer qu'ils ont les moyens de mettre la poule au pot au moins une fois par semaine. Vraie ou apocryphe, cette anecdote révèle la sympathie qui unit le monarque à ses sujets. Le XVIIe siècle semble commencer sous les auspices les plus favorables. Le roi s'est remarié[11] et, moins d'un an plus tard, la reine a donné naissance à un fils, le futur Louis XIII. C'est la première fois depuis plus d'un demi-siècle que la France a un dauphin!

Sully   Henri IV a la chance d'être secondé par son ami Sully. Attaché à son service depuis l'âge de 11 ans, ce gentilhomme campagnard a été son page puis son compagnon d'armes pendant les années difficiles. Sully est un travailleur infatigable, un calviniste austère d'une honnêteté scrupuleuse. Le roi lui confie la plus ingrate de toutes les tâches: le rétablissement des finances. Bientôt, entraîné par la logique des choses, Sully est conduit à s'occuper de l'agriculture, des routes, des fortifications, des armements et de la diplomatie.

Désormais la couronne ne consentira qu'aux dépenses jugées utiles à l'État. Les financiers qui ont fait fortune pendant les guerres sont obligés de rendre des comptes. Par contre, pour permettre à l'économie rurale de redémarrer, le roi accorde plusieurs réductions d'impôts aux cultivateurs et il décrète que ni le bétail ni les instruments agricoles ne pourront être saisis, pas même par les collecteurs d'impôts. Le pouvoir voudrait faire payer les riches et soulager le peuple. Malheureusement, faute de temps, le programme financier ne sera réalisé qu'en partie: néanmoins, en 1610, les dettes seront payées et des caisses de pièces d'or auront été mises de côté dans les caves de la Bastille.

Routes et bâtiments   Henri IV réaffirme les droits de la couronne sur les cours d'eau, les ports et les routes. Il fait remettre en état le port du Havre; il fait creuser un canal entre le bassin de la Seine et celui de la Loire. Il fait restaurer les principales voies de communication, notamment les routes royales.[12] Il spécifie que ces routes doivent avoir entre 7 et 20 m de large, qu'elles doivent être pavées et bordées d'arbres. Il fait réparer les anciens ponts comme le pont d'Avignon et, en un temps record, il en fait construire de nouveaux. À Paris, le Pont-Neuf est achevé en six ans. Conformément à l'ordre royal, on emploie la pierre de préférence au bois.

French Government Tourist Office

Place Royale (actuellement place des Vosges), gravure de l'époque.

Aussitôt la confiance revenue, les Français se mettent à construire avec passion. Dans toutes les provinces, on voit s'élever des châteaux d'un style sobre et serein: façades de briques rouges, grands toits d'ardoise bleutés, portes et fenêtres encadrées de pierres de taille blanches.[13] Henri IV a un goût inné pour l'architecture. À Paris, il fait compléter les édifices entrepris par ses prédécesseurs: le Louvre, les Tuileries, l'Hôtel de Ville et, dans les environs, le château de Saint-Germain. Envisageant la ville dans sa totalité, il fait abattre des maisons vétustes et élargir certaines rues. Enfin, il conçoit les grandes lignes de plusieurs ensembles urbains, notamment de la place Royale (actuelle place des Vosges) qui ne tardera pas à devenir le quartier le plus élégant de la capitale. Dès 1608, Malherbe peut écrire à l'un de ses amis de province: « Si vous ne revenez pas à Paris d'ici deux ans, vous ne le reconnaîtrez plus. »[14]

Manufactures et entreprises

Henri IV et Sully sont des amis intimes, mais cela ne veut pas dire que leurs opinions coïncident en tous points. Sully est avant tout un gentilhomme terrien; il a bien compris que la France de son temps est essentiellement un pays agricole. « Pâturage et labourage, répète-t-il, sont les deux mamelles de la France, ses vraies mines et trésors du Pérou.» Par excès de sagesse, le brave homme craint que les industries de luxe retirent des bras à l'agriculture et encouragent les parasites. Le roi, par contre, ne va pas se laisser enfermer dans un système, quel qu'il soit. Les expériences et les innovations l'enchantent. La mode des étoffes de soie va sans cesse en grandissant; ne pouvant s'y opposer, il va s'efforcer d'en tirer profit. Pour éviter l'importation de soieries italiennes, il fonde une industrie nationale. Aidé par l'agronome Olivier de Serres,[15] il lance une véritable campagne. Il encourage les cultivateurs à planter des mûriers car le ver à soie ne peut se nourrir que des feuilles de cet arbre. Prêchant par l'exemple, il fait planter des mûriers dans la cour du Louvre et installe un atelier modèle. Il protège les manufactures déjà existantes et tâche d'en implanter d'autres. Grâce à lui, les soieries lyonnaises prennent leur essor.

Les tapisseries flamandes font fureur. Pour empêcher que l'or ne sorte de France, Henri IV fait venir des Flandres 200 ouvriers tapissiers qu'il installe à Paris dans un atelier de teinturerie appelé les Gobelins. La nouvelle manufacture va acquérir une telle réputation que, 60 ans plus tard, Louis XIV lui conférera le titre de Manufacture Royale. Toujours désireux d'encourager les initiatives personnelles, le roi accorde le rang de maître à quelques artisans de valeur qu'il dispense des formalités et des redevances normalement requises par les organisations professionnelles. Le premier étage du palais du Louvre devient une sorte de galerie d'exposition des meilleures techniques du temps.

Henri IV s'intéresse également à cette « Nouvelle-France », plus ou moins négligée depuis l'époque de François Ier. Il voudrait en faire quelque chose de plus qu'une simple réserve de gibier pour les trappeurs; il aimerait y implanter des familles et y fonder des villes. Il patronne plusieurs explorateurs, notamment Champlain. En dépit de l'isolement, du froid, du scorbut, des attaques d'Indiens, Champlain s'accroche au sol. À l'estuaire du Saint-Laurent, il crée les premiers établissements de l'Acadie (aujourd'hui la Nouvelle-Écosse) puis, remontant le fleuve, il fonde Québec et Montréal.

Le royaume et l'Europe Devançant les théories du xxe siècle, Henri IV envisageait la France en fonction du reste de l'Occident; il se rendait compte que la prospérité nationale dépendait de la paix européenne. Or, au début du xviie siècle, la Maison d'Autriche menaçait encore de subjuguer l'Europe. Bien que partagés en deux branches, les Habsbourg d'Espagne et les Habsbourg d'Autriche poursuivaient une politique de famille et camouflaient leurs ambitions sous la bannière du catholicisme. Ils venaient de subir des échecs sérieux: la Grande Armada avait été détruite, le protestantisme avait triomphé en Hollande,[16] en Angleterre et dans toute l'Europe du nord; les princes luthériens allemands constituaient une menace permanente. Néanmoins, les Habsbourg contrôlaient encore le bloc le plus puissant d'Europe. Dans les pays étrangers, en France notamment, ils avaient la sympathie de nombreux catholiques intransigeants qui, *a priori*, plaçaient leur allégeance religieuse au-dessus des considérations patriotiques. Il paraissait inévitable que, tôt ou tard, la Maison d'Autriche lance une vaste opération contre les forces protestantes.

D'instinct, Henri IV préférait les solutions pacifiques aux moyens militaires. Il veillait à ce que son armée soit puissante, tout en s'efforçant de ne pas avoir à s'en servir. Il entretenait avec la cour de Madrid des rapports empreints d'une courtoisie vigilante. Il envisageait de marier le dauphin avec une infante. Mais, simultanément, il tissait des liens discrets avec les puissances hostiles — ou potentiellement hostiles — à l'Espagne: l'Angleterre, la Hollande, les princes luthériens, les cantons suisses, Venise, la Savoie. Il était trop diplomate pour afficher ses intentions. Il entendait rester maître de sa politique, garder sa liberté d'action. Son prestige s'en trouva fortifié. Paris devint le centre diplomatique du monde.

Si discrets qu'ils aient pu être, les liens entre Henri IV et les cours protestantes suscitaient des commentaires nombreux. Aux yeux des gens qui réfléchissaient, le roi poursuivait, tout simplement, la politique traditionnelle de la France: pour pouvoir résister à la Maison d'Autriche, il s'alliait aux ennemis de celle-ci. Mais, aux yeux des sots et des fanatiques, il apparaissait comme le huguenot perfide, l'antéchrist qui allait faire la guerre au roi d'Espagne, c'est-à-dire à l'Église catholique!

Le « Grand Dessein »

Un mystère subsiste. Henri IV avait-il l'intention d'organiser une coalition et d'attaquer la Maison d'Autriche? Sully a minutieusement décrit le « Grand Dessein » que méditait le roi. Il s'agissait d'assurer la paix par l'équilibre des puissances. L'Europe aurait compté 15 états de forces à peu près égales; ces états auraient été fédérés en une sorte de république chrétienne supranationale. Les débats ou les conflits auraient été arbitrés par un conseil international présidé par le pape. Dans ses grandes lignes, le projet avait été reçu favorablement par la Suède, l'Angleterre et plusieurs principautés allemandes. Évidemment, restait à convaincre l'Espagne et l'Autriche qui devaient faire les frais de l'opération. Ces puissances semblaient laisser venir les événements...[17]

Utopie ou conception géniale, le « Grand Dessein » n'en demeure pas moins l'une des rares manifestations de l'esprit européen au cours des siècles qui vont de la chute de l'Empire romain à l'époque contemporaine.

Préliminaires...

En 1610, Henri IV rassemblait des armes, recrutait des soldats. Il ne revendiquait aucun accroissement territorial; par contre, il était décidé à empêcher les Habsbourg de mettre la main sur une principauté allemande (le duché de Clèves) dont le dernier duc venait de mourir sans héritier direct.[18] Allait-il se contenter d'intimider l'adversaire par une mise en scène? Nul ne le saura jamais. Ce qui est certain, c'est qu'il avait fixé son départ pour l'armée au 15 mai.

La cour était orageuse. Personne n'ignorait les disputes assourdissantes qui ébranlaient le ménage royal. La reine Marie de Médicis était une grosse femme assez sotte. À la fois passive et violente, elle s'entourait d'intrigants italiens, tous plus ou moins à la solde de l'étranger. Sa jalousie instinctive était exaspérée par les sempiternelles infidélités de son époux! Malgré ses 57 ans, le « Vert Galant » continuait à voler d'une aventure à l'autre. Lui si subtil en politique, montrait en amour des goûts douteux. L'histoire a enregistré le nom de plus de 56 maîtresses, et encore n'a-t-elle pas tout retenu! La favorite du moment était installée au Louvre. Les bâtards, ceux que le roi voulait bien reconnaître, étaient élevés au château de Saint-Germain avec les enfants légitimes. En 1610, au milieu des préparatifs militaires, le vieux barbon venait de tomber amoureux d'une jeune beauté de 15 ans. Profitant des circonstances, Marie de Médicis avait exigé que son mari la fasse sacrer et qu'il lui confie la régence du royaume pendant qu'il serait aux armées.

Des bruits étranges circulaient. On entendait dire que le tueur du roi venait d'arriver à Paris... Plusieurs mises en garde parvinrent jusqu'au Louvre. Dans ce concert d'avertissements, les uns faisaient la sourde oreille, les autres ne prêtaient pas attention. Après tout, le roi avait déjà fait l'objet de 16 tentatives d'assassinat; une en moyenne par année de règne!

Le coup de couteau du destin

Pourtant, en ce mois de mai 1610, Henri IV se sent troublé. Des pressentiments, des rêves, des prédictions le harcèlent. Le 14, veille de son départ, il veut aller voir son ami Sully. Il s'agite, marche d'un appartement à l'autre. Vers trois heures et demie, il part. Quand il arrive dans une rue étroite, des charrettes obstruent le passage. Le carrosse royal est presque arrêté. Les valets sont distraits. Un homme roux, vêtu d'un costume vert, met un pied sur une roue, passe le bras par la portière et frappe le roi à trois reprises. Le couteau a touché le cœur. La mort est presque instantanée. Le meurtrier est arrêté. Le tout n'a duré que l'instant d'un éclair.

Que le meurtrier (un certain Ravaillac) ait été un illuminé et un faible d'esprit, c'est certain. Qu'il ait agi seul, cela paraît impossible. Son procès fut bâclé. Treize jours après le meurtre, il fut mis à mort. Un incendie, survenu peu après, anéantit les pièces. Comme par hasard, tous les documents relatifs à la mort du roi disparurent des archives des capitales européennes. Certains témoins furent discrètement écartés. Vu la qualité des personnes impliquées, on ajourna l'affaire... indéfiniment.

L'un après l'autre, des historiens ont répété que le roi était mort du coup de couteau d'un catholique fanatique. En réalité, le moment était trop bien calculé (le lendemain du sacre de la reine, la veille du départ du roi) pour que l'on puisse croire à un geste individuel. Henri IV avait imposé la paix religieuse; il n'avait pas réconcilié les cœurs. Il avait encore moins réconcilié les nations entre elles. La prospérité française dépendait de lui, et de lui seul. Les ennemis traditionnels du royaume ne négligèrent rien pour le supprimer. Dans la conjuration de 1610, on retrouve la trace de tous ceux qui avaient intérêt à ce qu'il disparaisse. Les uns ont agi délibérément, les autres ont laissé faire, d'autres ont gardé un silence troublant. La cour d'Espagne joua le rôle décisif. Les jésuites, ordre espagnol, travaillèrent secrètement pour les Habsbourg.[19] Une reine jalouse, des grands seigneurs aigris, une maîtresse rancunière, des bigots ont également contribué, à des degrés divers, au crime dont Ravaillac n'a été que l'instrument.

Tandis que, tout à coup, le peuple découvrait à quel point il était attaché à « notre Henri », le petit Louis XIII, âgé de huit ans et demi, montait sur le trône. La reine-mère, la lourde Marie de Médicis, s'emparait du pouvoir et la politique française se retournait comme un gant.

NOTES

1 Henri IV avait épousé l'une des filles de Catherine de Médicis. C'est à la suite de la noce qu'avait eu lieu le massacre de la Saint-Barthélemy. Si mal commencé, ce mariage avait très mal marché et les époux s'étaient séparés.

2 Expression de Sully, le compagnon d'armes du roi.

3 Voir: Ritter, *Henri IV par lui-même*, Albin Michel 1944.

4 Henri IV a employé cette expression dans une lettre écrite à sa maîtresse (23 juillet 1593). Voir le texte de la lettre et les détails relatifs à cette période dans: l'Étoile, *Journal*, Gallimard 1946.

5 L'Étoile, *ibid.*, 25 juillet 1593. Henri IV signa une formule d'abjuration passablement adoucie.

6 L'Étoile, *ibid.*, 22 mars 1593.

7 Les protestants français allaient rester sous la protection de cet édit jusqu'à ce qu'il soit révoqué par Louis XIV en 1685.

8 Sur 3 500 lieux de culte autorisés (demeures des seigneurs protestants, entre autres) il n'y avait que 600 temples. Voir: Élie Benoît, *Histoire de l'édit de Nantes*.

9 Le port de La Rochelle était la place forte la plus importante.

10 Ennemi de toute concession, le Parlement de Paris n'enregistra l'édit de Nantes qu'un an plus tard, sur l'ordre du roi.

11 Son premier mariage avait été annulé par le pape.

12 Certaines routes de moindre importance dépendaient des pouvoirs locaux.

13 Ce style est généralement appelé le style Louis XIII.

14 Malherbe, *Oeuvres*, Hachette 1962, Vol. III, lettre à Peiresc, 3 octobre 1608.

15 Olivier de Serres, calviniste, gentilhomme campagnard, auteur du premier en date des grands traités d'agronomie: *Le Théâtre de l'agriculture et le ménage des champs* (1600).

16 La Hollande, nouvelle nation protestante, s'était libérée de la domination des Habsbourg à la fin du XVIe siècle. Les provinces du sud, désignées sous le nom de Pays-Bas espagnols (la Belgique actuelle), restèrent attachées à l'Espagne.

17 Voir: Sully, *Mémoires*, Vol. 8, livre 30.

18 Henri IV défendait les droits d'un prince protestant (l'électeur de Brandebourg) contre les Habsbourg qui cherchaient à mettre la main sur la principauté.

19 Ravaillac, originaire d'Angoulême, connaissait plusieurs jésuites. En 1599, un jésuite (le père Mariana) avait publié un ouvrage dans lequel il déclarait qu'il est licite de tuer un prince qui se rend responsable d'offenses à la religion. Ravaillac croyait aveuglément à cette théorie. Sur l'assassinat de Henri IV, voir: Erlanger, *L'Étrange Mort de Henri IV*, Perrin 1963.

VINGT MILLIONS DE FRANÇAIS À L'AUBE DU XVIIe SIECLE

Les trois ordres Le royaume a les cadres que la tradition lui a légués. Dans ses grandes lignes, la hiérarchie est fort simple. Le premier ordre est le clergé (environ 100 000 personnes), le clergé catholique, le seul qui soit officiel. En principe, rien n'est supérieur au service de Dieu. Le second ordre est la noblesse (environ 500 000 personnes). Au troisième rang vient le tiers état, c'est-à-dire tous ceux qui ne sont ni nobles ni ecclésiastiques (entre 18 et 19 millions de personnes). Cette structure, d'apparence rudimentaire, cache une réalité beaucoup plus nuancée.

Le clergé Le clergé vient de subir la crise la plus grave de son histoire; il a perdu pied dans de nombreuses régions du sud-ouest; il a été contraint de reconnaître l'existence d'une autre église. Pourtant, le gouvernement est resté catholique. Henri IV n'a réussi à s'imposer qu'en abjurant. Le roi nomme les principaux dignitaires ecclésiastiques;[1] le pape ne peut mettre son véto que si certaines conditions d'âge ou de doctrine ne sont pas remplies par les candidats. Le roi peut d'ailleurs faire pression pour que le Saint-Siège accepte l'un de ses favoris. Henri IV fait nommer évêque de Metz l'un de ses bâtards, un enfant de six ans.

En principe, le concile de Trente[2] a ordonné que les évêques résident dans leur évêché, les abbés dans leur abbaye et les curés dans leur cure. En réalité, de nombreux laïques possèdent encore des bénéfices ecclésiastiques. Ils en perçoivent les revenus et font remplir les fonctions sacerdotales par un desservant, fort mal rétribué en général. Même lorsque le titulaire d'un bénéfice est un ecclésiastique, cela ne veut pas dire qu'il se sente obligé d'y résider! La cour attire de nombreux évêques de province chez qui l'ambition politique l'emporte sur la vocation pastorale. Richelieu en sera le meilleur exemple.

Par contre, les curés de campagne mènent une vie misérable qui contraste avec celle de leurs supérieurs. Les frais d'entretien de l'église sont difficilement couverts par la dîme, cet impôt du dixième qui, en principe, doit être payé par les paroissiens. Beaucoup de prêtres connaissent à peine le latin; la plupart d'entre eux ne comprennent rien aux décisions du concile de Trente. Jusqu'à la fin de l'Ancien Régime, l'écart économique et social entre le haut et le bas clergé ira en s'accentuant.

Pourtant, malgré la persistance de graves abus, la situation morale de l'Église est plus saine au début du xvıı[e] siècle qu'elle ne l'avait été au xvı[e] siècle. Des ordres d'origine étrangère sont venus s'installer en France: les jésuites, les capucins, les carmélites, les ursulines, etc. Plus d'une trentaine de couvents s'ouvriront à Paris pendant le règne de Louis XIII. Quelques âmes d'élite comme saint François de Sales, saint Vincent de Paul (Monsieur Vincent), sainte Chantal,[3] font rayonner les vertus chrétiennes. Ce redressement du catholicisme est généralement désigné du nom de Contre-Réforme.

Le clergé ne paye pas d'impôts directs. Par contre, il a à sa charge les hospices, asiles et autres établissements de bienfaisance. Chaque année, il consent à offrir au roi une somme importante, le « don gratuit », en spécifiant bien qu'il s'agit, non pas d'une redevance fiscale mais d'un cadeau librement accordé. Le roi sait qu'il a avantage à ménager le clergé car celui-ci détient la direction spirituelle de la nation. Mais, de leur côté, les ecclésiastiques sentent que, pour conserver leur prestige et pour avancer dans la hiérarchie, ils ont besoin de la protection royale.

La noblesse La noblesse est encore plus intimement reliée à la couronne. Le roi est le premier gentilhomme du royaume. Le noble ne paye pas la taille puisque, à l'origine, cet impôt représentait la contribution des non-combattants à l'entretien de l'armée.[4] Depuis le Moyen Âge, la raison d'être du noble est la défense du territoire; pour qu'il se consacre à sa tâche, il lui est interdit d'exercer un métier. Au xvıı[e] siècle, cette spécialisation de classe a déjà quelque chose d'archaïque. Les nobles détiennent encore les postes d'officiers supérieurs, mais il ne composent plus le gros de l'armée. Peu à peu, depuis la guerre de Cent Ans, les troupes seigneuriales se sont trouvées remplacées par des armées de métier composées de mercenaires.

Tenu à l'écart du commerce, le noble vit de l'héritage que lui ont légué ses ancêtres. Ses revenus proviennent de deux sources: des domaines ruraux, qu'il exploite directement ou qu'il fait exploiter par un intendant, et des droits féodaux. Ces droits sont les survivances de l'époque où le féodal régnait sur sa seigneurie en maître quasi absolu. Même là où les terres se sont trouvées morcelées et vendues à des roturiers, le noble a conservé ses « droits du seigneur ». Il a le monopole de l'exploitation du four, du moulin, de certaines voies de communication. Il perçoit des péages, des taxes sur les achats, les ventes et les héritages. Au cours des siècles, les revenus seigneuriaux ont eu tendance à se dégrader. Du fait de l'inflation, certains droits, dont le montant avait été fixé une fois pour toutes, ne représentent plus que des sommes infimes. D'autres droits sont tombés dans l'oubli. Souvent à court d'argent, certaines familles vendent ou hypothèquent des terres ou bien elles empruntent à des taux qui peuvent aller jusqu'à 30%.

La gentilhommière ou la cour

Le gentilhomme qui a la sagesse de rester sur ses terres, peut mener une existence confortable. Dans son village, il fait encore figure de petit prince. Il choisit le curé. Son caveau est dans l'église même. Pendant la messe, le prêtre vient l'encenser. Lui seul jouit du droit de chasse. Partout où il passe, on le salue bien bas. S'il aime l'étude, il peut, à l'exemple de Montaigne, se constituer une bibliothèque et passer son temps à lire et à écrire. S'il est porté vers des domaines plus concrets, il peut entreprendre de nouvelles cultures ou s'efforcer d'améliorer ses rendements agricoles. C'est en travaillant sur leurs propres terres que des hommes tels que Sully et Olivier de Serres ont créé une science qui, à partir du XVIIIe siècle, s'appellera l'agronomie.

Malheureusement, la vie rustique n'est pas du goût de tout le monde. La plupart des nobles sont avides de luxe et de grandeur; ils veulent des vêtements de soie, des équipages dignes de leur nom, des honneurs. Dès la fin des guerres de Religion, beaucoup d'entre eux quittent leur gentil-hommière et affluent à la cour. Presque tous vivent au-dessus de leurs moyens. Incapables de comprendre les causes de leurs difficultés économiques, ils s'obstinent à rester près du souverain, espérant recevoir quelque pension ou quelque bénéfice. Dans cette existence de courtisan plus ou moins oisive, la vanité s'exalte, les susceptibilités s'exaspèrent. Sitôt qu'on se croit méprisé, on tire l'épée. Une rivalité amoureuse, un regard hautain, une querelle de préséances, suffisent à déclencher un combat. Deux nobles, chacun dans leur carrosse, se trouvent l'un en face de l'autre dans une rue étroite, où il n'y a de place que pour un seul véhicule... Lequel va reculer pour laisser avancer l'autre? Si l'un d'eux ne se distingue pas par quelque différence d'âge ou de rang qui soit évidente, ce problème de la circulation sera réglé à la pointe de l'épée! Rien qu'en 1607, plus de 2 000 nobles sont morts en duel. Le frère aîné de Richelieu, un fils du poète Malherbe, ont péri de cette façon.

Il y a plus grave encore. La haute noblesse aspire à jouer un rôle politique. À la moindre défaillance du pouvoir royal, les grands constituent des ligues, rassemblent des soldats, organisent des places fortes et agissent en roitelets indépendants. Plus ils sont proches du roi par le sang, plus ils sont tentés d'intriguer contre lui. Le plus dangereux de tous est le prince de Condé, le cousin germain de Henri IV.[5] Brave, intelligent, ambitieux, il est né trop près du trône pour ne pas être dévoré par l'envie de franchir la dernière marche.

Ainsi, par l'étendue de ses terres, par son prestige, par ses capacités guerrières et par ses liens de famille, la noblesse enveloppe dans ses mailles le royaume tout entier. Si elle reste fidèle à la couronne, elle peut assurer la paix générale mais, si elle se révolte, elle risque de provoquer une guerre civile.

Les cultivateurs

Le tiers état est encore moins homogène que les deux premiers ordres. Il comprend, d'abord, les paysans, soit 80% de la population totale. Parmi ceux-ci, on trouve quelques propriétaires qui cultivent leurs propres domaines. On trouve surtout des fermiers qui louent les terres qu'ils exploitent. Dans certaines régions, le cultivateur est métayer: il donne au propriétaire la moitié des produits du sol, et il garde l'autre moitié. Quel que soit son statut, le cultivateur mène une vie laborieuse; son travail commence au lever du jour et ne se termine qu'à la nuit. Disposant de peu d'argent, il mange et il s'habille principalement avec ce qu'il produit. Son ordinaire consiste de légumes, de pain de seigle et d'un peu de porc. Malgré les efforts de Henri IV, la poule au pot est restée un signe de prospérité exceptionnelle. Toutefois, cette existence, dépourvue de luxe, est relativement heureuse. Les paysans de la première moitié du siècle que l'on voit sur les toiles de La Tour et de Le Nain, sont vêtus simplement mais décemment. Leurs visages sont empreints de dignité; leurs enfants sont robustes. Chez eux, on sent la pauvreté mais non la misère.

Le sort des travailleurs agricoles est infiniment plus dur. Ces gens qui se louent au moment des gros travaux d'été, restent souvent sans emploi pendant l'hiver. Ils n'ont pas de demeure fixe. Quand le travail manque, personne ne se soucie d'eux; il ne leur reste alors qu'une issue: le brigandage.

Gens de métiers et marchands

En ville, le tiers état comprend tous les niveaux économiques, du plus bas au plus élevé. Les travailleurs, porteurs, débardeurs, cochers, marchands ambulants, n'ont pour toute richesse que leurs deux bras. Ils sont exposés à toutes les calamités: chômage, épidémies, disettes, inondations, guerres, etc.... Cette masse, ignorante et brutale, constitue une menace permanente. À Paris, vols, pillages et attentats ne se comptent pas. À la moindre sollicitation, des milliers de misérables peuvent devenir des émeutiers.

Les hommes de métier sont plus stables. Même s'ils vivent dans des locaux minables, ils sont encadrés par une administration professionnelle dont ils doivent s'efforcer de gravir les échelons. L'apprenti est traité avec rudesse, l'ouvrier est peu payé. Seuls les fils de maître ou les hommes assez fortunés, peuvent préparer leur chef-d'œuvre, verser les redevances requises et s'installer comme patrons.

Les marchands se jugent bien supérieurs aux hommes qui exercent un métier manuel. Ils sont méfiants, calculateurs, âpres au gain. Comme dans un bazar oriental, chaque transaction donne lieu à des palabres. Le soir venu, derrière sa porte cadenassée, le boutiquier et sa femme comptent leur recette. Leur joie consiste à entasser leur argent, car seul l'argent permet l'escalade sociale.

Les offices Même s'il amasse une fortune, le marchand restera à son magasin, par habitude, souvent par passion. Par contre, son fils préférera tourner le dos au commerce paternel. Pour atteindre une situation plus honorifique, il achètera une charge, autrement dit, un office.

Comme les fonctionnaires du xxᵉ siècle, les titulaires des offices remplissent, au xviiᵉ siècle, des fonctions fort variées. Ils sont administrateurs du domaine royal, collecteurs d'impôts, inspecteurs, baillis, juges, conseillers au Parlement,[6] à la Cour des comptes[7] etc.... Le Trésor leur paye un traitement qui, en général, est assez modeste. Néanmoins, les avantages annexes et le prestige social de la fonction attirent de nombreux postulants. Cadeaux, gratifications, pots de vin sont fréquents. Les plaideurs savent qu'il est imprudent d'arriver au Palais de Justice les mains vides! C'est l'habitude; personne ne s'en scandalise.

Pour se procurer de l'argent, François Iᵉʳ a eu l'idée de vendre les offices pour une somme proportionnelle à leur importance.[8] Moyen facile mais combien dangereux! À sa création, chaque nouvel office rapporte au trésor une somme rondelette mais, une fois le titulaire en place, il faut le payer. Pris dans ce cercle vicieux, les rois créeront des offices, non pour améliorer leurs services administratifs, mais pour se procurer des fonds. Loin de freiner le système, Henri IV l'aggrave encore en rendant les offices héréditaires. Moyennant le paiement d'un impôt annuel,[9] le titulaire devient pleinement propriétaire de son office; à sa mort, ses héritiers peuvent le conserver ou le revendre comme n'importe quel objet.

La noblesse de robe Un office constitue le meilleur moyen de franchir les barrières sociales. Les « officiers » sont dispensés de payer certains impôts, notamment la taille. Ils forment donc une classe privilégiée, la noblesse de robe, intermédiaire entre la bourgeoisie et la noblesse d'épée. Grâce à l'achat d'un office, un marchand enrichi peut assister à l'ascension de sa famille. Les

Eyquem, négociants en vins et poissons salés, ont eu un petit-fils, Michel de Montaigne, qui a siégé au Parlement de Bordeaux.

Les nobles de vieille souche en arrivent à éprouver une fascination pour les carrières de « la robe ». Ils entrent en compétition avec les bourgeois; ils se font même réserver les offices les plus flatteurs. Malgré sa fierté, Malherbe sollicite un office de conseiller au Parlement de Provence pour son fils. « Je suis toujours bien d'avis, écrit-il à l'un de ses amis, que l'épée est la vraie profession du gentilhomme; mais que la robe fasse préjudice à la noblesse, je ne vois pas que cette opinion soit aussi universelle que par le passé.» Puis il ajoute: « ...par la voie des armes on arrive a des dignités bien relevées; mais la montée en est... pénible... Il n'en est pas de même des offices des cours de Parlements: toute la peine est de commencer. Une fois qu'on y a mis le pied, on peut dire qu'on a fait la principale partie du chemin. On me dira que les gentilshommes qui prennent ces charges deviennent compagnons de plusieurs qui ne le sont pas. Je l'accorde, mais quel remède? »[10]

Ainsi, cette nouvelle élite où viennent se rejoindre la bourgeoisie enrichie et la noblesse d'épée, pourrait contribuer à amalgamer les anciennes classes sociales. Il n'en est rien. En quelques générations, par son esprit de corps, la « robe » va former une sorte d'état dans l'État. Se succédant de père en fils en véritables dynasties, les magistrats vont se préoccuper, avant tout, de défendre leurs intérêts de caste et de renforcer leur position politique.

NOTES

1 En vertu du Concordat, accord signé entre le pape et François Ier en 1516.

2 Concile œcuménique, réuni entre 1545 et 1563, pour arrêter les progrès de la Réforme. Ce concile définit la doctrine catholique et s'efforça de restaurer la discipline ecclésiastique.

3 Elle a été la grand-mère de Madame de Sévigné.

4 Cet impôt remontait au xe ou au xie siècle.

5 Avant que Henri IV ait un fils légitime, Condé fut l'héritier présomptif de la couronne. Même après la naissance de Louis XIII, il continua à aspirer au trône.

6 Cours de justice qui furent organisées à partir du xive siècle. Outre le Parlement de Paris dont la juridiction s'étendait sur la moitié du royaume, il y avait une douzaine de parlements de province (Bordeaux, Toulouse, Rennes, Aix-en-Provence, Dijon etc....)

7 Cour chargée de l'administration des impôts et du budget.

8 « La paulette », du nom de Charles Paulet, le magistrat qui l'organisa. (La fille de Paulet était l'une des plus célèbres précieuses.) La paulette s'élevait à environ à 1/60e de la valeur de l'office.

9 Le théâtre du xviie siècle en fournit de nombreux exemples.

10 Malherbe, *Oeuvres*, Hachette 1962, Vol. IV, lettre à Mentin, 14 octobre 1627.

LOUIS XIII OU
LA RAISON D'ÉTAT

Louis XIII couronné par la victoire
par Philippe de Champaigne
(musée du Louvre).
Archives Photographiques

Le règne de Louis XIII commence comme une comédie d'intrigues. Une fois devenue régente, Marie de Médicis montre sa vraie nature: elle se gorge de richesses mais, indolente et capricieuse, elle abandonne le pouvoir aux intrigants qui l'ont suivie d'Italie. Le royaume tombe à la merci d'une confidente hystérique[1] et du mari de celle-ci, un certain Concini. Dépourvu de tout scrupule, cet aventurier de bas étage est possédé par un orgueil effréné.

Il n'est plus question de faire la guerre aux Habsbourg. La politique française devient favorable à la cour de Madrid. Le Nonce et l'ambassadeur d'Espagne siègent au Conseil. Se sentant impuissant, Sully se retire dans ses terres. Le parti espagnol gagne encore en influence par l'union du jeune roi Louis XIII avec l'infante Anne d'Autriche.[2] Âgés l'un et l'autre de quatorze ans, les époux sont conduits jusqu'au lit nuptial par les courtisans des deux nations. Forcés prématurément au mariage, ces deux pauvres êtres vont rester toute leur vie étrangers l'un envers l'autre.

Le royaume tombe dans le chaos. Les nobles s'agitent, exigent des faveurs. En trois ans, toutes les réserves monétaires constituées par Henri IV et Sully ont disparu. Concini parle en dictateur, rien ne se fait sans son accord. Souvent le Conseil se réunit chez lui. La régente le couvre de richesses et de titres: marquis, gouverneur, maréchal... Son orgueil touche au délire. Mais sa fortune de fraîche date, son origine étrangère et le luxe insolent dont il s'entoure, irritent à la fois le peuple et les nobles. Condé, le premier prince du sang, rallie les mécontents de tous les milieux sociaux: les protestants, inquiets depuis l'assassinat de Henri IV, les pauvres gens écrasés d'impôts, et surtout les grands. Le pays semble pris entre deux feux: la dictature d'un aventurier ou l'anarchie féodale. La guerre civile menace d'éclater lorsque, soudain, Concini est arrêté et, séance tenante, abattu au nom du roi.

Personne ne s'était soucié de Louis, un adolescent de 16 ans, tenu pour quantité négligeable. Depuis la mort d'un père qu'il adorait, il vivait en reclus au château de Saint-Germain. Fouetté pour des vétilles, entouré de précepteurs médiocres, privé d'affection et de gaieté, il était devenu froid, taciturne et dissimulé. On l'avait systématiquement tenu à l'écart des affaires. Un jour qu'il avait tenté d'assister à une séance du Conseil, sous l'œil de Concini, sa mère l'avait mis à la porte en lui disant d'aller s'amuser ailleurs. La consigne était de l'occuper à des jeux d'enfants. Il semblait en avoir pris son parti. Il se réfugiait dans des satisfactions de solitaire: les collections d'armes, les oiseaux, la cuisine, le jardinage et surtout la chasse. À longueur de journée, il courait les bois. Comme il était légèrement bègue, il parlait peu. Sa réputation était faite: un incapable, un propre à rien, un idiot. Et le clan de la régente de conclure: il ne sera jamais gênant.

« J'ai fait l'enfant », dira-t-il par la suite. Entretemps, les ressentiments s'accumulaient dans son âme. Comme Hamlet,[3] avec qui il présente plus d'une analogie, il haïssait les parvenus qui ensorcelaient sa mère et usurpaient le pouvoir. Il soupçonnait la clique italienne d'avoir participé à l'assassinat de son père. Ce crime lui paraissait impardonnable. À ses yeux, un attentat contre la personne du roi était un crime contre l'État.

Mère contre fils Quand Concini fut mort, Louis XIII s'écria: « À cette heure je suis roi! » À Paris, ce fut une explosion de joie sauvage. Le peuple se sentait enfin délivré de son odieux tyran. Le jeune souverain était décidé à régner; malheureusement, il était dépourvu d'expérience et il se sentait seul. Pis que tout, il avait un adversaire obstiné: sa mère. Celle-ci n'allait pas se laisser intimider par un petit insolent... Aussi confia-t-elle la défense de sa cause à un jeune évêque, Richelieu. Le charme aristocratique, les paroles onctueuses et le regard magnétique du prélat fascinaient cette femme affamée d'hommages.

Armand du Plessis de Richelieu nourrissait une double ambition: parvenir au pouvoir et mettre la France à la tête des nations. Calculateur et persévérant, il était prêt à employer tous les moyens pour arriver à ses fins. Cadet de famille, rentré dans les ordres par intérêt,[4] Richelieu avait les yeux braqués sur la cour. Une chance survint. En 1614, acculée par les difficultés, Marie de Médicis avait convoqué les états généraux. Cette confrontation des trois ordres de la nation n'avait amené aucun résultat pratique mais, parmi les orateurs du clergé, Richelieu s'était fait entendre. Il avait parlé avec tant de mesure qu'il n'avait offensé personne. Enfin, il avait glissé quelques paroles élogieuses à l'égard de la régente qui en avait été ravie... Peu après, le bel évêque devenait aumônier de la cour.

Son ascension politique commençait. À plusieurs reprises, elle faillit être brisée du fait qu'il était lié au clan de Marie de Médicis. Louis XIII était déchiré par des sentiments contradictoires. Il savait que sa mère intriguait et même prenait les armes contre lui.[5] Néanmoins, il ne pouvait pas se résoudre à la chasser définitivement. Vis-à-vis de Richelieu, il éprouvait de la méfiance, mais il sentait bien qu'il avait à faire à une intelligence supérieure. Finalement, le jeune roi refoula ses griefs personnels et admit Richelieu au Conseil. Marie de Médicis exulta. Elle s'imaginait que, par l'intermédiaire de son protégé, elle pourrait ressaisir le pouvoir. Illusion! Quatre mois après son entrée au Conseil, Richelieu avait éliminé tous ses rivaux.

Les préludes de la guerre de Trente Ans

Tandis que la France pataugeait dans les intrigues, le reste de l'Europe vivait sur le pied de guerre. En Allemagne, les querelles entre catholiques et protestants se rallumaient. Chaque idéologie religieuse camouflait des ambitions politiques. Derrière le catholicisme, c'était la Maison d'Autriche qui manœuvrait. Derrière le protestantisme, c'était la coalition de tous les ennemis des Habsbourg: les Suédois, les Hollandais, les Tchèques, les luthériens allemands, les petits états qui, quelle que soit leur religion, refusaient de se laisser absorber par le système austro-espagnol. C'est le prélude de la guerre de Trente Ans, un vaste conflit qui, comme son nom l'indique, va durer trente ans (1618–1648).

Henri IV avait eu l'intention d'abaisser la Maison d'Autriche mais sa mort, puis les troubles de la régence avaient fait avorter ses projets. Avec Marie de Médicis, la France avait tourné le dos à sa politique traditionnelle. Favorisés par les circonstances, les Habsbourg remportèrent des succès en Europe centrale.[6] À leurs yeux, la présence d'un cardinal auprès du roi de France apparaissait comme une nouvelle victoire diplomatique. Ils n'allaient pas tarder à être déçus.

Richelieu dissimulait ses intentions et attendait. La France n'était pas encore en état de faire la guerre. Louis XIII était paralysé par des scrupules religieux; très pieux, il hésitait à s'allier à des hérétiques. Le trésor était vide; les grands fomentaient des intrigues et les protestants reprenaient les armes.

Lutte contre les huguenots

Inquiets de voir un ecclésiastique au pouvoir, les huguenots se retranchaient dans leurs places fortes et constituaient une sorte d'état dans l'État. Pour empêcher qu'ils ne reçoivent des secours de l'Angleterre, Richelieu entreprit le siège du port de La Rochelle. Pendant plus d'un an, les habitants résistèrent héroïquement mais, contraints par la famine, ils durent faire leur soumission. Louis XIII pardonna aux insurgés; il rétablit l'édit de Nantes mais, pour bien montrer qu'il entendait être obéi, il supprima les places fortes et les garnisons protestantes.

On pouvait croire que la France avait opté pour la cause catholique et qu'elle allait se solidariser avec la Maison d'Autriche afin de lutter contre « les hérétiques ». Il n'en était rien. Richelieu cachait son jeu; avant de se lancer dans le conflit, il voulait affirmer sa position auprès du roi.

Archives Photographiques

Palais du Luxembourg construit pour Marie de Médicis vers 1625.

La journée des Dupes Marie de Médicis est devenue jalouse de l'importance que son ancien protégé a prise; elle n'a plus qu'un but: faire chasser « l'ingrat ». Un matin de novembre 1630, Louis XIII se rend au palais de Luxembourg pour parler à sa mère en privé. Celle-ci l'accueille par un torrent de reproches. Elle le somme de choisir entre « un ministre et sa mère »; elle va jusqu'à dire entre « un valet et sa mère ». Écrasé par la scène, le roi n'ose rien dire. De retour dans sa demeure parisienne, il se jette sur son lit. Quelques heures plus tard, sa décision est prise. Il fait demander à Richelieu de venir le voir, le soir même, dans son pavillon de chasse de Versailles.[7]

Le dénouement est rapide. Louis XIII déclare au cardinal qu'il trouve en lui « un excellent serviteur », qu'il est décidé à le défendre contre tous ses ennemis, enfin, qu'il lui ordonne de garder le gouvernement des affaires. Richelieu se prosterne et, aussitôt, les deux hommes se remettent au travail.

Ainsi s'achève la journée des Dupes.

Le lendemain, le roi retourne à Paris en carrosse: le cardinal est assis à côté de lui. C'est là un honneur insigne. Les courtisans en sont sidérés. Marie de Médicis n'a plus qu'à se retirer. Dépitée, elle quittera la France. Elle ne reverra plus son fils. Elle mènera une vie errante et mourra en Allemagne, presque dans la misère.

Autorité À partir de 1630, l'œuvre de Richelieu et celle du roi forment un tout indissoluble. Comme Louis XIII mourra trois mois après son ministre, il faut renoncer à distinguer les deux éléments de ce couple, unique dans l'histoire. L'un comme l'autre, ils entendent soumettre les dissidences à l'autorité royale. Les protestants sont surveillés. Les nobles sont contraints à rentrer dans l'obéissance. On interdit les duels.[8] Le roi et son ministre veulent mettre un terme à ce gaspillage de vies humaines. Désormais, l'ardeur militaire de la noblesse doit se consacrer au service du roi. Pour braver le cardinal, deux nobles viennent se battre en duel, au milieu de la place Royale, en plein cœur de Paris. Le vainqueur du combat est arrêté et condamné à mort. Ce châtiment exemplaire ne réussira pas à arrêter les duels mais il contribuera à en limiter le nombre.

Le royaume est hérissé de châteaux féodaux qui, au moindre incident, peuvent servir de point d'appui à la noblesse révoltée. Le cardinal ordonne que soient détruites les forteresses de l'intérieur du pays qui, de toute façon, seraient inutiles à la défense des frontières. Plus de 2 000 châteaux sont rasés ou démantelés. Les vieux donjons sont décapités. La noblesse ne pardonnera jamais cette humiliation.

Centralisation monarchique Jusqu'alors, les provinces, notamment celles qui sont éloignées de la capitale, ont joui d'une certaine indépendance dans leur administration intérieure. Dans le Languedoc, par exemple, l'assemblée provinciale conserve le privilège de « consentir », ou de « ne pas consentir », aux impôts demandés par le roi. Or le pouvoir, toujours à court d'argent, est irrité par ce marchandage. De nombreux organismes provinciaux sont remplacés ou surveillés par les agents de la couronne. L'ingérence de l'administration royale dans les affaires locales est jugée tyrannique. Frustrés dans leurs anciennes prérogatives ou lésés dans leurs intérêts, les Français haïssent le cardinal, « l'homme rouge », qu'ils rendent responsable de tous leurs maux.

Gaston d'Orléans, frère cadet de Louis XIII, excite les mécontents. Il est le premier personnage du royaume après le souverain. Fils préféré de Marie de Médicis, favori de la noblesse, l'avenir semble lui appartenir. Le roi, rongé par la tuberculose, peut mourir d'un jour à l'autre.[9] Pendant les premières années de son mariage il n'a pas eu d'enfant.[10] Personne n'ignore que, entre la reine et lui, il y a une incompatibilité d'humeurs, aggravée par de profondes divergences politiques. Anne d'Autriche déteste le cardinal — et réciproquement. Tout semble indiquer que ce ménage désuni n'aura jamais de postérité.

L'échec des cabales

Gaston organise plusieurs cabales qui ont pour but l'assassinat, ou tout au moins, la disgrâce du « tyran ». Ces entreprises ressemblent à des romans d'aventures; aussi n'est-il pas surprenant qu'elles aient servi de thème à des romanciers et à des dramaturges.[11] Les protagonistes sont des nobles, avides de succès amoureux et de gloires militaires. Toute cette génération s'est exaltée à la lecture de l'*Astrée*. On rassemble des partisans, on échange des serments, on charge des cavaliers de porter, à bride abattue, des messages secrets. Pour déjouer les surveillances, on cache son identité sous des travestis. Si on est capturé, on s'échappe de prison à l'aide d'un réseau de complices. Les dames se montrent intrépides; les princes rivalisent de courage. Mais tout ce beau monde sous-estime deux facteurs capitaux: d'une part l'ascendant que Richelieu a pris sur l'esprit du roi et, d'autre part, l'importance du service d'espionnage de la couronne. Comme un chat, le cardinal guette ses proies. Il laisse à l'intrigue le temps de se nouer puis, d'un coup de filet, il fait arrêter les meneurs. En sa qualité de frère du roi et d'héritier présomptif, Gaston d'Orléans est épargné mais ses complices sont châtiés impitoyablement. L'un après l'autre, Chalais, le duc de Montmorency, le marquis de Cinq-Mars, pour ne mentionner que les principaux, sont arrêtés, jugés par des tribunaux d'exception, condamnés à mort et décapités. Ni l'intervention des familles ni la qualité des coupables ne fléchissent le cardinal. Dans son *Testament politique*,[12] celui-ci écrira: « En matière de crime d'État, il faut fermer la porte à la pitié, mépriser les plaintes des personnes intéressées et les discours d'une populace ignorante, qui blâme quelquefois ce qui lui est le plus utile et souvent tout à fait nécessaire.»[13]

Richelieu et la Maison d'Autriche

Absorbé par la lutte contre ses ennemis de l'intérieur, Richelieu n'avance qu'à pas comptés vers la guerre extérieure. Il aimerait maintenir un équilibre européen mais, l'un après l'autre, les princes protestants sont battus. L'empereur d'Allemagne est en train d'imposer son autorité à toute l'Europe centrale; il n'a plus devant lui qu'un seul adversaire redoutable: Gustave-Adolphe, le roi de Suède. Ce dernier est devenu le champion des réformés. Ses ambitions politiques sont considérables. Ce « roi des neiges » rêve de faire de la Baltique un lac suédois puis de pénétrer au cœur du continent. Ardent capitaine, il charge à la tête de ses troupes. En 1632, au moment où il remporte une victoire décisive, il est tué. Aussitôt après, les Suédois commencent à essuyer des revers. La victoire de la Maison d'Autriche paraît imminente.

C'est alors que Richelieu décide d'intervenir. Lui, d'habitude si réservé, adresse au roi une note catégorique: « *Il est certain* que si le parti (protestant) est tout à fait ruiné, l'effort de la Maison d'Autriche tombera sur la France. *Il est certain* que le parti (protestant) ne peut subsister s'il n'est pas soutenu d'un secours présent notable... Il est certain encore que le pire conseil que la France puisse prendre est de se conduire en sorte qu'elle demeure seule à supporter l'effort de l'empereur et de l'Espagne ».[14]

L'Éminence grise du cardinal

Avant de passer aux opérations militaires, Richelieu mène une intense activité diplomatique; il resserre ses alliances avec les Suédois, les princes protestants ainsi qu'avec les princes catholiques hostiles aux Habsbourg. Il s'agit de faire glisser les petits états indécis sous la protection de la France. Ces manœuvres occultes sont conduites par un grand seigneur devenu capucin: le père Joseph. Avec sa robe de moine, ses chapelets, sa douceur persuasive, le père Joseph s'infiltre dans tous les milieux. Celui qui a été surnommé « l'Éminence grise » est l'agent le plus fidèle du cardinal. « Négocier sans cesse, lit-on dans le *Testament politique*, ouvertement ou secrètement, en tous lieux... est chose tout à fait nécessaire pour le bien des états. Les grandes négociations ne doivent pas avoir un seul moment d'intermission. Il faut poursuivre ce qu'on entreprend avec une perpétuelle suite de desseins... »[15]

Simultanément, Richelieu s'efforce de réorganiser l'armée, de lever des troupes et de construire une marine. Les difficultés sont énormes car l'argent manque, les soldats sont habitués à se comporter en brigands et les officiers — tous des gentilshommes — font preuve d'une indépendance hautaine.

La guerre

Enfin, en 1635, la France déclare la guerre à la Maison d'Autriche. Premier choc: les Espagnols envahissent la plaine du nord. En 1636, l'année où Corneille écrit *Le Cid*, Paris craint d'être assiégé. La situation est critique mais, soudain, l'élan national se réaffirme. Les volontaires s'engagent en masse; spontanément, les nobles, les villes et les groupements professionnels fournissent argent, chevaux et soldats. Les Français prennent l'initiative des opérations dans le nord, en Alsace puis dans le Midi. Le cardinal participe en personne à la prise de Perpignan.

Malgré les succès diplomatiques et militaires de la France, la guerre continue; elle ne se terminera que sous le règne de Louis XIV. Richelieu n'aura pas la satisfaction d'en voir la conclusion. En décembre 1642, il succombe, usé par l'effort et la maladie. « Mes ennemis, aurait-il dit en mourant, je n'en ai jamais eu d'autres que ceux de l'État.»

Une intelligence souveraine

Pendant 18 ans, Richelieu s'est maintenu au pouvoir par des prodiges d'énergie et de ruse. Il n'a pas hésité à employer l'espionnage, l'intrigue, la force. Néanmoins, d'une manière générale, ils préférait s'imposer au nom de la raison. « L'autorité contraint à l'obéissance, a-t-il écrit, mais la raison y persuade. Il est bien plus à propos de conduire les hommes par des moyens qui gagnent insensiblement leur volonté que par ceux qui, le plus souvent, ne les font agir qu'autant qu'ils les forcent ».[16] Aussi, pour se justifier et pour diffuser ses principes politiques, faisait-il écrire des pamphlets qui étaient vendus à bon marché dans les rues et les boutiques. Ses adversaires employaient, d'ailleurs, la même méthode. Anonymes ou signées d'un nom fictif, ces feuilles pénétraient tous les milieux. Évidemment, cette presse semi-clandestine manquait de cohésion et de dignité. Voilà pourquoi Richelieu encouragea l'établissement du premier journal digne de ce nom, *la Gazette*. Fondée en 1631 par Théophraste Renaudot, *la Gazette* est devenue un trait d'union entre la cour

Archives Photographiques

Le Cardinal de Richelieu
par Philippe de Champaigne (musée du Louvre).

et les lecteurs. À partir de cette date, le journal, organe d'information mais également moyen de pression psychologique, est créé.

Richelieu encouragea les écrivains, notamment ceux qui travaillaient pour le théâtre. Il fit donner à Corneille une pension prise sur sa cassette personnelle. S'il en avait eu le loisir, il aurait aimé écrire pour la scène. En 1635, il offrit la protection royale à un groupe d'hommes de lettres. À son goût inné pour la vie littéraire s'ajoutait le désir d'instituer une sorte de dirigisme d'état sur l'élite de la nation. La nouvelle société prit le nom d'Académie française. Depuis sa fondation, l'Académie comprend 40 fauteuils destinés aux meilleurs écrivains de langue française. Lorsque, par suite d'un décès, un fauteuil devient vacant, les académiciens choisissent un nouveau membre par cooptation.

Louis XIII resta indifférent aux productions littéraires de ses contemporains qui, pourtant, allaient faire la gloire de son règne. Il ne fut sensible ni aux œuvres philosophiques de Descartes, ni aux tragédies de Corneille,[17] ni aux poésies de Malherbe. Par contre, il prit plaisir à embellir ses demeures. Il fit poursuivre les travaux du Louvre. En matière de peinture, il montra un goût sûr et commanda des toiles à des artistes tels que Poussin, Philippe de Champaigne et Georges La Tour.

Richelieu — Louis XIII

Les relations entre le roi et son ministre ont fait l'objet de nombreuses spéculations. Richelieu était l'aîné de 13 ans. Par son intelligence, par le magnétisme de sa personnalité, il était nettement supérieur au morne Louis XIII. Doit-on en conclure que ce dernier n'ait été qu'un « esclave couronné »? Rien ne serait plus faux. En dépit de sa timidité, Louis était ombrageux et jaloux de son autorité. Plus d'une fois il a songé à se débarrasser d'un ministre que la plupart de ses sujets trouvaient odieux. Il l'a gardé, néanmoins, parce que, en son for intérieur, il se sentait faible. Il savait qu'il était handicapé par une intelligence moyenne, une santé délabrée et une attention vacillante. Il sentait la disproportion entre l'homme médiocre qu'il était et le monarque qu'il aurait voulu être. L'art de Richelieu a consisté à convaincre le roi qu'il était auprès de lui non pas pour usurper le pouvoir, mais pour l'aider à exercer ses fonctions de souverain. Le ministre rassemblait les faits, préparait les dossiers, suggérait les moyens à employer. Le roi examinait ce qui lui était proposé puis il prenait sa décision. En général, mais pas toujours, il y avait identité de vues entre eux. En cas de désaccord, le roi imposait sa volonté. Richelieu sut rester humble et souple. Louis XIII eut le courage de défendre son ministre contre les multiples personnes de son entourage qui complotaient contre lui. Un jour où il eut une décision particulièrement pénible à prendre,[18] il fit cette réflexion qui paraît digne d'un héros de Corneille: « Je ne serais pas roi si j'avais des sentiments particuliers.»

Si Louis XIII était mort le premier, Richelieu aurait dû quitter le pouvoir séance tenante. La couronne serait tombée entre les mains de Gaston d'Orléans, un prince instable et intrigant, et l'œuvre de résurrection nationale se serait effondrée. Conscient du péril, le ministre travailla discrètement à la réconciliation du couple royal. Louis XIII et Anne d'Autriche ne se voyaient qu'aux cérémonies officielles; après 22 ans de mariage, on pouvait supposer qu'ils n'auraient jamais de postérité. Personne n'aurait pu prévoir l'invraisemblable jeu de hasard qui allait bouleverser la fin du règne! Un soir de décembre, le roi voulut se rendre de Versailles à Vincennes. À mi-chemin, il s'arrêta à Paris pour rendre visite à l'une de ses anciennes amies qui venait de prendre le voile au Carmel.[19] Pendant qu'il s'entretenait au parloir avec la religieuse, un violent orage se déchaîna sur la région parisienne si bien que, lorsqu'il voulut repartir, on lui dit que les routes étaient impraticables et qu'on ne pourrait jamais atteindre Vincennes ce soir-là.

— Où voulez-vous que j'aille! s'exclama le roi.

D'un air innocent, un domestique lui répondit:

— Sire, la reine est au Louvre.

Juste neuf mois plus tard, le dimanche 5 septembre 1638, le dauphin naquit au château de Saint-Germain. Ce fut une explosion de joie. Chants, *Te Deum*, processions, concerts de cloches dans toutes les églises, salves de canon, bals publics, feux d'artifice etc.... Chacun pavoisa sa maison. Le vin coulait dans les fontaines. Des allégories promettaient la gloire et la fortune. Déjà, au centre des décors, le nouveau-né figurait sous l'emblème d'un soleil levant.

Ondoyé dès sa naissance, le dauphin ne devait, selon la tradition, être baptisé que plus tard. Au début de l'année 1643, peu après la mort de Richelieu, Louis XIII sentit qu'il ne lui restait pas longtemps à vivre. Il fit son testament puis il donna l'ordre que l'on baptise l'enfant royal. La cérémonie eut lieu au château de Saint-Germain. Affaibli par des crachements de sang, Louis XIII dut garder le lit. Après le baptême, l'enfant, encore vêtu de sa robe de fil d'argent, alla le voir.

— Comment vous appelez-vous à présent, monsieur mon fils? demanda le roi.
— Je m'appelle Louis XIV, mon Papa.
— Pas encore, répondit le malade, mais ce sera bientôt.

En effet, quelques jours plus tard, à l'âge de quatre ans et sept mois, Louis devenait officiellement « roi de France et de Navarre ».

NOTES

1 Léonora Galigaï, sœur de lait de Marie de Médicis.

2 Fille de Philippe III d'Espagne.

3 Ressemblance fortuite car Louis XIII ne connaissait pas la pièce de Shakespeare.

4 Afin de ne pas laisser échapper l'évêché de Luçon qui était destiné à un membre de sa famille. À 22 ans, pour se faire recevoir évêque en dépit de son jeune âge, il présenta au pape un acte de baptême falsifié. Par la suite, il deviendra cardinal grâce à l'entremise de Marie de Médicis.

5 Elle croyait avoir du talent pour la guerre! Elle se fit peindre en costume militaire par Rubens, dans des attitudes aussi flatteuses qu'inexactes. Rubens était l'un des espions au service du roi d'Espagne.

6 Notamment, ils écrasèrent les Tchèques à la bataille de la Montagne Blanche (1620).

7 Attiré dans cette région par la chasse, Louis XIII venait de s'y faire construire une modeste demeure de briques, pierres et ardoises.

8 La « querelle du Cid » fut en partie causée par le fait que Rodrigue, le héros de la pièce, se bat en duel.

9 Louis XIII était atteint de tuberculose intestinale. Par leurs traitements incessants, les médecins aggravèrent son état; en une seule année, il subit 47 saignées, 212 purges (dont 7 d'affilée) et 215 lavements.

10 En tant que fille puis sœur du roi d'Espagne, Anne d'Autriche favorisait clandestinement les intérêts espagnols.

11 Notamment: Alexandre Dumas, *Les Trois Mousquetaires*; Alfred Vigny, *Cinq-Mars*.

12 Traité de philosophie politique du plus haut intérêt. C'était un ouvrage secret destiné uniquement à Louis XIII. En rassemblant ses théories politiques, Richelieu voulait aider le roi à poursuivre son œuvre après sa mort. Le *Testament politique* fut publié pour la première fois à la fin du XVIIe siècle.

13 Richelieu, *Le Testament politique*, ed. Laffont 1944, ch. 5, p. 342.

14 Voir: Pagès, *La Guerre de Trente Ans*, Hachette 1949, ch. 7, p. 181.

15 Richelieu, *op. cit.*, ch. 6, p. 347.

16 Richelieu, *op. cit.*, ch. 2, p. 326.

17 Louis XIII ne se sentait pas à l'aise auprès des écrivains. En réalité, sans le savoir, il avait avec Corneille et Descartes des caractères communs: l'amour de l'ordre et de la mesure, le culte de la volonté et de la raison.

18 Il devait ordonner l'exécution de Cinq-Mars, son ancien favori qui s'était rendu coupable de trahison contre l'État.

19 Mademoiselle de La Fayette. Timide et volontiers misogyne, Louis XIII n'eut que des liaisons platoniques.

LA FORMATION DES JEUNES AU DÉBUT DU XVIIe SIÈCLE

Le premier âge

La natalité est forte dans toutes les classes de la société; il nait, en moyenne, deux enfants tous les cinq ans dans la plupart des foyers. Sur cent enfants, 25 meurent dès leur naissance, 25 autres ne dépasseront pas la première enfance. Seuls les plus robustes survivent. La durée moyenne de l'existence est d'environ 30 ans, soit moins de la moitié de celle de l'homme du xxe siècle.

Comme on commence à éprouver un certain besoin de précision, beaucoup de naissances sont enregistrées sur des registres paroissiaux, sur des objets familiers ou sur des tableaux qui groupent tous les membres d'une famille. Pourtant il n'est pas rare, même à la fin du xviie siècle, de rencontrer des individus qui n'ont qu'une idée approximative de leur date de naissance.

Tant d'enfants naissent — et disparaissent — qu'on ne s'attendrit guère sur eux. Une femme de qualité allaite rarement son bébé. Aussitôt né, l'enfant est confié à une nourrice. Si possible, celle-ci doit avoir entre 25 et 35 ans, être brune, saine, de bonne réputation et mère de plusieurs enfants. Il arrive que la nourrice occupe une place importante et lucrative et même qu'elle s'incorpore à la famille en tant que gouvernante ou femme de confiance.

À la campagne ou chez les bourgeois, on baptise les enfants peu après leur naissance. À cette occasion, on sonne les cloches de l'église sinon on aurait peur que l'enfant devienne sourd ou muet! Les enfants illégitimes n'ont pas droit aux cloches! Après le repas de baptême, on fait quelques pas de danse autour du berceau afin de conjurer les maladies des yeux. D'une façon générale, les enfants de la noblesse sont ondoyés à leur naissance puis baptisés solennellement vers l'âge de cinq ou six ans.

Les superstitions sont tenaces. Pour protéger l'enfant contre les mauvais génies, on attache sur lui des pierres précieuses ou, à défaut, quelque talisman moins coûteux. Les dents de loup, les dents de vipère, les rondelles faites avec des cornes de cerf jouissent d'une haute estime...

Pendant que le bébé tète encore, on commence à lui donner de la bouillie, des friandises ou même quelques cuillerées de vin. À quinze mois, le petit Louis XIII mange sa première viande. Le docteur a noté dans son *Journal:* « mange et avale du canard ».[1]

L'enfant dans le monde des adultes

Jusqu'au XVIII⁰ siècle, on ne s'intéressera guère à l'enfant en tant que tel. On voit en lui l'avenir de la famille et de la race, mais on est peu sensible aux caractères propres au jeune âge. On n'éprouve donc pas le besoin d'envelopper les petits dans une atmosphère de candeur et de tendresse. Entre le monde de l'enfance et celui des adultes, il n'existe pas de distinction précise. Même dans les familles qui disposent d'un grand nombre de domestiques, le petit est rapidement mêlé à la vie des grandes personnes et sa présence ne change en rien le train de vie. Quand on lui en donne l'ordre, il s'assied au bout de la table et mange en silence. En général, il se lève avant les derniers plats, salue bien bas ses parents, prend son assiette et se retire.

Le costume des enfants est peu particularisé. Quand ils sortent du maillot, garçons et filles portent un jupon et une robe descendant jusqu'aux pieds. Pour leur apprendre à marcher, on les tient par des bretelles cousues aux épaules de leur robe; c'est là le seul signe distinctif du vêtement du jeune enfant. Vers six ou sept ans, le garçon commence à porter un pourpoint et des chausses et, dès lors, il sera habillé comme un petit homme. À partir de sept ans, Louis XIII portera l'épée régulièrement.

L'enfant suit les adultes dans presque tous leurs domaines. À deux ans, Louis XIII assiste à la messe avec son père. À trois ans, on lui apprend à lire dans la Bible et on lui enseigne les règles de la civilité. À partir de quatre ans, il commence à écrire et à répéter quelques mots de latin. Les jeux des jeunes sont les mêmes que ceux de leurs aînés. Pour son premier anniversaire, Louis XIII reçoit un tambour et deux bâtons. Les tout jeunes, garçons et filles, ont des poupées et des objets miniatures: petits moulins à vent, oiseau tournant au bout d'un bâton et chevaux de bois. Dès qu'ils en ont la force, les petits dansent, tirent de l'arc, jouent à cache-cache et montent à cheval. Tout comme leurs parents, ils prennent plaisir à écouter des contes de fée. Ils jouent aux dames et aux échecs; ils participent également à des loteries et autres jeux de hasard. Ils assistent aux fêtes traditionnelles: ballets, farces, jeux de paume, batailles d'ours, combats de taureaux, fêtes du mois de mai etc.... À cette époque encore très rustre, il ne vient à l'esprit de personne de vouloir protéger la sensibilité des jeunes en ne les initiant que progressivement à certains aspects de l'existence.

Vers l'âge de sept ou huit ans, l'éducation strictement familiale est terminée. Les enfants du peuple sont mis en apprentissage; ceux de la noblesse et de la bourgeoisie quittent la maison pour compléter leur éducation et les fils des princes sont confiés à des précepteurs.

L'éducation des filles

Les filles partent au couvent. Au cours du xviie siècle, le nombre des congrégations enseignantes ira en augmentant. Le mélange des sexes dans une même école est interdit, sous peine d'excommunication. On enseigne aux jeunes filles l'écriture, la lecture, les travaux d'aiguille, parfois un peu de latin ou d'italien. Il est essentiel qu'une jeune personne ait de bonnes manières, qu'elle garde les yeux baissés en marchant dans la rue, qu'elle soit pieuse et obéissante. Quand elle atteint l'âge de 12 ans, on considère qu'elle en sait assez. Alors, on lui annonce qu'on va la marier, ou bien qu'elle doit prendre le voile. Beaucoup de jeunes filles se trouvent mariées entre 13 et 15 ans. La famille a choisi le conjoint en fonction de son rang et de sa fortune. Personne ne songerait à demander l'avis de la fiancée.

Le collège à travers les âges

Le collège reçoit les garçons à partir de 7 ou 8 ans. Cette institution est relativement récente. Vers le xiie siècle, à leur origine, les collèges étaient des maisons d'accueil pour les étudiants venus de province ou de l'étranger. Pendant la journée, les étudiants quittaient le collège pour aller assister aux cours donnés par les professeurs de l'Université. À cette époque, les maîtres enseignaient plus ou moins à leur guise et les élèves jouissaient d'une très grande liberté. Dès le xiiie siècle, pour des raisons d'ordre moral et d'ordre pratique, le caractère communautaire de la vie dans les collèges s'accentua. Une bibliothèque a été organisée; les pensionnaires ont été obligés de prendre leurs repas ensemble et de participer aux exercices de piété. Au début du xive siècle, les premiers cours furent introduits et, peu à peu, les collèges absorbèrent l'enseignement de la grammaire puis des autres arts libéraux, philosophie comprise. Tombées en décadence, les universités ne conservèrent que le monopole des études supérieures; jusqu'à la fin du xviiie siècle, elles n'auront que trois branches à offrir: théologie, droit et médecine.

Parallèlement, entre le xive et le xve siècle, un autre mouvement s'est dessiné à l'intérieur des collèges. Le Moyen Âge avait ignoré la notion d'âge scolaire. Dans les universités médiévales, des enfants de 10 ans côtoyaient des hommes de 20 ou 30 ans. Dans le choix des cours, chacun suivait ses inclinations personnelles car l'idée d'une gradation des études était à peu près inexistante. Or, vers le xive siècle, on commença à éprouver le besoin de mettre un peu d'ordre dans ce méli-mélo. On sentit qu'il était préférable de commencer par la grammaire avant d'accéder à la dialectique et à la philosophie. Peu à peu, on essaya de répartir les élèves selon leur niveau: les « grammairiens » étant les commençants et les « philosophes » étant les plus avancés. Pendant longtemps, les élèves restèrent dans une seule salle de classe à l'intérieur de laquelle, tant bien que mal, on organisait des groupes.

Le collège au XVIIe siècle

Enfin, au début du XVIIe siècle, l'accroissement de la population scolaire, le désir de procéder selon un ordre rationnel, amène la répartition des élèves par classes.[2] À chaque âge correspond une classe précise. Chaque unité a son maître, sa salle de classe, son programme scolaire. La structure générale de l'enseignement secondaire est déjà établie.

L'usage du français est strictement interdit; jusqu'au XVIIIe siècle, le latin sera la seule langue employée officiellement dans les collèges. La discipline est rigoureuse.[3] L'autorité du maître est absolue. En dépit des théories lancées par Rabelais et Montaigne, la sévérité s'est encore accrue vers la fin du XVIe siècle. Quel que soit leur âge et leur rang social, les élèves subissent des châtiments corporels et, parfois même, ils sont mis au cachot. Des jeunes gens de 16 à 20 ans reçoivent encore le fouet. Très souvent, les punitions sont administrées en public. Pour renforcer leurs moyens de surveillance, les maîtres font épier les élèves les uns par les autres; la délation ne choque personne.

Les fils de prince qui sont éduqués par des précepteurs, subissent des traitements presque aussi rigoureux. Louis XIII et Louis XIV sont battus ... avec libéralité! On estime que, avant de faire leur entrée dans le monde, les jeunes gens doivent être humiliés. La rigueur disciplinaire ne commencera à s'assouplir qu'au cours du XVIIIe siècle.

Pour finir, voici l'emploi du temps typique d'un collégien, bourgeois ou gentilhomme, pendant le règne de Louis XV.[4]

5 h 30	Lever
6 h	Prière
6 h 15	Étude de l'Écriture sainte
7 h 45	Déjeuner et récréation
8 h 15	Étude et classes
10 h 30	Messe
11 h	Étude
12 h	Dîner et récréation
1 h 15	Étude et classes
4 h 30	Goûter et récréation
5 h	Étude et classes
7 h 15	Souper et récréation
8 h 45	Prière
9 h	Coucher

NOTES

1 Héroard, *Journal sur l'enfance et la jeunesse de Louis XIII*, éd. Diolat 1868, 30 février 1603. Ce journal permet de suivre, jour par jour, l'enfance du futur Louis XIII.

2 Au XVIIe siècle, il existait une quarantaine de collèges à Paris.

3 Les jésuites étaient particulièrement fiers de la bonne discipline qui régnait dans leurs établissements.

4 Emploi du temps du Collège Louis-le-Grand au XVIIIe siècle. Les écoliers étaient déjà mieux traités qu'un siècle plus tôt. Les générations précédentes s'étaient levées entre 4 heures et 5 heures du matin. L'emploi du temps du dimanche était analogue à celui des jours de semaine. Les jours de fête, les élèves étaient conduits en promenade entre 3 heures et six heures de l'après-midi.

L'AURORE
DU ROI-SOLEIL

*Louis XIV enfant
(peintre anonyme).*
Archives Photographiques

Un demi-dieu Louis XIV s'est tellement identifié à la fonction royale qu'il est devenu le symbole de la monarchie. Pourtant, avant de régner à Versailles, au centre de la cour la plus grandiose qui ait jamais existé, Louis a dû grandir, subir des épreuves humiliantes et s'initier à ce qu'il appellera son « métier de roi ».

C'est à peine s'il a connu son père, déjà gravement malade au moment de sa naissance. Avant son cinquième anniversaire, il avait conscience d'être *le roi*. Lorsqu'il paraissait, les courtisans se prosternaient devant lui et la foule, en extase, l'acclamait. Riches ou pauvres, ses sujets le chérissaient comme un demi-dieu. Il répondait d'ailleurs aux vœux des plus exigeants. C'était un bel enfant au visage grave, encadré de boucles blondes. Les témoignages sont unanimes: en public, il se comportait avec une grâce sérieuse, « peu commune aux enfants de son âge ». Déjà très réfléchi, il parlait peu. Très tôt, il cessera de prononcer ces mots innocents qui charment par leur naïveté. À l'âge de six ans, voici comment il apparaissait à un ambassadeur étranger: « L'esprit de Sa Majesté est vif... Le corps est robuste, l'œil animé et plutôt sévère, mais d'une sévérité pleine de charme. Il rit rarement, même dans ses jeux d'enfants. Dans ses rapports avec son frère, âgé de trois ans, il veut être respecté et obéi. Il sait et il connaît qu'il est le roi et il veut être tenu pour tel. Si parfois la reine sa mère le reprend, il répond qu'un jour viendra où il sera le maître. Quand les ambassadeurs parlent à sa mère, il n'écoute pas mais quand ils s'adressent à lui, il reste très attentif et veut ensuite que toutes leurs paroles lui soient répétées. En somme, si la vie et l'éducation ne lui font pas défaut, il promet d'être un grand roi. »[1]

Une éducation médiocre Malheureusement, sa formation scolaire fut médiocre. La plupart du temps, il se trouvait avec des subalternes assez peu brillants. On lui apprit un peu d'espagnol et d'italien. Il étudia des rudiments de latin car cette langue présentait encore un intérêt diplomatique. Il traduisit plusieurs chapitres des *Commentaires* de Jules César. Il apprit la calligraphie, un peu d'histoire et d'arithmétique mais, somme toute, sa culture générale fut peu poussée. Par contre, on fit de lui un excellent cavalier et un bon danseur. Grâce à cet entraînement, il se sentira toujours à l'aise en public. Enfin, on lui donna des habitudes de piété sans, toutefois, l'initier aux problèmes théologiques considérés comme le domaine exclusif des ecclésiastiques. Il ne lira jamais la Bible; il ne connaîtra ni la doctrine protestante ni la position janséniste. Devenu adulte, il ne cherchera jamais à comprendre ces questions. À ses yeux, les Français devront être catholiques parce que le catholicisme est la religion du roi.

Heureusement, Louis était observateur. Tout ce qui touchait au gouvernement de l'état l'intéressait. Anne d'Autriche, la régente, fut une mère compréhensive et presque tendre — ce qui était rarissime à l'époque. Devenu majeur, son fils lui témoignera toujours une grande déférence. À côté de sa mère, il trouva un serviteur cynique, intrigant mais passionnément dévoué à la couronne: le cardinal Mazarin.

Mazarin

Italien d'origine et de petite naissance, Mazarin s'était initié à la diplomatie en servant le pape. Il portait le costume ecclésiastique — il a même reçu le titre de cardinal — tout en n'ayant jamais été ordonné prêtre. Envoyé à Paris comme nonce, il s'attacha à la cour de France. Richelieu le fascinait. Il accomplit pour lui plusieurs missions occultes. À la mort du père Joseph, il devint l'homme des négociations secrètes. Flatté dans ses ambitions, Mazarin resta au service de son pays d'adoption.

Sur son lit de mort, Louis XIII avait placé Mazarin dans le Conseil de régence; distinction encore plus extraordinaire, il l'avait choisi pour être le parrain du dauphin. Devenue veuve, Anne d'Autriche avait sanctionné et même renforcé le choix que Richelieu et Louis XIII avaient fait avant elle. Elle confia à Mazarin la défense des intérêts du petit roi. Entre elle et son premier ministre régna une confiance réciproque et une profonde sympathie d'homme à femme.[2] Bien des bruits ont circulé à leur sujet! Il est possible qu'ils aient contracté un mariage secret bien qu'on n'en ait aucune preuve formelle. C'est donc un étrange trio qui pendant dix-huit ans a présidé aux destins de la France: une reine espagnole, un ministre italien et un enfant vénéré comme un demi-dieu.

La guerre contre les Habsbourg

Or la France était en guerre contre les Habsbourg d'Espagne et les Habsbourg d'Allemagne. Anne d'Autriche avait hérité de cette guerre que Louis XIII avait déclarée sans la consulter d'aucune façon. Elle s'est donc trouvée contrainte à lutter contre son pays d'origine. Philippe IV, le roi d'Espagne, était son propre frère; l'empereur d'Allemagne était son cousin. Mais, une fois devenue reine-régente, Anne a tourné le dos à ses attaches antérieures. Elle n'a plus songé qu'à défendre le royaume de son fils. Elle en eut d'autant plus de mérite que la plupart des Français ne comprenaient pas l'importance de la partie qui se jouait.

La guerre coûtait cher. Le trésor était épuisé. Mal payées, les troupes risquaient de se débander. De toute urgence, il fallait de l'argent. La régente eut recours aux expédients habituels: vente d'offices, emprunts forcés, création de nouveaux impôts. C'est alors qu'elle se heurta à l'hostilité du Parlement de Paris.

Parlements

Les Parlements étaient des cours de justice. Leurs fonctions étaient d'ordre judiciaire et non, comme en Angleterre, d'ordre politique. Les membres des Parlements n'étaient pas élus; au contraire, ils achetaient leur charge et faisaient payer leurs services. Pourtant, ils aspiraient à donner leur avis et à réformer l'État. Ils espéraient que la minorité du roi allait leur en donner l'occasion.

Les rapports entre le souverain et les Parlements devenaient particulièrement délicats à l'occasion d'un « enregistrement ». Lorsque le roi faisait un nouvel édit, pour que cet édit ait force de loi, il fallait qu'il soit « enregistré ». À ce moment-là, les membres des Parlements devaient s'assurer qu'il n'y ait pas de contradiction entre le nouvel édit et les lois déjà en vigueur. En principe, l'« enregistrement » était une opération d'ordre administratif mais, lorsque les Parlements souhaitaient entraver l'autorité royale, ils prenaient plaisir à susciter des difficultés. Parfois, ils refusaient d'enregistrer les édits financiers qui auraient entraîné des charges fiscales. Cette prise de position permettait aux magistrats de s'ériger en protecteurs du peuple, de devenir les héros des classes laborieuses. En réalité, cette attitude pseudo-démocratique n'était qu'hypocrisie car les membres des Parlements échappaient à la plupart des impôts et, de ce fait, ils contribuaient à faire retomber les charges fiscales sur le peuple. Or la noblesse de robe n'avait nullement l'intention de renoncer à ses privilèges, bien au contraire.

Lit de justice

Pour contraindre les magistrats à enregistrer un édit, le roi disposait d'un ultime recours: il pouvait tenir un « lit de justice ». Ce jour-là, il se rendait en grande pompe au Parlement de Paris. Une fois installé sur un grand lit de parade,[3] il faisait inscrire l'édit en sa présence. À cinq ans, Louis XIV tint son premier lit de justice, juché sur une pyramide de coussins à fleurs de lys. L'édit se trouva enregistré mais, au nom du Parlement de Paris, l'avocat général[4] fit entendre des paroles singulièrement audacieuses. À propos de la guerre, il rappela qu'« on ne nourrit pas les peuples avec des palmes et des lauriers. » Il alla jusqu'à dire que l'autorité royale et la raison sont deux choses radicalement différentes...

La paix avec l'Empire

Entretemps, à force de combinaisons, Mazarin préparait le traité qui allait mettre fin à la guerre de Trente Ans. La lutte entreprise par Louis XIII et Richelieu portait ses fruits. Par les traités de Westphalie (1648), signés avec l'empereur d'Allemagne, la France recevait l'Alsace (moins Strasbourg). Autre avantage non moins important: les princes et les états allemands recouvraient une indépendance politique et religieuse presque absolue. Morcelé en plus de 350 états, l'Empire était, pour longtemps, incapable de nuire. Malgré les avantages qu'il apportait, ce traité ne fut guère remarqué. La plupart des Français restèrent absorbés, les uns par leurs besognes quotidiennes, les autres par les intrigues politiques.

La guerre avec l'Espagne allait se prolonger pendant 11 ans encore. Les deux belligérants auraient eu grand besoin de la paix, mais ni l'un ni l'autre ne voulait avoir l'air de la solliciter. De nouveau, les hostilités engendrèrent le cycle fatidique: dépenses, expédients, augmentations d'impôts, mécontentement général et remontrances des Parlements. Cette fois, l'opposition provoqua une succession d'émeutes connues sous le nom de « Fronde ».

La Fronde Une fronde était une sorte de lance-pierres avec lequel les vauriens assommaient leurs victimes pour pouvoir les voler. À l'origine, « un frondeur » désignait un jeune délinquant, jusqu'à ce que le mot se charge d'une signification politique.

Les magistrats du Parlement de Paris furent les premiers Frondeurs. Rapidement, ils entraînèrent dans la rebellion le petit peuple et les grands seigneurs, toujours prêts à protester contre l'autorité royale. De 1648 à 1652, Paris fut en état d'insurrection quasi permanente. La situation était d'autant plus alarmante qu'un souffle révolutionnaire agitait l'Europe. En Angleterre, la monarchie était bafouée. En février 1649, la cour de France apprit la condamnation et l'exécution de Charles Ier d'Angleterre. Le jeune Louis XIV entendit sa mère s'écrier:

« C'est un coup à faire trembler les rois! »

Mazarin était la bête noire des Frondeurs. On mit sa tête à prix; on le brûla en effigie. On déchaîna contre lui un ouragan de libelles, pamphlets et chansons connus sous le nom de « mazarinades ».

> Un vent de Fronde
> S'est levé ce matin,
> Je crois qu'il gronde
> Contre Mazarin...

Mazarin et la régente s'efforcèrent d'apaiser les magistrats car, plus que jamais, l'ordre intérieur était nécessaire. Les armées françaises remportaient des succès décisifs qui permettaient d'espérer une paix avantageuse. Deux grands capitaines se couvraient de gloire: Turenne et Condé. Celui-ci était le héros du jour.

Le Grand Condé À 22 ans, Condé[5] avait remporté sur les Espagnols la victoire de Rocroi (1643) puis celle de Lens. « Ce jeune prince qui portait la victoire dans ses yeux »[6] comme le dira Bossuet, incarnait l'idéal de toute une génération. Brave, passionné, triomphant... À peine travesti, il est le personnage principal du « best-seller » du temps: *Le Grand Cyrus*[7] de Mademoiselle de Scudéry. Cyrus, c'est Condé dans un décor pseudo-antique. À travers les 13 000 pages du livre, il remporte, pour l'amour de sa belle, victoire sur victoire. *Le Grand Cyrus* eut un succès sans précédent. De nombreuses éditions (et imitations) parurent coup sur coup. Les lecteurs d'alors se grisaient de romanesque épique et les habitués des salons mondains se délectaient à retrouver leur portrait parmi les innombrables comparses qui gravitent autour du héros.

À plusieurs reprises, la résidence royale fut assiégée par les Parisiens. Au milieu de l'anarchie, seul le petit roi inspirait l'attendrissement et le respect. Un soir, des émeutiers pénétrèrent jusque dans les appartements royaux. Calmement, la régente souleva les rideaux du lit et leur montra l'enfant qui dormait... Les intrus se retirèrent, sur la pointe des pieds. En réalité, ce soir-là, Louis faisait semblant de dormir. Il était encore trop jeune pour agir, mais il savait déjà dissimuler le fond de sa pensée. Sans en avoir l'air, il comprenait jusqu'où pouvait aller l'orgueil des grands et la frénésie du peuple.

Pour éviter que son fils ne devienne l'otage des factieux, Anne d'Autriche quitta Paris clandestinement avec lui. En pleine nuit, Louis fut amené au château de Saint-Germain. De crainte d'éveiller des soupçons, on n'avait rien préparé pour l'accueillir. Encore une humiliation qu'il n'oubliera jamais!

Paris ouvrit ses portes aux rebelles. Pratiquement banni de sa capitale, le jeune roi fut promené de ville en ville afin que sa présence ramène les provinces à l'obéissance. Il assista aux combats que les troupes royales livrèrent contre les Frondeurs. Il vit, dressés contre lui, le petit peuple des rues, les magistrats, mais également la haute noblesse. Les insurgés avaient acquis un chef prestigieux: le prince de Condé. Celui-ci s'était rallié à la Fronde car il estimait que le roi ne l'avait pas suffisamment récompensé pour les victoires qu'il avait remportées sur les ennemis. Condé était secondé par une cohorte de mécontents: la duchesse de Longueville,[8] le duc de La Rochefoucauld,[9] le cardinal de Retz,[10] le duc d'Orléans[11] et sa fille la Grande Mademoiselle.

Des femmes de sa génération, la Grande Mademoiselle fut la plus encombrante de toutes! Cette fougueuse amazone nouait des intrigues et dirigeait des expéditions militaires comme autant de péripéties romanesques. Elle combattait, l'épée à la main. Un jour, du haut des tours de la Bastille, elle tira le canon sur les troupes royales. Son cousin Louis XIV, qui suivait les opérations, vit les boulets tomber à quelques pas de lui. Encore une humiliation! Jusqu'à sa mort, le roi gardera à l'égard de la haute noblesse et des membres de sa famille, une méfiance insurmontable.

Divisés par des intérêts contradictoires, les Frondeurs n'avaient heureusement pas de programme cohérent. D'ailleurs, ils avaient lassé par leurs excès. Pendant quatre ans, les paysans de la région parisienne avaient été incapables de faire la moisson. La majorité des gens regrettaient la stabilité de l'administration royale. Déçus, aigris, inquiets par ce qui se passait en Angleterre, beaucoup de nobles se retirèrent dans leurs terres; d'autres firent humblement leur soumission. Trop fier pour s'incliner, Condé passa au service du roi d'Espagne. À cette époque, où seul comptait le point d'honneur personnel, un tel comportement ne choquait pas la morale.

En 1652, Louis XIV rentra dans sa capitale pour de bon, acclamé et fêté par les Parisiens. Une amnistie générale fut accordée. Le calme revint, cette fois, pour longtemps. Les Parlements furent réduits à leurs fonctions judiciaires. La noblesse avait perdu son élan. Le peuple éprouvait le besoin de se remettre au travail. Mais le roi qui allait bientôt régner par lui-même, ne devait jamais oublier les souvenirs de la Fronde. Les excès qui avaient été commis au nom d'une pseudo-démocratie, allaient engendrer la monarchie absolue.

Les « honnêtes gens » La France du milieu du XVIIᵉ siècle comprenait une masse paysanne (plus de trois quarts de la population), quelques milliers d'ouvriers, artisans et commerçants, quelques gentilshommes campagnards assez peu influents tant qu'ils restaient dans leurs terres et, enfin, une élite citadine. Ces « honnêtes gens,» comme on les appelait à l'époque, étaient d'origines sociales diverses: nobles, officiers, magistrats plus ou moins anoblis, bourgeois enrichis, écrivains et beaux esprits à qui l'intelligence donnait droit de cité. Les salons parisiens étaient les lieux de réunion les plus recherchés. L'art de la maîtresse de maison consistait à grouper des personnes raffinées et des hommes d'esprit. Madame de Rambouillet puis Mademoiselle de Scudéry y excellèrent. La licence et la grossièreté n'étaient plus de bon ton. L'amour s'était éthéré. Les messieurs devaient se montrer soumis et courtois à l'égard des dames. Il fallait s'exprimer avec distinction, faire preuve de goût, avoir de l'esprit, être au courant de tout mais ne jamais tomber dans la pédanterie. La conversation est devenue un art. Selon Gombauld,[12] l' «honnête homme » est celui qui excelle « en tout ce qui regarde les agréments et les bienséances de la vie.»

Jansénistes Si l'on n'envisage que la littérature dite « classique » qui a rendu cette époque si célèbre, on risque de ne pas apprécier la diversité des courants qui existaient alors. Le jansénisme était en plein essor. Les disciples de l'évêque Jansénius (Jansen, de son vrai nom)[13] étaient des catholiques austères. Les événements de la Fronde semblaient apporter une justification à leur philosophie pessimiste. Selon eux, l'homme ne peut tendre vers le bien que si Dieu, par la grâce, vient l'aider à chaque pas. Or la grâce, Dieu ne la réserve qu'à quelques prédestinés. Cette doctrine sévère ne pouvait convenir qu'à des âmes d'élite. Pour vivre conformément à leurs principes, des religieux et des laïques se retirèrent dans un vallon sauvage, non loin de l'abbaye de Port-Royal-des-Champs.[14] Ces « solitaires » ou ces « messieurs de Port-Royal », comme on les appelait, ouvrirent de Petites Écoles[15] où ils donnèrent à une cinquantaine d'enfants un enseignement classique rénové.

À plusieurs reprises, des controverses fiéleuses s'élevèrent à propos de l'*Augustinus*, l'ouvrage principal de Jansénius. Au dire des jésuites et des professeurs de la Sorbonne, le livre contenait cinq propositions hérétiques sur la grâce. Le pape condamna les propositions. Au nom des jansénistes, Arnauld[16] riposta que les cinq propositions étaient hérétiques mais que, en fait, elles n'étaient pas exprimées dans l'*Augustinus*. Pour se défendre, les jansénistes firent intervenir Blaise Pascal qui, entre 1656 et 1657, composa une contre-attaque cinglante *Les Provinciales*. Le livre fut condamné puis brûlé par le bourreau. Les Petites Écoles furent fermées. Les « solitaires » se dispersèrent et les religieuses de Port-Royal donnèrent l'impression qu'elles se soumettaient. Mais la querelle n'était pas éteinte. À la fin du XVIIe siècle, le débat théologique allait prendre un caractère essentiellement politique.

Libertins

Diamétralement opposés aux jansénistes, les libertins se faisaient remarquer par leur inconduite. Les uns étaient de simples débauchés: ivrognes ou mauvais garçons, ils narguaient l'autorité par leurs chansons à boire et leurs blasphèmes. D'autres étaient des érudits nourris des doctrines de Sénèque ou d'Épicure; ils se plaçaient au-dessus de toutes les croyances et cultivaient une philosophie déiste. Le centre de ce libertinage érudit était le salon de Ninon de Lenclos, femme réputée à la fois pour ses mœurs légères, son intelligence et sa distinction.[17]

Sans aller jusqu'aux excès du jansénisme ou du libertinage, les hommes du milieu du XVIIe siècle avaient des allures plus libres que n'auront leurs enfants. En glorifiant le héros, le théâtre de Corneille et le roman précieux avaient exalté l'individualisme. C'est à cette France, à peine sortie de l'anarchie politique, encore toute éprise de grandeur farouche, que Louis XIV ne va pas tarder à imposer son autorité.

La paix avec l'Espagne

La signature, en 1659, du traité des Pyrénées avec l'Espagne, fut le dernier grand événement de la minorité. Pendant trois mois, les négociations se déroulèrent dans une petite île située entre la France et l'Espagne.[18] Mazarin mit en œuvre sa diplomatie la plus machiavélique. L'Espagne dut céder à la France le Roussillon, au sud, et l'Artois, au nord. Du fait que la frontière était repoussée plus loin, Paris se trouva mieux protégé contre les risques d'une agression éventuelle. D'ailleurs, l'Espagne, à demi ruinée, n'aurait plus la force de déclencher une nouvelle invasion. Enfin, la paix allait être scellée par le mariage de l'infante Marie-Thérèse, fille aînée du roi d'Espagne, avec Louis XIV. Le contrat des futurs époux fut débattu en même temps que le traité.

Le cœur et la raison d'état

Ce mariage était nécessaire à l'État. Il fut la cause du seul chagrin d'amour que Louis éprouvera jamais. Le jeune roi dut renoncer à la brune Marie Mancini, nièce de Mazarin.[19] Il y eut des larmes, des lettres éperdues. Au moment des derniers adieux, Louis s'appuya sur la portière du carrosse qui allait emmener Marie.

— Ah! Sire, dit celle-ci, vous êtes roi, vous pleurez et je pars.[20]

La paix de l'Europe dépendait de cette tragi-comédie!

Refoulant sa douleur, Louis gagna, à petites étapes, la frontière espagnole. Les deux cours se réunirent dans un somptueux palais de planches que, pour la circonstance, on avait édifié au milieu de l'île des Faisans. Anne d'Autriche revit son frère, Philippe IV d'Espagne, après 45 ans de séparation. L'entrevue fut plutôt pénible. La lecture du contrat de mariage dura plus d'une heure. L'infante Marie-Thérèse renonçait — pour elle et pour ses descendants — à tout droit sur la couronne d'Espagne moyennant le versement d'une dot de 500 000 écus d'or. C'était là une somme fabuleuse que le trésor espagnol ne payera jamais, pas même partiellement. Moins d'un demi-siècle plus tard, ce « moyennant » allait bouleverser l'Europe.

Mais, au moment du mariage, chacun fêtait l'union familiale et la fin du conflit. Pendant que les négociateurs finissaient leurs discussions, un beau jeune homme se glissa furtivement. Il portait habit de satin, talons rouges et ample perruque. Jetant un coup d'œil entre les épaules, il aperçut, pour la première fois, la petite infante blonde qu'on lui destinait. Quelques jours plus tard, le mariage religieux était célébré, du côté français de la frontière, dans l'église de Saint-Jean-de-Luz. Après quoi, les deux cours se séparèrent et Louis XIV regagna sa capitale avec son épouse et la paix.

On s'attendait alors à ce que le jeune souverain se dégage de la tutelle de Mazarin. Or, il n'en fut rien. Le ministre resta tout-puissant. Déjà certaines personnes en avaient conclu que Louis était influençable et frivole, qu'il ne s'intéresserait jamais aux affaires du royaume. Et, soudain, il frappa son « coup de maître ».

Coup d'État royal   Le 9 mars 1661, Mazarin meurt.

Le 10 mars, à sept heures du matin, Louis convoque ses ministres et secrétaires d'État et leur parle en ces termes:

> « Messieurs ... je vous ai fait assembler pour vous dire que, jusqu'à présent, j'ai bien voulu laisser gouverner mes affaires par feu M. le cardinal; il est temps que je les gouverne moi-même. Vous m'aiderez de vos conseils quand je vous les demanderai... La face du monde change; j'aurai d'autres principes dans le gouvernement de mon État, dans la régie de mes finances et dans les négociations au-dehors que n'avait feu M. le cardinal. Vous savez mes volontés; c'est à vous, maintenant, messieurs, à les exécuter. »[21]

Il n'en dit pas plus. Les ministres s'inclinent, persuadés que cette ardeur au travail ne durera guère. Un seul, Nicolas Fouquet, le surintendant des Finances, continue à agir à sa guise.

Fouquet

Fouquet se croit invulnérable. Sa fortune est immense. Il dispose d'une vaste clientèle d'amis et d'obligés. Ses domaines s'étendent dans toutes les provinces françaises. Il est vice-roi des possessions françaises d'Amérique. Il est à la tête de la flotte royale. Ajoutons que, homme de goût, il patronne les génies qui vont faire la gloire du Grand Siècle. Parmi ses protégés, on trouve des écrivains tels que Molière, La Fontaine, Corneille, Scarron, le musicien Lully, le jardinier Le Nôtre, le peintre Le Brun, l'architecte Mansart, le cuisinier Vatel. Pour amadouer le jeune souverain, Fouquet décide de lui offrir, dans son château de Vaux, une fête sans pareille.

C'est une féerie: jardins, fontaines de marbre, eaux jaillissantes, concerts, poésie... La comédie de Molière,[22] le ballet sur la musique de Lulli, le feu d'artifice sont autant de chefs-d'œuvres. Cent vingt tables sont couvertes de mets succulents. On emploie 500 douzaines d'assiettes d'argent massif... Sur les plafonds et les boiseries, le roi voit l'emblème de son hôte: un petit écureuil grimpant à une branche accompagné de la devise « *Quo non ascendam?* » (jusqu'où ne monterai-je pas?).

Louis dissimule son indignation. Fouquet conserve ses fonctions mais, brusquement, trois semaines plus tard, il est arrêté sur l'ordre du roi. Il est traduit devant un tribunal d'exception; tous les juges ont été choisis parmi ses ennemis personnels. L'enquête montre que l'accusé s'est scandaleusement enrichi aux dépens de l'État. Le roi ne lui pardonne pas ses « voleries », mais il lui pardonne encore moins son orgueilleuse ambition politique. Fouquet est condamné à la détention à perpétuité. Jusqu'à sa mort, il restera enfermé dans une forteresse des Alpes.

Dictature de droit divin

On commence à prendre au sérieux ce monarque de 23 ans. Désormais, il n'y aura plus de surintendant des Finances, plus de premier ministre, « rien n'étant si indigne que de voir d'un côté toute la fonction, et de l'autre le seul titre de roi.»[23] Les grandes affaires de l'État vont se traiter au Conseil d'en haut (ou Conseil d'État). Seuls les hommes qui en font partie portent le titre de ministre. En 1662, leur nombre est réduit à trois: Le Tellier, Lionne et Colbert. Par la suite, ils ne seront jamais plus de cinq à la fois. Les princes, prélats et membres de la famille royale ne

Château de Vaux, construit en deux ans par le surintendant des Finances, Fouquet. Œuvre des architectes Mansart et Le Vau, du peintre Le Brun et du jardinier Le Nôtre, ce château préfigure le palais de Versailles.

Archives Photographiques

seront jamais invités au Conseil. Les ministres, tous des bourgeois, sont intégralement dévoués au service de la couronne.

Régulièrement, deux fois par semaine, Louis préside le Conseil d'en haut. Au cours des séances, il s'informe, il écoute les avis des ministres, il précise sa propre pensée; après réflexion, c'est toujours lui qui prend la décision finale. Il préside également le Conseil des finances et le Conseil des dépêches où se traitent les affaires intérieures. Il s'astreint à un emploi du temps rigoureux. Il consacre au travail six à huit heures par jour — souvent plus. Il ne tarde pas à y trouver « une douceur difficile à exprimer.» « Le métier de roi, écrit-il, est grand, noble et délicieux », mais il ajoute aussitôt: « quand on se sent digne de bien s'acquitter de toutes les choses auxquelles il engage ».[24]

L'idole des Français   Le destin semble le favoriser sous tous les rapports. Il est petit mais taillé en athlète. Il travaille sans éprouver de lassitude; ses nerfs ne le trahissent jamais. Il est observateur; rien d'important ne lui échappe. Sa mémoire est précise et fidèle. Il a une intelligence positive et ordonnée, un esprit solide et agissant. Son assurance, ses gestes mesurés, son visage à la fois aimable et ferme, inspirent le respect. Jamais d'épanchements; presque jamais de colères. En toutes circonstances, Louis reste maître de lui-même. Ses paroles sont calculées, sa courtoisie est étudiée. Si on l'aborde avec une question inattendue, il répond simplement « je verrai ». D'instinct, il sait que le prestige comporte quelque mystère. Subjugués, ses contemporains peuvent dire avec Racine:

> ...Peut-on le voir sans penser, comme moi,
> Qu'en quelque obscurité que le sort l'eût fait naître,
> Le monde en le voyant eût reconnu son maître.[25]

Or, il n'a pas à s'imposer à l'opinion publique. Il est le roi de droit divin, l'Oint du Seigneur. D'ailleurs, ses sujets, lassés des troubles de la Fronde, aspirent à l'ordre. Ils sont fiers de leur roi et lui obéissent volontiers. Les grands quittent leurs demeures provinciales pour venir solliciter des faveurs. La cour prend de l'ampleur; le cérémonial frappe l'imagination de tous ceux qui le contemplent, de près ou de loin. Le roi est en tous points conforme à l'idéal que sa génération se fait de l'« honnête homme ». Il se montre, il danse en public, il reçoit; on lui parle plus facilement qu'aux ministres. Il paraît si naturel qu'on croirait qu'il sait tout... sans avoir jamais rien appris.

Dès les premières années du règne personnel, quelques incidents diplomatiques assurent à Louis des succès de prestige dans les cours étrangères. L'Europe d'alors appartient à une société de princes plus ou moins puissants, tous apparentés les uns aux autres. Désormais, dans ses règlements de famille, le monde saura à qui la première place revient de droit. La France en est émerveillée.

Louis le Grand   Une pléiade d'artistes et d'écrivains déjà formés, est toute prête à contribuer à la gloire du règne. Louis XIV n'est ni un intellectuel ni un artiste, mais il sait toujours reconnaître la valeur et la faire concourir à la gloire royale. Avec l'aide de Colbert et de Chapelain, le plus réputé des poètes du temps, il établit une liste de pensions. Les pensions sont remises aux bénéficiaires dans des bourses de soie. La troupe de Molière devient « la troupe du roi ». À de rares exceptions près, les gens de lettres gravitent autour du trône, tout en demeurant en dehors de la vie politique — l'ordre veut que chacun travaille dans son domaine. Au mécénat officiel, le roi se plaît à ajouter quelques touches personnelles. Pour imposer silence aux bigots, il confère à Molière le titre de « valet de chambre » et il tient son enfant sur les fonts baptismaux.

La presse fait partie du grand ensemble national. Aucun livre, pas même une réédition, ne peut être imprimé sans le « privilège », c'est-à-dire l'autorisation, du roi. Les artistes et les savants sont encouragés et guidés. Sur le modèle de l'Académie française, sont fondées successivement l'Académie de peinture, l'Académie des inscriptions et belles-lettres,[26] l'Académie des sciences puis l'Académie d'architecture.

Le Ciel ne semble rien refuser au jeune monarque! Dès 1662, Louis XIV a un fils, le dauphin Louis qui sera, d'ailleurs, le seul des six enfants du couple royal qui parviendra à l'âge adulte. Pour fêter cet heureux événement, le roi décide de donner un carrousel sans pareil.[27] En réalité, Louis est surtout désireux de plaire à Louise de La Vallière, la première en date des maîtresses royales... Sur la place qui s'étend entre le Louvre et les Tuileries,[28] quelque dix mille personnes peuvent admirer les savantes évolutions de cinq groupes de cavaliers. À la tête du premier quadrille, le roi paraît en « empereur romain »; son frère, le duc d'Orléans est en « roi des Persans »; le duc de Guise est en « roi des Américains »... Au mépris de toute vraisemblance historique, ces « rois » sont recouverts de perles, de panaches et de flots de rubans.

C'est à l'occasion de cette fête que Louis XIV adopte officiellement pour emblème le soleil, symbole de gloire et de durée. « Par le bien qu'il fait en tous lieux, écrira-t-il dans ses *Mémoires*, par son mouvement sans relâche où il paraît néanmoins tranquille, par cette course constante et invariable dont il ne se détourne jamais, le soleil est assurément la plus vive force et la plus belle image d'un grand monarque. »[29]

NOTES

1 Rapport de l'envoyé de la république de Venise. Cité par: Carré, *L'Enfance et la première jeunesse de Louis XIV*, Albin-Michel 1944.

2 On a dit que Louis XIV aurait été le fils de Mazarin. L'étude minutieuse de la chronologie prouve que cette rumeur est dépourvue de fondement.

3 Il était habituel de recevoir ses invités à demi couché sur son lit. Le froid qui régnait dans la plupart des demeures en était la cause.

4 Omer Talon.

5 Cousin du roi. À la mort de son père, il portera le titre de prince de Condé. Pour de distinguer du reste de la famille, les historiens l'appellent le « Grand Condé ».

6 Bossuet, *Oraison funèbre du prince de Condé*.

7 Les dix tomes du *Grand Cyrus* parurent entre 1649 et 1654.

8 Sœur de Condé, femme intrigante, grande amie de La Rochefoucauld.

9 L'auteur des *Maximes*.

10 Personnage aventurier et intrigant, auteur de *Mémoires* et de nombreuses *Mazarinades*.

11 Gaston d'Orléans, frère de Louis XIII.

12 Habitué du salon de Madame de Rambouillet.

13 Évêque d'Ypres. Sou ouvrage, l'*Augustinus*, parut en 1640, après sa mort. Ses idées pénétrèrent en France par l'intermédiaire de son ami l'abbé Saint-Cyran.

14 Abbaye de femmes dirigée par l'abbesse Angélique Arnauld.

15 Racine fut l'un de leurs élèves. Les Petites Écoles s'adressaient surtout aux jeunes enfants.

16 Antoine Arnauld, dit le Grand Arnauld, frère de l'abbesse.

17 Molière, Saint-Évremond, Madame de Sévigné fréquentèrent son salon.

18 Du côté français, les négociateurs étaient Mazarin et Lionne et, du côté espagnol, le ministre Luis de Haro.

19 Mazarin avait fait venir d'Italie trois neveux et six nièces!

20 On verra des allusions à cet épisode dans la *Bérénice* de Racine.

21 Brienne, *Mémoires*, Vol. II, chapitre 17.

22 *Les Fâcheux*.

23 Louis XIV, *Oeuvres*, Ed. Treuttel et Wurtz, Vol. I, p. 28.

24 Louis XIV, *ibid*. Vol. II, p. 457.

25 Racine, *Bérénice* (Acte I, scène 5).

26 Destinée à s'occuper de travaux d'histoire.

27 Depuis l'accident qui avait causé la mort de Henri II, on avait remplacé les tournois par des défilés de cavalerie.

28 En souvenir de la fête, elle a gardé le nom de place du Carrousel.

29 Louis XIV, *op. cit.* Vol. I, p. 196.

QUAND ET COMMENT MANGEAIT-ON AU XVIIᵉ SIÈCLE

Les heures des repas Le dîner est le principal repas de la journée. Au début du siècle, on dîne vers 9 ou 10 heures, à la sortie de la messe à laquelle de nombreuses personnes assistent quotidiennement. Par une sorte de loi biologique, l'activité de la journée ira en se déplaçant peu à peu vers le soir. À la fin du siècle, on dînera vers midi ou une heure.

À l'origine, le souper n'était qu'une soupe ou une légère collation que l'on prenait vers 5 heures. Insensiblement, l'heure en est devenue plus tardive. Montaigne soupait vers 6 heures, Madame de Sévigné vers 8 heures et Louis XIV encore plus tard. Au XVIIIᵉ siècle, les gens fortunés seront fiers de souper en élégante compagnie, en pleine nuit, au retour du spectacle. Une dicton du XVIIᵉ siècle résume l'ordonnance d'une journée considérée comme bien équilibrée :

> Lever à six, dîner à dix,
> Souper à six, coucher à dix,
> Font vivre l'homme dix fois dix.

En général, on ne prend rien avant le dîner. Exceptionnellement, certaines personnes prennent une tasse de tisane ou de thé.[1] Cela s'appelle « déjeuner » c'est-à-dire, littéralement, rompre le jeûne. À mesure que le dîner se fera plus tardif, le déjeuner deviendra plus substantiel et plus tardif également.[2]

Avant de se mettre à table Même dans les demeures spacieuses, les pièces n'ont pas d'affectation particulière. Avant le repas, on dresse une table avec une planche et des tréteaux. La salle à manger n'apparaîtra pas avant le XVIIIᵉ siècle.

Avant de toucher à la nourriture, on s'essuie les mains à une serviette humectée, ou bien on se passe les doigts dans un bassin d'eau présenté par un domestique. Ensuite, on récite le bénédicité.

Chez les grands, avant de présenter la moindre collation à un invité, les domestiques goûtent chaque mets ou bien ils le touchent avec quelque substance qui est censée révéler la présence du poison. Pour ce genre d'opération, on se sert, de préférence, de dents de requin, de «cornes de licorne »[3] ou d'autres talismans réputés infaillibles, dont il vaut mieux ne pas préciser la composition!

Toujours le pain! Chez les humbles, nul besoin prendre ces précautions! Les repas consistent surtout de soupes et de pain. Parfois, on agrémente l'ordinaire avec du lard, du fromage, des œufs ou de la volaille. La nourriture de base reste le pain bis ou noir. Cette alimentation rend les paysans et les ouvriers très vulnérables. Lorsque la récolte de céréales est mauvaise, et cela arrive de façon presque cyclique, le prix du pain augmente. Alors, c'est la disette ou même la famine. En 1662, l'année du Carrousel, la cherté du pain cause dans certaines régions une mortalité trois fois supérieure à la normale. Dans un sermon de Carême qu'il prononce en présence du roi, Bossuet rappelle à la Cour: « Oui, Messieurs, ils meurent de faim dans vos terres, dans vos châteaux, dans les villes, dans les campagnes, à la porte et aux environs de vos hôtels... »[4]

En l'occurrence, Louis XIV prend des mesures énergiques; il oblige les provinces bien pourvues à ravitailler celles qui ne le sont pas et il fait venir des blés de l'étranger. Malheureusement, une fois la crise passée, chaque région retombera dans une économie routinière à peu près autarcique. Pour bannir la famine, il faudrait rénover l'agronomie et les habitudes alimentaires. Or la pomme de terre, connue depuis le XVIe siècle, est jugée fade et malsaine. En réalité, on la rejette parce qu'on ne réussit pas à en tirer une farine panifiable. Au siècle suivant, elle ne sera employée que pour le bétail. Pour le peuple, pain et nourriture resteront encore longtemps synonymes.

Les viandes La quantité de viande que l'on consomme varie en proportion directe avec l'aisance. Chez les petites gens, on a du porc quand on tue le cochon et, de temps en temps, quelque gibier attrapé clandestinement. La chasse est le privilège de la noblesse et le braconnage est puni sévèrement. Chez les bourgeois, la consommation de viande de boucherie est en augmentation. À la cour et chez les nobles, on se nourrit presque exclusivement de gibier et autres viandes. Sans aucun doute, ce régime abrège la vie de nombreux gentilshommes, à commencer par celle du roi, pourtant si robuste!

Comme dans les autres domaines, en matière de cuisine, on recherche une simplicité élégante. Les ragoûts et les viandes pétries d'épices du Moyen Âge sont passés de mode. Par contre, on adore les mets agrémentés de parfums et glacés de sucreries. Les « honnêtes gens » savent apprécier ce qui est fin. Néanmoins, il y a encore beaucoup de gloutons, Louis XIV entre autres! Au XVIIIe siècle, on recherchera les saveurs encore plus délicates: ce sera l'époque des gourmets.

Un beau repas comprend plusieurs services. Les plats qui constituent chaque service se placent sur la table, tous à la fois. En général, comme dans un buffet moderne, les convives se contentent de prendre ce qu'ils préfèrent. On en jugera par le menu suivant recommandé pour une dizaine de personnes:

Premier service:	un ragoût espagnol[5]
	un pâté de perdreaux aux choux
	un pâté de canard
	un pâté de pigeons
	deux poulardes en galantine
	un filet de bœuf aux concombres
	cailles à la poêle
	petits poulets à la cendre
Deuxième service:	un quartier de veau dans son jus
	une poule garnie de poulets
	quatre lapins
	un plat de faisan garni de cailles
	deux salades et deux sauces
Troisième service:	un pâté de perdrix ou un rôti de sanglier
	une omelette à la Noailles
	un plat de crème frite garni de beignets de pêche
	un ragoût de truffes
	un plat d'artichauts
	un plat de petits pois[6]
	un plat de queues d'écrevisses

Le tout doit être agrémenté de fruits et de pyramides de sucreries.

Manières de table   Pendant les repas élégants, un groupe d'artistes joue de la musique, ce qui n'empêche pas la conversation d'aller bon train. Une dame de la haute société fera un jour cette remarque charmante: « On ne vieillit pas à table! »

Jamais de verres sur la table. Chez les gens simples, chacun se lève quand il le désire pour aller prendre de l'eau, ou tirer un verre de vin au tonneau qui est dans un coin. Chez les gens plus distingués, les verres sont alignés sur un buffet, à côté des carafes et des bouteilles. Si l'on veut boire, il faut faire signe, discrètement, à un valet. Il est recommandé de vider son verre à petits coups, après quoi le valet remettra le verre sur le buffet. En principe, le nombre des verres égale celui des convives. Théoriquement, le même verre doit toujours servir à la même personne... mais une confusion ne serait pas regardée comme une catastrophe! Au siècle suivant, on commencera à placer les verres et les bouteilles sur la table.

Chez les gens qui ne font pas d'embarras, on place les plats au milieu de la table, et tout le monde puise directement. Avec une cuiller ou avec les doigts, chacun reprend de la soupe, de la viande ou même de la sauce... Comme tous les hommes sensés, le roi mange avec ses doigts mais, comme il est toujours servi à part, personne ne vient dans ses plats, à moins d'y avoir été invité spécifiquement. Quelques rares maniérés ne trouvent pas cette promiscuité de leur goût! Ils prétendent qu'on ne devrait se servir qu'en une seule fois. Les plus bizarres vont jusqu'à dire qu'on devrait prendre la viande, non pas avec les doigts, mais avec une fourchette! Cet instrument ne deviendra d'usage courant qu'au cours du XVIIIᵉ siècle.

Civilités   Si l'on mange avec ses doigts, par contre, les règles de la bienséance exigent que les messieurs de qualité gardent, pendant les repas, leur épée au côté et leur chapeau sur la tête. À chaque plat, un homme du monde doit savoir choisir le morceau le plus fin afin de l'offrir à l'invité d'honneur; pour le cochon de lait, ce sont les oreilles; pour les volailles bouillies, c'est la cuisse; pour le poisson, c'est la langue... On considère qu'il est incivil de se moucher dans sa serviette ou de s'essuyer les doigts sur la nappe. Après le repas, un monsieur bien élevé devrait s'abstenir de pousser de profonds soupirs, de faire de grands bruits d'estomac ou de cracher trop près des jupes des dames...

Recettes   Voici, pour finir, quelques recettes culinaires du Grand Siècle.[7] Le ragoût espagnol:

> Prenez plusieurs bonnes viandes: canards, perdrix, pigeons, cailles, poulets etc.... Faites cuire ensemble en ajoutant des épices: muscade, poivre, thym, gingembre etc....

Poulets à la cendre:

> Prenez de petits poulets; préparez-les. Enveloppez chaque poulet dans une feuille de papier. Ficelez-le et enterrez-le dans la cendre chaude. Laissez cuire pendant deux heures et demi ou trois heures. Servez avec du jambon.

Omelette à la Noailles:

> Mettez dans une casserole une cuillerée de farine, un peu de sel, une tasse de lait et huit jaunes d'œufs. Délayez. Ajoutez de la crême, de la cannelle, du sucre. Faites cuire jusqu'à ébullition puis ajoutez dix-huit œufs frais. Fouettez avec de la crême et ajoutez une casserole de beurre. Mettez au four. Servez chaud. On peut la glacer, si l'on veut, avec du sucre.

NOTES

1 Originaire de Chine, le thé a commencé à être consommé en France au cours de la seconde moitié du XVIIᵉ siècle.

2 Le petit déjeuner n'apparaîtra qu'au XIXᵉ siècle, lorsque le déjeuner aura été repoussé en fin de matinée.

3 En réalité, il s'agissait de dent de narval car la licorne est un animal imaginaire.

4 Bossuet, *Sermon sur l'impénitence finale*, Carême, 1662.

5 Voir la recette plus loin.

6 Récemment venus d'Italie, les petits pois étaient fort à la mode et Louis XIV les adorait.

7 Sur la question des repas voir: Franklin, *Les Repas*, Plon 1889; et Blond, *Histoire pittoresque de notre alimentation*, Fayard 1960.

VERSAILLES

Louis XIV
peint par Rigaud, 1701
(musée du Louvre).

I L'ASCENSION DU SOLEIL

Un système solaire « L'État c'est moi », aurait déclaré Louis XIV. Vraisemblablement, ce « mot historique » n'a jamais été prononcé par le roi mais, de façon simpliste, il révèle la philosophie générale du règne.

De 1661 à 1715, Louis a fait corps avec son royaume. Ni son ardeur au travail ni ses principes politiques ne se démentiront jamais. Pendant les vingt-cinq premières années, il s'est surtout appliqué à doter la France d'un système administratif cohérent et centralisé. Une fois les principales structures mises en place, il s'est installé à Versailles. C'est de là que, pendant près de 30 ans, il régira l'ensemble de la mécanique monarchique. Il sera l'axe autour duquel le royaume pivotera. S'identifiant avec sa propre emblème, il se croira placé, comme le soleil, au centre d'un système planétaire.

Les intendants Au début du règne, l'administration intérieure du royaume était des plus confuses. Au cours des siècles, à mesure que les diverses provinces s'étaient trouvées rattachées à la couronne, elles avaient conservé un grand nombre de libertés et de coutumes locales. Certaines villes continuaient à s'administrer à peu près à leur guise. Depuis des temps immémoriaux, des associations professionnelles jouissaient de franchises, de monopoles et de privilèges fiscaux. Le clergé, la noblesse et les magistrats avaient des prérogatives inaliénables. En principe, le souverain était tout-puissant mais, en pratique, il était obligé de respecter les droits, consacrés par l'usage, d'une multitude de groupements. Il en résultait un foisonnement de complications et de chicanes.

Malgré son prestige, Louis XIV ne pouvait se permettre de niveler les privilèges; une telle tentative aurait provoqué des troubles bien plus graves encore que la Fronde. De toute façon, il était trop prudent, trop respectueux des traditions pour agir en révolutionnaire. Enfin, il avait besoin de la noblesse qui constituait les cadres de son armée. Il s'est donc efforcé de placer une administration royale au-dessus de tout ce qui avait existé précédemment. Il a, pour ainsi dire, procédé par superposition.

Les anciennes organisations provinciales, seigneuriales et municipales furent contrôlées et, peu à peu, dominées par un fonctionnaire royal, l'intendant. Au nom du roi, celui-ci fut chargé d'exercer une surveillance générale sur la justice, le commerce, la perception des impôts, les écoles, les forêts, les routes etc.... L'intendant administrait une région nettement déterminée que l'on appelait une généralité.[1] Nommé par le souverain, il était susceptible d'être muté, ou même révoqué. Pour être sûr d'avoir des assistants soumis et dévoués, Louis XIV les choisissait, de préférence, parmi la bourgeoisie ou, à la rigueur, parmi la petite noblesse.

La police du roi   La création de la police fut l'une des grandes innovations du règne. Jusqu'alors, la surveillance des villes avait été fragmentée en une multitude de juridictions enchevêtrées. Les malfaiteurs profitaient de la confusion! Beaucoup de crimes restaient impunis. Les ordures s'amoncelaient au pied des murs; la nuit, les rues n'étaient pas éclairées. Pour mettre fin à ces scandales, le roi nomma un lieutenant général de police, à Paris d'abord, puis dans les villes de province. Chaque quartier fut placé sous la surveillance d'un ou de plusieurs sergents. Les brigands furent recherchés; les rues furent assainies et les vagabonds enfermés dans des hospices.

Colbert   Pour tout ce qui se rapporte au commerce, Louis XIV fut puissamment secondé par Colbert. Fils d'un marchand de drap, Colbert avait connu des années difficiles; à force de travail, de dévouement, mais aussi d'intrigues, il s'était élevé jusqu'à devenir ministre.

Grâce à lui, pour la première fois en France, le commerce devient une préoccupation gouvernementale majeure. «La fortune du roi, répète le ministre, c'est celle de ses marchands.» Économiste[2] avant la lettre, Colbert s'évertue à augmenter la productivité. Il déplore que tant de richesses demeurent inexploitées. Il déteste les moines et les rentiers qu'il considère comme des parasites. Pour éviter que l'or ne sorte du pays, il voudrait que la France exporte au maximum et qu'elle importe au minimum. Il cherche donc à stimuler les manufactures. Or, les fabricants français sont handicapés par des règlements archaïques, des procédés routiniers et des moyens de transport insuffisants. Afin d'encourager les gens de valeur, Colbert s'applique à simplifier les formalités administratives. Simultanément, pour protéger les consommateurs, il exige de rigoureux standards de qualité. Il promulgue des ordonnances et des codes professionnels qui spécifient les critères auxquels les fabrications doivent se conformer.

Manufactures   Des centaines de manufactures sont créées ou rétablies. Si les techniciens font défaut, le roi et son ministre en font venir, à n'importe quel prix, de l'étranger; c'est ainsi qu'ils attirent des fondeurs d'Allemagne, des tisserands de Hollande et des ouvriers verriers de Venise.[3] En 1665, la Manufacture royale de Glaces et de Miroirs est fondée. Six ans plus tard, Colbert peut écrire avec une légitime fierté: «Nos glaces sont maintenant plus parfaites que celles de Venise.» Les Italiens ont perdu leur monopole. Au XVIIIe siècle, l'entreprise prendra le nom de Manufacture Saint-Gobain. Elle existe toujours sous le nom de Compagnie Saint-Gobain; elle est la doyenne des compagnies françaises.

La Manufacture des Gobelins,[4] qui avait été fondée par Henri IV, devient également une manufacture royale. En quelques années, elle se placera en tête pour la fabrication des tapisseries et de l'ameublement.

Deux formes de travail coexistent déjà. À côté du vieux métier artisanal dans lequel le patron travaille avec quelques compagnons, on trouve les premières concentrations industrielles. Certaines fabriques de drap, certaines fonderies emploient plusieurs centaines d'ouvriers. La vie du travailleur demeure très dure. Ni Colbert, ni Louis XIV, ni aucun autre souverain de l'époque ne songerait à s'en préoccuper. La durée de la journée varie entre 10 et 14 heures. Heureusement, il y a des fêtes chômées, plus d'une cinquantaine par an, auxquelles viennent s'ajouter les dimanches. Grèves et coalitions sont strictement interdites; néanmoins, les ouvriers réussissent à constituer des associations clandestines; ils ont leur vocabulaire secret: « la boîte,» l'atelier; « le singe,» le patron... Les manifestations ouvrières, vite réprimées au début du règne, prendront à partir de 1700 des proportions inquiétantes.

La Compagnie des Indes

Pour assurer des débouchés aux produits français, le roi et son ministre établissent trois grandes compagnies commerciales. La plus importante, la Compagnie des Indes Orientales, reçoit le monopole du commerce avec l'Orient (Chine, Siam, Inde). Elle est chargée de développer les premiers comptoirs français dans l'océan Indien.[5] La Compagnie des Indes Occidentales a l'exclusivité du commerce avec les Antilles et le Canada. Elle transporte du cacao, du sucre, du tabac mais également, hélas, des nègres africains. Grâce à son impulsion, le Canada va s'organiser comme une province française sous l'autorité de son intendant et de son évêque. En 1662, la Nouvelle-France compte 2 500 colons; vingt ans plus tard, elle en comptera environ 12 000.[6] Enfin, la Compagnie du Nord s'efforce de trouver des marchés dans les régions de la Baltique.

Tapisserie des Gobelins illustrant la vie du roi.

Le roi fait de lourds sacrifices pour ses compagnies. Il oblige les courtisans à acheter des actions. Il fait aménager un port spécial pour la flotte du Levant dont le nom, L'Orient (bientôt écrit Lorient) traduit la grande ambition commerciale du règne. Malgré les privilèges considérables qui leur sont accordés, ces trois compagnies ont de graves difficultés. Leur administration est trop bureaucratique: la masse française montre peu de goût pour les expéditions lointaines. Surtout, elles se heurtent à la concurrence de la Hollande[7] qui, jusqu'à la fin du siècle, détiendra les 4/5 du commerce maritime mondial.

Ambitions maritimes

Pour briser le monopole hollandais, Louis XIV et Colbert s'efforcent de constituer une marine. Dans les ports de la Méditerranée, on construit encore quelques galères, bien que ce vaisseau, mû exclusivement par des rames, soit de moins en moins utilisé. Dans les ports de l'Atlantique, on construit des voiliers équipés de trois, quatre et même cinq mâts. Les plus solides sont fabriqués en bois de chêne. Il ne faut pas moins de 2 000 chênes pour faire un trois-mâts.

Jusqu'alors, la vie du marin avait une réputation tellement sinistre que la plupart des équipages n'étaient constitués que de pauvres diables qui s'étaient trouvés embarqués de force. Afin d'améliorer le niveau professionnel et moral de la marine, Colbert exige que les hommes soient recrutés sans contrainte, qu'on leur assure une solde régulière ainsi que quelques garanties d'avenir.[8] Malgré tout, le marin fait encore figure de paria ou d'aventurier. Les bateaux de commerce doivent être armés pour se défendre contre les pirates ou, tout simplement, contre les concurrents. Le droit maritime est inexistant. Même en temps de paix, la mer appartient au plus fort.

Louvois et la réorganisation de l'armée

La réorganisation de l'armée est surtout l'œuvre de Louvois. Celui-ci s'applique à bannir la vénalité afin de pouvoir donner les grades au mérite. Sur ce point, il ne réussit qu'imparfaitement. Les désertions constituent l'un des pires fléaux de l'armée. Souvent, les soldats, enrôlés de force ou amenés à s'enrôler par des promesses mensongères, n'attendent que la première occasion pour disparaître! Des mesures strictes sont prises pour arrêter, ou tout au moins limiter, ces abus. Louvois charge des inspecteurs de veiller à ce que les hommes reçoivent effectivement leur solde. Pour éviter que les troupes ne pillent sur leur passage, il organise un service de ravitaillement; il fait construire les premières casernes et les premières réserves de vivres et de fourrage.

Faute de crédits, il est impossible d'habiller de neuf tous les soldats;[9] au moins s'efforce-t-on de distribuer quelques vêtements à ceux qui arrivent à moitié nus! Peu à peu, l'armement est renouvelé; le mousquet est remplacé par le fusil, plus maniable et plus léger. L'artillerie prend une importance croissante. Les manufactures d'armes sont surveillées; les pièces sont standardisées, jusqu'à un certain point...

L'esprit de routine paralyse encore le commandement; les conditions de vie du soldat restent médiocres. La noblesse accapare toujours la plupart des postes d'officiers. Une fois les inspecteurs partis, la discipline se relâche. Malgré tout, Louis XIV a les meilleures troupes de son temps. Au début de son règne, il a la chance de pouvoir mettre à la tête de ses armées deux hommes de guerre déjà illustres: Turenne et Condé.

Une politique de propriétaire terrien

Les mémorialistes de la fin du règne et, à leur suite, de nombreux historiens ont accusé Louis XIV d'avoir poursuivi une politique belliqueuse. Certes, le roi a aimé la guerre comme, d'ailleurs, tous les gentilshommes de son temps. C'était normal; l'Europe du XVIIᵉ siècle n'était pas peuplée de pacifistes. Néanmoins, il n'a jamais aspiré à imposer une hégémonie orgueilleuse à la façon des Habsbourg. Les conquêtes lointaines ne l'ont jamais tenté. Il s'est plutôt comporté à la façon d'un propriétaire terrien, soucieux d'arrondir son domaine et, surtout, d'être en état de se défendre.

Ses objectifs étaient simples. Primo, il a voulu éloigner la frontière du nord de sa capitale afin que, en cas d'invasion, la partie vitale du royaume soit moins directement exposée. Secundo, il a cherché, à tout prix, à empêcher que l'Allemagne et l'Espagne se trouvent réunies sous la même autorité, comme elles l'avaient été à l'époque de Charles Quint. Ces deux principes ont dominé l'activité militaire et diplomatique du règne.

Une « promenade militaire »

La première guerre, appelée « guerre de Dévolution », ne dura que quelques mois. Le roi d'Espagne (Philippe IV) venait de mourir, laissant ses états à son fils, Charles II, un enfant de trois ans, chétif et déséquilibré. Or, celui-ci avait deux demi-sœurs, nées d'un premier lit. L'aînée, Marie-Thérèse, était mariée à Louis XIV; la cadette était mariée à l'empereur d'Allemagne. Au cas où Charles II serait mort, la cour de Madrid qui, à cette époque, était nettement anti-française, aurait favorisé la parenté allemande. La cour de France se prépara donc à défendre « les droits de la reine ». Elle allégua un principe de droit privé, dit « droit de dévolution », selon lequel, en cas de succession, les enfants nés d'un premier lit doivent recevoir une part d'héritage supérieure à celle des enfants nés d'un second lit. D'autre part, les diplomates français rappelèrent que la reine Marie-Thérèse n'avait renoncé à l'héritage espagnol qu'à condition de recevoir une dot de 500 000 écus d'or... Or, pas même le premier écu n'avait été payé! En compensation, la France réclamait donc une partie des Pays-Bas espagnols (la Belgique actuelle).[10]

Les armées françaises pénétrèrent aux Pays-Bas. Il n'y eut pas de véritables combats. La campagne fut qualifiée de « promenade militaire ». On signa la paix à Aix-la-Chapelle (1668). Louis XIV fit preuve d'une modération qui, par la suite, lui sera reprochée. Il ne demanda qu'une douzaine de villes (dont Lille) dans la région des Flandres.

Vauban et la frontière

Une fois annexées, ces villes du nord furent fortifiées afin de consolider la frontière. Les travaux furent dirigés par Vauban, le premier en date des grands ingénieurs militaires. De petite naissance, Vauban avait réussi à s'élever à force de travail. Il avait compris que, du fait du développement de l'artillerie, les fortifications devaient, le plus possible, être dissimulées sous terre. Il mit en lumière l'importance des tranchées dans la défense, aussi bien que dans l'attaque, des places fortes. En une vingtaine d'années, Vauban construisit 33 fortifications nouvelles et il en restaura plusieurs centaines d'autres.

Conflit franco-hollandais

L'avance de la France vers le nord et, surtout, l'expansion du commerce français inquiétèrent les Provinces-Unies. Cette nation nouvellement constituée était généralement appelée la Hollande, du nom de la plus puissante des sept provinces qui la constituaient. Marchands calvinistes à l'esprit républicain, les Hollandais étaient d'instinct hostiles à Louis XIV — et réciproquement! En quelques années, la rivalité commerciale dégénéra en une guerre.

L'armée française passe le Rhin (1672) et pénètre en Hollande par surprise. Louis XIV pourrait obtenir la paix à des conditions fort avantageuses mais, sur le conseil de Louvois, il se montre de plus en plus exigeant. Poussés par l'énergie du désespoir, les Hollandais ouvrent leurs principales écluses et s'inondent... L'avance française est arrêtée net. Le conflit change d'aspect. Les victoires de Louis XIV ont alarmé l'Europe. L'Espagne déclare la guerre à la France. L'Empire et l'Angleterre risquent de prendre les armes à leur tour. Grâce à plusieurs brillantes victoires, la France ne laisse pas à la coalition le temps de se former. La paix est signée à Nimègue (1678). Chose curieuse, la Hollande ne perd aucun territoire. L'Espagne, par contre, fait les frais de l'affaire; elle doit céder à la France la Franche-Comté[11] ainsi que plusieurs autres villes des Flandres.

Strasbourg

Les traités du XVIIe siècle, comme tous les traités, laissaient subsister des questions litigieuses. L'Alsace constituait la principale cause de querelles entre la France et l'Empire. Cette province comprenait une mosaïque de villes et de seigneuries. La France était la puissance souveraine depuis les traités de Westphalie, mais certains seigneurs alsaciens dépendaient encore de l'Empire. Louis XIV voulut éliminer tout prétexte d'ingérence étrangère. Il mit en œuvre des arguments juridiques qu'il renforça de quelques démonstrations militaires... Sans même avoir à combattre, il occupa Strasbourg (1681), cette « ville des routes » qui avait souvent permis aux envahisseurs de passer. Accompagné de la reine et du dauphin, le roi fit une entrée triomphale. Une médaille fut frappée portant l'inscription: *Clausa Germanis Gallia:* la Gaule est fermée aux Allemands.

II LE SOLEIL DE MIDI

Zénith

Louis vient d'aborder la quarantaine. Il a subjugué l'Europe. Nommés historiographes royaux, Racine et Boileau célèbrent sa grandeur. L'Espagne est épuisée; l'Empire est menacé par les Turcs; l'Angleterre est minée par la rivalité entre un Parlement protestant et un roi catholique.[12] Seule la France semble jouir d'un équilibre majestueux. Ébloui par tant de bonheur, celui qui est vénéré comme « le plus grand roi du monde », peut à peine distinguer certaines ombres, encore lointaines, il est vrai. Sa fortune lui a suscité des jaloux. Se sentant humiliés, les princes et les souverains, à qui il a prodigué des subsides, n'attendent qu'une occasion pour faire volte-face et se coaliser contre la France. Mais, vers 1680, les Français ne sauraient éprouver d'inquiétudes. Ils s'identifient avec leur roi et éprouvent une légitime fierté. Désireux de donner à la monarchie un cadre digne d'elle, Louis fait accélérer la construction du palais de Versailles.

Un « rendez-vous de chasse »

Il connaissait Versailles depuis son enfance. Pendant sa minorité, il avait fait plusieurs séjours dans ce petit « rendez-vous de chasse » construit par son père. C'était une modeste gentilhommière tricolore: murs de briques, fenêtres encadrées de pierres blanches et toits d'ardoises bleutés. Il n'y avait pas encore de jardin, mais un immense parc giboyeux qui se prolongeait par la forêt.

Dès 1661, le jeune roi fait acheter des terrains pour agrandir le parc puis, après la disgrâce de Fouquet, il fait refaire la décoration intérieure des salles. Il prend à son service les artistes qui avaient travaillé à Vaux pour le surintendant des Finances déchu et, notamment, il confie à Le Nôtre l'aménagement des jardins.

Une fois commencés, les travaux ne s'arrêteront plus. Pourtant l'endroit est peu hospitalier. L'eau vive manque; le sous-sol est marécageux; le paludisme cause des ravages. Louis aurait pu choisir un site plus attrayant. Envers et contre tout, malgré les difficultés matérielles, les protestations de son entourage, les remontrances de Colbert, il poursuit son dessein, ne découvrant sa pensée qu'au fur et à mesure que les transformations s'accompliront.

Bientôt, un problème de base se pose. Si le roi va dépenser tant d'argent à Versailles, il vaudrait mieux raser ce qui existe, puis recommencer un nouvel édifice, sinon on ne parviendra jamais qu'à « rapetasser ». Louis hésite. Finalement, il décide que la demeure de son père ne sera pas démolie. Les architectes devront respecter le petit château de briques. Un concours est organisé. C'est Le Vau, l'ancien architecte de Fouquet, qui l'emporte. Après la mort de Le Vau, Mansart finira le gros des travaux.

Un ensemble classique   Sur trois côtés, le bâtiment de Louis XIII est enveloppé par un nouvel édifice de pierres. Ensuite, les deux extrémités de la construction sont prolongées par deux ailes qui se déploient symétriquement. L'ensemble se développe sur plus de 600 m de longueur.

Malgré ses dimensions, le palais n'inspire ni lassitude ni écrasement. La configuration du terrain a été utilisée avec art. Les deux ailes, placées un peu en retrait, mettent en valeur le corps central qui est édifié sur une légère éminence. L'une des façades regarde vers le soleil levant, l'autre vers le couchant. Les fenêtres est s'ouvrent dans la direction de Paris. Si l'on aborde le palais de ce côté-là, on monte insensiblement vers la cour de marbre, relique de l'époque Louis XIII. La façade ouest s'ouvre sur le parc qui descend, par une succession de terrasses, de degrés et de pièces d'eau. Placé entre deux masses de verdure, le parc prolonge, jusqu'au Grand Canal,[13] l'axe de symétrie de l'architecture.

Une cité administrative   C'est Louis XIV lui-même qui a conçu Versailles. Non seulement il a orienté les artistes, choisi les plans définitifs, surveillé l'exécution des travaux, mais il a également donné à la cour un caractère tout nouveau. Jusqu'en 1682, comme tous ses ancêtres, il avait vagabondé de château en château. Il avait séjourné au Louvre, à Vincennes, à Chambord, à Saint-Germain, au gré des circonstances politiques ou de ses désirs du moment. Les véhicules nécessaires à ses déplacements constituaient des cohortes de plusieurs lieues sur les routes. Or l'administration royale devenait de plus en plus volumineuse et complexe. C'était une question de bon sens: la monarchie avait besoin d'une installation sédentaire. Louis aurait pu s'établir au Louvre, sa principale demeure parisienne, mais il s'y trouvait mal logé. En réalité, Paris lui rappelait la Fronde. Il

Versailles, la cour de marbre.

Archives Photographiques

Versailles, vue générale du palais. Au fond, le Grand Canal.

voulait mettre le gouvernement à l'abri des soubresauts populaires et des agitateurs. En même temps, il voulait rester assez près de sa capitale pour être à même de la surveiller.

L'installation à Versailles s'est faite peu à peu. D'abord, le roi a donné des fêtes dans le parc, il a fait des séjours temporaires; enfin, en 1682, il a transféré toute sa cour. Les travaux étaient loin d'être terminés. Le chantier occupait environ 30 000 ouvriers, 6 000 chevaux sans compter plusieurs milliers de soldats qui faisaient des terrassements. La suite royale dut endurer le plâtre, le bruit, les courants d'air mais personne n'aurait songé à se plaindre! Louis semblait indifférent à toutes ces incommodités; il se promenait au milieu des peintres et des maçons, savourant la réalisation de ses projets.

Le Versailles de Louis XIV est à la fois la résidence du souverain et le centre de l'État. C'est un palais mais également la première en date des capitales administratives. Les grands services de la monarchie sont rassemblés. C'est déjà, comme diraient les urbanistes du XXᵉ siècle, une cité fonctionnelle. Plusieurs centaines de personnes y convergent, les unes parce qu'elles doivent y remplir une fonction officielle ou semi-officielle, les autres parce qu'elles espèrent y obtenir quelque faveur.

La prison dorée   La vie du courtisan est une tutelle de tous les instants. Il faut se montrer, se trouver, comme par hasard, sur le passage de Sa Majesté. Celui qui a quelque chose à solliciter doit saisir au vol l'instant favorable pour glisser une lettre, ou obtenir un entretien particulier. Il s'agit de faire preuve d'intuition, de persévérance, de bonne humeur et surtout de docilité. Le roi est un observateur incomparable; rien, ou presque, ne lui échappe et un solliciteur maladroit risque de tomber en disgrâce ou, pis encore, de se faire bannir.

Pour les personnes qui acceptent de rendre hommage au maître, la cour constitue un univers fascinant: un cadre grandiose, de la musique, des fleurs, des parties de chasse, des représentations théâtrales, des fêtes nautiques, des promenades dans le parc... Enfin, la cour donne à chacun de ses hôtes le sentiment exaltant d'assister aux grands événements de l'actualité, d'être au centre du monde, de participer, en quelque sorte, à la majesté royale.

Versailles a envoûté les nobles, même ceux qui, du temps de leur jeunesse, avaient été plus ou moins Frondeurs. Plus d'un gentilhomme de province a quitté son manoir, abandonnant à des régisseurs la gestion de ses propriétés rurales. Une fois à la cour, pour maintenir un train de vie approprié à son rang, il a été conduit à s'endetter, à hypothéquer ses domaines, ou même à vendre des terres.[14] À la fin du XVIIe siècle, la plupart des anciennes familles avaient une fortune singulièrement entamée qu'il leur était difficile de reconstituer, du fait qu'un noble ne pouvait ni exercer un métier manuel, ni se livrer à un commerce de détail.[15] Plusieurs générations de courtisans ont ainsi mené des existences ruineuses et, somme toute, non productives.

Louis, qui travaillait avec acharnement, était conscient de ce gaspillage, mais il l'acceptait comme un moindre mal. Le souvenir de la Fronde

French Government Tourist Office

Versailles, la galerie des Glaces.

le hantait. À ses yeux, plus un homme occupait un rang élevé, plus il risquait de nuire à la stabilité du royaume. Versailles devint une sorte de cage dorée. Les princes du sang, les membres de la famille royale et, bien entendu, Philippe d'Orléans,[16] y furent retenus, de gré ou de force. Plutôt que de voir sa noblesse se rebeller, le roi préféra la domestiquer dans l'oisiveté.

L'apothéose des techniques

Enfin, Versailles était une exposition permanente de la grandeur nationale. Louis voulait présenter aux visiteurs, venus des provinces ou de l'étranger, ce que la France produisait de plus beau et de plus perfectionné. La galerie des Glaces,[17] par exemple, fut décorée de 17 panneaux de miroirs placés vis-à-vis de 17 baies vitrées. L'ensemble fut réalisé avec des glaces fabriquées par la Manufacture royale de Glaces et de Miroirs, l'une des gloires du règne. Il répondait à une préoccupation d'ordre esthétique, mais il devait également constituer l'apothéose d'un vaste effort industriel et commercial.

L'aménagement des fontaines exigea des travaux fort complexes. Il fallait que l'eau arrive aux bassins avec une pression suffisante pour jaillir. À lui seul, le bassin de Neptune comptait 900 jets d'eau. Comme on ne connaissait pas encore le principe de la pompe à vapeur, il fallait que l'eau provienne d'une nappe située au-dessus du niveau des jardins. Divers projets furent envisagés puis abandonnés, faute d'argent. En définitive, on utilisa l'eau de la Seine que l'on capta, puis que l'on força dans les tuyauteries à l'aide d'une machine hydraulique.

Le palais du Soleil

Le classicisme de Versailles réside dans l'équilibre qui règne entre l'architecture, la sculpture et la nature. Aucune partie ne cherche à s'imposer. Chaque élément a été conçu en fonction de l'ensemble. Chaque détail a une valeur esthétique, mais également une signification philosophique. La chambre du roi était placée au centre géométrique du palais; ses fenêtres, face au soleil levant, donnaient sur la cour de marbre. Louis XIV souhaitait rappeler qu'il était au centre du palais, c'est-à-dire au centre du royaume, comme le soleil est au centre du système planétaire.

Dans la décoration intérieure, comme dans les jardins, les allégories et les scènes mythologiques ont servi à concrétiser la philosophie monarchique. Apollon, dieu du soleil, de la lumière et de la sagesse, c'est Louis XIV. Nul ne pourrait s'y tromper. Mariant l'histoire à la fable, les peintures de la galerie des Glaces célèbrent les victoires du Roi-Soleil. L'extrémité nord de la galerie s'ouvre sur le salon de la Guerre; l'extrémité sud s'ouvre sur le salon de la Paix. Le maître des lieux semble tenir le fléau de la balance entre ses mains; il apparaît comme l'arbitre de la guerre et de la paix.

Les jardins poursuivent le noble discours. Face au palais, des statues symbolisent les éléments, les fleuves et les continents. En descendant le long du grand axe de symétrie, on arrive au bassin dédié à Latone, mère d'Apollon. Selon la légende grecque, Latone aurait transformé en grenouilles des paysans qui l'avaient insultée. Là encore, l'analogie est transparente. Un peu plus bas, le bassin d'Apollon montre ce dieu debout sur son char, émergeant de l'eau. Il est prêt à s'élancer. D'après les Anciens, chaque matin il monte dans le ciel pour éclairer le monde. Pour qui connaît la mythologie, Versailles se lit comme un traité de philosophie politique. Si, aujourd'hui, il nous faut faire un effort pour la comprendre, au XVIIe siècle cette transposition imagée était intelligible à tous les « honnêtes gens ».

III   OMBRES ET LUMIÈRES

Isolement   L'État monarchique avait son cadre approprié. Malheureusement, une fois installé à Versailles, le roi s'est isolé de son royaume. À partir de 1682, il n'est plus allé à sa capitale que fort rarement.[18] Les Parisiens se sont crus dédaignés. Avant la fin du règne, des courants hostiles à la monarchie de droit divin se formeront à Paris. À part quelques visites aux armées, Louis cessa d'avoir un contact personnel avec les provinces. Il eut tendance à envisager la France comme un concept, de plus en plus désincarné. Inévitablement, il dut baser ses décisions sur ce que lui rapportaient ses conseillers. L'administration se durcit, se bureaucratisa. Le peuple n'eut plus l'occasion de voir son roi, cheminant de ville en ville. Aux yeux des gens simples, le souverain apparut comme une sorte de demi-dieu inaccessible, à mi-chemin entre la terre et le ciel.

Dissipations de jeunesse   Pendant les premières années de l'installation à Versailles, la vie privée du roi changea du tout au tout. Jusqu'alors, Sa Majesté avait conduit ses affaires amoureuses selon son bon plaisir! Au début du règne personnel, Mademoiselle de La Vallière avait eu tous les honneurs. Quatre enfants étaient nés de cette première union semi-officielle. Ensuite, la situation s'était compliquée du fait de l'entrée en scène de Madame de Montespan, une blonde au caractère dominateur. Pendant sept ans, Louise de La Vallière dut supporter la présence de sa rivale. L'une et l'autre avaient le droit de monter dans le carrosse de la pauvre reine Marie-Thérèse... si bien que les badauds prenaient plaisir à regarder passer « les trois reines »! Un jour, lassée et prise de remords, Louise s'enfuit au Carmel, laissant le champ libre à Madame de Montespan.

En treize ans, celle-ci donna au roi sept bâtards. Lorsqu'un enfant naissait, on le remettait à une personne discrète, Madame de Maintenon, la veuve du poète Scarron.[19] D'année en année, Louis se montra de plus en plus attaché à ses enfants de l'adultère. Il les reconnut et les fit venir à la cour. Enfin, il les dota et les maria à des princes et princesses du sang, unissant, comme à plaisir, sa famille légitime et sa famille illégitime![20]

Les amours avec Madame de Montespan furent un perpétuel orage. Lorsqu'elle craignait de se voir supplantée, la dame faisait célébrer des messes noires ou elle faisait avaler au roi des poudres magiques destinées à ramener l'infidèle... Malgré tout, elle eut à souffrir de quelques rivales passagères, notamment de Mademoiselle de Fontanges « belle comme un ange, et sotte comme un panier... » au dire des mauvaises langues! Mais, celle qui la détrôna définitivement fut Madame de Maintenon, la gouvernante des bâtards.

Madame de Maintenon
et le règne de l'hypocrisie

À l'insu de tout le monde, cette étrange créature s'était imposée à l'esprit du roi. Elle n'avait pas toujours été exemplaire dans sa conduite mais, parvenue à la quarantaine, elle incarnait la respectabilité et prêchait la morale. En 1683, lorsque la reine Marie-Thérèse mourut, elle resta auprès du roi pour veiller à ce qu'il ne reprenne pas de maîtresse...

Tout dans cette affaire est demeuré ambigu. Jusqu'à la fin du règne, le roi et Madame de Maintenon vécurent porte à porte. Il est certain qu'ils furent mariés mais, comme l'événement ne fut jamais annoncé officiellement, il est impossible d'en préciser la date.[21] Avec stupéfaction, les courtisans constatèrent que l'ancienne gouvernante restait assise en présence des princesses; ils en conclurent qu'elle occupait une place unique. Insensiblement, « la vieille fée », comme l'appelaient ses ennemis, acquit ce qu'aucune femme n'avait eu avant elle: une influence politique.[22] Assise dans un fauteuil, les yeux baissés sur un ouvrage de tapisserie, elle assistait aux réunions du Conseil. En présence des ministres, elle ne disait rien, mais chacun la redoutait d'autant plus qu'elle agissait de façon occulte. Cette « Madame de maintenant » fut plus impopulaire que toutes les maîtresses royales. Avec ses dévotions et ses attitudes puritaines, elle sauva la dignité mais elle créa une atmosphère d'intolérance et d'hypocrisie.

Absolutisme religieux

En partie tout au moins, Madame de Maintenon porte la responsabilité de la politique religieuse de la seconde moitié du règne. Louis ne s'était jamais intéressé aux problèmes théologiques. À ses yeux, les affaires religieuses devaient fonctionner avec ordre, sous l'autorité du souverain. Tout individu ou tout groupement quelque peu indépendant lui paraissait nuisible à l'harmonie générale.

Au début de son règne personnel, il avait regardé le protestantisme comme la séquelle regrettable des luttes qui jadis avaient troublé l'État. Du fait que la plupart des nobles avaient déjà abjuré, il espérait que cette « religion prétendue réformée » était un mal en régression. Il s'était contenté d'interpréter l'édit de Nantes d'une façon toujours plus étroite et limitative. Une fois installé à Versailles, il ne sentit plus aucun frein à son autorité. Il se crut autorisé à régir les consciences. D'ailleurs, après une vie assez dissipée, il commençait à craindre l'Enfer. Madame de Maintenon était là pour lui rappeler son « devoir »!

Pour accélérer les conversions, on distribue de l'argent aux soi-disant « nouveaux catholiques »; on disloque les familles protestantes, on oblige les parents demeurés protestants à payer une pension à leurs enfants convertis. Enfin, on force les récalcitrants à loger des soldats. Là où les missionnaires ont échoué, les gens de guerre font merveille! Une fois chez des « hérétiques », ils peuvent tourmenter comme bon leur semble! Telle est l'origine des « dragonnades ». Par ce procédé, une ville comme Nîmes, en majorité protestante, se trouve convertie en trois jours!

La révocation de l'édit de Nantes

Parmi les fonctionnaires royaux, c'est à qui obtiendra le plus de conversions. Les courtisans prétendent que l'hérésie a disparu et que, par conséquent, les mesures de tolérance n'ont plus de raison d'être. Systématiquement trompé, en 1685, le roi révoque l'édit de Nantes. Sa décision est acclamée par l'énorme majorité de ses sujets.[23] Les persécutions redoublent. Les protestants qui refusent d'abjurer sont envoyés aux galères, emprisonnés ou condamnés à mort.

En dehors des considérations d'ordre moral, la révocation de l'édit de Nantes fut la grande erreur du règne. Déjouant la surveillance des frontières, quelque 300 000 protestants allèrent se réfugier en Angleterre, en Hollande et en Prusse.[24] Parmi eux, il y avait principalement des commerçants, des artisans et des banquiers dont le départ affaiblit la France au profit de l'étranger. Jusqu'à la Révolution, des écrits hostiles au catholicisme et à la monarchie de droit divin seront imprimés en Angleterre et en Hollande puis, de là, infiltrés en France. Par sa politique religieuse, Louis XIV contribua à solidariser ses ennemis, car les pays qui accueillirent les huguenots étaient précisément ceux que la France avait le plus à redouter.

Le tournant

À partir de 1685, les difficultés commencent. Les ministres et les écrivains qui ont concouru à la gloire du début du règne, sont déjà morts. Après Colbert, les finances passent entre les mains d'hommes médiocres; les circonstances sont de plus en plus ingrates. La cour devient guindée et dévote. Le roi connaît la souffrance physique. Il est opéré d'une fistule à l'anus. Quelques années plus tard, pour lui arracher une dent, on lui casse un morceau de palais. Pour le soulager de ses « vapeurs », les médecins lui prodiguent saignées, purges et lavements... Il ne se plaindra jamais. Pendant les dernières années de sa vie, en dépit des revers, des angoisses et des deuils, il se raidira et gardera une majestueuse sérénité.

La tension internationale monte. L'Europe vit dans un état de paix armée. La politique de Louis XIV n'en porte pas la responsabilité seule et entière. L'Espagne aspire à se venger de deux guerres qui ont été désastreuses pour elle. Les Hollandais sont des négociants avides. L'Angleterre s'efforce de conquérir la suprématie maritime car la mer est la clé du commerce. Aux rivalités économiques vient s'ajouter un conflit politique féroce.

Une haine farouche   L'Angleterre, en majorité protestante, a un roi, Jacques II, qui se rend odieux par sa politique catholique. Les passions s'enveniment. Le parti protestant fait appel à Guillaume d'Orange, stathouder de Hollande, homme ambitieux et vindicatif.[25] Guillaume rassemble une petite armée composée de protestants bien décidés; il passe la mer, detrône Jacques II et se fait proclamer roi d'Angleterre sous le nom de Guillaume III. Dès lors, gouvernées par le même homme, l'Angleterre et la Hollande vont s'unir pour lutter contre le catholicisme, le commerce français et, tout particulièrement, contre le roi de France.

Guillaume hait Louis XIV. Une querelle personnelle aggrave encore le conflit. Louis avait offert à Guillaume la main de l'une de ses filles naturelles.[26] Guillaume n'a jamais pardonné que l'on ait envisagé de le marier à une bâtarde. Quant à Louis, il n'a jamais pardonné que l'on refuse de s'allier à l'une de ses filles! Une fois sur le trône d'Angleterre, Guillaume va donc consacrer toutes ses ressources à la lutte contre son ennemi par excellence. « Je périrai, dit-il, ou j'irai brûler Versailles! »

Avec ténacité, il amalgame en une ligue — dite la Ligue d'Augsbourg du nom de la ville d'Allemagne où elle fut signée — toutes les puissances potentiellement hostiles à la France. Il a du mal à grouper des pays dont les intérêts sont, forcément, divergents. Il finit par réussir, en grande partie grâce à l'argent fourni par les banques d'Amsterdam et les marchands de Londres.

Une guerre indécise   Isolée diplomatiquement, la France doit faire face à l'Europe occidentale coalisée contre elle. La guerre, généralement appelée guerre de la Ligue d'Augsbourg, durera neuf ans. On se bat sur plusieurs fronts: en Europe, sur mer et aux colonies. Par contre, les combats cessent presque complètement en hiver et ne reprennent qu'à la belle saison. De part et d'autre, les armées sont des assemblages hétéroclites, composés en grande partie de mercenaires et d'étrangers.

Chaque belligérant connaît des alternatives de succès et de revers. Sur terre, les opérations consistent surtout en sièges. On prend quelques villes; on en perd d'autres mais, dans ces allées et venues, aucun côté ne réussit à éliminer l'adversaire. À plusieurs reprises, on envisage des négociations; comme personne ne parvient à ses buts, la guerre s'éternise.

Expédients   La première conséquence du conflit est l'épuisement financier des participants. En France, en temps de guerre, les dépenses se trouvent doublées. Or, en temps de paix, le budget n'est déjà équilibré qu'à grand peine. Il faut donc recourir à ce qu'on appelle « les affaires extraordinaires.» La monarchie s'engage sur la voie des expédients qui, en moins d'un siècle, la conduira à sa perte. Le roi envoie ses candélabres et sa vaisselle d'argent à la monnaie, pour la fonte. La galerie des Glaces n'a gardé sa décoration complète que pendant cinq ans. Malheureusement, ce sacrifice ne procure qu'un apport insignifiant. On envisage une taxation qui frapperait tous les Français, privilégiés ou non. Cette idée soulève de telles protestations qu'il faut y renoncer. On augmente la taille, mais cet impôt rend mal car il ne frappe que les classes laborieuses déjà épuisées. On exploite la vanité des bourgeois en leur vendant des titres de noblesse. Les intendants reçoivent des paquets de lettres d'anoblissement. Ils n'ont qu'à inscrire le nom de l'acheteur! On manipule les monnaies. On emprunte. Enfin, on emploie le procédé déjà trop connu: le roi crée et vend de nouveaux offices. Presque toujours, il s'agit de postes prétentieux et inutiles qui, à plus ou moins long terme, vont encore alourdir les dépenses: vendeurs d'huîtres, crieurs d'enterrements, inspecteurs de perruques! « Toutes les fois que Votre Majesté crée un office, déclare l'un des ministres, il se trouve un sot pour l'acheter! »

Pour comble de malheur, trois années de suite, la récolte de céréales est mauvaise. Le prix du pain monte. Beaucoup de petites gens sont réduits à la disette ou à la famine. La misère amène du chômage. Les salaires baissent. Les hommes valides s'estiment heureux lorsqu'ils peuvent travailler pour un patron qui les nourrit. Des milliers de pauvres, poussés à la dernière extrémité, ne peuvent compter que sur la charité (insuffisante à la ville, inexistante à la campagne) ou sur le vol. Dans les régions relativement favorisées, la peur de manquer engendre la panique. Il y a des émeutes sur les marchés, des attaques de convois de grains.

Malaises   Les difficultés économiques accélèrent le développement de l'opposition politique. Vauban prône l'égalité de tous les hommes devant l'impôt. À la cour, Fénelon,[27] le précepteur du duc de Bourgogne, dirige une coterie qui réclame la paix à tout prix. Poussé par l'ambition, l'onctueux prélat confie à Madame de Maintenon une lettre adressée au roi. Cette lettre ne sera jamais remise à son destinataire, mais elle circulera de main en main parmi les adversaires de l'absolutisme monarchique. « Vos peuples, Sire, déclare-t-elle, meurent de faim... La culture des terres est presque abandonnée; les villes et les campagnes se dépeuplent... La France entière n'est plus qu'un grand hôpital désolé et sans provisions... Si le roi... avait un cœur de père pour ses peuples, ne mettrait-il pas plutôt sa gloire à leur donner du pain... qu'à garder quelques places de la frontière qui causent la guerre? »[28]

Une querelle théologique vient encore envenimer l'hostilité politique. Fénelon se fait le porte-parole du quiétisme. Il a été initié à cette doctrine par sa chère amie Madame Guyon. Il s'agit d'un moyen d'accéder au Paradis sans effort. Plus question de devoirs ou de sacrifices! Rien qu'un « pur amour », une « extase tranquille »... Le quiétisme est condamné,[29] Madame Guyon arrêtée, et Fénelon éloigné de la cour. Ce dernier se vengera en publiant le *Télémaque*.[30] Dans un décor pseudo-antique, Télémaque, prince modèle, est exactement l'opposé de Louis XIV. Doux et pacifique, il laisse aux nobles le soin de gouverner l'État et il contemple ses peuples avec un naïf attendrissement. Un siècle plus tard, Louis XVI, pour son malheur, s'inspirera de l'idéal proposé par Fénelon.

Les belligérants sont épuisés. Chacun voudrait terminer la guerre. Après de longues négociations, la paix est signée à Ryswick en Hollande (1697). La France garde les territoires que les traités précédents lui ont accordés, plus la ville de Strasbourg. Elle reste intacte, mais son expansion est arrêtée. Le véritable sacrifice consiste en ceci: Louis XIV doit reconnaître que Guillaume d'Orange est le souverain légitime de l'Angleterre. Or, avec Guillaume, c'est le triomphe de la majorité protestante et de la vocation commerciale des îles Britanniques. Outre-Manche, la monarchie de droit divin a dû céder devant la volonté du peuple.

Tradition et tendances nouvelles

En France, la paix ne soulève aucun enthousiasme; on va jusqu'à critiquer le roi d'avoir restitué ses récentes conquêtes. L'arrêt des hostilités fait ressortir les profonds changements qui se sont opérés. Désormais les théologiens doivent lutter contre les quiétistes et les jansénistes, mais surtout contre les libertins. L'individualisme a tendance à s'accentuer. Certains couvents prennent des libertés avec l'autorité ecclésiastique. L'esprit critique s'infiltre dans tous les domaines. On remet en question ce que, jusqu'alors, on avait cru concernant l'astronomie, la création du monde, l'histoire, la nature et même les Écritures. La querelle des Anciens et des Modernes passionne le public lettré.[31] Au milieu du siècle, tout homme cultivé se réclamait des Anciens; le roi se faisait représenter en costume romain et tous les grands écrivains vénéraient la littérature de l'Antiquité. Vers la fin du siècle, un nombre croissant de personnes et notamment de femmes affirment que les écrivains modernes ne sont nullement inférieurs aux Anciens. La confiance dans le progrès commence à l'emporter sur le culte de la tradition. On s'intéresse passionnément aux pays exotiques: la Perse, l'Inde, la Chine, les pays des Indiens. Volontairement on non, on compare ces civilisations lointaines à la France monarchique et chrétienne. Sans même y prendre garde, on tire la conclusion que les hommes qui n'ont jamais connu le christianisme, ne sont ni plus barbares ni plus insensés que les autres. Le récit de voyage vers une contrée, exotique ou imaginaire, devient l'un des procédés favoris de l'opposition. En 1697, Bayle, réfugié en Hollande, publie son *Dictionnaire historique et critique*. C'est une liste alphabétique des illusions, sottises et tromperies qui ont été enseignées avec une autorité dogmatique. La philosophie du XVIIIe siècle est déjà là, toute prête à exploser.

Pendant les dernières années de sa vie, Bossuet multiplie ses efforts pour défendre la tradition catholique. À Versailles, dans un calme majestueux, le roi se raidit contre les courants hostiles. L'un et l'autre, ils sentent bien que le temps travaille contre l'ordre qu'ils essayent de défendre.

IV LE COUCHANT

La succession d'Espagne L'affaire de la succession d'Espagne hantait les diplomates depuis plus d'un demi-siècle. En 1700, elle devint le grand problème d'actualité. Voici comment se présentait la situation.

Le roi d'Espagne (Philippe IV) avait marié sa fille aînée, Marie-Thérèse, à Louis XIV, puis sa fille cadette à l'empereur d'Allemagne. L'une et l'autre, les deux infantes avaient renoncé à l'héritage espagnol. Charles II, leur demi-frère, hérita donc des 23 couronnes qui constituaient la succession d'Espagne: les Espagnes, les Pays-Bas, Naples et la Sicile, le Pérou, le Mexique etc.... Or, ce pauvre Charles était un épileptique à l'esprit instable et morbide. En 1700, parvenu, par miracle, à l'âge de 36 ans, il allait mourir sans postérité.

Soucieux de préserver l'équilibre européen, Louis XIV et Guillaume III d'Angleterre s'étaient (pour une fois!) mis d'accord pour préparer le partage de l'énorme succession. Lorsque Charles II apprit le projet, il en fut scandalisé. Il était incapable de reconnaître l'emplacement de ses états sur une carte mais, néanmoins, il voulait sauvegarder l'intégrité de son empire. À l'article de la mort, ce faible d'esprit allait donc léguer ses possessions à un prince apparenté à l'une de ses deux sœurs. Allait-il choisir un Bourbon ou un Habsbourg?

Le roi de France ainsi que l'empereur d'Allemagne entretenaient à Madrid des émissaires, officiels et officieux. Toute l'Europe suivait avec anxiété les péripéties de l'agonie du roi d'Espagne. Au mois de novembre 1700, un courrier hors d'haleine apporta à Versailles l'incroyable nouvelle. Charles II venait de mourir, léguant ses états à Philippe, duc d'Anjou, second fils du dauphin,[32] à condition qu'il renonce à tout droit sur la couronne de France. En cas de refus, ce même courrier allait offrir l'héritage à l'archiduc Charles de Habsbourg, fils de l'empereur d'Allemagne.

Voilà le roi d'Espagne!

Jamais souverain n'eut à prendre de décision plus pathétique. Si Louis XIV acceptait l'héritage espagnol pour son petit-fils, il rallumait la jalousie des puissances maritimes (Angleterre et Hollande) et, bien entendu, il déchaînait la rage de l'empereur. Par contre, s'il refusait, il offrait l'énorme succession aux Habsbourg. Pis que tout, en réunissant l'Espagne, les Pays-Bas et l'Empire sous l'autorité de la même famille, il reconstituait l'Empire de Charles Quint. Comme au XVIᵉ siècle, la France allait se trouver prise dans une tenaille. D'une façon ou d'une autre, la guerre avec l'Empire paraissait inévitable.

Le Conseil se réunit à plusieurs reprises. Chacun prend la parole. On pèse le pour et le contre. Enfin, le troisième jour, à son lever, Louis XIV fait ouvrir à deux battants les portes de son cabinet. À la foule avide de nouvelles, il montre le duc d'Anjou et déclare:

— Messieurs, voilà le roi d'Espagne; la naissance l'appelait à cette couronne, toute la nation l'a souhaité et me l'a demandé instamment; c'était l'ordre du Ciel.

Puis, se tournant vers son petit-fils, il ajoute:

— Soyez bon Espagnol; c'est présentement votre premier devoir, mais souvenez-vous que vous êtes né Français, pour entretenir l'union entre les deux nations; c'est le moyen de les rendre heureuses et de conserver la paix de l'Europe.[33]

Philippe était un adolescent timide et silencieux qui n'avait pas été destiné à régner, mais le sort était jeté. À Madrid, la nouvelle de son avènement provoqua des manifestations d'enthousiasme. Le nouveau roi fit ses adieux à sa famille puis, à petites étapes, il s'achemina vers son royaume. Il ne devait jamais revoir son pays natal.

Une guerre de 13 ans

Les Hollandais et le Parlement anglais acceptèrent de reconnaître Philippe V. En revanche, l'empereur d'Allemagne et Guillaume III d'Angleterre mirent tout en œuvre pour ameuter une coalition contre la France.

Cette guerre, dite guerre de la Succession d'Espagne, a soulevé une controverse. Généralement, l'orgueil dynastique de Louis XIV a été considéré comme la cause du conflit. En contrepartie, certains historiens du XXᵉ siècle ont loué la sagesse et la modération du vieux roi. En réalité, Louis, qui avait dépassé la soixantaine, aurait voulu conserver le *statu quo* en évitant les hostilités. Mais il avait contre lui des ennemis décidés à remettre en question les traités signés depuis un demi-siècle, ainsi que les marchands anglais et hollandais, jaloux de l'expansion du commerce français en Amérique espagnole. Que la guerre ait été inévitable ou non demeure une question spéculative. L'horreur, c'est qu'elle reprenait quatre ans après la fin du conflit précédent.

Cette fois, la France avait des alliés : l'Espagne, le Portugal, la Bavière. Elle avait contre elle l'Angleterre, la Hollande et l'Empire unis par la « Grande Alliance ». D'abord localisés, les combats s'étendirent bientôt sur toute l'Europe occidentale, les mers, les Antilles, le Canada... Ruinée et désorganisée, l'Espagne était une charge plutôt qu'un appui. L'armée française avait un commandement médiocre. Les troupes manquaient de cohésion ; les munitions faisaient souvent défaut. Par contre, l'ennemi avait des chefs de valeur : le prince Eugène à la tête des Impériaux et le duc de Marlborough à la tête des Anglais. Incapables de battre ce dernier, les Français l'ont chansonné :

> Malbrough s'en va-t-en guerre...
> Mironton, ton, ton, mirontaine...
> Ne sait quand il reviendra !

Les troupes françaises essuient des désastres (Ramillies, Oudenarde, Malplaquet) ; Philippe V est chassé de Madrid ; Gibraltar est capturé par les Anglais ; le nord de la France est envahi.

Misères et discordes   À la cour, le parti de la paix à tout prix se rassemble autour du duc de Bourgogne.[34] Les calamités semblent pleuvoir. En 1709, l'hiver est atrocement rigoureux. Le vin gèle sur la table du roi. De mémoire d'homme, on n'a jamais vu des températures aussi basses. Les semences ont gelé en terre. Les vignes et les arbres fruitiers ont éclaté. Dans les campagnes, la famine et le froid font des milliers de victimes. Paris est submergé de pauvres. Même les bourgeois sont atteints par la misère. Le prix du pain monte dans la proportion de 1 à 4. Le peuple réagit avec violence. Il y a des pillages, des vols, des attaques de convois. Les forces de police ont grand-peine à contenir certaines émeutes qui frisent la révolte.

Le gouvernement s'efforce de porter secours aux régions les plus éprouvées. Il voudrait empêcher la spéculation. Malgré tout, certains négociants réalisent des fortunes scandaleuses en accaparant, puis en revendant, des denrées de première nécessité. Entre le peuple et les riches, l'abîme se creuse ; les luttes de classe ne sont pas loin.

D'innombrables pamphlets travaillent l'opinion publique. Imprimés en Hollande, parfois même en France, ces opuscules prêchent des idées d'égalité devant l'impôt, d'abolition des privilèges, de liberté religieuse. La vente de ces feuilles clandestines devient une sorte d'industrie. Le roi renforce les mesures de surveillance, mais sans grand résultat. Des rapports de police signalent que des libelles « d'esprit républicain » sont collées aux carrefours des rues et jusque sur le porche des églises.

Assailli par les difficultés, le vieux roi demande la paix. Ses adversaires lui proposent non pas la paix, mais une trêve de deux mois. Ils stipulent qu'ils garderont les territoires qu'ils ont conquis et, entre autres conditions, ils exigent que Louis XIV chasse, lui-même, son petit-fils d'Espagne.

Redressement

Cette outrance sera un bienfait pour la France. « Puisqu'il faut que je fasse la guerre, déclare Louis en plein Conseil, j'aime mieux faire la guerre à mes ennemis qu'à mes enfants! » Pour rendre ses sujets juges de sa conduite, il fait lire dans toutes les paroisses une lettre circulaire. « Quoique ma tendresse pour mes peuples ne soit pas moins vive que celle que j'ai pour mes enfants... déclare-t-il, quoique j'aie fait voir à toute l'Europe que je désirais sincèrement les faire jouir de la paix, je suis persuadé qu'ils s'opposeraient eux-mêmes à la recevoir à des conditions contraires à la justice et à l'honneur français. »[35]

Cet appel solidarise le souverain et son peuple. Des mesures révolutionnaires sont adoptées. Un impôt du 10ᵉ est levé sur tous les revenus. On constitue des milices de volontaires puis d'hommes tirés au sort. C'est le premier essai de service militaire obligatoire.

À partir de 1711, la situation commence à se rétablir. Les adversaires se lassent de la guerre. Les Anglais, préoccupés essentiellement d'obtenir des avantages commerciaux, se retirent de la coalition. Les Français battent les troupes impériales à Denain (1712). Cette bataille accélère la conclusion de la paix.

Aux traités d'Utrech et de Rastadt (1713), les frontières de la France sont sauvegardées. Philippe V conserve le trône d'Espagne ainsi que l'Amérique espagnole; par contre, il doit céder Naples et les Pays-Bas (l'actuelle Belgique) à l'Empire. L'Angleterre garde Gibraltar ainsi que Terre-Neuve et l'Acadie (la Nouvelle-Écosse). En principe, la France se maintient dans le reste du Canada et en Louisiane; en réalité, la lutte entre les colons des deux nations ne va plus s'arrêter. Enfin, l'Angleterre obtient le monopole du commerce le plus profitable de l'époque: celui de la vente des nègres aux colonies espagnoles. Désormais, elle a acquis une supériorité maritime incontestable. Le rêve de Colbert est bien fini.

Les jours sombres

Presque par miracle, la France a sauvé son indépendance, mais elle demeure profondément appauvrie. En 1715, d'avance, on a dépensé les revenus espérés pour les trois années à venir. Les rentes, les gages des officiers royaux ne sont payés qu'avec de gros retards, si tant est qu'ils le soient! En dépit des circonstances, la lutte contre les « hérétiques » se poursuit avec une obstination féroce. Les protestants sont traqués. Le jansénisme est condamné officiellement.[36] L'abbaye de Port-Royal est rasée; on passe la charrue jusque dans le vieux cimetière et on disperse les dernières religieuses par la force.

Le roi a dépassé 75 ans. Son ardeur au travail n'est pas diminuée. Jusqu'au dernier jour, il gardera une sérénité stoïque malgré les malheurs familiaux qui vont le frapper en rafales. En 1711 commence une invraisemblable avalanche de deuils. Le Grand Dauphin, seul fils légitime du souverain, meurt. La succession reste assurée par le duc de Bourgogne, l'aîné des petit-fils. Peu après, en l'espace de deux semaines, une maladie désignée du nom de « fièvre pourpre »,[37] frappe, coup sur coup, le duc de Bourgogne, la duchesse de Bourgogne et leurs fils. Affolés, les médecins n'ont pas le temps de s'occuper du plus jeune, un garçon de deux ans, assez chétif d'apparence. Toute la famille meurt, sauf le petit qui n'a pas été soigné... Cet ultime rejeton, arrière-petit-fils de Louis XIV, deviendra le roi Louis XV.

Cette cascade de décès semble suspecte. On parle de poisons; on raconte que le duc d'Orléans, neveu du roi,[38] cherche à se frayer un passage vers le trône. Sous le masque de l'impassibilité, Louis XIV dissimule ses inquiétudes. De sa postérité légitime, il ne lui reste, outre Philippe V d'Espagne, qu'un arrière-petit-fils dont la santé paraît bien précaire. Plus que jamais, il se méfie de son neveu Philippe d'Orléans. Pour limiter l'influence que celui-ci risque de prendre après sa mort, il déclare que les enfants qu'il a eus de Madame de Montespan sont aptes à régner. Les courtisans sont forcés de rendre les hommages au duc du Maine, l'aîné des bâtards. Le duc de Saint-Simon et, avec lui, toute la vieille noblesse, en suffoquent d'indignation![39]

Dernière scène d'un grand artiste

Au début du mois d'août 1715, Louis avait encore l'énergie d'aller à la chasse et de tenir des audiences. Pourtant, sa résistance baissait. Sa gloutonnerie mais, plus encore, les purges et les lavements qu'on lui administrait, précipitèrent la fin. Des taches de gangrène apparurent sur ses jambes. Il dut s'aliter. Il fit venir le duc d'Orléans, qui, malgré tout, allait devenir le régent pendant la longue minorité qui s'annonçait...

— Vous allez voir, lui dit-il, un roi dans la tombe et un autre au berceau. Souvenez-vous toujours de la mémoire de l'un et des intérêts de l'autre.

Il bénit le futur Louis XV, alors âgé de cinq ans; il fit ses adieux à Madame de Maintenon,[40] puis il ne se préoccupa plus que de son salut. Le 1er septembre 1715, un officier portant un plumet noir à son chapeau apparut au balcon de la cour de marbre et dit:

— Le roi est mort.

Puis, s'étant retiré, il réapparut avec un plumet blanc et s'écria à trois reprises:

— Vive le roi Louis XV!

NOTES

1 Une généralité avait sensiblement la même étendue qu'un département de la France contemporaine.

2 Le mot n'apparaîtra qu'au XVIIIe siècle.

3 Pour garder son monopole, Venise interdisait, sous peine de mort, aux verriers de quitter l'île de Murano. Colbert réussit néanmoins à faire sortir quelques ouvriers qu'il installa à Paris.

4 Les Gobelins existent toujours; ils groupent un atelier de tapisserie, une école d'apprentissage et un musée.

5 Les premiers colons s'installèrent à l'île Bourbon (actuellement île de la Réunion).

6 À cette époque, les colons anglais étaient déjà plusieurs millions.

7 La Hollande s'était libérée de la tutelle espagnole à la fin du XVIe siècle.

8 Colbert créa l'inscription maritime, un système d'assurance pour les matelots qui a servi de point de départ aux assurances de l'époque contemporaine.

9 Seuls les soldats d'un régiment d'élite, le Régiment du roi, portaient un uniforme et marchaient au pas.

10 Autrefois, ces régions, de langue française, avaient fait partie des états des ducs de Bourgogne; puis, par le mariage de Marie de Bourgogne, elles avaient été rattachées aux états des Habsbourg.

11 Région de langue française qui avait fait partie des états des ducs de Bourgogne.

12 Jacques II. Louis XIV lui envoyait des subsides et le recueillera quand il sera détrôné.

13 Le Grand Canal a 1 500 m de long sur 120 m de large. Le roi y faisait essayer des modèles réduits de bateaux.

14 Comme tant de nobles, Madame de Sévigné eut de grosses difficultés financières. Elle allait vivre en Bretagne pour réduire les dépenses pendant une partie de l'année.

15 Les seuls métiers manuels qu'ils pouvaient exercer étaient ceux de verrier et de fondeur de métallurgie.

16 Frère cadet du roi. Louis XIV l'a toujours surveillé étroitement, l'empêchant de commander les armées ou d'être intendant.

17 À l'origine, appelée la Grande Galerie. Elle a 73 m de long. Les travaux d'aménagement de la Galerie durèrent six ans.

18 Entre 1693 et 1700, il ne mit pas les pieds à Paris. Sa dernière visite aura lieu en 1706.

19 Petite fille du poète protestant Agrippa d'Aubigné. Elle ne montra jamais de sympathie à l'égard de ses anciens coreligionnaires.

20 Il maria l'une de ses bâtardes à son neveu le duc d'Orléans, le futur régent.

21 Entre 1683 (année de la mort de la reine) et 1697...

22 Entre autres, la duchesse d'Orléans la détestait. Voir la *Correspondance* de la duchesse d'Orléans dite princesse Palatine.

23   Par Racine, Boileau, La Fontaine, La Bruyère, Madame de Sévigné, entre autres...

24   Avant la révocation, la France comptait environ un million de protestants ou peut-être plus.

25   Guillaume avait épousé Mary, la fille de Jacques II. En principe Mary devait être la souveraine, mais Guillaume refusa de se soumettre à un « jupon ». Guillaume et Mary furent couronnés l'un et l'autre.

26   L'une des filles qu'il avait eues de Mademoiselle de La Vallière.

27   L'abbé de Fénelon, plus tard évêque de Cambrai.

28   La lettre fut écrite vers 1694. Fénelon montre qu'il ne comprenait rien aux questions militaires.

29   Bossuet avait lancé une campagne foudroyante contre le quiétisme.

30   Composé vers 1694 et publié en 1699. Avec le *Télémaque*, la disgrâce de Fénelon devint totale.

31   Racine, Boileau, La Bruyère, La Fontaine étaient pour les Anciens; Perrault et Fontenelle défendaient les Modernes.

32   Le duc de Bourgogne, fils aîné du dauphin, était destiné à régner sur la France.

33   Rapporté par Dangeau, *Journal de la cour de Louis XIV*, Londres 1770, pp. 100–102. Louis XIV n'a pas prononcé le mot historique « et maintenant il n'y a plus de Pyrénées ». Ces paroles ont peut-être été prononcées par l'ambassadeur d'Espagne.

34   Resté sous l'influence de Fénelon, son ancien précepteur.

35   Cité par Gaxotte, *La France de Louis XIV*, Hachette 1946, p. 374.

36   Par la bulle *Unigenitus* (1713), Louis XIV avait poussé le pape à condamner le jansénisme. Cette condamnation souleva des protestations parmi le clergé français en grande partie favorable aux jansénistes.

37   La nature de cette maladie est impossible à préciser. Il s'agissait probablement d'une forme de rougeole ou de scarlatine.

38   Fils de Philippe, frère cadet de Louis XIV.

39   Pour tout ce qui touche la cour pendant les dernières années du règne de Louis XIV, voir les *Mémoires* de Saint-Simon.

40   Elle se retira à Saint-Cyr, un pensionnat qu'elle avait fondé pour les jeunes filles nobles, dépourvues de moyens financiers.

LA JOURNÉE DU ROI-SOLEIL

Grand lever   Sept heures du matin. Dans la chambre du roi, un homme se lève puis il va s'habiller dans l'antichambre. C'est le premier valet de chambre.

Sept heures et demie. Le premier valet s'approche du lit royal et murmure: « Sire, voilà l'heure ». Aussitôt, il va ouvrir la porte au premier médecin, au premier chirurgien et à la nourrice du roi.[1] Le médecin examine le roi et change sa camisole;[2] souvent, il profite de ces quelques instants pour solliciter une grâce ou pour plaider une cause.

Huit heures. Les « grandes entrées » commencent. Pénétrer dans la chambre royale quand Sa Majesté est encore au lit est, selon Saint-Simon,[3] « la plus insigne et la plus rare faveur.» Seuls ont droit aux « grandes entrées » les membres de la famille royale, les princes du sang, le chambellan et les gentilshommes de la Chambre.

Le premier gentilhomme de la Chambre ouvre les rideaux du lit, dépose quelques gouttes d'alcool sur les mains du roi (les soins de propreté sont vite expédiés!) et présente le bénitier. Le roi se signe, puis il prend le livre de l'Office du Saint-Esprit. L'office dure un quart d'heure, à peine.

Entrent le barbier et le valet des perruques. Le roi choisit la perruque qu'il portera pendant la matinée.

Huit heures et demie. Le roi sort de son lit, enfile ses chaussons et sa robe de chambre. Il franchit la balustrade qui entoure son lit[4] puis il va s'asseoir dans un fauteuil.

Petit lever   Le « petit lever » commence. C'est l'heure des « petites entrées ». Seules sont admises les personnes qui exercent une fonction bien déterminée auprès de Sa Majesté. Le roi passe sur sa chaise percée;[5] il faut un privilège spécial pour être autorisé à demeurer auprès de lui à ce

Archives Photographiques

Versailles, la chambre de Louis XIV.

moment-là, lorsque le reste de la suite s'est retiré. Ces instants d'intimité sont des plus précieux pour celui qui a quelque faveur à solliciter! Le roi retourne sur son fauteuil. Il est peigné et rasé. Il met sa perruque du matin qui est plus courte que celle qu'il portera le reste de la journée. Les officiers de la garde-robe s'approchent pour l'habiller. Le roi a déjà demandé que l'on fasse les premières entrées. Les ambassadeurs, les grands seigneurs, les «gens de qualité» arrivent en grand nombre. Deux huissiers communiquent les noms à l'oreille du roi. Entretemps, Sa Majesté met ses bas, sa culotte, ses jarretières, ses souliers. Le prince le plus haut placé a l'honneur de lui présenter sa chemise. Le roi demande son déjeuner. On lui apporte deux tasses de tisane ou de bouillon. Par prudence, un officier essaye la boisson, après quoi le roi peut boire... La toilette s'achève. Des valets apportent l'épée et le cordon bleu.[6] Le roi choisit sa cravate, ses mouchoirs, sa montre, sa canne. Il est prêt. Il fait une dernière prière au pied de son lit puis il passe dans son cabinet.

Les courtisans sont là. À certains, le roi accorde quelques minutes d'entretien. Un cortège se forme au fur et à mesure qu'il traverse la galerie des Glaces et les grands salons. Au début de son règne, il se rend directement au Conseil mais, pendant la seconde moitié de sa vie, il commence par assister à la messe et il tient à ce que les personnes de sa Maison en fassent autant. Ses violonistes et ses chanteurs exécutent des motets. Louis adore la musique.

Le métier de roi   Maintenant que Dieu est servi, le roi va se consacrer à son « métier ». « Au Conseil » dit-il. Ses ministres l'attendent. Selon les jours, il y a Conseil d'en haut, Conseil des finances ou Conseil des dépêches. Les ministres sont assis en rang, devant lui. Une fois par semaine, le jeudi, le roi réserve la matinée aux audiences particulières. S'il reçoit un ambassadeur, il se tient assis dans son fauteuil, à l'intérieur de la balustrade qui entoure son lit. En entrant, l'ambassadeur salue le roi trois fois. Sa Majesté se lève, salue, se rassied et se couvre. L'ambassadeur commence à parler puis il se couvre, ainsi que les princes. Lorsqu'il se retire, il fait encore trois révérences. Il faut noter qu'on ne se couvre jamais en présence du roi, sauf pendant les audiences.

Lorsque le Conseil ou les audiences se terminent, c'est un moment propice pour tenter d'aborder le roi. Celui qui n'a pas la chance d'obtenir un entretien, peut déposer une lettre sur une table qui est préparée à cet effet.

Petit couvert ou grand couvert   Il est une heure passé. Le roi est dans sa chambre pour le dîner. On a dressé une table carrée[7] devant la fenêtre du milieu qui donne sur la cour de marbre. En général, le roi dîne « à son petit couvert », c'est-à-dire, en privé. De toute façon, il est toujours seul à sa table. Son appétit est prodigieux. Pour un seul repas, la duchesse d'Orléans l'a vu manger quatre assiettes de soupe, un faisan entier, une perdrix, une grande assiette de salade, deux tranches de jambon, du mouton à l'ail, une pleine assiettée de pâtisserie, des fruits et, par-dessus tout cela, des œufs durs!

Quand le roi mange « à son grand couvert », c'est-à-dire en public, les plats arrivent portés par une quinzaine de personnes qui, en cortège, doivent se frayer un chemin entre les courtisans et les curieux. La foule est considérable car n'importe qui peut entrer dans les jardins et dans le palais du roi; il suffit d'être convenablement habillé. Le dimanche, les badauds sont particulièrement nombreux. Chaque service donne lieu a une véritable mise en scène. Deux gardes marchent les premiers, ensuite viennent l'huissier, le maître d'hôtel avec son bâton, les gardes du corps avec leur carabine sur l'épaule et enfin les gentilshommes servants... Bien que les plats soient couverts[8] (d'où le terme que nous employons encore), le roi ne risque pas de se brûler la langue!

À boire pour le roi!

Pour la boisson, le cérémonial est encore plus compliqué. Il n'y a ni carafe ni verres sur la table, pas plus chez le roi que chez les bourgeois. Quand le roi demande à boire, l'échanson crie tout haut « À boire pour le roi »; il fait la révérence puis il va au buffet chercher la soucoupe d'or garnie d'un verre et de deux carafes—vin et eau. L'échanson revient accompagné de deux assistants. Nouvelles révérences. On présente les carafes au roi qui verse lui-même l'eau et le vin qu'il désire; il ne boit jamais de vin pur. Le roi boit. Nouvelles révérences. La soucoupe portant le verre et les carafes est rapportée au buffet. Ainsi, il faut trois personnes et sept ou huit minutes pour que le roi puisse avoir un verre de vin coupé d'eau!

Personne ne partage le dîner du roi. Si Monsieur le duc d'Orléans arrive, le roi lui dira peut-être: « Mon frère, asseyez-vous donc ». Alors, Monsieur fera la révérence, s'assiéra sur un tabouret et, à la fin du dîner, il présentera la serviette. Les autres personnes restent toujours debout pendant le repas royal.[9]

Le dîner est terminé. Le roi accorde quelques instants d'entretien à des gens qui désirent lui parler; ensuite, il passe dans son cabinet où on lui amène ses chiens. Il a sept ou huit chiens favoris à qui il distribue quelques gourmandises qu'il sort de ses poches.

Chasse ou promenade puis travail

Il est deux heures environ. Le roi part à la chasse, accompagné par les dames et les gentilshommes qui ont l'honneur d'être invités. Louis est un cavalier et un tireur d'élite. Les cerfs, les sangliers, les perdrix abondent dans la forêt. En deux ou trois heures, le roi peut tuer jusqu'à une cinquantaine de pièces de gibier. Lorsque la chasse est terminée, il donne ce qu'il a tué aux dames qui l'entourent.

Parfois, au lieu d'aller chasser, Louis se promène dans son parc. Il adore ses jardins; il a lui-même rédigé un petit guide du parc afin que les visiteurs puissent en saisir toutes les beautés. En général, la promenade s'achève par une collation servie le long du Grand Canal.

De retour au palais, le roi change d'habit, de perruque et de chapeau; il accorde quelques minutes d'entretien à des gens qui désirent lui parler, puis il se remet au travail avec ses ministres. Cette seconde séance de travail peut durer entre deux et cinq heures, selon les circonstances.

Fête ou appartement

Il est environ sept heures. L'après-midi s'achève. Le roi va se détendre. Parfois il donne une fête de nuit, un feu d'artifice, une représentation théâtrale, un concert. D'autres fois, il offre une loterie; c'est une façon de faire des cadeaux, car tous les numéros sont gagnants. En hiver, trois fois par semaine, il donne « un appartement ». Sous ce nom, on désigne une variété de divertissements qui sont présentés simultanément dans les grands salons des appartements. Ici il y a des jeux de billards, de dés, de cartes. Plus loin il y a une danse, un concert, une petite représentation théâtrale. Dans un dernier salon, d'appétissantes collations attendent les invités: des pyramides de fruits et de sucreries, des confitures, du thé, du chocolat, des liqueurs et même des sorbets,[10] gourmandises encore toutes nouvelles. L'atmosphère est détendue. Le roi se promène de salon en salon; il ne veut surtout pas que les divertissements soient interrompus quand il approche. En général, la soirée s'achève vers dix heures moins le quart par une contredanse.

Souper; grand couvert et nef

Il est dix heures. Le roi a l'habitude de souper « à son grand couvert ». Le souper est à peine moins abondant que le dîner. Les plats sont apportés selon le rite protocolaire. La table est placée dans l'antichambre. Des gardes armés font la haie autour d'une imposante pièce d'orfèvrerie appelée « la nef.» Comme son nom l'indique, la nef a la forme d'un bateau. Elle contient le pain, la cuiller, le couteau, la serviette et les cure-dents de Sa Majesté.[11] Les courtisans ne passent pas devant la nef sans faire une profonde révérence.

Le souper s'achève; le roi se lève et gagne sa chambre. Au moment de franchir la porte, il rend la révérence aux dames. On le débarrasse de son chapeau, de sa canne et de son épée.

Allons, messieurs, passez!

Le « grand coucher » commence. Le roi s'agenouille sur un coussin; il récite une prière; ensuite il va s'asseoir dans son fauteuil pour que les officiers de la garde-robe le déshabillent. S'il désire faire un grand honneur à un prince étranger ou à un seigneur, il le charge de tenir le bougeoir.

Le roi est en camisole de nuit. D'un signe de tête, il salue les « gens de qualité ». Les huissiers crient « Allons, messieurs, passez ». La cour se retire.

Le coucher proprement dit commence; il sera rapide. Il ne reste plus dans la chambre que le barbier, le chambellan et quelques officiers. Le roi s'essuie les mains et le visage avec une serviette, puis il se met au lit.

Tout le monde est sorti, sauf le premier valet qui vient de dresser son lit de camp. Il est onze heures. Le roi dort. Le palais semble plongé dans le sommeil. Demain, la liturgie monarchique se répétera, toute pareille.

NOTES

1 L'ancienne nourrice du roi; jusqu'à sa mort, elle alla l'embrasser chaque matin.

2 Sorte de chemise de nuit.

3 Duc et pair de France, Saint-Simon était fort soucieux d'étiquette.

4 Seules quelques rares personnes étaient autorisées à franchir cette barrière.

5 C'était le summum du confort! La chaise percée était un véritable meuble garni de capitonnages, de franges...

6 Insigne de la royauté auquel était attachée la croix de l'ordre du Saint-Esprit.

7 Il n'existait pas de pièce spécialement installée pour les repas. La salle à manger n'apparaîtra qu'au XVIIIe siècle.

8 Les plats étaient couverts pour qu'ils restent chauds mais aussi pour qu'ils soient à l'abri des mains criminelles.

9 L'anecdote selon laquelle, un jour, Louis XIV aurait fait dîner Molière à sa table, est une simple invention.

10 La mode des liqueurs et des sorbets venait d'être apportée d'Italie.

11 Pas de fourchette. Sa Majesté mange avec ses doigts.

LE SIÈCLE DE LOUIS XV:
LE TRÔNE ET LES LUMIÈRES

Louis XV.
Pastel de Quentin La Tour.

I LA RÉGENCE

Le duc d'Orléans régent

La monarchie française connut plus d'une régence au cours de son histoire. Néanmoins, la Régence désigne spécifiquement l'époque de la minorité de Louis XV, époque célèbre pour son luxe sensuel, son libertinage et son scepticisme.

Du fait qu'il était l'oncle et le plus proche parent de l'enfant-roi, le duc d'Orléans devint régent.[1] Louis XIV s'était résigné à cette solution par respect pour les traditions, mais il aurait préféré confier le royaume à l'aîné de ses fils légitimés. À l'égard de son neveu, le vieux roi éprouvait une aversion insurmontable.

En 1715, Philippe d'Orléans avait atteint la quarantaine. Des bruits sinistres couraient à son sujet. Intelligent et sensible, il avait des dons exceptionnels pour les arts, les sciences et la stratégie. Malheureusement, son naturel impétueux et son franc parler lui avaient attiré l'animosité de la vieille cour. Le clan des dévots, Madame de Maintenon en tête, le détestait. Louis XIV, *a priori*, le tenait pour suspect puisqu'il appartenait à la famille des Orléans.

Écarté de la vie politique, brisé dans ses aspirations militaires, Philippe avait, peu à peu, glissé vers l'oisiveté et la débauche. Il fréquentait les roués, ces jeunes gens riches et cyniques qui se vantaient d'être passibles du supplice de la roue.[2] Il se livrait à des orgies qui duraient jusqu'à l'aube; il blasphémait, il conduisait des expériences d'alchimie et cherchait à évoquer l'esprit des morts. Son inconduite tapageuse ne manqua pas d'être exploitée par ses ennemis. Au moment de la mort du dauphin puis de celle du duc et de la duchesse de Bourgogne, tout Versailles parla de poisons. Friands d'histoires scandaleuses, les courtisans ne se gênaient nullement pour imputer ces morts à Philippe. On prétendit qu'il voulait exterminer la branche aînée de la famille pour se frayer un chemin jusqu'au trône.

Incapable de surmonter ses sentiments intimes, le vieux Louis XIV avait accordé à Philippe le titre de régent mais, par contre, il avait cherché à lui retirer tout moyen d'action. Selon le testament royal, le pouvoir devait appartenir à un Conseil de régence dont les membres avaient été soigneusement choisis d'avance.

Revanches

Le lendemain même de la mort du roi, Philippe se précipita au Parlement de Paris. Séance tenante, les magistrats se firent un plaisir de casser le testament d'un monarque qui leur avait été antipathique. Philippe se vit accorder les pleins pouvoirs. En principe, il était le maître du royaume.

En réalité, son autorité était dangereusement hypothéquée. En reconnaissance du service qu'ils venaient de lui rendre, les membres du Parlement comptaient obtenir des prérogatives politiques. Quant aux nobles, après un demi-siècle sous la tutelle royale, ils aspiraient à prendre leur revanche. Pour eux, l'essentiel était de détruire l'autorité centralisatrice de la couronne. À Paris, la jeune génération tendait à rejeter les anciennes contraintes. Pamphlétaires et libellistes excitaient les mécontents. À tout prix, on voulait du nouveau. L'opinion publique s'éveillait et, peu à peu, prenait conscience de sa force.

Philippe n'avait ni le prestige ni les ressources matérielles qui lui auraient été nécessaires pour conduire une politique indépendante. Force lui fut de rechercher l'appui des hommes qui estimaient que Louis XIV les avait traités injustement. En quelques jours, la Régence prit le contrepied des principes du règne précédent.

Volte-face Sur les conseils du duc de Saint-Simon, un grand seigneur aigri, Philippe bouleverse les cadres administratifs. Il élimine des hautes fonctions les bourgeois, ces gens de « vile roture », pour mettre à leur place des nobles et des magistrats. En politique étrangère, la volte-face est plus brutale encore. Pour la première fois de son histoire, la France recherche l'alliance anglaise. L'abbé Dubois, un intrigant assez louche, est l'artisan de ce rapprochement.

Ce bouleversement diplomatique enchante quelques esprits avancés qui sont épris d'anglomanie mais, par contre, il déconcerte la majorité des gens. Depuis le commencement du siècle, on pouvait croire que la France et l'Espagne, unies par des liens de famille, allaient rester solidaires dans la lutte contre l'ambition britannique.[3] En réalité, par sa politique belliqueuse, Philippe V d'Espagne est le principal responsable du renversement des alliances. Celui-ci aspire à reprendre la totalité des anciens états des Habsbourg; il va même jusqu'à convoiter la couronne de France, au cas où viendrait à mourir le petit Louis XV. Ces prétentions risquent de rompre l'équilibre fragile de l'Europe; pour y mettre un terme, le régent ne voit qu'une solution: l'alliance franco-anglaise.

Au cours d'un bref conflit, la marine espagnole est détruite. L'Europe a évité une guerre généralisée mais, désormais, l'Angleterre est incontestablement la maîtresse des mers. La France ne va pas tarder à en payer les conséquences.

Entretemps, le régent est aux prises avec les pires difficultés financières. La guerre de la Succession d'Espagne a épuisé le trésor. À la mort de Louis XIV, les dettes de la couronne dépassent deux milliards de livres — somme fabuleuse pour l'époque. Les coffres sont vides. Le gouvernement se lance dans des acrobaties désespérées: il diminue les pensions, il tente d'augmenter les impôts, il emprunte à des taux qui vont jusqu'à 400%... Ces mesures sont impopulaires. De toute urgence, pour apaiser les mécontents, Philippe a besoin d'un grand succès.

Law et la solution miracle

Dans les salons parisiens, on se dispute la compagnie d'un Écossais d'une quarantaine d'années, un certain John Law. Celui-ci se vante de savoir gagner au jeu à l'aide de calculs mathématiques. Brillant causeur, esprit hardi et bouillonnant, il enchante un monde avide d'innovations. Introduit auprès du régent, il offre la solution miracle qui fera le bonheur de la France entière... « La circulation des monnaies, affirme-t-il, est aussi indispensable à l'État que le sang au corps humain. » Or, la monnaie métallique n'est pas assez abondante pour répondre aux besoins croissants du commerce. D'autre part, elle est lourde et dangereuse à transporter. De déduction en déduction, il en arrive à la conclusion suivante: « Rien n'est plus propre à remplir la fonction de la monnaie que le papier. »

Le « système »

Le régent hésite à s'engager. Tout d'abord, Law n'est autorisé qu'à établir une banque privée qui ne fera courir aucun risque à l'État. Le capital initial de l'entreprise est constitué par 1 200 actions émises à 5 000 livres. Les affaires démarrent à merveille. Six mois plus tard, les actionnaires reçoivent un dividende plantureux. Philippe est conquis. La banque de Law devient banque royale (1718); au nom du roi, elle émet des billets qui sont échangeables à vue contre du numéraire.

Law voit plus grand encore; il veut opérer à l'échelle mondiale. Théoriquement tout au moins, la France possède le bassin du Mississippi. Cet immense territoire, qui s'étend du Canada jusqu'au golfe du Mexique, a été exploré par Cavelier de La Salle.[4] En l'honneur de Louis XIV, on lui a donné le nom de Louisiane.

La colonie végète; c'est à peine si elle compte 200 colons. Sans difficulté, Law obtient le monopole du commerce et de la mise en valeur du territoire. La Compagnie du Mississippi est fondée; c'est une compagnie par actions, purement spéculative, un *bubble* comme on disait alors en Angleterre.[5] Confiant dans son étoile, Law fusionne la banque avec la Compagnie du Mississippi; peu après, il absorbe l'administration des douanes, la perception des impôts, la frappe des pièces de monnaie. En définitive, il arrive à constituer un « système » qui englobe toutes les ressources nationales. C'est un véritable trust qui s'installe.

Le Mississippi

Aussitôt, Law met tout en œuvre; il nomme un gouverneur, il entreprend la construction d'une flotte, il se préoccupe de recruter des colons, il donne l'ordre de fonder une capitale... Sur sa recommandation, on crée la nouvelle ville à l'embouchure du fleuve. L'installation, à vrai dire, ne comprend que six cabanes de planches, mais on la croit appelée à un avenir prodigieux; en l'honneur du duc d'Orléans, on la baptise La Nouvelle-Orléans.[6]

Envoûtés par une propagande habile, les Parisiens croient apercevoir l'Eldorado.[7] Le seul mot de Mississippi exalte les esprits... On raconte que le pays recèle des richesses incalculables, des mines d'or, des carrières d'émeraudes! Les belles Indiennes, à ce que l'on dit, ne sont pas farouches! On s'attendrit à la vue d'une douzaine de « bons sauvages » et d'une « sauvagesse » que l'on promène dans les salons parisiens. Portés sur les ailes de l'imagination, les spéculateurs s'en donnent à cœur joie. Émises à 500 livres, les actions du Mississippi montent à 10 000; elles atteindront jusqu'à 18 000 livres. Pour acheter « du Mississippi » des gens vendent leurs châteaux, leurs fermes et jusqu'à leurs habits! Dès le matin, une cohue d'agioteurs se précipite dans l'étroite rue où ont lieu les transactions.[8] « Qui veut du Mississippi? » crient les vendeurs. Un petit bossu gagne une fortune en louant sa bosse comme pupitre aux personnes les plus pressées. En quelques jours, des fortunes s'édifient; on voit des laquais devenir millionnaires, d'ex-mendiants acheter des carrosses. Un ancien vagabond se fait faire un pot de chambre en or. « Dieu, écrit Montesquieu, ne tire pas plus rapidement les hommes du néant. Que de valets servis par leurs camarades et peut-être demain par leurs maîtres ».[9] La consommation augmente, les prix montent, les bourgeois s'initient au luxe; jamais le commerce n'a été aussi prospère. On se croit arrivé à l'âge d'or. Law est idolâtré; un fanatique s'écrie: « C'est mieux qu'un génie, c'est peut-être Dieu descendu sur la terre! »

Assailli de demandes, Law multiplie les actions et les billets de banque. Une difficulté subsiste; en dépit d'une propagande alléchante, les Français ne s'empressent guère de partir pour le Mississippi... Qu'à cela ne tienne! Pour peupler la nouvelle colonie, on embarque des vagabonds, des enfants perdus, des repris de justice, des filles « de petite vertu ». Au passage des charrettes qui emportent ce bas monde, le peuple chansonne:

> Pour peupler le Mississippi
> L'illustre colonie
> Filous et p . . . . . . de Paris
> Partent de compagnie...

Parmi les déportées, quelques-unes pleurent de honte ou de repentir. C'est un cas, parmi tant d'autres, qui inspira à l'abbé Prévost son chef-d'œuvre *Manon Lescaut*.[10]

Banqueroute Trouvant que les dividendes tardent trop à venir, certains actionnaires commencent à vendre leurs actions et à échanger leurs papiers contre du numéraire. Un grand seigneur présente ses actions et repart avec quatre voitures pleines de pièces d'or. En quelques semaines, la confiance, base du système, s'écroule. Les cours tombent. On se rue pour se débarrasser du papier, comme s'il brûlait les doigts. Quinze personnes meurent étouffées dans la foule. La plupart des provinciaux et des petites gens arrivent trop tard. Le régent est conspué. Law quitte la France plus pauvre qu'il n'était venu (1720).

La faillite du « système » laissa le pays bouleversé. L'État s'était engagé dans cette affaire; il en sortait discrédité. Il faudra longtemps avant que l'opinion publique puisse accorder sa confiance au billet de banque. L'argent avait changé de mains avec une rapidité que l'on n'aurait jamais soupçonnée. La soif des richesses et le goût de la spéculation étaient entrés dans les mœurs. Les nobles s'étaient montrés tout aussi rapaces — sinon plus — que les autres. Après cela, comment respecter la morale, comment retrouver la stabilité de l'ancienne hiérarchie?

La morale en crise   Certes, le commerce avait reçu une impulsion salutaire, l'exploitation de la Louisiane avait démarré, l'argent improductif était sorti de ses cachettes, une grande partie de la dette de Louis XIV s'était trouvée « épongée », mais tous ces facteurs économiques ne pouvaient pas compenser la perte d'ordre moral. Le prestige de la couronne s'était trouvé atteint. Un an après, Montesquieu tirait, dans *Les Lettres persanes*, la conclusion des récentes épreuves.[11] Sous une satire plaisante, c'est déjà le procès de toute l'ancienne société française qui commence.

Il fallut en revenir aux méthodes habituelles: compressions des dépenses, ventes d'offices, maintien ou augmentation des anciens impôts...

La société acceptait mal ces contraintes. Parmi les gens laborieux, on vénérait toujours la morale traditionnelle; par contre, parmi les privilégiés de la fortune ou de la naissance, on aspirait à jouir en toute liberté. Dans les salons parisiens, on se délectait des couplets obscènes qui circulaient sur le régent et son entourage. L'impertinence, le libertinage étaient de bon ton. Des bandes de brigands, organisées comme une véritable maffia, tenaient la police en échec. Au milieu de tant de causes d'inquiétude, un espoir demeurait: le jeune roi, le « Bien Aimé » comme on l'appelait. « Vive le roi et la Régence au diable » criait le peuple.

Déclaré majeur à l'âge de 13 ans, Louis fut sacré à Reims selon les rites séculaires. Un peuple enthousiaste l'acclama. Quelques mois plus tard, Philippe d'Orléans s'affaissa sur l'épaule d'une jolie blonde qui lui tenait compagnie. Il était mort, comme il avait vécu, en libertin.

Officiellement du moins, la Régence était terminée.

II   LE RÈGNE DE LOUIS XV

Expansion économique et prestige culturel   Longtemps, le règne de Louis XV eut sinistre réputation. À la suite des pamphlétaires du XVIIIe siècle, les écrivains du XIXe siècle se sont appliqués à le présenter comme une époque de corruption et de décadence. Récemment, des historiens attentifs ont montré que la vérité est plus nuancée.

Pendant cette période longue de plus d'un demi-siècle, les facteurs favorables n'ont pas manqué. Le territoire ne s'est jamais trouvé ravagé par les armées étrangères; toutes les guerres se dérouleront à l'étranger ou aux colonies. La population augmente: la France est, de beaucoup, la nation la plus peuplée d'Europe.[12] En dépit de l'esprit de routine, les manufactures et les techniques industrielles se développent. Le volume du commerce extérieur quintuple. Les routes et les travaux d'urbanisme se multiplient. Enfin, la culture française est plus admirée qu'elle ne l'a jamais été. La langue française s'est substituée au latin comme langue diplomatique. Jusqu'en Russie, les souverains et les esprits « éclairés » parlent et écrivent le français, souvent avec plus de facilité que l'idiome national.[13] Les élites de tous les pays se forment à la lecture des classiques du XVIIᵉ siècle et des œuvres françaises contemporaines.

Pourtant, au moment où la France exerce dans le monde une hégémonie culturelle incontestée, la monarchie est en perte de vitesse. Paris, et non plus Versailles, est le centre de gravité de la nation. Entre l'opinion publique et le souverain, les rapports se relâchent. Un malentendu se développe, l'autorité s'effrite. Le caractère morne et indécis de Louis XV y contribue pour beaucoup.

Un souverain maussade

Orphelin à deux ans, roi à cinq, Louis XV fut, toute sa vie, opprimé par un sentiment de solitude. Il fut élevé par des gouverneurs dévoués mais peu intelligents. Sa santé, d'abord précaire, s'était affermie au point qu'il deviendra un homme d'une vigueur exceptionnelle. Comme tous ses ancêtres, il aura un appétit robuste et il aimera la chasse avec fureur. Par contre, il restera impressionnable et timide. Manquant de confiance en lui-même, il penchera vers la mélancolie. Alors que Louis XIV enfant adorait jouer au roi soleil, le petit Louis XV souffre quand il doit se donner en spectacle. Présider un lit de justice, danser un ballet en présence de personnes plus âgées que lui, participer à une cérémonie sont pour lui autant d'épreuves. Son bonheur consiste à se retrouver parmi quelques intimes et à se livrer à des occupations paisibles: il adore faire la cuisine et collectionner les livres. Il était né pour vivre une existence bourgeoise: malheureusement, on voulut trouver en lui une réincarnation de Louis XIV.

Bien qu'il ait été déclaré majeur, le jeune roi fut fort aise de laisser le pouvoir, d'abord à son oncle le duc de Bourbon, puis à son ancien précepteur le vieux cardinal Fleury.

Une reine sans attraits

Le plus vite possible, il fallait assurer l'avenir dynastique. Le mariage royal fut une affaire d'état. Le duc de Bourbon dressa une liste de 99 princesses en âge de se marier... Après maintes délibérations, on finit par choisir Marie Leczinska, la fille de l'ancien roi de Pologne Stanislas Leczinski.[14] Quand il apprit la demande en mariage, celui-ci faillit en étouffer de joie!

Marie n'était pas une beauté, mais elle était fraîche et honnête. On attendait d'elle une nombreuse postérité. Elle avait 22 ans; Louis en avait à peine 15. Tout sembla aller pour le mieux... Chaque nuit, le roi rejoignait son épouse, tant et si bien qu'en douze ans le couple royal eut dix enfants![15]

Un jour, Marie aurait soupiré: « Hé donc, toujours coucher, toujours grosse, toujours accoucher! » Ce mot est sans doute apocryphe, mais il a dû correspondre à un sentiment qui n'était que trop réel! Fatiguée, déçue, la reine ne tarda pas à se désintéresser du monde. Elle trouvera ses dernières satisfactions dans la gourmandise et la dévotion. Quant à Louis, il se dédommagera par des fantaisies extra-conjugales...

À Versailles, rien ne paraît modifié. Élevé dans le culte de la tradition, Louis XV ne veut rien innover. Autour de lui s'empressent plusieurs milliers d'officiers et de courtisans, toujours aussi avides de faveurs et soucieux de préséances. Le Grand Roi semble avoir cristallisé la cour dans une majesté immuable.

Double vie

En réalité, l'esprit est profondément altéré. Louis XIV était fait pour mener une vie de représentation continuelle. Louis XV, par contre, voudrait se soustraire aux regards du public. Certes, il s'acquitte de son « métier », il se rend au Conseil, il s'astreint au cérémonial, il donne des audiences, mais pour lui ce n'est pas « un délice », c'est une servitude. Les responsabilités le dépriment, la régularité le lasse, les yeux, braqués sur lui, irritent sa sensibilité. Ajouter à cela que la vie conjugale ne le satisfait plus. Parallèlement à son existence officielle, il va donc mener une seconde vie, aux aspects multiples, qu'il s'efforcera de tenir cachée.

Jusqu'à une trentaine d'années, Louis confie presque toutes les décisions au cardinal Fleury. L'emprise prolongée d'un vieillard qui a dépassé 80 ans, aggrave encore sa timidité. « La modestie, écrit un témoin bien informé, fut poussée au vice chez lui. Voyant plus juste que les autres, il croyait toujours avoir tort. »[16] De timide, il devient dissimulé. N'osant imposer son opinion, il va tenter de la faire avancer par des chemins souterrains. Il finit par poursuivre deux politiques étrangères qui parfois sont en désaccord l'une avec l'autre. D'une part, il entretient des diplomates qui agissent en fonction des directives officielles du gouvernement. D'autre part, au même moment, il charge des agents secrets de mener des négociations, à l'insu du corps diplomatique. Cette seconde diplomatie, qui n'est d'ailleurs connue que de façon incomplète, constitue ce que l'on appelle « le secret du roi ».

Complexe de la timidité

Pour satisfaire son besoin d'intimité, le Bien-Aimé se fait aménager dans le palais un labyrinthe de « petits cabinets ». Ce sont de petits appartements décorés avec un goût exquis. Seuls quelques amis y sont admis. Les courtisans qui n'y sont pas invités se vengent en les qualifiant de « nids à rats ». Il y a une bibliothèque, un atelier, une distillerie, une cuisine, une salle de jeu... Enfin, grande innovation, il y a une salle à manger pour les « petits soupers ». Dans ce charmant refuge, Louis se détend: il ne paraît plus du tout timide; il est causant, il se plaît à écouter les petits potins, il se divertit et divertit les autres.

Souvent la soirée se prolonge. Louis XV n'a pas un horaire aussi rigoureux que son aïeul. Parfois il joue aux cartes, il va se promener sur les toits du palais, il s'amuse à effrayer les courtisans en criant dans les cheminées, il se fait de la soupe ou du café, ou bien il va retrouver quelque demoiselle... Il adore sortir incognito et se rendre, avec un seul ami, à un bal masqué. Une fois dissimulé par un travesti, il se sent libre. Le lendemain, lorsque se répand la nouvelle de l'escapade royale, les personnes qui ont parlé sans méfiance à un certain danseur masqué, risquent de se sentir fort embarrassées...

Le coucher du roi se déroule selon les rites, mais le dernier courtisan n'est pas plus tôt parti que Louis enfile sa robe de chambre et retourne à ses « petits cabinets ». Le matin, c'est la comédie inverse. Le roi arrive dans sa chambre officielle, juste à temps pour son « lever »! Cette mise en scène un peu ridicule sauve les apparences. En réalité, nul n'ignore que le roi a couché avec sa maîtresse!

Fureur érotique

Les liaisons de Louis XV continuent à faire la joie des amateurs de chroniques érotiques. À vrai dire, tous les rois, à une ou deux exceptions près,[17] ont eu des maîtresses. Les galanteries de Henri IV sont divertissantes, celles de Louis XIV paraissent exclusables (la faiblesse d'un grand homme...) mais celles de Louis XV sont jugées scandaleuses!

Au cours de sa vie, le Bien-Aimé eut un nombre incalculable de fantaisies amoureuses qu'il s'efforça toujours de dissimuler; une trentaine d'enfants seraient nés de ses incartades, sans compter ceux dont l'histoire n'a conservé aucune trace! Il en était arrivé à se faire aménager, en dehors du palais, un pavillon spécialement conçu pour ses rendez-vous: le parc aux Cerfs. En général, les pensionnaires de ce petit sérail ne restaient que quelques mois; la plupart d'entre elles ignoraient l'identité du maître des lieux. Si l'une d'elles tombait enceinte, discrètement, on la mariait avec une dot intéressante...

La marquise de Pompadour

Toute différente était la position des maîtresses déclarées. Au vu et au su de tout le monde, celles-ci vivaient au palais et, littéralement, régnaient sur la cour. Le « règne » de la marquise de Pompadour dura 20 ans et ne se termina que par la mort.[18] Celui de Madame du Barry dura pendant les six dernières années de la vie du roi.

Du temps de la marquise, chacun savait à qui il fallait obligatoirement s'adresser pour être invité aux « petits soupers », pour obtenir une faveur ou entamer des négociations diplomatiques. L'orgueil des courtisans en souffrait d'autant plus que « la marquise » n'était en réalité qu'une roturière; elle était née Poisson. Les pamphlétaires s'en donnèrent à cœur joie:

Autrefois de Versailles
Nous venait le bon goût.
Aujourd'hui la canaille
Règne et tient le haut bout.
Si la cour se ravale
De quoi s'étonne-t-on,
N'est-ce pas de la halle
Que nous vient le poisson?

Surintendante des menus plaisirs du roi

Logée au-dessus des grands appartements, la marquise pouvait, à l'insu de tous, recevoir le roi par un escalier dérobé. Elle tenait son amant par les sentiments, plus encore que par les sens. Elle avait le secret de lui parler en amie, de le soulager de sa mélancolie. Pour le distraire, elle fit aménager un théâtre miniature où il n'y avait place que pour une quinzaine de spectateurs. Les acteurs étaient tous des grands seigneurs. Elle était la première à danser, à jouer du Molière, à chanter dans les opéras de Lully. Dans l'intimité des tête-à-tête, elle menait la politique, faisait et défaisait les ministères et les états-majors. Son ingérence dans les affaires d'état fut souvent malencontreuse; par contre, dans le monde des arts, elle contribua à faire triompher la grâce et le bon

Archives Photographiques

La Marquise de Pompadour, *par Boucher (musée du Louvre).*

goût. Elle encourageait les artistes en leur passant de multiples commandes. Elle travailla activement à la création de la manufacture de porcelaines de Sèvres. Dans un tout autre domaine, elle fut l'un des fondateurs de l'École Militaire.[19]

La marquise aurait voulu que la cour redevienne, comme du temps de Louis XIV, le foyer de la vie intellectuelle. Elle savait que le roi aurait eu avantage à mettre dans son jeu les écrivains qui, par leur prestige, orientaient l'opinion publique. Grâce à elle, Voltaire fut nommé historiographe du roi;[20] il reçut le titre de gentilhomme de la Chambre; plusieurs de ses pièces furent jouées devant la cour. Malheureusement, Louis XV ne réussit pas à surmonter sa défiance instinctive à l'égard des gens de lettres; en tenant ceux-ci à distance, il les aliéna et les rendit hostiles à la monarchie.

Madame du Barry   À la mort de la marquise, Louis devint encore plus morose. La place de maîtresse déclarée demeura vacante plusieurs années bien qu'il ne manquait pas d'aventurières pour la convoiter! Ce fut, finalement, une certaine Jeanne du Barry qui l'emporta. Le bruit courait que cette dernière était la fille d'une femme de petite vertu et d'un moine...

Lorsqu'elle arriva à Versailles, Jeanne avait à peine 25 ans, mais son passé était déjà chargé! Toute la France fredonna:

> Quelle nouvelle,
> Une fille de rien...

et, une fois de plus, les pamphlétaires eurent la part belle:

> Qui dans Paris ne connut ses appas?
> Du laquais au marquis, chacun se souvient d'elle.[21]

Devant un roi lucide, mais hésitant et déconsidéré, les cabales s'enhardirent. Parlements, jésuites, jansénistes, gens de lettres, dévots, bourgeois, financiers et jusqu'au peuple des rues, fomentèrent des intrigues et

Grilles de la place Stanislas à Nancy.

des révoltes. À tout moment, la politique extérieure se trouva contre-carrée par les oscillations de l'opinion. Le malheur voulut que, plus que jamais encore, le royaume aurait eu besoin d'un chef clairvoyant et énergique.

La Lorraine française

Pourtant, le règne avait commencé par une grande réussite: la réunion de la Lorraine à la couronne.

À l'origine, il s'agissait de la succession de Pologne. Le roi de Pologne venait de mourir.[22] Ce malheureux pays avait une royauté élective et, naturellement, à chaque élection, les grandes puissances européennes luttaient d'influence pour placer leur candidat. La France ne pouvait rester indifférente; il lui fallait rétablir l'ancien roi, Stanislas Leczinski, beau-père de Louis XV, sur le trône de Pologne. Fort de l'appui français, Stanislas fut élu et couronné sous l'acclamation des Polonais. Triomphe éphémère. Brusquement, l'Autriche et la Russie firent irruption et imposèrent leur candidat.[23] Stanislas s'enfuit à Danzig d'où il réussit à se sauver, déguisé en matelot. Entretemps, la France avait déclaré la guerre à l'Autriche.

Les hostilités furent de courte durée. Le traité de Vienne (1737) amena un heureux compromis. Le candidat autrichien restait sur le trône de Pologne. À titre de dédommagement, l'Autriche cédait le duché de Lorraine à Stanislas. Il était stipulé qu'à la mort de celui-ci, la Lorraine reviendrait à la couronne de France. Ainsi, après avoir passé sept siècles sous la souveraineté lointaine de l'Autriche, la Lorraine fut administrée par Stanislas, prince philosophe et généreux. Une trentaine d'années plus tard, elle allait s'intégrer aisément à la France.[24]

Pour la première fois de son histoire, le royaume était constitué par un territoire homogène s'étendant, sans enclaves étrangères, de l'Atlantique jusqu'à Strasbourg. Les communications avec l'Alsace étaient assurées; la frontière de l'est semblait définitivement consolidée. On pouvait penser que, désormais, la France ne chercherait qu'à maintenir la paix et l'équilibre européen. Allait-elle enfin se consacrer au développement de ses colonies d'Amérique et de ses établissements des Indes qui semblaient en pleine expansion? Les états ne vivent pas en vase clos; des circonstances extérieures risquent de bouleverser leur destin, surtout lorsqu'ils ont un gouvernement affaibli.

La succession d'Autriche.
Dilemme: Prusse ou
Autriche?

En 1740 l'empereur d'Autriche mourut, laissant ses immenses états à sa fille Marie-Thérèse, une jeune femme de 23 ans. En principe, des actes notariés garantissaient à cette dernière la tranquille possession de son héritage, mais l'occasion paraissait trop belle... Plusieurs souverains n'attendaient que le moment de « se tailler un pourpoint dans son ample manteau ».[25]

Tandis que les diplomates discutaient, soudain, sans déclaration de guerre, le roi de Prusse Frédéric II[26] envahit une province autrichienne, la Silésie. « Sachez pour toujours, écrira-t-il plus tard, qu'on prend quand on peut et qu'on n'a jamais tort quand on n'est pas obligé de rendre.»

De quel côté la France va-t-elle se ranger? Lui convient-il de s'allier au roi de Prusse pour en finir avec la Maison d'Autriche, l'ennemie séculaire? Cette attitude permettrait peut-être de reprendre les provinces belges où l'on parle français. Ainsi, la France pourrait atteindre les limites de l'ancienne Gaule...

Ou bien, ne vaudrait-il pas mieux tourner le dos aux vieilles querelles? La Maison d'Autriche semble sur le déclin, elle ne règne plus sur l'Espagne; l'Empire a perdu toute cohésion. Ne serait-il pas habile de s'entendre avec Marie-Thérèse pour faire bloc contre les deux puissances qui viennent de surgir sur l'échiquier diplomatique: la Prusse et la Russie?

Frédéric, « roi philosophe »

Toute la politique française du XVIIIe siècle se joue entre ces deux options. À vrai dire, en 1740, le conflit ne concerne pas la France de façon immédiate; Louis XV et Fleury préféreraient se tenir à l'écart. Mais, dans l'ensemble, l'opinion reste obsédée par sa vieille passion anti-autrichienne. Les esprits éclairés, les « philosophes » comme on les appelle, haïssent l'obscurantisme catholique de la cour de Vienne. Loin de soulever l'indignation, l'agression prussienne est applaudie par l'élite française. Frédéric II a su mettre dans son jeu les écrivains influents. Dans les salons, on glorifie ce « prince philosophe », ce fin lettré qui écrit si bien la langue française... À Paris comme à Versailles, on réclame la guerre contre l'Autriche. À contrecœur, Louis XV et son vieux ministre se laissent entraîner.

Dans tous les milieux, on compte sur une victoire facile. Tout à coup, on apprend que Frédéric II vient de traiter secrètement avec l'Autriche et qu'il se retire de la coalition. En France, c'est la stupeur, l'indignation. Seul Voltaire, qui touche une pension de Frédéric II, ose féliciter son habile protecteur. « Vous n'êtes donc plus notre allié, Sire, lui écrit-il, mais vous serez celui du genre humain.»[27] En matière de flatterie, Voltaire est inimitable!

Une guerre sans raison

La défection de Frédéric laisse les armées françaises dans une situation critique. Comme les hostilités traînent en longueur, l'imbroglio diplomatique s'aggrave. Ombrageuses de l'influence française en Europe centrale, l'Angleterre[28] et la Hollande s'allient à l'Autriche. Comme Louis XIV, Louis XV doit faire face à la coalition de l'Autriche et des puissances maritimes.

Le pays se ressaisit. Louis, poussé par sa maîtresse,[29] se rend aux armées et combat à la tête de ses troupes. Il sera le dernier roi de France qui s'exposera au feu. À Metz, il tombe malade et manque de mourir. Dans toutes les paroisses, le peuple prie pour celui que l'on appelle encore le Bien-Aimé.[30] Bientôt, le roi se rétablit et la situation militaire se redresse. Les Français remportent la victoire de Fontenoy (1745) sur les Anglo-Hollandais.

La guerre s'éternise sans qu'aucun belligérant ne réussisse à s'imposer. Sincèrement pacifique, Louis XV propose d'ouvrir les négociations. On se met rapidement d'accord. Par le traité d'Aix-la-Chapelle (1748), la France évacue les territoires qu'elle avait conquis et la famille des Habsbourg conserve la couronne impériale. En définitive, cette guerre, qui avait duré près de sept ans, n'a servi qu'à Frédéric II qui y a gagné la Silésie. Pour le reste, c'est le *statu quo*.

De nouveau l'opinion publique se montre mécontente; elle reproche au roi d'avoir restitué ses conquêtes. « Travailler pour le roi de Prusse », devient une expression synonyme de faire un travail qui ne profite pas. Quand ils veulent s'insulter, les gens du peuple se lancent à la tête: « T'es bête comme la paix! »

L'opinion publique méprise les colonies

Les Français s'étaient laissé distraire par des querelles européennes, alors qu'ils auraient eu intérêt à se consacrer à la défense de leurs établissements d'outre-mer. En Amérique, les colons anglais étaient devenus cinq fois plus nombreux que les colons français. Les deux communautés vivaient dans un état de guerre quasi endémique. Partis de la vallée du Saint-Laurent, au nord, et de la Louisiane, au sud, les Français établissaient des points d'appui dans le centre du continent. Les Anglais, installés surtout le long de la côte, se sentaient gênés dans leur désir d'expansion vers l'ouest. Les traités conclus en Europe avaient laissé subsister des imprécisions dans le tracé des frontières du nouveau continent. Enfin, les conflits entre les tribus indiennes et les rivalités entre les marchands contribuaient encore à envenimer les rapports franco-britanniques.

En France, gens de lettres et gens de cour affectaient de n'accorder aucune importance à ces histoires lointaines. Alors que l'on se passionnait pour les querelles entre jésuites et jansénistes, on traitait avec désinvolture les affaires canadiennes et, à plus forte raison, les affaires indiennes. Pourtant, la Compagnie des Indes avait réussi à étendre son champ d'action sur de vastes territoires. Un administrateur audacieux, Dupleix, commençait à pénétrer le pays en profondeur grâce à sa connaissance intime de la psychologie indigène. Mais, où étaient les bénéfices? Louis XV aurait volontiers fait confiance à Dupleix, mais les directeurs de la compagnie, qui n'avaient jamais quitté Paris, réclamaient des profits immédiats. « Du commerce, répétaient-ils, rien que du commerce, point de victoires, point de conquêtes ». Une fois de plus, le roi céda devant l'opinion générale; Dupleix fut rappelé et remplacé par un incapable.

N'ayant pas d'intérêts commerciaux immédiats, les nobles tenaient les négociants pour méprisables; quant aux « philosophes », ils jugeaient les colonies inutiles et même dangereuses. À la suite de Voltaire, l'élite intellectuelle répétait: « je voudrais que le Canada fût au fond de la mer glaciale »,[31] « la France peut être heureuse sans Québec.»[32] Par contre, l'Angleterre, déjà surpeuplée, sentait le besoin de s'étendre outre-mer. Pour que la métropole puisse rester en contact avec ses dépendances, il lui fallait garder la maîtrise des mers.

Retournement des alliances, pacte franco-autrichien

Les Anglais surent prendre les devants. Sans déclaration de guerre, leurs vaisseaux saisirent une escadre française chargée de troupes destinées au Canada. Peu après, ils s'emparèrent d'une flottille de 300 navires de commerce français et de quelque 8 000 hommes d'équipage.

Entretemps, le gouvernement britannique s'alliait avec Frédéric II de Prusse, l'ancien « ami » de la France. Sous peine de se trouver isolé, Louis XV dut écouter les propositions de Marie-Thérèse d'Autriche. Depuis quinze ans, celle-ci cherchait, par tous les moyens, à reprendre la Silésie à la Prusse. Elle savait que, dans son ensemble, la cour de Versailles était restée anti-autrichienne. Pour gagner le roi à sa cause, elle eut recours au plus efficace de tous les intermédiaires: la marquise de Pompadour...

Louis XV ne s'avança que prudemment dans l'alliance franco-autrichienne. Malgré tout, cette « révolution diplomatique » dérouta l'opinion et scandalisa les « philosophes ».

L'Angleterre déclara la guerre à la France; quelques mois plus tard, sans avertissement préalable, Frédéric envahit l'Allemagne. Les forces françaises obtiennent quelques succès locaux mais bientôt elles se retrouvent dans une situation critique. En vertu de l'accord franco-autrichien, elles doivent défendre l'Allemagne centrale contre la Prusse mais, simultanément, elles doivent également combattre au Canada, aux Indes et sur toutes les mers de l'océan Indien à l'Atlantique. Hors d'Europe, la France est seule, face à l'Angleterre.

Attentat contre le roi

Comme toujours, la guerre fait croître les dépenses. Louis XV voudrait répartir les charges fiscales plus équitablement. Il institue un impôt « le vingtième » qui doit frapper tous les revenus, même ceux des privilégiés. En signe de protestation, les Parlements paralysent le fonctionnement de la justice. Plus de 20 000 personnes s'arrêtent de travailler. Louis n'ignore ni les difficultés extérieures ni la vague de mécontentement intérieur. Dans l'espoir de se détendre, il décide d'aller passer quelques jours à Trianon.[33] On y fêtera, entre intimes, l'Épiphanie...

Le carrosse attend à la porte du palais. Le roi descend le grand escalier intérieur; au moment où il franchit la dernière marche, un individu s'avance vers lui et le frappe dans la région du cœur (5 janvier 1757).

La blessure s'avère moins profonde qu'on ne l'avait craint tout d'abord. Quelques jours plus tard, le roi entre en convalescence. L'opinion générale demeure persuadée que le criminel, un domestique du nom de Damiens, a eu des complices. On soupçonne les jésuites.[34] L'enquête ne révèle rien de positif. Sur la place de l'Hôtel-de-Ville, noire de monde, Damiens est écartelé, tiré par quatre chevaux. Toutes les fenêtres avaient été louées... à prix d'or!

Louis se remet de sa blessure, mais il demeure persuadé qu'il a perdu l'amour de ses sujets. Il est tourmenté; il abandonne son programme de réformes financières. Il sombre dans la neurasthénie. À un ami qui vient le féliciter de son rétablissement, il confie:

— Oui, le corps va bien mais, ajoute-t-il en portant la main à la tête, ceci va mal. Et ceci est impossible à guérir.

La guerre de Sept Ans et la perte des colonies

L'année, qui a commencé par un attentat, se termine par une défaite. En Allemagne, les forces franco-autrichiennes sont battues (à Rossbach) par les troupes prussiennes, trois fois moins nombreuses mais cohérentes et bien commandées. Louis XV espère que l'intervention de la Russie permettra de maîtriser la Prusse, mais les déboires se succèdent. Au Canada, le général Montcalm est tué en défendant Québec. Malgré l'héroïsme de ses habitants, la ville tombe. Peu après, Montréal tombe à son tour (1760). L'Inde est perdue. Obsédée par sa haine de la Prusse, l'Autriche se désintéresse totalement des opérations d'outre-mer. La Russie se retire de la lutte et conclut un accord séparé avec la Prusse. Les armées françaises sont mal ravitaillées, mal équipées et encore plus mal commandées. Les officiers se jalousent; pas un seul stratège; aucun ensemble dans les mouvements de troupe. En France, le peuple n'éprouve que dégoût pour cette guerre ruineuse, lointaine, dont il ne voit pas l'enjeu.

De part et d'autre, on voudrait en finir. Au traité de Paris (1763), Frédéric II de Prusse garde la Silésie et acquiert un immense prestige en Europe. Quant à la France, elle perd son empire colonial presque tout entier; elle ne conserve que cinq comptoirs aux Indes, quelques droits de pêche autour de Terre-Neuve et certaines petites Antilles, la Martinique, la Guadeloupe et Saint-Domingue, entre autres. Aux yeux des contemporains de Voltaire, ces « îles à sucre » étaient infiniment plus précieuses que les « quelques arpents de neige »[35] du Canada. Si, au fond d'eux-mêmes, les Français se sentent humiliés, ils rejettent les responsabilités sur les uns et les autres: le roi, la favorite, les ministres etc.... Mais, des 60 000 colons qui restent au Canada, personne ne se soucie...

Reconstruction et agronomie

Louis XV est morose; souvent on le voit bâiller. Il paraît indifférent, mais il n'a pas perdu tout ressort. Il accorde sa confiance à Choiseul, un ancien diplomate, grand ami de la marquise de Pompadour. Ardent et imaginatif, Choiseul veut relever la France et la préparer à prendre sa revanche. Il travaille à réorganiser l'armée et la marine; à Paris comme en province, il encourage la construction de grands ensembles urbains. De nouveaux ponts sont lancés; les routes principales sont rénovées. La plupart des travaux sont dirigés par des ingénieurs sortis de l'École des pont et chaussées, la première en date des hautes écoles spécialisées.[36] De grands centres industriels commencent à se constituer: usines de tissage dans le nord et autour de Lyon, mines de charbon et fonderies dans le nord et dans l'est.

La France, cependant, demeure un pays essentiellement agricole. Choiseul connaît les théories des physiocrates, ces philosophes émules du docteur Quesnay.[37] Selon les physiocrates, l'agriculture est la source de la prospérité et du bonheur. Les ouvrages d'agronomie se multiplient; ils sont généralement abstraits et hors de la portée des simples fermiers; néanmoins, ils créent un courant d'intérêt. Le travail de la terre est remis à l'honneur. Une gravure du temps montre le dauphin (le futur Louis XVI), appuyé sur les manches d'une charrue. La condition paysanne, fort variable selon les régions, a tendance à s'améliorer quelque peu. La plupart des paysans possèdent un petit jardin; quelques-uns ont même de beaux domaines. Vers la fin de l'Ancien Régime, environ 50% des terres appartiendront à des propriétaires non-privilégiés.

L'achat de la Corse
En politique étrangère, le chef-d'œuvre de Choiseul fut l'achat de la Corse. L'île, en principe, dépendait de la république de Gênes mais les Génois ne parvenaient plus à venir à bout des montagnards retranchés dans les maquis de l'intérieur. Après quelques mois d'efforts, le 15 août 1768, les autorités françaises proclamèrent la « réunion » de l'île à la France, un an, jour pour jour, avant la naissance de Napoléon Bonaparte. L'opinion publique ne s'intéressa pas à l'acquisition de la Corse — pas plus qu'elle ne s'était intéressée aux conflits coloniaux. Par contre, elle se passionnait pour tout ce qui touchait aux Parlements et aux affaires religieuses.

Jansénistes contre jésuites
Les querelles entre jésuites et jansénistes continuaient à agiter les esprits. Il ne s'agissait plus, comme du temps de Pascal, de discussions théologiques sur la nature de la grâce; le débat avait pris une orientation nettement politique. Sur les instances de Louis XIV, le pape avait condamné le jansénisme par la bulle *Unigenitus* (1713). Les jansénistes avaient riposté, alléguant que le clergé de France n'était pas tenu de se soumettre à une décision pontificale qui violait les libertés gallicanes (de *Gallia*, la Gaule). Ils avaient repris à leur compte les arguments des Gallicans, c'est-à-dire des catholiques qui, tout en restant fidèles à Rome sur le plan doctrinal, voulaient donner à l'église de France une sorte

d'autonomie administrative. Dès lors, ils avaient rencontré de nombreux alliés, notamment parmi les membres des Parlements. Jansénistes et magistrats s'étaient unis pour faire front contre l'absolutisme, qu'il soit royal ou pontifical.

Les jésuites, de leur côté, s'étaient efforcés de maintenir des rapports étroits avec la cour. Ils étaient les directeurs de conscience de nombreuses personnalités, de la reine et des filles de Louis XV, entre autres; par ce biais, ils dirigeaient le parti des dévots.

Jansénistes et jésuites se firent une guérilla dans laquelle le comique côtoie le sordide. Un diacre du nom de Pâris était mort (1727). Janséniste convaincu, il avait donné tous ses biens aux pauvres pour vivre dans l'austérité totale. On enterre son corps dans un cimetière parisien. Aussitôt, les fidèles affluent sur la tombe. Des malades se disent guéris. On crie au miracle! Des fanatiques tombent en convulsion. Pour mettre un terme aux scènes d'hystérie, la police fait fermer le cimetière. Un mauvais plaisant accroche une pancarte sur la porte:

De par le roi, est fait défense à Dieu
De faire des miracles en ce lieu.

Plus tard survint l'affaire des billets de confession. Pour qu'un mort puisse recevoir une sépulture chrétienne, il fallait qu'il ait reçu l'absolution d'un prêtre non entaché de jansénisme. Au cours des disputes, certains malades moururent sans avoir reçu un billet de confession dûment signé... Le vainqueur de ces querelles ne fut ni le clan jésuite ni le clan janséniste, mais l'irréligion.

La taille et les fermiers généraux

Sur le plan économique, les luttes intestines ne furent pas moins funestes. Louis XV savait qu'une refonte du système fiscal était impérieuse. Plus de 40% des ressources de la couronne provenaient d'un impôt, la taille, qui ne frappait que les roturiers. Cet impôt, à caractère vexatoire, était le plus souvent levé d'une façon odieuse. Pour s'assurer des revenus fixes, le souverain confiait la perception des redevances fiscales à 51 financiers appelés « fermiers généraux ». Le fermier général s'engageait à verser au trésor une somme déterminée et, en échange, le roi lui accordait le droit de lever l'impôt dans telle ou telle province. Ensuite, le fermier général cédait à des sous-traitants et à des collecteurs le droit de percevoir dans une région ou dans une ville donnée. Bien entendu, chaque intermédiaire s'arrangeait à lever une somme supérieure à celle qu'il s'était engagé à fournir. L'excédent, qui constituait le bénéfice, pouvait dépasser 20%.

Lorsqu'il s'agissait de déterminer la part que chaque contribuable devait payer, le collecteur se basait généralement sur les signes extérieurs de richesse. Une maison bien entretenue, un bon cheval, une belle vigne, autant d'indices d'aisance qui exposaient le propriétaire à une imposition élevée. Afin de paraître aussi misérables que possible, certains paysans se gardaient de peindre leurs murs. Par mesure de prudence, dans bien des fermes, on ne tuait le cochon que de nuit!

Gabelle et impôts indirects

Les impôts indirects (impôts sur le sel, le tabac, les boissons etc....)[38] représentaient environ la moitié des ressources de la couronne. Ils étaient également perçus par des fermiers généraux. Vu leur nature, ils frappaient tous les consommateurs mais, proportionnellement, ils étaient bien plus onéreux pour les pauvres que pour les riches. De tous ces impôts, la gabelle était la plus exécrée. Établie depuis la guerre de Cent Ans, sa répartition était incroyablement inégale. Dans le Midi et le sud-ouest, la gabelle était négligeable ou inexistante. Par contre, en Bourgogne, dans les environs de Paris et de Tours, elle était tellement élevée que le prix du sel pouvait se trouver multiplié par 60. Dans certaines villes, chaque famille était obligée d'acheter une quantité minima de sel, appelée « sel du devoir ». Un réseau de contrebande s'était constitué entre les régions de « grande gabelle » et les régions de « petite gabelle », mais les trafiquants (les faux-sauniers) s'exposaient aux sanctions les plus rigoureuses: la prison pour les femmes, la prison ou les galères pour les hommes et, en cas de récidive, la corde.

Les inextricables complications du système fiscal engendraient des abus, des chicanes et d'implacables animosités. L'État perdait un fort pourcentage de l'argent qui aurait pu lui revenir et le peuple se trouvait pressuré avec iniquité. Jusqu'à la Révolution, le ressentiment populaire se traduira par d'innombrables libelles. Voltaire a commencé l'un de ses contes de la façon suivante: « Je vais vous raconter une histoire de voleurs: il était une fois un fermier général... »

Les privilégiés contre les tentatives de réforme

Paralysé par sa timidité et par son respect des traditions, Louis XV n'entreprit jamais la refonte fiscale systématique qui, si elle avait réussi, aurait sauvé la monarchie. Par contre, à plusieurs reprises, par des réformes partielles, il tenta d'assainir le vieil édifice. Pour amortir la dette de l'État, il chercha à instituer un impôt, « le vingtième », qui devait prélever 5% sur tous les revenus, sauf sur les salaires. Le « vingtième » n'était pas tellement lourd, mais son principe était révolutionnaire; il instaurait l'égalité devant les charges fiscales et, par conséquent, il heurtait les privilégiés, à la fois dans leur égoïsme et dans leur vanité.

En principe, le roi était tout-puissant; sa volonté était la loi. En pratique, son pouvoir s'arrêtait dès qu'il se trouvait devant une institution consacrée par la coutume. Le « vingtième » indigna la noblesse, les Parlements, les assemblées provinciales (notamment celle de Bretagne) et surtout l'Église. De tous les corps privilégiés, le clergé était le plus solidement organisé. Son caractère sacré le rendait quasi invulnérable.

En vertu du principe que ce qui appartient à l'Église appartient à Dieu... les biens ecclésiastiques échappaient aux charges fiscales. Or, les institutions religieuses détenaient entre 20 et 25% des terres du royaume.[39] Cette situation aurait été justifiée si l'Église avait consacré ses ressources aux œuvres humanitaires (écoles, hôpitaux, orphelinats etc....) Malheureusement, tandis que le bas clergé se sacrifiait à la tâche, le haut clergé vivait dans une opulence scandaleuse.

Devant l'ampleur de l'opposition, Louis XV se sentit désarmé. En dépit de sa liaison avec Madame de Pompadour, il avait conservé une foi naïve mais profonde. À la moindre maladie, la crainte de l'Enfer le terrorisait. Plus sa vie privée était scandaleuse, plus il voulait que sa vie publique soit irréprochable. La pression était trop forte; Louis dispensa le clergé de payer le « vingtième ».

Cette première mesure d'exception enhardit les autres privilégiés. Appuyés par les princes, les évêques et les nobles, les Parlements s'opposèrent de toutes leurs forces à la volonté royale. En refusant d'enregistrer les édits, en ameutant les pauvres gens naïfs, ils firent échouer, l'une après l'autre, toutes les tentatives de réforme. De la part des magistrats, c'était le meilleur moyen de défendre leurs propres intérêts car, en tant que noblesse de robe, ils ne payaient presque pas d'impôts. Par surcroît, cette tactique leur permettait de renforcer leur prestige en se posant comme les champions de l'intérêt général contre le despotisme royal. Le peuple, ignorant et crédule, se laissait berner.

Mauvaise foi des Parlements

Il y avait là un malentendu tragique. Indiscutablement, dans un pays évolué comme l'était la France du XVIIIe siècle, le pouvoir royal aurait dû être équilibré par une assemblée représentant les intérêts de la nation toute entière. Aux yeux des « philosophes » et d'un grand nombre de personnes instruites, la monarchie parlementaire, comme celle de l'Angleterre, était la plus raisonnable de toutes les formules gouvernementales. Or, les magistrats français se comportaient comme si cette assemblée existait déjà; à leur dire, ce corps intermédiaire entre le souverain et la nation était, de droit, constitué par les membres du Parlement de Paris et par ceux des douze Parlements de province.

C'était jouer sur les mots. Depuis leur fondation, la fonction des Parlements était de rendre la justice. Enfin, chose plus grave, les magistrats n'avaient aucun mandat; ils ne pouvaient prétendre représenter qui que ce soit, en dehors de leur propre caste. Pour beaucoup d'entre eux, l'examen de droit n'avait été qu'une simple formalité. Propriétaires d'une charge qu'ils avaient acquise, soit par achat soit par héritage, ils étaient pratiquement inamovibles.

Du fait des privilèges et des exemptions de toutes natures, les charges fiscales se trouvaient réparties entre un nombre de contribuables qui allait en diminuant, alors que les dépenses publiques allaient en augmentant. Pour échapper à la plupart des impositions, il suffisait d'acheter n'importe quel titre conférant la noblesse. Bien entendu, cela n'était à la portée que des bourgeois les plus fortunés.

En pleine guerre de Sept Ans, le trésor se trouva vide. Pour sortir de l'impasse, le trésorier général, Monsieur Silhouette, voulut taxer les privilégiés. Ce fut un tollé général! On colle des affiches montrant Silhouette occupé à vider les poches, à pomper les bourses, tant et si bien que ses victimes sont réduites à l'état de spectres décharnés... Six mois plus tard, Silhouette doit démissionner. Il n'a pas réussi à enrichir l'État; par contre, bien malgré lui, il a enrichi la langue d'un mot nouveau: une silhouette!

Un souverain qui doute de lui-même

Pour venir à bout des incessantes protestations des privilégiés, il aurait fallu que le souverain soit doté d'une volonté tenace. À plusieurs reprises, Louis XV tenta de se montrer autoritaire; il força l'enregistrement de certaines réformes en employant l'arme suprême de la monarchie: le lit de justice. Malheureusement, peu après, doutant de lui-même, il commençait à céder et la réforme avortait.

Dans ces luttes stériles, le roi oscillait entre l'irritation et le découragement. Un soir, comme il arrivait, harassé, chez Madame de Pompadour, il s'exclama en présence de quelques amis:

— Ces grandes robes (les membres des Parlements) et le clergé sont toujours à couteau tiré. Ils me désolent... par leurs querelles. Le clergé, au fond, m'est fidèle mais les autres voudraient me mettre en tutelle... Ils finiront par perdre l'État.

— Ah! Sire, lui répondit-on, pensez-vous que ces petits robins (magistrats) puissent l'ébranler?

—Vous ne savez pas, reprit Louis XV, ce qu'ils font et ce qu'ils pensent. C'est une assemblée de républicains. Et puis... en voilà assez! Les choses, comme elles sont, dureront bien autant que moi!

Dès le lendemain, ces paroles furent répétées. Les pamphlétaires en publièrent une version simplifiée. Et c'est ainsi qu'est né le « mot historique » que Louis XV n'a jamais prononcé: « Après moi le déluge! »

Réforme tardive

En 1770, les Parlements en arrivèrent à la révolte ouverte. Dans l'espoir d'intimider le roi, ils se mirent tous en grève. La France se retrouva sans tribunaux. Contrairement à ce qu'on pouvait attendre, le roi ne céda pas. Grâce, peut-être, à l'encouragement de Madame du Barry, il resta ferme, accepta la démission des magistrats et déclara que les charges de la magistrature seraient remboursées. Entretemps, avec l'aide de son ministre le chancelier Maupeou, il réorganisa la justice de fond en comble. Désormais, les juges seraient des fonctionnaires choisis et rétribués par la couronne. Enfin, la justice serait uniforme et gratuite pour tous.

Voltaire applaudit car il avait eu l'occasion de voir jusqu'où pouvait aller la férocité et le fanatisme des anciens magistrats. Il en voulait à la cour de l'avoir tenu à l'écart mais, malgré tout, il avait compris que, dans la France d'alors, l'autorité royale était la meilleure garantie contre la tyrannie des privilégiés. « J'aime mieux, dit-il, obéir à un seul tyran qu'à trois cents rats de mon espèce.»

Bien que tardive, la réforme judiciaire avait de grandes chances de réussir. Par malheur, Louis XV n'eut pas le temps de la consolider. Un soir, en rentrant de la chasse il se sentit fatigué. On crut à une indisposition légère. Trois jours plus tard, des boutons apparurent. Le doute n'était plus possible: le roi avait la variole.

Dans la crainte de la contagion, on envoya le dauphin et sa femme dans l'appartement le plus écarté du palais. Soudain, le 10 mai 1774, les jeunes époux entendirent un bruit semblable au grondement du tonnerre. C'était la foule des courtisans qui, au plus vite, quittaient l'antichambre du mort, pour venir saluer les nouveaux souverains. Comme frappé de stupeur, Louis XVI s'écria: « Ah! mon Dieu, je suis l'homme le plus malheureux! Quel fardeau! Et l'on ne m'a rien appris! Il me semble que l'univers va tomber sur moi! »

NOTES

1   Philippe était le fils de Philippe d'Orléans, frère cadet de Louis XIV. En acceptant la couronne d'Espagne, le duc d'Anjou avait renoncé à ses droits sur la France.

2   Supplice au cours duquel un homme, attaché à une roue horizontale, était roué de coups ou écartelé.

3   Voir: *Guerre de la Succession d'Espagne*, p. 277.

4   La Salle avait exploré la vallée du Mississippi en 1679–1680.

5   L'entreprise de Law est à comparer avec le *South Sea Bubble* en Angleterre.

6   En 1722, quand elle deviendra officiellement capitale, la ville ne comprendra qu'une centaine de maisons de bois.

7   Selon les légendes, le pays de l'or...

8   La rue Quincampoix, fermée le soir par des grilles.

9   Montesquieu, *Les Lettres persanes*, Lettre N°· 138.

10   Le roman parut en 1731 mais il fut composé entre 1720 et 1730.

11   *Les Lettres persanes* parurent en 1721.

12   Elle était deux fois plus peuplée que l'Angleterre.

13   L'impératrice Marie-Thérèse, Frédéric II de Prusse, Catherine de Russie ont écrit leur correspondance en français.

14   Stanislas avait été chassé du trône de Pologne par l'électeur de Saxe Auguste II.

15   À vingt ans, Louis XV était déjà père de cinq enfants.

16   Duc de Croy, *Journal inédit,* tome II, p. 108 (Flammarion 1906).

17   Parmi les rois qui ont dû rester fidèles à leur épouse, on peut citer saint Louis, Philippe IV le Bel et Louis XVI.

18   La liaison de Louis XV et de la marquise aurait commencé en 1745, à un bal masqué donné en l'honneur du mariage du dauphin.

19   La marquise voulait que cette école fasse pendant à l'institution de Saint-Cyr, fondée par Madame de Maintenon pour les jeunes filles. Cinq cents jeunes gens de la noblesse devaient y être élevés aux frais du roi.

20   C'est ainsi qu'il composa le *Panégyrique de Louis XV, l'Histoire de la guerre de 1741, la Bataille de Fontenoy.*

21   Ces vers ont été attribués à Voltaire mais celui-ci s'est toujours défendu de les avoir écrits.

22   Auguste II, celui qui avait chassé Stanislas Leczinski.

23   Auguste III, fils du précédent et neveu de l'empereur.

24   À la mort de Stanislas, en 1766.

25   Le mot est de Frédéric-Guillaume, roi de Prusse.

26   Fréderic II de Prusse, le « roi philosophe », fils de Frédéric-Guillaume.

27   Voltaire, lettre à Frédéric II, juillet 1742.

28   Le roi d'Angleterre, George II, était également électeur de Hanovre.

29   La duchesse de Châteauroux.

30   Rien qu'à Notre-Dame de Paris, on enregistra 6 000 demandes de messes pour sa guérison.

31   Voltaire, lettre à Tronchin, 5 mai 1758.

32   Voir l'opinion de Voltaire sur la guerre au Canada dans: *Le Siècle de Louis XV*, ch. 34 et 35.

33   Charmante demeure proche du palais de Versailles. Voir p. 323.

34   En 1610, on avait soupçonné les jésuites d'avoir participé au complot contre Henri IV. Voir p. 217.

35   Voltaire, *Candide*, Ch. XXIII.

36   Fondée en 1750.

37   Médecin et économiste, grand ami de la marquise de Pompadour. Il lança la célèbre formule « laissez faire, laissez passer.»

38   Les taxes sur les boissons étaient appelées « les aides ». Elles avaient été établies pendant la guerre de Cent Ans.

39   Tous les cinq ans, le clergé accordait au roi un « don gratuit » dont il déterminait le montant.

UN ART DE VIVRE

Un confort élégant

Au cours du dernier quart du XVIIᵉ siècle, l'esthétique va vers un assou-plissement progressif. Architectes et décorateurs cherchent à flatter le goût de leurs clients en employant des lignes plus gracieuses, des tona-lités plus chatoyantes. Cette évolution s'accentue encore au cours de la Régence. Dès lors, même dans les demeures bourgeoises, on recherche le confort, la délicatesse, la douceur de vivre.

Le temps n'est plus où l'on acceptait de geler dans de vastes galeries. Aux grands ensembles architecturaux, on préfère les petits pavillons, les petits appartements à l'échelle humaine. On délaisse le grand salon pour le boudoir, le cabinet de lecture ou la salle à manger. Avant tout, on désire se trouver dans une ambiance propice au repos et à l'intimité. On adore les alcôves, les petits salons de forme circulaire ou ovale. Dans les intérieurs de grand luxe apparaissent deux nouveautés: la salle de bains avec eau courante et le lieu de commodités dit « lieu à l'anglaise ».[1]

Mobilier et bibelots

Rien ne traduit mieux l'esprit de cette époque que le mobilier. Fini les formes massives et les arêtes rectilignes. Pour mieux répondre aux be-soins de la vie quotidienne, les meubles se diversifient: commodes, coif-feuses, chiffonniers, secrétaires, tables à jeu, tables de toilette, consoles etc.... sont destinés à plaire et à plaire surtout aux dames. Les sièges deviennent transportables; bras et dossiers ne constituent plus de hautes structures à angles droits; on les veut aussi gracieux et enveloppants que possible. À l'aide de bois de divers coloris, les ébénistes exécutent des travaux de marqueterie. Les sculpteurs choisissent des motifs qui se prêtent à une variété de courbes: volutes, coquilles, palmes, fleurs, rubans etc....

Les bibelots font fureur. Les intérieurs s'égayent de petits objets pra-tiques ou, tout simplement, agréables à voir. On recherche les montres à la fois pour leurs boîtiers et pour leurs mécanismes ingénieux. On raffole de tout ce qui est actionné par des mouvements d'horlogerie: boîtes à musique, oiseaux mécaniques, tableaux animés,[2] poupées automates etc....

Porcelaines

À table, on ne se sert plus des grands plats d'argenterie car, en prin-cipe, ils ont dû être envoyés à la fonte au moment des graves pénuries monétaires — s'ils n'ont pas été fondus, on les tient cachés. De toute façon, on doit se servir d'objets de faïence ou de porcelaine.

La mode s'en mêle. Dès la fin du XVIIe siècle, la vogue des porcelaines importées d'Orient par la Compagnie des Indes ne cesse de grandir. Des collections sont rassemblées dans les demeures princières. Quelques faïenciers français essayent de rivaliser avec les Orientaux. Plusieurs manufactures bénéficient de la protection de hautes personnalités. Grâce à la marquise de Pompadour, la Manufacture de Sèvres devient Manufacture Royale. À partir de 1770, les techniques sont portées à la perfection car on a découvert, dans les environs de Limoges, une terre spéciale (le kaolin) qui permet de faire une pâte dure.

La porcelaine sert à la fabrication d'une infinité d'objets: statuettes polychromes, vases de tous genres, plateaux, fontaines, plats, assiettes... Parmi les décors favoris on trouve des motifs japonais ou chinois, des groupes de fleurs ou d'oiseaux, des pastorales, des portraits, des écussons, des monogrammes etc....

Délicatesse En toutes choses, on recherche la finesse. Les menus sont plus délicats qu'au siècle précédent. On apprécie les saveurs subtiles plutôt que l'amoncellement de victuailles. Les deux grandes nouveautés gastronomiques sont la sauce mayonnaise[3] et le pâté de foie gras.[4] En matière de vins, une nouvelle vedette: le champagne. Jusqu'alors, la Champagne ne produisait qu'un vin blanc assez médiocre. C'est un moine bénédictin, Dom Pérignon, qui vient de mettre au point la technique qui fait du champagne « le roi des vins ».

Dans les salons, la grandiloquence et le pédantisme sont honnis. Chez Madame de Tencin, Madame du Deffand, Mademoiselle de Lespinasse, pour ne citer que les hôtesses les plus célèbres, la conversation est alerte, spirituelle, incisive. Le français que l'on parle, limpide et précis, constitue pour l'intelligence un instrument parfait.

« Qui n'a pas connu le XVIIIe siècle n'a pas connu la douceur de vivre » dira plus tard Talleyrand, l'un des derniers habitués des salons de l'Ancien Régime. À la veille de la Révolution, parvenue au suprême degré du raffinement, l'élite française représente quelque chose qui ne se reverra plus.

NOTES

1 Il s'agissait de cuvettes de faïence munies de jets d'eau infiniment préférables à la traditionnelle chaise percée...

2 Des mécanismes d'horlogerie parfois fort complexes, cachés derrière le tableau, actionnaient de véritables scènes: une envolée d'oiseaux, une chasse, un musicien en train de jouer... Il ne subsiste que de très rares spécimens de ces tableaux animés.

3 En dépit de toutes les recherches, l'origine de la recette et du terme demeure inconnue.

4 Il aurait été inventé par un cuisinier alsacien qui était au service d'un maréchal de France.

DEUX SIÈCLES
D'ART CLASSIQUE

Versailles,
un coin du parc.

French Embassy Press and Information Division

Le XVIIᵉ siècle est, par excellence, l'âge classique de l'art français. Dans les œuvres littéraires, comme dans l'ordonnance des façades ou la disposition des jardins, les classiques ont recherché l'ordre, la mesure, la clarté rationnelle. Ils se sont nourris de culture gréco-latine parce qu'ils trouvaient chez les Anciens l'expression suprême de la beauté.

Cette constatation générale ne devrait pas masquer la diversité des créations de l'époque. Le classicisme a été un idéal et non un ensemble de formules. D'ailleurs, les influences venues d'Italie ou des Flandres, ainsi que la fantaisie de certains artistes, ont provoqué un courant de dissidence que l'on appelle le baroque. En France, le baroque n'a jamais constitué un style, encore moins une école. Il n'a été qu'un goût, plus ou moins accusé, pour le pittoresque, l'imprévu, les couleurs contrastées, la décoration luxuriante.

Au cours de la première partie du siècle, pendant les règnes de Henri IV et de Louis XIII, classicisme et baroque ont coexisté. Selon leur tempérament, certains artistes tendaient vers la pureté du classicisme, d'autres affectionnaient l'ornementation baroque.

Vers le milieu du siècle, le classicisme finit par prendre le dessus parce qu'il correspondait aux tendances innées de l'esprit français. Il ne remportera jamais une victoire totale, mais il dominera les genres nobles et donnera au règne de Louis XIV un cadre grandiose.

Avec Henri IV commence le grand siècle bâtisseur. Après les destructions occasionnées par les guerres de Religion, les Français éprouvent le besoin de reconstruire. Le roi rétablit l'ordre, ranime la confiance. La prospérité économique est son souci majeur. Il encourage les initiatives individuelles et multiplie les constructions d'intérêt général: routes, ponts, quartiers nouveaux etc.

Du point de vue du style, on ne distingue guère le règne de Henri IV de celui de son fils Louis XIII. L'architecture dite « Louis XIII » est caractérisée par un goût pour la solidité et la sobriété. Les façades sont moins ornées qu'au siècle précédent. Les architectes se plaisent à utiliser un jeu de trois couleurs: murs de brique, encadrements de fenêtres en pierre blanche et toits d'ardoise bleutée. C'est notamment le style de la place des Vosges à Paris. Dans cet ensemble, les hôtels particuliers sont rangés autour d'une vaste place carrée. Les toits s'alignent à la même hauteur; les façades se conforment à l'ordonnance générale. L'intérieur du quadrilatère est occupé par un jardin aux grandes lignes géométriques. Au centre, à l'intersection des diagonales, se dresse une statue de Louis XIII. À l'origine, le jardin était réservé aux familles domiciliées autour de la place. (Voir ill. p. 213.)

Le « style Louis XIII » se retrouve dans le premier château de Versailles (l'actuelle cour de marbre) ainsi que dans de très nombreuses gentilhommières édifiées dans l'ensemble de la France.

La tentation baroque

Cette simplicité n'est évidemment pas du goût de tout le monde. La reine Marie de Médicis voudrait des palais qui lui rappellent l'Italie, son pays natal. Elle fait terminer la construction des Tuileries, laissée en suspens par sa tante Catherine de Médicis. Enfin, devenue reine-régente, elle décide de se faire construire une demeure bien à elle, calquée sur le modèle du palais Pitti à Florence. Ce sera le palais du Luxembourg. (Voir ill. p. 227.)

La tendance baroque s'y manifeste clairement: l'or resplendit autour du dôme et sur les toitures, les cheminées sont richement décorées. À l'intérieur, les stucs, les ornements dorés, les plafonds peints par Rubens donnent un éclat fastueux. Dans les jardins, une fontaine monumentale est, selon la mode italienne, agrémentée de statues, de colonnes et de grottes de rocaille.

L'ornementation cherche les grands effets; néanmoins, l'ordonnance de la construction reste simple. Au Luxembourg comme dans tant d'autres édifices, le baroque affecte surtout le décor. L'architecture, d'instinct, tend vers le classicisme. La même distinction se retrouvera dans l'art religieux.

Édifices religieux

La foi est intense. Les ordres monastiques encouragent la construction. De ce que les jésuites jouent un rôle important, on parlera de « style jésuite ». Il s'agit là d'une généralisation excessive car, en matière d'architecture, les jésuites n'ont fait que suivre les tendances de leur temps.

Au XVIIe siècle, on aime que les églises soient solides, spacieuses, grandioses si possible. Il faut que les fidèles puissent suivre les offices dans leur livre. Pour obtenir un éclairage vertical, on ouvre des fenêtres dans la partie supérieure des murs et l'on construit un dôme sur la croisée du transept. À Paris, les meilleurs exemples du genre sont le Val-de-Grâce, l'église de la Sorbonne, Saint-Eustache et Saint-Sulpice.

Une fois la construction achevée, dans les paroisses riches, on va continuer à entasser les ornements jusqu'au XVIIIe siècle. Les murs sont revêtus de peintures ou de plaques de marbre. On multiplie les décors de stuc, les boiseries, les groupes sculptés. À défaut de marbre, on emploie le plâtre. On ajoute un mobilier volumineux rehaussé, si possible, de feuilles d'or: chaires et autels finement travaillés, chandeliers, buffets d'orgue gigantesques etc.

Ce décor déclamatoire n'est plus du goût du XXe siècle. L'étalage des richesses fait trop penser à une salle d'opéra. Il faut néanmoins reconnaître que, envisagée isolément, l'architecture de ces édifices a des proportions harmonieuses et une grandeur toute classique.

Artisans ou artistes

Pendant la première partie du XVIIᵉ siècle, la peinture va produire une gamme de créations d'une richesse extraordinaire. La plupart des jeunes peintres font un séjour en Italie; ils fréquentent les ateliers, ils étudient les maîtres italiens et, surtout, ils se penchent sur les chefs-d'œuvre de la statuaire de l'Antiquité. De retour en France, ils ne peuvent plus se plier au système rigide des anciennes corporations. Ils refusent de se laisser assimiler aux artisans, gens plus ou moins méprisés du fait qu'ils travaillent de leurs mains.[1] Ils entendent suivre leur pensée, méditer et donner à leurs œuvres une valeur transcendante.

Jusqu'au milieu du siècle, la peinture n'aura pas d'esthétique officielle. Les peintres suivront leur goût, ou celui de leur clientèle. Les uns, comme Poussin, seront attirés par les sujets empruntés à la mythologie ou à l'histoire. D'autres préféreront représenter les scènes de la réalité quotidienne.

Poussin

Nicolas Poussin est le plus classique de tous les peintres de sa génération. Il se forme en France en prenant pour modèle les œuvres de l'école de Fontainebleau. À trente ans, il va se fixer à Rome. Son activité intellectuelle est intense. Il dessine, mesure et analyse la statuaire antique. Il s'initie à l'optique et à la perspective; il assiste même à des dissections. « Je n'ai rien négligé », pourra-t-il dire à la fin de sa carrière à l'un de ses élèves. En matière de peinture, il admire tout particulièrement les coloris du Titien et la composition de Raphaël. L'étude ne l'empêche pas d'aimer la nature avec passion. Il restera toujours infiniment sensible à la beauté des choses.

La plupart des tableaux de Poussin sont achetés en France. Le peintre acquiert une telle célébrité que Richelieu décide de le ramener à Paris, coûte que coûte. Il lui fait accorder le titre de « premier peintre du roi.» Louis XIII lui confie la direction de la décoration du Louvre. Malheureusement, le maître s'entend mal avec ses subordonnés. Au bout de deux ans, il retourne à Rome où il restera jusqu'à sa mort.

Chez Poussin, tous les détails qui entrent dans la composition du tableau contribuent à exprimer l'idée générale. Le sujet est noble et

Archives Photographiques

Poussin, Les Bergers d'Arcadie. *Dans toutes ses œuvres, l'artiste célèbre l'alliance entre la nature et l'homme. Ici un groupe de bergers lit l'inscription gravée sur un tombeau (musée du Louvre).*

Claude Lorrain, Le Débarquement de Cléopâtre à Tarse. *Un soleil radieux illumine le ciel tandis que les personnages, qui ne sont peut-être pas de la main du peintre, n'ont qu'une importance accessoire (musée du Louvre).*

grave; le paysage est serein. Les personnages sont groupés dans un équilibre majestueux. Les attitudes sont mesurées, les draperies tombent avec naturel. Chaque élément reste à sa place, subordonné à l'ensemble. Cette ordonnance, éminemment rationnelle, fera l'objet de l'admiration de tous les peintres classiques.

Claude Lorrain, peintre du soleil

Claude Lorrain passe, lui aussi, la plus grande partie de sa vie à Rome.[2] Mais il ne cultive pas les idées abstraites; seule l'intéresse la lumière. Ses paysages sont vibrants de luminosité. Pour la première fois dans l'histoire de la peinture, le soleil constitue l'objet du tableau. Il occupe le centre de la composition. Les personnages et les décors d'architecture ne sont là que pour ramener le regard vers le foyer incandescent.

Philippe de Champaigne

Pendant un demi-siècle, Philippe de Champaigne se consacre au portrait. Toutes les personnalités importantes viennent poser devant lui, à commencer par Louis XIII et Richelieu. Champaigne a l'art de montrer son modèle dans l'une de ses attitudes habituelles. Mais il ne se contente pas de la ressemblance physique; il capte l'intensité du regard et révèle la vie intérieure. (Voir ill. p. 224 et p. 231.)

Philippe de Champaigne, l'Ex-voto. *À gauche la mère Arnauld, abbesse de Port-Royal, à droite la fille du peintre. Celle-ci, qui avait été paralysée pendant plusieurs mois, vient d'être guérie miraculeusement par l'application du reliquaire de la sainte Épine qu'elle tient sur ses genoux (musée du Louvre).*

Très tôt, Philippe de Champaigne entre en rapport avec la société de Port-Royal. L'austérité janséniste lui apporte la paix spirituelle. Il se sent en communion d'âme avec les « solitaires » dont il laissera une incomparable galerie de portraits.

Les frères Le Nain,
Repas de paysans
(musée du Louvre).

Les Le Nain

À la même époque, les Le Nain choisissent de représenter la vie des humbles. Ces trois frères, originaires du nord de la France, travaillent en équipe. Ils signent leur nom de famille sans préciser leur prénom. Ils sont les peintres des petites gens; leur art consiste à rendre la vie quotidienne avec une sincérité totale. Leurs tableaux montrant les travaux agricoles, l'intérieur d'une forge ou un repas de paysans sont à la fois des chefs-d'œuvre de composition et des documents sociologiques. Les cultivateurs sont pauvres mais non misérables; ils ont du pain et boivent du vin. S'ils sont nu-pieds, c'est qu'ils ont laissé leurs sabots à la porte, selon l'usage. Les femmes sont mises avec décence, les pères de famille ont une dignité patriarcale. Dans la plupart des toiles, on remarque que l'un des enfants tient un instrument de musique à la main.

Georges La Tour

Pendant la première moitié du XVIIe siècle, les scènes familières sont appréciées par la clientèle. Les Le Nain connaissent le succès. Georges La

Georges La Tour, La Madeleine à la veilleuse. *Le contraste entre l'ombre et la lumière contribue à suggérer l'opposition entre la vie de péché qu'avait menée Madeleine, et le repentir de la sainte (musée du Louvre).*

Tour est l'un des peintres les plus estimés de son temps. Ce dernier représente les personnages bibliques comme s'ils étaient ses contemporains. Avec lui, la Sainte Famille ou sainte Madeleine vivent dans un décor rustique à la manière des paysans du XVIIe siècle.

Chez La Tour, le sujet reste d'ailleurs d'importance secondaire. Le centre de la composition est une source de lumière: un rayon de jour tombant d'un soupirail, une torche ou une bougie. Les plans, qui sont éclairés directement, se détachent avec vigueur, tandis que les visages et les objets placés à contre-jour se dégagent de la pénombre par un jeu subtil de reflets. Irrésistiblement, l'œil se trouve ramené vers la lumière. Celle-ci paraît briller avec d'autant plus d'intensité que l'artiste l'a mise en valeur par un jeu de contrastes. Dans *La Nativité* par exemple, les doigts de l'un des personnages viennent se profiler contre la flamme.

Louis XIII fait placer un tableau de La Tour dans sa chambre, à l'exclusion de tout autre. Il confère à l'artiste le titre de « peintre ordinaire du roi.» Malgré la réputation dont il a joui de son vivant, La Tour sombrera après sa mort dans un oubli total. On ignorera son existence jusqu'à ce que, récemment, des critiques d'art le redécouvrent, non sans éclat!

De tous les peintres du début du siècle, Poussin sera le seul que la génération suivante admirera sans réserve. Ses toiles seront présentées comme des modèles par l'Académie de peinture, cette gardienne de l'ordre classique.

L'âge des Académies
Le commencement du règne personnel de Louis XIV va donner une nouvelle impulsion à l'activité artistique. Le roi est un homme de goût; il entend que tous les talents concourent à la gloire de son royaume. Colbert, nommé Surintendant des Bâtiments du roi, rêve d'organiser les arts, comme tous les autres domaines de l'économie nationale.

Louis XIV favorise la création de l'Académie royale de peinture et de sculpture. Il sait que, en groupant les élites sous sa protection, il les tiendra prêtes à servir la couronne. Quant aux artistes, ils éprouvent le besoin de s'unir pour défendre leurs intérêts professionnels. Le règlement de la nouvelle institution est libéral: le nombre des membres n'est pas limité, les dames peuvent poser leur candidature comme les hommes. Pour être reçu Académicien, il suffit de présenter un chef-d'œuvre. L'Académie organise des conférences et des concours. Elle décerne des prix afin d'encourager la jeunesse. Assez régulièrement, elle permet à ses membres d'exposer leurs œuvres au palais du Louvre. Comme l'exposition se tient dans le Salon Carré (ainsi que son nom l'indique, il est de forme carrée), on ne tardera pas à l'appeler le « Salon ». À une époque où il n'existe encore aucun musée public, cet événement, en attirant une foule considérable, établit la réputation des artistes et contribue à orienter le goût.

Après l'Académie royale de peinture et de sculpture, le roi crée, coup sur coup, l'Académie des inscriptions et belles-lettres,[3] l'Académie des sciences, l'Académie de musique, l'Académie d'architecture. Enfin, il établit l'Académie de France à Rome où les jeunes gens iront achever leur formation artistique au contact des ruines de l'Antiquité.

Les jardins de Le Nôtre

Sur l'ordre du roi, les travaux reprennent dans de nombreux châteaux appartenant à la couronne. À Paris, les chantiers se multiplient. Le jardinier Le Nôtre redessine les jardins des Tuileries. À l'aide de massifs de fleurs et d'arbustes de divers coloris, il trace de vastes compositions ornementales. Le jardin, dit « jardin à la française », s'associe harmonieusement à l'architecture et au cadre naturel. Du côté de la Seine, Le Nôtre élève une terrasse. Vers l'ouest, il prolonge le grand axe de symétrie des jardins en ouvrant une large avenue, les futurs Champs-Élysées. La nouvelle voie monte à travers la campagne vers une éminence où, déjà, se dessine un carrefour en étoile.[4]

La « colonnade » de Perrault

Au Louvre, on décide de compléter le quadrilatère amorcé pendant les règnes précédents. Les projets suscitent une certaine effervescence. Colbert fait venir de Rome le cavalier Bernin, l'architecte le plus célèbre de son temps. Bernin soumet des projets mais sa vanité et ses goûts trop italiens choquent les Français, à commencer par le roi. On finit par adopter les plans d'un Parisien, Claude Perrault.

Perrault est un esprit encyclopédique; il est médecin de son métier mais il s'intéresse également à la physique, à la littérature et aux arts. La partie la plus significative de son œuvre artistique est la célèbre « colonnade » qui occupe toute la façade occidentale du Louvre. L'ordonnance en est toute classique. Des assises horizontales bien marquées donnent une impression de stabilité. Pas de sculptures, pas même de bas-reliefs. Rien que des éléments empruntés à l'architecture de l'Antiquité: colonnes, chapiteaux, frontons. Dans sa simplicité, la « colonnade » apparaît comme l'image de la raison. En France et hors de France, elle fait

French Government Tourist Office

L'église des Invalides, œuvre de Mansart.

l'objet d'une telle admiration que, jusqu'à la fin du XVIIIe siècle, toutes les constructions solennelles s'en inspireront.

Mansart

Dès le début du règne personnel de Louis XIV, Mansart devient « premier architecte du roi ». Ce jeune artiste va faire une carrière prestigieuse. À Paris, il dirige la construction de la place des Victoires et de la place Vendôme. Il édifie également l'église de l'Hôtel des Invalides.[5] Cette église, destinée aux soldats infirmes, pensionnaires de la fondation, occupe le centre d'une vaste cour d'honneur. La façade a peu d'originalité; par contre, le dôme audacieux qui se dresse sur la croisée du transept, donne à l'édifice un caractère grandiose.

À partir de 1670, Mansart se trouve absorbé par la construction du palais de Versailles. L'ancienne demeure de Louis XIII, bien qu'elle ait été agrandie par l'architecte Le Vau, est encore trop petite. Mansart va l'étendre du côté du parc en ajoutant une galerie, la galerie des Glaces, prolongée à ses extrémités par le salon de la Paix et le salon de la Guerre. La nouvelle façade a une élégance sobre. Pour éviter que les lignes horizontales ne deviennent monotones, l'architecte a rythmé l'ordonnance à l'aide de trois groupes de colonnes légèrement en saillies. (Voir ill. p. 268.)

Le parc de Versailles

Les jardins, comme l'architecture, ont une régularité géométrique. Le Nôtre dispose les parterres et les pièces d'eau symétriquement, autour du grand axe central. Des deux côtés, des allées ouvrent des perspectives dans la forêt, reliant ainsi, dans un équilibre majestueux, l'art à la nature.

Des vases de marbre et des statues encadrent les parterres et bordent les promenades principales. Les sculptures comprennent des allégories, des motifs décoratifs et des thèmes empruntés à l'Antiquité. L'eau des bassins jaillit autour de remarquables groupes de bronze exécutés par le sculpteur Girardin et son équipe.[6] Le parc de Versailles abonde en chefs-d'œuvres; néanmoins, aucune pièce ne se met en vedette aux dépens des autres. L'ordre classique exige que chaque élément occupe sa place, et rien que sa place, en fonction de l'ensemble.

Le Brun, décorateur en chef

Le même principe règne dans la décoration intérieure. L'activité de tous les corps de métier s'est trouvée coordonnée et inspirée par Le Brun.

Versailles, façade du palais côté parc, œuvre de Mansart.

La carrière de ce dernier tient du prodige. Pendant sa jeunesse, il travaille avec Poussin. À 19 ans il est nommé « peintre du roi ». Déjà il reçoit une pension. En 1662, Louis XIV l'anoblit; c'est la première fois qu'un artiste est l'objet d'un tel honneur. En tant que directeur de la Manufacture des Gobelins, il oriente l'œuvre de plus de 800 ouvriers tapissiers, ébénistes et orfèvres. À l'Académie royale de peinture et de sculpture dont il est élu président à vie, il contrôle l'enseignement supérieur des beaux-arts et devient pratiquement le maître de l'esthétique française.

À Versailles, Le Brun est l'homme indispensable. Il conçoit le plan des décorations, il peint les cartons des tapis et des tapisseries. Il dirige la fabrication du mobilier et des pièces d'argenterie. Il va jusqu'à s'occuper des boutons de porte et des livres de gravures. Il dessine les fontaines et les statues du parc. C'est également lui qui organise l'ordonnance des fêtes et des funérailles. Les maîtres illustres lui obéissent aussi bien que les ouvriers les plus modestes.

Le Brun exécute lui-même les peintures de la galerie des Glaces et des grands salons, mais son œuvre dépasse de beaucoup ses réalisations personnelles. C'est lui qui choisit les artistes, propose les modèles et assure l'unité de style du palais.

Portraitistes

Spécialiste des compositions historiques et mythologiques, genres nobles par excellence, Le Brun s'intéresse peu au portrait. Les portraitistes les plus réputés de la cour sont Rigaud (il laissera plus de 2 000 portraits — voir ill. p. 258) et Mignard.[7] Ce dernier a l'art de rendre le charme des visages féminins. Il excelle également, disent les mauvaises langues, à rajeunir les dames d'un certain âge!

La fin d'un règne

Au cours des deux dernières décades du XVIIᵉ siècle, la solennité du décor s'assouplit progressivement. Sur la demande du roi, l'architecte Mansart construit le Grand Trianon à l'extrémité du parc de Versailles. Il s'agit d'une résidence de luxe où la cour ira se reposer après la chasse. Le bâtiment se compose de deux corps de logis d'un seul étage, reliés par un élégant péristyle. Les salons sont de dimensions relativement réduites. L'emploi de matériaux de couleur apporte une note de fantaisie.

French Embassy Press and Information Division

Versailles, le Grand Trianon, œuvre de Mansart.

Les difficultés qui assombrissent les dernières années du règne de Louis XIV vont accélérer l'évolution du goût. Le mobilier d'argent est envoyé à la fonte. De gré ou de force, il faut le remplacer par des meubles de menuiserie. En principe, les plats d'or et d'argent doivent être livrés à la monnaie. Certaines familles se résignent au sacrifice, d'autres cachent leurs trésors. De toute façon, les nobles et les riches bourgeois sont obligés de se servir d'une vaisselle de porcelaine, importée d'Extrême-Orient ou fabriquée en Europe sur des décors orientaux. La vogue des motifs exotiques commence à se répandre.

La cour devient sombre et hypocrite; on ne s'y sent pas à l'aise. Le roi est âgé et la jeune génération aspire à s'émanciper de sa tutelle. L'élite cesse d'aller demander des leçons de bon goût à Versailles. Paris reprend la direction de la vie artistique et littéraire. Il ne la perdra plus.

II   LE XVIIIᵉ SIÈCLE

Un art léger   Entre l'art du xviiᵉ siècle et celui du xviiiᵉ siècle, il n'y a pas de rupture; il n'y a qu'un glissement imperceptible. Les Académies restent toutes puissantes; la doctrine classique continue à régner. L'enseignement s'appuie toujours sur l'autorité de l'Antiquité. Les jeunes artistes font le même séjour rituel à Rome; ils subissent le même entraînement que leurs prédécesseurs. Néanmoins, bien avant le changement de siècle, les nouveautés se sont insinuées dans l'auguste tradition sans la supprimer.

Le caractère fondamental de l'art du xviiiᵉ siècle est la mobilité. Du temps de Louis XIV, l'art est statique. Les constructions donnent une impression de solennité tendant vers la lourdeur. Les peintres fixent une image noble et calme de la vie. Au xviiiᵉ siècle, l'art devient léger et dynamique. Les architectes cherchent l'élégance plus que la grandeur. Les peintres s'efforcent de saisir le geste spontané et l'expression fugitive des visages. Les décorateurs cherchent, le plus possible, à remplacer les lignes droites par des lignes sinueuses. Les toilettes féminines vont en s'assouplissant. Dans les villes, on dirait que le rythme de la vie s'accélère.

Une architecture gracieuse   Les travaux d'urbanisme suscitent un intérêt grandissant. Dans les ports de mer, on édifie des quais. Les bâtiments publics se multiplient; on s'efforce de les grouper autour de vastes places bien dégagées. Dans les grandes villes de province (Bordeaux, Nancy, Lyon, Montpellier etc.) on abat des quartiers vétustes pour les remplacer par des ensembles neufs. À Paris, la plus belle réalisation est la place Louis XV, l'actuelle place de la Concorde. Elle occupe un emplacement de choix, au croisement de deux nobles perspectives. L'architecte Gabriel réussit à mettre en valeur à la fois le cadre historique et la beauté naturelle du site. Face à la Seine, il construit, symétriquement, deux édifices à colonnades.[8] Comme Perrault l'avait fait au siècle précédent, il utilise les éléments antiques, mais il les affine et les rend gracieux.

Le goût de l'époque s'exprime beaucoup plus directement encore dans les demeures privées. À Paris, dans les nouveaux quartiers de l'ouest notamment, les hôtels particuliers se multiplient. Le plan général reste traditionnel. Devant le corps du logis, du côté de la rue, s'ouvre une cour, en π, assez vaste pour permettre le mouvement des équipages. Par derrière, s'étend un parc qui prolonge l'axe de symétrie de l'architecture. Mais l'atmosphère doit être gaie. Les fenêtres sont élargies. Du côté du jardin, un avant-corps élégant, un balcon ou une terrasse vont permettre de profiter de la nature. La grâce vient, d'elle-même, agrémenter le décorum du passé.

Un goût féminin
À l'intérieur, plus de vastes ensembles d'apparat. Désormais, les pièces doivent créer une atmosphère de confort et d'intimité. La grande galerie traditionnelle fait place aux petits salons : salon d'hiver, salon d'été, salon de musique, salon chinois etc.... On aménage un cabinet de lecture, une salle à manger, une salle de jeux pour les enfants et un boudoir pour le délassement des dames. En toute chose, il faut que la demeure satisfasse le goût féminin, maintenant que la femme règne sur la maison et sur la société mondaine.

La nouveauté la plus décisive est dans la décoration. Pour éviter la sévérité des grandes surfaces planes, on divise les murs à l'aide de boiseries sculptées. Il est rare que le décor soit surchargé. En France, les excès du style « rococo » resteront tout à fait exceptionnels. D'une façon générale, les artistes et leur clientèle réussissent à allier la grâce élégante et la sobriété classique. On affectionne les fonds blancs ou gris très clair, délicatement relevés par un relief doré. Des lignes souples forment des contours en S, des cercles ou des ovales. Comme on déteste les angles droits, on arrondit les coins à l'aide de moulures. Au-dessus des portes, de petits panneaux aux formes variées servent de cadre à des peintures

French Embassy Press and Information Division

Paris, Hôtel de Sens. Le salon ovale (vers 1724).

ou à des tapisseries. Pastorales et sujets galants font fureur. Éros et Vénus sont devenus les dieux chéris!

La musique et la danse

La musique et la danse sont les passe-temps favoris de la société mondaine. Rameau, le plus grand nom de la musique française du XVIIIe siècle, est à la fois organiste, théoricien et compositeur. Presque toute son œuvre est destinée à la scène. Dans ses nombreux opéras (*les Indes Galantes* est le plus célèbre), Rameau fait une large place au ballet. Ses marches et ses menuets se distinguent par une extraordinaire finesse de nuances.

La danse devient un art de premier plan. Les ballets ne sont plus exécutés par les membres de la cour mais par des professionnels.[9] Peu à peu, les costumes s'allègent, les danseurs se débarrassent de leurs masques et de leurs énormes perruques. Le public recherche la virtuosité, la perfection technique mais il veut également que la danse soit poétique et qu'elle exprime les sentiments.

Watteau

Plus que jamais, la peinture reflète les nuances subtiles du goût de l'époque. Antoine Watteau, le plus représentatif des peintres du XVIIIe siècle est, en réalité, un précurseur de génie. Originaire du nord de la France, il arrive à Paris en 1702 et se distingue comme « peintre des fêtes galantes ». Il excelle à représenter des bals, des scènes de comédie, des concerts champêtres. Son art est un mélange ineffable de vérité et de rêve. Le plus souvent, la scène apparaît dans les allées d'un parc, entre les feuillages vaporeux des grands arbres. Les personnages sont jeunes, riches et distingués. Ils portent des habits de satin et de dentelle. Ils dansent, jouent de la musique ou poursuivent un doux tête-à-tête. On pourrait les croire parfaitement heureux mais leur visage est teinté d'une douceur mélancolique. Au milieu des fêtes, ils semblent hantés par le pressentiment que, pour eux, la vie sera brève et le bonheur inaccessible.[10]

Boucher et Fragonard, peintres libertins

Boucher est le peintre des scènes libertines. Tantôt il représente des pastorales avec des bergères à l'air faussement innocent, tantôt des tableaux mythologiques dans lesquels une déesse, toute nue, tient le premier rôle. Pour suggérer l'atmosphère propice à l'amour, le peintre a multiplié les fruits, les guirlandes de fleurs, des couches moelleuses... Partout gambadent des enfants, anges, amours ou génies. Quelle que soit

Watteau, L'Embarquement pour l'île de Cythère. Morceau de réception de l'artiste à l'Académie royale de peinture et de sculpture (1717). De la droite vers la gauche, les couples se forment et se dirigent vers l'île de l'amour (musée du Louvre).

Archives Photographiques

Archives Photographiques

Fragonard, Le Baiser dérobé *(musée de Léningrad).*

leur classe sociale, les belles femmes de Boucher ne semblent préoccupées que de plaire et de jouir! (Voir ill. p. 297.)

Suivant l'exemple de son maître Boucher, Fragonard devient le peintre des boudoirs. Cet artiste, heureux et fantasque, pousse la désinvolture jusqu'à signer « Frago ». C'est toujours le plaisir voluptueux qui se dégage de ses toiles. La scène est prise sur le vif; les amants semblent animés d'une fougue passionnée.

Chardin

Bien qu'il soit le contemporain de Boucher et de Fragonard, Chardin est radicalement différent. Ce dernier se consacre presque entièrement à la nature morte et à la peinture de scènes bourgeoises. Il se plait à représenter un intérieur paisible ou un groupe d'objets tout simples. Une cruche, une bassine, un morceau de viande, quelques fruits, lui suffisent pour composer un ensemble poétique. Après des débuts difficiles, Chardin connaîtra le succès. Il sera admiré, mais personne n'osera suivre son exemple. « Chardin n'a pas de manière, remarque Diderot; je me trompe, il a la sienne! »

Greuze

Greuze, par contre, est le peintre le plus caractéristique de la seconde moitié du XVIIIe siècle. Ses tableaux expriment à la fois le côté sensuel et

Archives Photographiques

Greuze, La Cruche cassée *(musée du Louvre).*

le côté moralisateur de son temps. Il va chercher ses sujets à la campagne. Ses personnages favoris sont des adolescentes, moitié enfant, moitié femme, à qui il donne une expression innocente ou, plutôt, faussement innocente. Certaines de ses compositions sont conçues comme des sermons: l'*Accordée de village* est un sermon sur le mariage, la *Malédiction paternelle* est un sermon sur les devoirs des enfants à l'égard de leurs parents. Diderot ira jusqu'à féliciter le peintre d'avoir fait « de la morale en peinture ». En réalité, Greuze, comme beaucoup de ses contemporains, joue sur les deux tableaux. Selon les désirs de la clientèle, il incline tantôt vers l'érotisme, tantôt vers la sentimentalité moralisatrice.

Pendant les dernières années de l'Ancien Régime, Madame Vigée-Lebrun devient le portraitiste le plus célèbre. Ce peintre excelle à rendre la grâce et la sensibilité des visages. Appelée à la cour, elle fera de charmants portraits de Marie-Antoinette. Dès le début de la Révolution, jugeant prudent de quitter la France, elle partira à l'étranger où elle poursuivra sa carrière.[11] (Voir ill. p. 334.)

Une sculpture frémissante, Houdon

La sculpture du XVIIIᵉ siècle cherche à traduire la vie de façon intense. Même les statues monumentales destinées à orner une place ou une cour d'honneur ont du mouvement. Le cheval est représenté au moment où il s'élance; les draperies semblent flotter au vent. Mais le génie du siècle apparaît surtout dans les œuvres de petites dimensions faites pour agrémenter une demeure ou un coin de jardin. Les sculpteurs empruntent à l'allégorie ou à la mythologie les thèmes les plus gracieux: les nymphes, Diane, Vénus au bain etc. L'enfant devient un sujet favori des artistes et de leur clientèle. Il n'est plus un adulte en miniature, mais un vrai bambin potelé au visage candide ou malicieux.

Archives Photographiques

Houdon, Voltaire. *Marbre de la Comédie-Française.*

Le genre le plus répandu de tous est le buste. Quelle que soit la matière employée, marbre, terre cuite ou plâtre, il permet de capter le regard et le jeu de la physionomie. Certains bustes réussissent à traduire toute une personnalité.

Houdon excelle dans tous les genres. C'est un réaliste radical. De chaque modèle il fait un portrait à la fois physique et moral. Sa statue de Voltaire âgé suggère la parole qui va jaillir. C'est un vieillard en robe de chambre, mais il semble avoir le prestige d'un philosophe de l'Antiquité, drapé dans sa toge.[12]

Retour à l'Antiquité

Peu à peu, au cours du dernier quart du siècle, la rigueur classique reprend du terrain. À force d'avoir vu des scènes galantes, la clientèle est quelque peu blasée. Des peintres médiocres ont trop souvent répété les mêmes clichés. Consciemment ou non, le public cherche un décor plus simple. C'est là un phénomène naturel: après une période de fantaisie, on éprouve le besoin de revenir à la sobriété.

Il se trouve que, justement, les civilisations anciennes captivent les élites. En creusant dans les environs de Naples, des chercheurs ont mis à jour des vestiges de Herculanum et de Pompéi, deux villes romaines que l'on croyait disparues pour toujours. C'est tout un monde qui semble ressusciter. Les riches amateurs rassemblent des collections. Désormais, historiens, artistes et décorateurs vont vouloir atteindre l'Antiquité directement.

Ces deux circonstances concourent à remettre à l'honneur la simplicité classique. Les architectes s'efforcent d'utiliser les éléments gréco-romains: colonnes, frontons triangulaires, portiques. Autour de son jardin du Palais-Royal à Paris, le duc d'Orléans se fait construire un péristyle néo-antique.

Le décor intérieur se simplifie. On réserve de grands espaces nus; on respecte les angles droits. Le mobilier « Louis XVI » affectionne les lignes fines et droites. Les pieds des chaises, les dossiers des fauteuils se redressent. Ce style a une légèreté élégante mais, s'il est poussé trop loin, il peut tomber dans la sécheresse. Les peintures style Pompéi — petites figurines sur fond rose — sont très à la mode. Certaines réalisations sont charmantes mais, à trop copier les modèles de l'Antiquité, l'art risque de se stériliser.

Néo-classicisme et pré-romantisme

La peinture d'histoire remonte en faveur auprès du public. Les peintres voudraient ressusciter l'Antiquité — ou plutôt l'idée qu'ils se font du « beau antique ». Les scènes se passent dans un décor architectural sévère. Les hommes ont une attitude de héros. Les femmes sont dotées d'une beauté sculpturale. Un seul peintre, David, réussira admirablement dans ce genre. Son *Serment des Horaces*, exposé au Salon de 1785, est une leçon de courage dans un cadre romain. Après la Révolution, David deviendra le chef incontesté de l'école néo-classique.

Tandis que certains esprits exaltent les grandes figures de l'histoire classique, d'autres cherchent des paysages incitant à la rêverie. Dans les parcs, on aménage un jardin dit « jardin à l'anglaise » où la nature paraît spontanée. On aime les décors qui inspirent la mélancolie. On éprouve tant d'attrait pour les ruines que l'on en arrive à construire de fausses ruines.

Avant la Révolution, l'art du XVIIIe siècle porte déjà en lui les deux courants qui vont dominer le siècle suivant: le néo-classicisme et le romantisme.

NOTES

1 Jusqu'alors, les artistes appartenaient à la même corporation que les peintres en bâtiment et, en principe, ils étaient soumis aux mêmes règlements professionnels. Pour défendre leurs intérêts personnels et faire respecter leurs œuvres, les artistes réussirent, en 1648, à constituer une académie. Cette association avait une mission comparable à celle de l'Académie française dans le domaine littéraire. Néanmoins, elle n'aura de statut officiel qu'à partir du moment où Louis XIV la placera sous la protection royale.

2 Lorrain était pâtissier; on lui devrait l'invention de la pâte feuilletée... Il était allé à Rome pour pratiquer son métier mais il ne tarda pas à se mettre au service d'un peintre.

3 À l'origine, elle avait pour mission de composer des inscriptions et des devises pour les monuments érigés par le roi. Peu à peu, elle s'orienta vers les études d'histoire, d'archéologie et de linguistique.

4 L'Arc de Triomphe et l'ensemble de la place de l'Étoile, maintenant place Charles de Gaulle, ne seront construits qu'au XIXe siècle.

5 L'Hôtel des Invalides, fondé par Louis XIV pour recueillir les soldats âgés ou infirmes.

6 Le parc comprenait également des œuvres de Coysevox, sculpteur à l'esprit indépendant dont l'art très expressif a déjà des caractéristiques du XVIIIe siècle. Enfin, il comprenait un groupe nettement baroque, le *Milon de Crotone* du sculpteur marseillais Puget.

7 Mignard reçut des commandes officielles de la cour à la fin du règne de Louis XIV quand déjà le décor commençait à s'assouplir.

8 De nos jours, ces deux bâtiments sont occupés respectivement par l'Hôtel Crillon et le ministère de la Marine.

9   Jusqu'au XVIIe siècle, le ballet consistait de figures protocolaires exécutées par les souverains et les hauts dignitaires de la cour. Pendant la seconde moitié du XVIIe siècle, le ballet se trouva associé au chant, à la tragédie et à la comédie (comédies-ballets de Molière et Lully). Ce n'est qu'au XVIIIe siècle qu'il deviendra un art indépendant.

10   On peut voir en eux un reflet de la personnalité de leur créateur. Émotif et maladif, Watteau mourra à 37 ans.

11   Parmi les autres grands peintres du XVIIIe siècle, il faut mentionner: Nattier (portraitiste fantaisiste), Lancret (peintre de scènes galantes), Quentin La Tour (maître du pastel — voir ill. p. 288) et Hubert-Robert (spécialiste des paysages et des ruines).

12   Parmi les autres grands sculpteurs du XVIIIe siècle, il faut mentionner Coustou (*les Chevaux de Marly*), Falconet (bustes, statues d'enfants) et Pigalle (bustes, statues de femmes et d'enfants, statues équestres).

L' AGONIE
DE LA MONARCHIE

Assignats
révolutionnaires.

LOUIS XVI

Un jeune prince naïf

Le nouveau règne débuta comme une matinée de printemps. À cette époque, où il était de bon ton d'avoir l'âme sensible, Louis XVI parut le souverain idéal. Il n'avait que 19 ans et sa femme, Marie-Antoinette, n'en avait que 18. Le peuple était touché par sa modestie, sa simplicité, son air besogneux, son naturel affectueux. Fini le scandale des maîtresses! Le nouveau roi avait de bonnes mœurs: déjà, il cherchait à réduire ses dépenses personnelles, à réprimer l'immoralité.

Selon une théorie largement répandue pendant le dernier quart du XVIIIᵉ siècle, la pratique de la vertu allait conduire droit au bonheur. Un climat d'optimisme humanitaire régnait. Plus que tout autre, Rousseau avait propagé la théorie que l'homme est fondamentalement bon. Louis XVI n'avait rien d'un « philosophe », mais il trouvait commode de faire confiance à la nature humaine.

Louis avait reçu une assez bonne instruction. Il s'intéressait aux sciences, aux arts mécaniques, à la géographie. Il n'était pas sot mais, par inertie intellectuelle, il ne s'élevait pas au-dessus du niveau des préoccupations banales. Les habitudes et les traditions exerçaient sur lui une telle emprise qu'il lui arrivait d'agir en automate. Même en présence des circonstances les plus dramatiques, il semblera indifférent. Son physique ne l'aidait guère; ses gros yeux myopes accentuaient son air absent; une vilaine dentition nuisait à son élocution. Très tôt, l'obésité contribuera encore à engourdir ses réactions.

Auprès de ses deux frères cadets, Louis, par contraste, paraissait d'autant plus médiocre. Le comte de Provence (le futur Louis XVIII) était un esprit distingué, un « philosophe » sceptique et cynique. Plus brillant que son aîné, il éprouvait à son égard une certaine jalousie. Quant au comte d'Artois (le futur Charles X) il avait un physique séduisant, un port majestueux. À le voir, on aurait dit qu'il était né pour porter une couronne...

Une reine d'opérette

Il aurait fallu que Louis XVI se trouve épaulé par sa femme. Or, Marie-Antoinette n'était ni assez intelligente ni assez dévouée pour cela. Fille de l'impératrice Marie-Thérèse, on l'avait mariée avec le dauphin pour resserrer l'alliance franco-autrichienne.[1] Elle avait quitté la cour de Vienne à 15 ans pour devenir la reine de France, c'est-à-dire la première reine du monde... Jeune écervelée, elle s'attendait à vivre un rêve doré!

De funestes présages semblent avoir accompagné toutes les grandes étapes de sa vie. Elle était née le jour du tremblement de terre qui détruisit la ville de Lisbonne.[2] Au moment où elle fit son entrée en France, un violent orage éclata. En signant son acte de mariage, elle laissa tomber une grosse tache d'encre. À Paris, les fêtes qui accompagnèrent son mariage se terminèrent tragiquement. Pour voir les illuminations, la foule se pressa sur la place Louis XV[3] qui se trouvait alors en voie d'achèvement. Certaines tranchées étaient encore ouvertes; des gens y tombèrent et s'y trouvèrent étouffés. On déplora plus d'une centaine de morts. Le jour du couronnement, le feu d'artifice provoqua un grave incendie.

Sitôt installée à Versailles, Marie-Antoinette trouva l'étiquette pesante. Elle voulait danser, chasser, jouer la comédie, faire des promenades de nuit, s'amuser avec son petit groupe d'amies. Le soir, tandis que son époux ronflait au lit, elle se rendait incognito au bal de l'Opéra. En dépit de ses travestis, on ne la reconnaissait que trop facilement! De Vienne, sa mère tentait de l'avertir des dangers auxquels l'exposait « sa dissipation illimitée ». « Je ne saurai vous le présenter trop vivement pour vous sauver de l'abîme où vous vous précipitez »,[4] écrit Marie-Thérèse dès 1775. La petite étourdie n'en continua pas moins à vivre à sa fantaisie, rompant avec les traditions qui voulaient qu'une reine vive pour la nation. Ses imprudences furent présentées comme des débauches: on lui imputa le gaspillage de la cour, le déficit financier. Un réseau de calomnies se tissa autour d'elle.

À vrai dire, Louis XVI était un mari pitoyable. Conformément à son habitude, le lendemain de son mariage, le « pauvre homme » écrivit son journal. De son écriture appliquée, il inscrivit la date puis il traça un simple mot: *Rien*. À ses yeux, rien qui soit digne d'intérêt ne s'était passé. Autrement dit, il n'avait pas eu le temps d'aller à la chasse!

Le prestige du couple royal se détériora d'autant plus que les enfants tardaient à venir. Quand, enfin, après dix ans de mariage, un dauphin

Archives Photographiques

Marie-Antoinette, *par Mme Vigée-Lebrun. Vers 1783.*

naquit, il était déjà trop tard.[5] L'opinion générale avait pris position contre celle que l'on appelait « Madame Déficit ».

L'erreur initiale

Louis XVI voulait donner satisfaction à tout le monde. Incapable de voir que les desiderata des uns et des autres étaient contradictoires, il se laissa coincer dans une situation sans issue. À peine sur le trône, il commit l'erreur irréparable: il rétablit les Parlements que Louis XV avait supprimés. « Qu'on fait, dit-il, les Parlements pour mériter leur déchéance? » Dès lors, toute tentative de réforme était vouée à l'échec.

La tentative de Turgot

Dans sa naïveté, il croit pouvoir soulager le peuple. Il fait appel à Turgot, un économiste fort lié aux encyclopédistes et aux physiocrates.

Turgot sera le dernier grand ministre de la monarchie. Esprit à la fois pratique et généreux, il lance un train de réformes libérales. Il veut supprimer les règlements archaïques qui paralysent le travail des artisans et éliminer les douanes intérieures. « Laissez faire, laissez passer » répète-t-il avec les physiocrates. Selon lui, l'État devrait laisser les prix s'équilibrer d'eux-mêmes par la loi de l'offre et de la demande.

Turgot voudrait également supprimer la corvée. Cet impôt-travail, vestige de la féodalité, force les paysans à fournir, chaque année, plusieurs journées de travail gratuit pour l'entretien des routes. Injuste et vexatoire, la corvée devrait être remplacée par une taxe que payeraient tous les propriétaires ruraux, privilégiés ou non.

C'était là le cœur du problème. Les Parlements virent que le programme de Turgot allait porter atteinte à leurs privilèges; tout fut mis en œuvre pour empêcher l'enregistrement des édits. Louis XVI aurait aimé sauver son ministre mais il se lassa vite de la lutte; une cabale de courtisans, encouragée en sous-main par Marie-Antoinette, suffit à l'anéantir. Turgot fut abandonné et les réformes tombèrent à l'eau. « Nous avons fait un beau rêve mais il a été trop court », dira le philosophe Condorcet à son ami Voltaire.[6]

Peu après son renvoi, Turgot adressa au roi un avertissement prophétique. « N'oubliez jamais, Sire, dit-il, que c'est la faiblesse qui a mis la tête de Charles 1er[7] sur le billot.»[8] La leçon fut perdue, comme toutes les autres.

Une politique à contre-courant

De plus en plus, la cour s'isola dans un monde irréel. Au Petit Trianon, Marie-Antoinette se fit construire une ferme d'opérette pour y jouer à la bergère avec son petit cénacle. La noblesse courtisane accapara le roi et constitua une sorte d'écran entre lui et la nation. Au moment où la monarchie aurait dû prendre l'initiative d'un mouvement libéral, elle devint l'instrument des corps privilégiés. Automatiquement, les postes d'importance furent attribués à des grands seigneurs. En 1789, tous les évêques seront des nobles. Dans l'armée, du temps de Louis XIV et même de Louis XV, quelques roturiers pouvaient avancer selon leur mérite.

Louis XVI rétablit les droits de la naissance. Désormais, pour devenir officier, il faudra faire preuve de quatre générations de noblesse de père.[9]

Depuis des siècles, la plupart des familles nobles vivaient au-dessus de leurs moyens. En général, les terres qui leur restaient étaient lourdement hypothéquées. Pour reconstituer leurs revenus, certains privilégiés tentèrent de remettre en vigueur des droits féodaux qui, au cours des âges, étaient tombés dans l'oubli. Des hommes de loi se spécialisèrent dans l'étude des vieux parchemins nobiliaires.[10]

Depuis le Moyen Âge, les souverains s'étaient efforcés de rabattre — ou tout au moins de limiter — les prétentions de la noblesse. Or, Louis XVI, dépourvu de sens politique et, plus encore, dépourvu de volonté, se laissa manœuvrer par les grands. Sans même en avoir clairement conscience, il patronna une révolution aristocratique. L'erreur sera fatale; en tentant de remonter contre le courant de son siècle, le régime va courir à sa perte.

Les « insurgents »   Hésitant et malheureux en tout ce qui touchait aux questions intérieures, Louis XVI a pourtant fait preuve de lucidité et de vigueur en politique étrangère. Dans ce domaine, et dans celui-là seul, il ne s'est pas laissé influencer par Marie-Antoinette. Il s'est bien gardé de suivre l'Autriche dans une guerre qui n'aurait pas concerné la France. Comme tous ses sujets, il souffrait de l'humiliation subie au traité de Paris et il n'attendait qu'une occasion propice pour prendre une revanche. Prévoyant un nouveau conflit avec l'Angleterre, il entreprit de moderniser ses ports et de se reconstituer une marine et des équipages.

La lutte des colons d'Amérique contre leurs maîtres britanniques passionnait les Français. Son aspect idéologique séduisait les imaginations; aux yeux de l'opinion, les « insurgents » incarnaient la liberté luttant contre l'Angleterre, symbole de la tyrannie. Non sans quelque cynisme, les esprits les plus subtils se réjouissaient de voir les Britanniques battus par leurs propres sujets. Les circonstances semblaient, enfin, offrir à la France l'occasion d'abaisser sa pire ennemie. En dépit du lyrisme dont elle a été parée, l'association franco-américaine reposa, d'abord, sur une

Versailles, le hameau de la reine. Village d'opérette où Marie-Antoinette aimait à jouer à la fermière.

communauté d'intérêts et, comme toutes les communautés, elle fut traversée par de pénibles querelles internes.

Franklin, envoyé officiel des « insurgents » en France, devint immédiatement l'idole des salons. Quelques jeunes aristocrates partirent, à leurs frais, se battre pour la liberté des Américains. L'un d'eux, le marquis de La Fayette, se mit si bien en vedette qu'il personnifia l'amitié franco-américaine. Lorsqu'en 1777 il débarqua en Caroline, il apporta à la jeune république l'adhésion morale de la France.

L'aide de la France à
l'Amérique

Louis XVI hésita plus de trois ans avant de s'engager officiellement; à vrai dire, ses finances étaient dans un état lamentable et il avait horreur de la guerre. Aux derniers jours de 1777 parvint la nouvelle de la bataille de Saratoga. Le ministre des Affaires étrangères, le comte de Vergennes, en profita pour décider le roi à intervenir. À Versailles, quelques mois plus tard (le 6 février 1778), Louis XVI et Franklin signèrent un traité d'alliance et un accord commercial. Ce fut l'un des événements les plus étonnants de l'histoire: la première nation de l'Europe traitait d'égale à égale avec une colonie révoltée, dix fois moins peuplée qu'elle, et aux prises avec les pires difficultés matérielles.

Par mesure de représailles, l'Angleterre rompit les relations diplomatiques et attaqua la marine française. Longtemps, la guerre américaine demeura indécise. L'arrivée d'un corps expéditionnaire français, sous le commandement du comte de Rochambeau, améliora la situation militaire. Sur le plan diplomatique, Vergennes réussit à gagner pour les « insurgents » la sympathie de plusieurs états neutres (Russie, Pays-Bas, Espagne). Les efforts combinés des troupes de Washington, de La Fayette et de Rochambeau, sur terre, avec l'escadre de de Grasse, sur mer, permirent la victoire de Yorktown.

Le traité de Versailles (3 septembre 1783) par lequel l'Angleterre reconnaissait officiellement l'indépendance des États-Unis, n'accordait à la France que d'infimes compensations territoriales. Par contre, celle-ci remportait un avantage de prestige et devenait le champion des petites

Versailles, le Temple
de l'Amour construit
par le comte d'Artois
(futur Charles X) pour
Marie-Antoinette.

French Embassy Press and Information Division

puissances menacées par l'avidité des grandes. Sur le plan moral, la satisfaction était immense.

Les expédients de Necker

Il n'en restait pas moins que, du fait de la guerre, le déficit avait atteint des proportions alarmantes. Depuis le commencement du règne, la dette avait triplé. Les hommes qui se succédaient aux Finances tentaient, en vain, de limiter les abus. Chacun réclamait des réformes mais personne ne voulait faire de sacrifices. Les criailleries des privilégiés, le veto des Parlements faisaient avorter toutes les tentatives d'assainissement fiscal. Il fallait donc se contenter d'expédients illusoires.

Louis XVI fit appel à un banquier genevois, Necker. Celui-ci promit de remplir le trésor sans toucher à l'ordre social existant et sans créer de nouveaux impôts. Tous les milieux l'acclamèrent! Son salon, présidé par sa femme et par sa fille, la future Madame de Staël, devint le centre de la vie mondaine.

Necker procéda en prestidigitateur plutôt qu'en financier. Il créa une loterie et surtout, il lança des emprunts. Attirés par des conditions extrêmement avantageuses, les prêteurs furent d'abord nombreux, puis la confiance déclina. À bout d'expédients, Necker dut démissionner. Ses opérations avaient encore aggravé le déficit. Pour payer ses intérêts, l'État devait continuer à emprunter. En 1789, la moitié des recettes seront, d'avance, absorbées par le paiement des intérêts.

Une société corrompue

Jamais la corruption ne s'était étalée avec un tel cynisme. Le haut clergé vivait dans le faste, sinon dans la débauche, et encore se plaignait-il! La noblesse courtisane affectait une insolence arrogante, jusque dans l'entourage immédiat du roi. Une sorte de coquetterie du vice était de bon ton. À Versailles, on jouait un jeu d'enfer. Pour avoir la paix, Louis XVI payait les dettes de jeu de sa femme et de ses frères. Parmi les élites, on entendait vivre au-dessus de toute contrainte. Les romans du marquis de Sade[11] sont, évidemment, le produit d'une imagination déréglée. Par contre, *Les Liaisons dangereuses* de Laclos et *Le Mariage de Figaro*[12] de Beaumarchais ne peignent que trop bien une société corrompue qui, aveuglée par son égoïsme, va à la perdition.

L'Affaire du collier

De tous les scandales de l'époque, l'histoire du collier fut le plus grave (1785–1786). Selon le mot de Gœthe, cette affaire constitue « la préface de la Révolution ». Le grand aumônier de la cour, le cardinal de Rohan, se croyait amoureux de la reine... Ce grand seigneur, a-t-on dit, ne croyait ni à Dieu ni au diable... Dans sa sotte vanité, il se laissa mener par une intrigante de bas étage qui se faisait appeler comtesse de La Motte. Par l'intermédiaire de celle-ci, le cardinal obtint, dans les bois de Versailles, un tête-à-tête avec Marie-Antoinette ou, plutôt, avec une femme qu'il prit pour Marie-Antoinette! En fait, la reine, qui le détestait, ne lui avait adressé la parole ni en public ni en privé... Peu après, l'entremetteuse conseilla au cardinal de donner à la reine un grande preuve d'amour en l'aidant à se procurer un extraordinaire collier de diamants. D'après elle, Marie-Antoinette voulait acheter ce bijou en secret afin de ne pas alarmer son mari... En réalité, le bijoutier, dont toute la fortune était investie dans cet ensemble de 540 diamants, l'avait déjà proposé aux souverains qui, d'un commun accord, l'avaient refusé.

Rohan tombe dans le piège. Il se présente chez le bijoutier et conclut le marché « au nom de la reine »: 1 600 livres, réglables en quatre paiements. Le bijoutier accepte, en garantie, le contrat signé « Marie-Antoinette de France »[13] et il livre l'écrin. La pseudo-comtesse de La Motte se charge de remettre le petit paquet à la reine... Inutile de dire que l'aventurière et ses complices ont déjà préparé une filière qui va leur permettre d'écouler les pierreries à l'étranger.

La date du premier paiement arrive. Le bijoutier présente sa note à la reine; celle-ci lui répond qu'elle ne sait pas ce qu'il veut dire et que toute cette histoire lui fait tourner la tête... Éberlué, le bijoutier s'adresse à Rohan qui, pour toute réponse, répète qu'il a traité directement avec la reine.

La reine humiliée

Les souverains commencent à comprendre. Aveuglée par la colère, Marie-Antoinette exige l'arrestation du cardinal. « Il a pris mon nom, dit-elle, comme un vil maladroit et un faux-monnayeur.» Le 15 août, alors qu'il se préparait à dire la messe à la chapelle du palais, le cardinal est arrêté devant toute la cour. Le jour même, il est conduit à la Bastille ainsi que l'entremetteuse et une douzaine de comparses.

Louis XVI a la naïveté de porter l'affaire devant les magistrats du Parlement de Paris qui le détestent. Le procès est embrouillé. Afin de mieux humilier la reine, des factions militent en faveur du cardinal. Les libellistes s'emparent de l'affaire pour salir la famille royale. Aux yeux de l'opinion, Marie-Antoinette doit avoir trempé dans l'imbroglio, d'une façon ou d'une autre.

Bref, la pseudo-comtesse est condamnée à la prison à vie;[14] quant au cardinal, il est « déchargé de toute accusation ». Paris se réjouit de l'affront infligé à la reine. Incapable de se justifier, Marie-Antoinette pleure à longs sanglots.

La dernière carte de la monarchie

Enfin Louis XVI sentait la mauvaise volonté systématique des Parlements. Dans l'espoir de trouver un appui, il constitua « l'Assemblée des notables ». 144 hautes personnalités furent chargées de trouver des remèdes au déficit. Malheureusement, l'Assemblée comprenait des princes, des maréchaux, des prélats, des ducs et, peut-être, trois ou quatre bourgeois, tout au plus. Le roi exprima l'espoir « qu'aucun intérêt particulier ne s'élèverait contre l'intérêt général.» C'était demander l'impossible! Dès que l'on parla de créer un impôt qui frapperait tous les propriétaires terriens sans exception, les privilégiés s'indignèrent. L'Assemblée des notables fut ajournée indéfiniment... L'ultime tentative de révolution royale s'achevait dans le chaos. L'opinion réclamait le rappel de Necker et, surtout, la convocation des États Généraux.[15] Des bourgeois aux grands seigneurs, chacun comptait y trouver l'occasion de s'y faire entendre. Il existait un tel pouvoir d'illusions, que l'on s'imaginait que toutes les difficultés allaient se trouver résolues, comme par enchantement.

La convocation des États Généraux

Par le passé, les trois ordres de la nation avaient envoyé aux États Généraux un nombre égal de députés. Sur la recommandation de Necker, Louis XVI accorda au Tiers État une double représentation.[16] Le Tiers État fut donc invité à élire 50% des députés, le clergé 25% et la noblesse 25%.

Conformément à la tradition, chaque député devait apporter un « cahier de doléances » contenant les griefs et les désirs formulés par ses électeurs. Cette énorme masse de documents, en grande partie inédits, montre qu'en 1789 les Français étaient profondément attachés à la monarchie. Nulle part il n'est question de république, forme de gouvernement qui, pensait-on, ne pouvait convenir qu'à un pays peu peuplé. Par contre, à côté de multiples desiderata relativement secondaires, les électeurs du Tiers ont demandé, avec véhémence, que l'on donne au royaume une constitution écrite et que l'on établisse l'égalité de tous devant l'impôt.

LA CONSTITUTION

Vote par tête ou vote par ordre?

Le 5 mai 1789, les 1 200 députés aux États Généraux se présentent à Versailles. La noblesse est en grand apparat, le clergé en habit de cérémonie, le Tiers en costume de laine noire. Parmi les nobles, les élus les plus notoires sont La Fayette et le duc d'Orléans. Les députés du Tiers sont tous des inconnus, sauf pour le comte de Mirabeau. Celui-ci s'est fait élire par les bourgeois car les aristocrates l'auraient rejeté à cause de son passé scandaleux...

Processions, discours, protocole. Déjà les représentants du Tiers pensent qu'on leur manque d'égards. Ils trouvent le roi morne, la reine dédaigneuse et la noblesse arrogante. Comment va-t-on délibérer et comment va-t-on compter les voix? Rien n'a été prévu à ce sujet. Le Tiers veut que l'on travaille en commun et que l'on vote par tête — soit une voix par député. Par contre, le roi et les privilégiés s'attendant à ce que les ordres délibèrent séparément et à ce que l'on vote par ordre — soit une voix pour le clergé, une pour la noblesse et une pour le Tiers.

On palabre. Le roi n'a pas de programme. Aucune initiative ne viendra d'en haut. Entretemps, les esprits s'échauffent; la police est débordée. Des lieux publics fusent des bruits alarmants, des propos séditieux. À longueur de journée, on discourt dans les clubs, les cabinets de lecture,[17] les loges maçonniques,[18] les cafés... C'est l'âge d'or des cafés; Paris en compte plus de 2 000.[19]

L'Assemblée nationale constituante

Irritée par l'apathie gouvernementale, la délégation du Tiers se déclare Assemblée nationale et invite les deux autres ordres à se joindre à elle. Les curés de campagne, ainsi que quelques nobles libéraux ou opportunistes, acceptent. Surpris par ce coup d'audace, Louis XVI voudrait se donner du temps. Il ordonne la fermeture de la salle de réunion du Tiers sous prétexte que l'on doit y effectuer des travaux d'aménagement...

Les députés trouvent porte close. Furieux, ils cherchent, sous une pluie battante, un endroit où ils pourront poursuivre leur programme. Ils trouvent refuge dans une salle destinée au jeu de paume.[20] C'est là que, par le célèbre serment — dit serment du Jeu de paume — ils jurent de ne pas se séparer avant d'avoir donné une constitution à la France.

Un souverain qui n'a aucun plan d'action, un ministère sans énergie, une assemblée en révolte, tout cela favorise l'anarchie. D'autres circonstances concourent au désarroi. La convocation des États Généraux coïncide avec une grave crise économique. Dans les villes, des milliers d'hommes sont en chômage. En 1788, la moisson a été mauvaise. Le mauvais temps permet de supposer que celle de 1789 sera encore pire. Le pain est rare et cher; par contre le vin est bon marché. Les pauvres gens voient approcher le spectre de la famine. Des bandes pillent des moulins, des réserves de grains et même des maisons bourgeoises. Il arrive à Paris plusieurs milliers de misérables, prêts à n'importe quoi. Dans tous les milieux, on se sent angoissé; c'est « la grande peur ».

En plein Paris, le Palais-Royal, demeure du duc d'Orléans, est le foyer de toutes les séditions. Sur sa propriété, Philippe d'Orléans a fait construire des boutiques où se sont installés des cafés et des imprimeries. Sitôt imprimés, les pamphlets sont achetés avec avidité. Dans la cour, des orateurs, montés sur des chaises, débitent des nouvelles incendiaires. Partout où il passe, le duc d'Orléans est acclamé. Il est le grand maître de la franc-maçonnerie. Les couleurs de son blason sont le bleu et le rouge — les couleurs de Paris. Aux yeux du peuple, il incarne les idées libérales. Certains voient en lui un roi de rechange. Il est l'homme du jour!

La prise de la Bastille

Pour mettre fin à cette agitation, Louis XVI décide de renforcer la police. Il fait marcher quelques troupes vers la capitale, tout en leur interdisant d'employer la violence. Cette demi-mesure jette encore de l'huile sur le feu. Les Parisiens s'imaginent que le roi prépare « un coup ». Les bourgeois se barricadent chez eux. Le peuple cherche des armes. On dévalise les boutiques d'armuriers et les dépôts militaires. Dans l'espoir d'y trouver des armes, le matin du 14 juillet 1789, plusieurs centaines d'émeutiers se portent vers la Bastille.[21]

La garnison de cette forteresse médiévale comprend quelques Suisses et environ 80 invalides sous le commandement d'un gouverneur craintif et irrésolu.[22] On a dit de celui-ci qu'il avait perdu la tête avant qu'on la lui coupe! En effet, dans son affolement, le pauvre homme laisse enfoncer la porte. La foule fait irruption dans la cour intérieure et se met à parcourir les cachots, pensant y trouver d'innombrables victimes de la tyrannie royale. À sa surprise, elle ne trouve que sept détenus: quatre faux-monnayeurs, deux fous et un dévoyé enfermé à la demande de sa famille... La véritable victoire consiste à avoir pris, sans grand effort, la forteresse qui symbolisait l'absolutisme monarchique.

Tandis que la populace déchaînée promène la tête du gouverneur au bout d'une pique, Louis XVI revient de la chasse. Le soir, celui-ci inscrit dans son journal: « Rien ». Au cours de la nuit, on le réveille pour lui apprendre ce qui s'est passé à Paris.

— Mais c'est une révolte, aurait dit le roi.
— Non, Sire, lui répondit-on, c'est une révolution.

Le lendemain, le comte d'Artois (le futur Charles X) quitte la France dans un carrosse dont il a fait gratter les armoiries. D'autres nobles vont bientôt suivre son exemple. L'émigration commence.

Un régime en déroute   Sans opposer la moindre réaction, Louis XVI se soumet à tout ce qu'on lui demande. Submergée, désavouée par le roi lui-même, la police n'a plus aucun pouvoir. Les Parisiens constituent leur propre force armée, la garde nationale, dont ils confient le commandement à La Fayette. L'ancienne aristocratie sent planer une menace de mort.

Un soir à l'Assemblée (le 4 août), un noble sans fortune propose d'instituer l'égalité de tous devant l'impôt et l'abolition des droits féodaux. Dans un délire d'enthousiasme, on sacrifie, pêle-mêle, tous les privilèges. Toute la nuit, on déclame, on s'embrasse avec effusion. Maintenant que l'ancien édifice administratif est à terre, il s'agit de reconstruire au plus vite. L'Assemblée siège jusqu'à 12 ou 14 heures par jour. Avec une conviction passionnée, les députés rédigent la *Déclaration des Droits de l'homme et du citoyen;* c'est l'aboutissement de la philosophie du XVIIIe siècle. « Les hommes naissent et demeurent libres et égaux en droits... » Louis XVI repousse la *Déclaration* puis il l'accepte... Les discussions relatives à la Constitution commencent. La plupart des députés voudraient accorder tous les pouvoirs à l'Assemblée, et ne laisser au roi qu'un rôle de représentant. Mirabeau est le seul orateur qui tente de faire accorder des moyens effectifs au souverain mais la cour n'a pas confiance en lui. Il mourra, d'ailleurs, de façon subite, avant la clôture de l'Assemblée.

Le roi à Paris

À Paris, les denrées continuent à se raréfier. Des femmes du peuple se groupent pour aller demander du pain au roi. En cours de route, des hommes se joignent à elles. À mesure qu'elle avance, la masse grossit et se procure des armes. À Versailles, on persiste à croire que tout va s'arranger. Louis XVI est parti à la chasse. Profitant d'une éclaircie, Marie-Antoinette est allée à son hameau du Petit Trianon. C'est là qu'un page, hors d'haleine, viendra lui dire qu'il faut rentrer d'urgence car des émeutiers marchent vers le palais...

Comme toujours, Louis XVI hésite. En fin de compte, il refuse de s'éloigner en province. Une douzaine de femmes s'étant glissées à l'intérieur du palais, il les reçoit « avec bonté ». On s'embrasse, on s'attendrit mais, dehors, la foule attend, la rage au cœur. Les émeutiers campent dans Versailles; le lendemain (6 octobre) un peu avant l'aube, ils font irruption dans le château. Plusieurs gardes sont massacrés. La reine a tout juste le temps de quitter sa chambre par un passage secret. La famille royale se place sous la protection de La Fayette. La foule hurle; pour tenter de la calmer, le roi et la reine paraissent au balcon de la cour de marbre. Soudain jaillit le cri: « Le roi à Paris! »

Sans discuter, Louis XVI s'incline. Il partira à Paris, avec sa famille, le jour même... Autour du carrosse royal, des hommes portent la tête de plusieurs gardes montée sur des piques. Sur toute la longueur du parcours, une foule menaçante vocifère: « Vive la Nation », « Nous ramenons le boulanger, la boulangère et le petit mitron », « Ils nous donneront du pain ou ils mourront.» Tard dans la soirée, le roi arrive aux Tuileries, où rien n'est prêt pour le recevoir. Désormais, le peuple de Paris tient ses otages.

Nationalisation des biens du clergé

Pourtant, une fois le coup fait, les choses semblent se tasser. Parfois, Louis XVI se hasarde dans les rues; son air bonhomme lui donne une certaine popularité. Même la reine reçoit quelques acclamations. On pourrait croire que la Révolution est terminée...

C'est tout le contraire. Depuis la convocation des États Généraux, la situation financière s'est encore aggravée. Le commerce marche mal; les rentiers ne touchent plus leurs revenus; de nombreuses manufactures ont dû fermer leurs portes. Les anciens impôts ne rentrent plus. Ayant perdu tout prestige, l'État ne peut même plus recourir aux emprunts. On s'attend, à brève échéance, à une banqueroute pure et simple. C'est alors que Talleyrand, l'évêque d'Autun, un aristocrate cynique rentré dans les ordres par intérêt, propose que l'on utilise les biens du clergé pour résorber la dette nationale (octobre 1789).

Déposséder l'Église n'est pas pour déplaire aux députés du Tiers! La plupart d'entre eux, grands lecteurs des « philosophes », sont déistes ou agnostiques. Les députés les plus conservateurs se cachent, ou ont déjà donné leur démission. Allègrement, l'Assemblée vote la « nationalisation » des biens du clergé — en réalité, il s'agit, ni plus ni moins, d'une expropriation.[23]

Dès lors, tout paraît facile! On émet des assignats, c'est-à-dire des billets, dont la valeur (en principe) est garantie par les terres nationalisées. L'État s'est créé un moyen de paiement. Le procédé est si tentant que, désormais, au fur et à mesure de ses besoins, le gouvernement révolutionnaire imprimera de nouvelles séries d'assignats.

Dès 1790, on nationalise les biens des abbayes et des monastères. On interdit les vœux monastiques; un peu plus tard, on supprimera, d'office, toutes les congrégations religieuses. Pendant la Terreur, les biens des émigrés, des aristocrates et des « suspects » seront également saisis et déclarés « biens nationaux ».

Révolution agraire

Évidemment, l'Assemblée n'est pas en mesure de faire valoir les innombrables domaines dont elle vient de s'approprier. Une économie communiste est inconcevable et, d'ailleurs, impraticable à cette époque. On va donc mettre les terres en vente. Pour les acheteurs (bourgeois des villes ou fermiers) c'est une aubaine! Réglables en assignats,[24] et encore avec des délais, les terres reviennent à un prix infime. Sur le plan politique, ce transfert de propriété rend la marche de la Révolution irréversible. Craignant que l'on revienne sur les ventes, les acquéreurs de biens nationaux se solidarisent avec le nouveau régime. Pour eux, une contre-révolution serait un désastre. Même chez les paysans, traditionnellement attachés au catholicisme, la voix de l'intérêt est, en général, la plus forte.

Constitution civile du clergé

En dépossédant le clergé, l'Assemblée a pris à sa charge les frais du culte. Une fois rémunérés par le gouvernement, les ecclésiastiques sont devenus des fonctionnaires. Par souci administratif, autant que par mesure de vigilance, les députés se sont immédiatement préoccupés de définir la position juridique de l'Église. Quelques mois plus tard, la *Constitution civile du clergé* est prête; tous les ecclésiastiques sont conviés à la sanctionner. Louis XVI ratifie la *Constitution,* tout en ajoutant qu'une acceptation arrachée par la force n'engage pas sa conscience...

Deux jours plus tard, à l'occasion de l'anniversaire de la prise de la Bastille, des délégations, venues de la France entière, participent à la fête de la Fédération (14 juillet 1790). Au Champ-de-Mars, devant la Seine, plus d'un demi-million de « patriotes » se rassemblent malgré la pluie. L'évêque Talleyrand dit la messe à l'autel de la patrie; en se retournant vers La Fayette, il lui glisse à l'oreille « Et surtout, ne me faites pas rire! » Le roi prête serment à la nation. La reine et le petit dauphin sont acclamés. Ce sera le dernier beau jour de la monarchie.

Après avoir cherché à temporiser, le pape condamne la *Constitution civile du clergé*. Dès lors, pour chaque ecclésiastique français, c'est un cas de conscience. Parmi les évêques, sept seulement prêtent serment. Parmi les prêtres, 45 à 50% acceptent de jurer; les autres refusent. L'Église de France se trouve partagée entre clergé assermenté (ou constitutionnel) et clergé non-assermenté (ou réfractaire). Dans certaines localités, les deux catégories vont subsister côte à côte, jusqu'à la Terreur. En général, les hommes iront à la messe du prêtre assermenté et les femmes iront à la messe du réfractaire!

Le cas de conscience de Louis XVI

Aux Tuileries, le roi est contraint d'accepter un prêtre assermenté comme aumônier. Lorsque vient le jour de Pâques, il tente de se rendre à son château de Saint-Cloud pour y recevoir la communion des mains d'un prêtre réfractaire. Au moment où il s'apprête à partir, la foule arrête son carrosse et le force à renoncer au voyage.

Dévot, bigot même, se sentant atteint dans sa conscience, Louis XVI décide de fuir. Depuis juillet 1789, des amis le conjurent de s'éloigner de la capitale. Marie-Antoinette veut partir coûte que coûte; son ami, le beau Suédois Axel de Fersen, va mettre tout en œuvre pour préparer le départ clandestin de la famille royale.

La fuite du roi

Ce sera un invraisemblable enchevêtrement de naïvetés! La famille refuse de se séparer. À l'insu des domestiques des Tuileries — tous plus ou moins espions — il faut faire construire une voiture spéciale pour la circonstance. On fait préparer douze relais de chevaux entre Paris et Metz, ville où Louis XVI compte trouver des troupes loyales.[25] Au bout de la route, le coiffeur de la reine doit retrouver son auguste cliente...

La famille réussit à quitter Paris, mais une accumulation de retards rend chaque relais plus périlleux. Le roi passe la tête par la fenêtre... à plusieurs reprises, il est reconnu. Arrivés à Varennes (dans la Meuse) les voyageurs sont forcés de descendre de voiture. Interrogé sur son identité, Louis XVI finit par répondre: « Mais oui, je suis votre roi », après quoi il embrasse ceux qui l'entourent!

Au moment où quelques troupes fidèles rejoignent le roi, les émissaires, envoyés de Paris, surviennent et exigent le retour immédiat. Dans la confusion de la nuit, Louis pourrait tenter de s'échapper. Il préfère s'en remettre aux bons soins des Parisiens... La voiture qui ramène les fugitifs avance péniblement au milieu d'une foule menaçante. Accrochés aux portes, des individus vocifèrent « Capet[26] est assez gras pour ce qu'on veut en faire! » et « On va confectionner des cocardes avec les boyaux de Louis et d'Antoinette et des ceintures avec leur peau...»

De retour à Paris, Louis XVI a beau répéter qu'il n'a jamais eu l'intention de quitter la France,[27] qu'il n'est parti que parce que ses enfants étaient en danger... il ne convainc pas les patriotes. Aux yeux du peuple, il a trahi la nation. Aux Tuileries, la famille royale est gardée à vue;

il y a des sentinelles jusque sur les toits. On commence à parler de république. Dans les rues, il est prudent de porter une cocarde tricolore; déjà beaucoup d'hommes arborent le bonnet rouge, vieux symbole de liberté avec lequel les Romains coiffaient les esclaves qu'ils affranchissaient.

Les dangers du double jeu

Alors que Louis XVI devient plus apathique qu'il ne l'a jamais été, Marie-Antoinette relève la tête. Officiellement, elle paraît accepter l'ordre nouveau; elle désavoue les émigrés qui, de l'étranger, parlent d'envahir la France et de délivrer les prisonniers des Tuileries. En réalité, elle met tout son espoir dans l'Autriche, sa patrie d'origine; sa correspondance secrète le prouvera.[28] Un malaise général trouble le pays. Par crainte du pire, l'Assemblée conserve la monarchie, mais elle retire au roi tout pouvoir effectif. Celui-ci peut, tout au plus, ajourner pendant quatre ans les décrets qu'il n'approuve pas; c'est ce qu'on appelle le veto suspensif. Louis XVI, néanmoins, accepte le projet de constitution puisqu'il est toujours plus facile de dire oui que de dire non! Quant aux députés, ils se séparent (septembre 1791), anxieux de rentrer chez eux au moment où une nouvelle vague de violences paraît imminente.

LA GUERRE

Girondins et émigrés

La nouvelle assemblée, la seconde de la Révolution, porte le nom d'Assemblée législative du fait qu'elle détient le pouvoir législatif. Elle est constituée d'hommes encore inconnus mais ambitieux; sur 745 élus, elle comprend 400 avocats. Les députés, que l'on appelle les constitutionnels, représentent l'élément le plus conservateur. À gauche siègent une centaine d'hommes que l'on va bientôt appeler les Girondins du fait que plusieurs d'entre eux sont originaires de la Gironde.[29] Issus de la petite bourgeoisie provinciale, ceux-ci aspirent à établir une république qui garantirait la liberté économique, l'inviolabilité de la propriété et l'égalité de tous les citoyens devant la loi.

Aussitôt, les deux groupes s'opposent sur les questions de politique étrangère. Les constitutionnels voudraient maintenir l'ordre intérieur et la paix avec l'étranger afin de préserver la monarchie, même sous une forme atténuée. Par contre, les Girondins voudraient profiter de circonstances dramatiques pour renverser la monarchie et proclamer la république. Ils savent qu'en cas de péril national, Louis XVI ferait figure d'agent de l'étranger et serait déchu.

Paradoxalement, les aristocrates servent la politique girondine. Plusieurs milliers de nobles ont émigré avec l'argent et les bijoux qu'ils ont pu emporter. Rassemblés autour des princes et des frères du roi, ils constituent de petites communautés bouillonnantes; à Turin, à Coblence, on intrigue, on s'exalte. La moindre concession aux idées libérales paraîtrait sacrilège; on est décidé à rétablir la monarchie et la religion dans l'intégrité de leur puissance. On va écraser « les rebelles » et reconquérir la France avec l'aide des souverains étrangers...

Avec des intentions diamétralement opposées, l'extrême droite et l'extrême gauche cherchent, l'une et l'autre, à déclencher un conflit. Par son apathie, Louis XVI va précipiter la catastrophe. Tandis qu'il s'applique à respecter la lettre de la Constitution sur des points de détail, en sous-main il s'efforce de rétablir les anciennes prérogatives de l'Église. Officiellement, il condamne les menées des émigrés qui, d'ailleurs, achèvent de le compromettre aux yeux du peuple. En secret, il continue à correspondre avec des amis réfugiés à l'étranger.

La guerre   Les Girondins l'emportent. À la quasi unanimité, l'Assemblée déclare la guerre à l'Autriche (20 avril 1792) au milieu de l'enthousiasme populaire. On est loin de s'imaginer qu'on ne déposera les armes que 23 ans plus tard, après Waterloo!

Entreprise à des fins politiques, la guerre commence, du côté français, par une succession de revers. De nombreux officiers ont émigré, d'autres ne servent qu'à contre cœur sous un régime qu'ils haïssent. Vêtements, munitions, ravitaillement font défaut. Peu ou pas entraînés, les soldats se débandent à la première occasion.

C'est l'invasion; le peuple crie à la trahison. La patrie est déclarée « en danger » et l'Assemblée en profite pour voter des mesures exceptionnelles: déportation des prêtres réfractaires et licenciement de la garde du roi. Louis XVI oppose son veto. Pour l'intimider, les Girondins déclenchent une insurrection. Des émeutiers forcent les Tuileries aux cris de « À bas le veto! », « À bas le gros cochon! » Acculé dans l'embrasure d'une fenêtre, Louis est coiffé du bonnet rouge et ridiculisé.

Après cette « journée », l'atmosphère demeure explosive. Bien maladroitement, un groupe d'émigrés menacent Paris d'une destruction totale s'il est fait « la moindre violence, le moindre outrage » aux souverains. Le texte (dit manifeste de Brunswick)[30] met le feu aux poudres. Le coup décisif se prépare. Aux émeutiers parisiens se sont ajoutés plusieurs centaines d'hommes venus à pied de Marseille. Ceux-ci sont arrivés, drapeau en tête, chantant un hymne patriotique tout nouveau auquel on a donné le nom de *Marseillaise*.[31]

La prise des Tuileries   Le 10 août au matin, les émeutiers, partis des faubourgs, convergent vers les Tuileries. Le palais est encore défendu par une garde suisse ainsi que par quelques gentilshommes, mais Louis XVI ne veut pas de massacre. « Tout Paris marche, affirme-t-on au roi. Votre Majesté n'a pas cinq minutes à perdre; il n'y a de sûreté pour Elle que dans l'Assemblée nationale.» La reine proteste mais, une fois de plus, Louis se laisse emporter par les circonstances. « Marchons » dit-il. La famille royale quitte le palais, traverse les jardins et, à pas lents, se dirige vers l'Assemblée.

Aux Tuileries, les domestiques et la garde suisse sont massacrés. Pris de panique, les deux tiers des députés s'éclipsent; ceux qui continuent à siéger sont débordés par la Commune de Paris, une faction insurrectionnelle qui exige la déchéance du roi. Louis XVI est emprisonné dans la tour du Temple avec sa famille. Dans un accès de sadisme, des égorgeurs envahissent les prisons, les dernières communautés religieuses, et tuent plus de 1 200 personnes. Aucun pouvoir n'ose intervenir.

Il n'a pas fallu plus de trois ans pour que sombre le roi, un régime séculaire, et même cette monarchie constitutionnelle qui avait suscité tant d'espoirs parmi les gens éclairés. En 1792, lancée comme un ouragan, la Révolution poursuit sa course.

NOTES

1 En 1770.

2 Le 12 novembre 1755.

3 Plus tard place de la Révolution puis place de la Concorde.

4 *Correspondance secrète entre Marie-Thérèse et le comte Merey d'Argenteau*; Firmin-Didot 1875, lettre de Marie-Thérèse à sa fille, 2 juin 1775.

5 Le premier enfant, Madame Royale, naîtra en 1778, ensuite naîtront le premier dauphin (1780–1789) puis le second dauphin (1785–1795). Enfermé à la prison du Temple, ce dernier portera le titre de Louis XVII après la mort de son père.

6 Condorcet, *Oeuvres*, Firmin-Didot 1847, Vol. 1, p. 115.

7 Charles Ier d'Angleterre, décapité en 1649.

8 Turgot, *Oeuvres*, Alcan 1923, Vol. 5, p. 454.

9 Laclos, l'auteur des *Liaisons dangereuses*, perdra son poste d'officier du fait de cette mesure.

10 Beaumarchais a fait, dans *Le Mariage de Figaro*, de nombreuses allusions à l'absurdité des droits féodaux.

11 Sade (1740–1814), auteur de romans pervers, emprisonné sur les instances de sa famille.

12 En 1784, cette pièce eut, malgré l'interdiction de la censure, un succès retentissant. Marie-Antoinette en fit jouer plusieurs scènes à Versailles, après quoi l'interdiction fut levée.

13 Or la reine signait « Marie-Antoinette d'Autriche, reine de France.»

14 Dix mois plus tard, elle s'évadera grâce à des complices.

15 Les États Généraux n'étaient convoqués que sur la demande du roi lorsque des circonstances particulièrement graves exigeaient un effort de toute la nation. La dernière convocation avait eu lieu en 1614, pendant la minorité de Louis XIII et s'était achevée dans le chaos.

16 Le Tiers État représentait environ 96% de la population et la noblesse 1 ou 2%.

17 Bibliothèques semi-privées où l'Encyclopédie pouvait être consultée par un grand nombre de lecteurs.

18 La première loge maçonnique de France avait été fondée à Paris en 1721. La franc-maçonnerie était à la mode, en grande partie parce qu'elle était anticatholique et pro-anglaise.

19 Procope avait ouvert le premier café parisien en 1686.

20 Ancêtre du tennis, le jeu de paume se jouait dans une grande salle. Avant de lancer la balle, le premier joueur criait « tenez » à son partenaire. Des voyageurs anglais s'imaginèrent qu'il s'agissait du nom du jeu et en firent le terme *tennis*.

21 On ne détenait à la Bastille que les prisonniers enfermés sur l'ordre du roi, écrivains, duellistes, conspirateurs, espions, individus mêlés aux grands scandales etc.... Le Masque de fer, Voltaire, Diderot, Rohan, Sade, Mirabeau y furent enfermés.

22 Le marquis de Launay.

23 Le clergé possédait entre 20 et 25% des terres.

24 Le gouvernement aurait préféré être payé en numéraire mais, pour être logique avec lui-même, il dut accepter ses propres assignats.

25 Sur le loyalisme de ses troupes, Louis XVI se faisait d'ailleurs des illusions; la propagande révolutionnaire avait déjà gagné la plupart des régiments.

26 Les souverains n'avaient pas de nom de famille. Pendant la Révolution, Capet est devenu un terme d'insulte pour désigner Louis XVI, descendant de Hugues Capet.

27 On a retrouvé l'itinéraire projeté par Louis XVI. Il s'arrêtait effectivement à Metz, mais cette ville était toute proche de la frontière de l'Empire...

28 Voir, notamment: *Lettres de Marie-Antoinette*, Société d'histoire contemporaine, Picard, Paris 1896.

29 Région de Bordeaux.

30 Du nom du généralissime prussien. En réalité, le manifeste avait été rédigé par des émigrés et peut-être également par le Suédois Fersen, l'amant de Marie-Antoinette.

31 Cet hymne venait d'être composé à Strasbourg pour les soldats de l'Armée du Rhin par un officier monarchiste, Rouget de Lisle.

LES SCIENCES ET LES TECHNIQUES AU TEMPS DE L'ENCYCLOPÉDIE

L'agriculture en lente évolution

À la fin de l'Ancien Régime, la structure sociale est anachronique, la perception des impôts est injuste, le trésor royal est vide; cependant, dans ses profondeurs, la France demeure riche et active.

Malgré la routine, la production agricole est en augmentation. Dans beaucoup de régions, on laisse encore la terre se reposer une année sur deux ou trois, mais déjà certains cultivateurs pratiquent la rotation des cultures. Les agronomes ne cessent de répéter qu'en alternant la culture des céréales avec celle des haricots et des raves, on peut utiliser la terre de façon continue.

La pomme de terre commence à faire son apparition. Originaire d'Amérique, ce légume considéré comme inférieur n'avait été accepté que par les pays d'Europe les plus défavorisés au point de vue agricole (l'Irlande et l'Allemagne). La France méprisera le pauvre tubercule jusqu'à ce que l'agronome Parmentier entreprenne une véritable campagne en sa faveur. Louis XVI s'intéresse vivement au projet. Il prête des terrains pour les expériences. Le jour de sa fête, il met des fleurs de pomme de terre à sa boutonnière et il en fait mettre dans la coiffure de la reine. Enfin, il se fait servir un repas dont tous les plats sont à base de pomme de terre! En réalité, ni les efforts des agronomes ni la menace de famine ne changeront le goût des Français; le pain restera la base de l'alimentation. Jusqu'au XIXe siècle, la pomme de terre sera regardée comme un pis-aller pour les pauvres gens.

Les débuts de l'industrie lourde

C'est dans le domaine industriel qu'apparaissent les changements les plus notoires. La métallurgie se développe. Le fer est abondant en France; au début du siècle, le seul moyen de le traiter consistait à le faire fondre dans des forges alimentées au bois. Vers 1750, le charbon fait son entrée dans l'industrie. Dès lors, on construit les premiers hauts fourneaux à proximité des gisements de houille. La métallurgie est considérée comme une activité si noble que les gentilshommes peuvent s'y livrer sans perdre leur dignité.

La production de textiles augmente grâce à la mécanisation. On adopte des procédés déjà en usage en Angleterre et on en invente quelques autres. Le mécanicien Vaucanson construit un métier entièrement automatique, actionné par une chute d'eau. Les machines se perfectionnent malgré l'hostilité des ouvriers qui craignent qu'elles ne leur fassent perdre leur gagne-pain.

Néanmoins, le moteur fait encore défaut. Au siècle précédent, un médecin, Denis Papin, avait commencé à utiliser la puissance de la vapeur d'eau fortement chauffée.[1] Mise au point par des Anglais, l'invention de Papin avait conduit à la construction des premières machines à vapeur. Introduites en France vers le milieu du XVIIIe siècle, ces machines servent d'abord à pomper l'eau des mines, puis à moudre le grain et à distribuer l'eau de la Seine aux Parisiens... En 1770, un ingénieur, Cugnot, construit un chariot à vapeur destiné à transporter les pièces d'artillerie.[2] À condition de renouveler l'eau de la chaudière toutes les vingt minutes, cette primitive automobile atteint cinq kilomètres à l'heure! Six ans plus tard, Jouffroy fera naviguer un bateau à vapeur de 13 mètres de long.

La vogue de l'expérimentation

Les techniques industrielles intéressent surtout les personnes engagées dans la vie pratique mais la science intéresse la plupart des gens instruits. À partir de 1740, tout le monde a lu — ou prétend avoir lu — les *Principes mathématiques de la physique naturelle* de Newton.[3] Madame du Châtelet, l'amie de Voltaire, en publie une adaptation en français. En dépit des protestations de l'Académie des sciences, l'œuvre de Newton séduit toute une génération car elle ramène le système du monde à un mécanisme d'une admirable unité.

Les Français du XVIIIe siècle sont, avant tout, des expérimentateurs. Ils se montrent imaginatifs, observateurs, mais également soucieux d'applications pratiques. La science est la reine du jour. Les savants, au moins autant que les écrivains, font la loi dans les salons. Sans en avoir toujours pleinement conscience, on rejette l'autorité dogmatique et l'on s'efforce de baser toutes les connaissances sur l'expérience. Les cours publics relatifs aux questions scientifiques sont suivis avec avidité; les académies scientifiques sont submergées de communications. La Sorbonne elle-même, cette citadelle de la routine, crée une chaire de physique expérimentale (1753).

On s'initie avec transport aux phénomènes électriques. Dans les salons, les messieurs et les dames s'amusent à se faire « électriser » à l'aide des premières machines électriques. C'est à qui déclenchera les décharges les plus impressionnantes, à qui produira les étincelles les plus longues... On s'intéresse également à la nature de la lumière, à l'acoustique, à l'astronomie, aux explorations...

L'Encyclopédie

Conscient de l'importance vitale de la science et de la multiplicité des découvertes, Diderot entreprend de rassembler les connaissances éparses sur la surface de la terre. Avec une équipe d'éminents collaborateurs, il réalise l'ouvrage le plus significatif de son siècle, l'*Encyclopédie* ou *Dictionnaire raisonné des sciences, des arts*[4] *et des métiers*. Condamnée par le gouvernement et par le pape, contrecarrée par des querelles internes entre éditeurs, auteurs et souscripteurs, l'*Encyclopédie*, entreprise en 1746, ne sera achevée qu'en 1774. Elle contient un arsenal complet d'attaques contre la monarchie absolue et la religion révélée, mais elle est également, et essentiellement, la somme des connaissances techniques de son temps. Les lecteurs apprécient avant tout les articles sur les arts appliqués et les onze volumes de planches présentés en annexe. Les autorités ont beau tonner, des gens de tous les milieux vont y prendre les renseignements pratiques dont ils ont besoin. La marquise de Pompadour y cherche la composition du rouge à lèvres, les gentilshommes y cherchent la composition de la poudre de chasse et même les curés de campagne y cherchent des renseignements sur l'agriculture. Toute bibliothèque importante possède l'*Encyclopédie*.

À l'avant-garde du progrès

À la fin du siècle, la France mène le mouvement scientifique. D'Alembert est le premier mathématicien d'Europe, Réaumur perfectionne le thermomètre et les techniques métallurgiques, Buffon publie une *Histoire naturelle* en 36 volumes, Bougainville explore le Pacifique,[5] plusieurs équipes de savants mesurent les méridiens terrestres. Les frères Montgolfier réussissent à s'élever au-dessus du sol avec des ballons (les montgolfières) remplis d'un gaz plus léger que l'air. Béates d'admiration, les foules voient monter les premiers ballons captifs puis les premiers ballons libres. Louis XVI fait lancer un ballon à Versailles. Les trois pionniers des voyages aériens, un mouton, un canard et un coq sont placés dans la ménagerie royale! Et le peuple de chanter:

> Les Anglais, nation trop fière,
> S'arrogent le droit des mers!
> Les Français, nation légère,
> S'emparent de celui des airs!

À la même époque, Lavoisier démontre que l'eau n'est pas un corps pur, comme on l'avait affirmé depuis l'Antiquité.[6] Après la synthèse de l'eau, il fait celle de l'air. Il démontre que, dans une réaction chimique, rien ne se perd et rien ne se crée, mais que les corps simples demeurent inaltérables. Il met au point un système de nomenclature chimique qui sera adopté par les savants du monde entier et qui restera pratiquement inchangé.[7] En 1789, l'année où commence la Révolution, Lavoisier publie le *Traité élémentaire de chimie*. La rupture avec les antiques théories est consommée; les principes de l'analyse qualitative et quantitative sont définitivement établis.

En proclamant les libertés civiles des citoyens, la Révolution crée un climat favorable à l'activité scientifique. Les savants adhèrent avec enthousiasme aux nouveaux principes; les uns font partie des assemblées révolutionnaires, les autres travaillent à développer l'enseignement des sciences. Le mathématicien Monge fonde l'École polytechnique. Les savants ne se contentent plus de faire des recherches; ils deviennent des professeurs et, à l'occasion, des auxiliaires du gouvernement.

Le système métrique   Dès ses premières séances, l'Assemblée constituante est assaillie de demandes relatives aux unités de poids et de mesures. Sous l'Ancien Régime, les unités différaient d'une province et même d'une ville à l'autre. Selon les régions, le pied ou la toise représentaient des longueurs différentes, et il n'existait pas d'étalon auquel se référer. L'Assemblée commence par imposer la numération décimale, puis elle entreprend d'établir un nouvel ensemble de mesures. Pour éviter les rivalités, on veut que le système ait une base naturelle et invariable. L'unité fondamentale, le « mètre », sera la 10/1 000 000ᵉ partie du quart du méridien terrestre. À partir du mètre procéderont les unités de surface, de volume et de poids. En 1795, les nouvelles unités seront déclarées obligatoires, mais il faudra attendre des années avant qu'elles éliminent les anciennes coutumes. Au cours du XIXᵉ siècle, le système métrique s'imposera par sa simplicité et sa logique dans la plupart des pays du monde car, comme l'a si bien dit Napoléon, « les conquêtes passent mais ces opérations demeurent.»

NOTES

1   En 1707, Papin, réfugié en Allemagne (il était protestant) avait construit le tout premier bateau à vapeur, mais ce bateau avait été démoli par les mariniers qui craignaient de perdre leur travail.

2   Ce chariot se trouve actuellement à Paris, au musée de l'École des arts et métiers.

3   Ouvrage capital publié en Angleterre en 1687.

4   Au XVIIIᵉ siècle, le mot *art* avait souvent le sens de technique.

5   Entre autres, il découvrit Tahiti et en prit possession au nom du roi de France.

6   Depuis l'Antiquité, on croyait à l'existence de quatre éléments: l'air, l'eau, la terre et le feu.

7   Par exemple, le nom des acides se termine en -ique ou en -eux; le nom des sels en -ure, -ite ou en -ate.

DE LA RÉVOLUTION
À L'EMPIRE

Le 10 août 1792:
la prise des Tuileries.
Dessin de J. L. Brieur.

I LA CONVENTION

Girondins et
Montagnards
La Convention nationale, la troisième assemblée de la Révolution, se constitua dans un climat de terreur. En principe, elle devait être élue au suffrage universel. En fait, elle ne représenta que les factions extrémistes. Dans beaucoup d'endroits, les députés avaient été désignés à haute voix. Plus personne n'osait se prononcer pour la monarchie, même sous sa forme constitutionnelle. De gré ou de force, les neuf dixièmes du corps électoral s'étaient abstenus de voter.

Pourtant, deux tendances se dessinaient encore. Désormais, les Girondins faisaient figure de modérés. Devant eux, les Montagnards incarnaient l'absolutisme révolutionnaire. Ils devaient ce surnom au fait qu'ils siégeaient sur les gradins les plus élevés de l'Assemblée. Ils constituaient un groupe de choc. Avant les séances à la Convention, ils préparaient la politique à suivre au club des Jacobins, auquel ils étaient tous affiliés. Les Girondins se retrouvaient surtout dans le salon de Madame Roland, une jeune femme idéaliste qui s'était consacrée à la cause de la liberté. Malgré leurs discours déclamatoires, les Girondins manqueront de cohésion et n'auront jamais de programme nettement défini.

Les sans-culottes
Par l'intermédiaire des clubs, un grand nombre de « citoyens » touchaient, de près ou de loin, à la vie politique. Le club des Jacobins de Paris échangeait, avec ses filiales de province, une correspondance abondante. Le club des Cordeliers diffusait des journaux ultra-révolutionnaires. Il n'était même pas nécessaire de savoir lire pour connaître les nouvelles. Au son du tocsin ou du canon, le peuple descendait dans les rues. Les révolutionnaires militants — les sans-culottes — se signalaient par leur air décidé, leur pique et leur accoutrement. Ils portaient le pantalon,[1] par opposition aux « ci-devant aristocrates » (ex-aristocrates), qui portaient une culotte descendant jusqu'aux genoux et des bas. Chez les femmes, c'était le règne du tricolore. Robes, chapeaux et jusqu'aux moindres accessoires de toilette étaient aux couleurs nationales.

À la Convention, la délégation de Paris siège toute entière du côté de la Montagne. Elle comprend, entre autres, le polémiste Marat,[2] le peintre David, le poète Fabre d'Églantine,[3] les avocats Danton et Robespierre et... le ci-devant duc d'Orléans. Depuis que les titres féodaux ont été supprimés, il a adopté le nom de famille Égalité et se fait appeler Philippe Égalité.

Le procès du roi
Dès sa première séance, la Convention abolit la monarchie, proclame la République et déclare que, désormais, « les actes publics seront datés

de l'an I de la République ». Le tutoiement — symbole de l'égalité — devient obligatoire. Désormais, chacun sera désigné par le terme de citoyen ou de citoyenne. Sans attendre, l'Assemblée passe à la mise en jugement du roi. Les Montagnards s'emparent de cette affaire, sans précédent dans l'histoire. Ils refusent de la déférer à un tribunal, quel qu'il soit, ou de la soumettre à l'arbitrage populaire. Ce sera la Convention elle-même qui jugera « Capet ». Selon Robespierre, il s'agit « d'un acte de providence nationale à exercer... Louis doit mourir, parce qu'il faut que la patrie vive. » Enfin, les Montagnards demandent que l'on vote par appel nominal. Pas de vote secret. Aucun Girondin n'ose avouer qu'il redoute le scrutin public.

Louis comparaît à deux reprises: il se borne à nier ce dont on l'accuse;[4] son avocat[5] lit un plaidoyer qui ne retient pas l'attention. Le 16 janvier, les 721 Conventionnels passent au vote.[6] À l'appel de son nom, chacun doit monter à la tribune du président et se prononcer publiquement, pour ou contre la peine de mort. Dans les galeries supérieures, des femmes enrubannées de tricolore, des marchandes des Halles, des sans-culottes, huent les partisans de la clémence et acclament ceux qui demandent « la mort du tyran ».

À une voix de majorité...

Sur 721 votants, la majorité absolue doit être de 361. À trois heures du matin, après une séance ininterrompue de 37 heures, les jeux sont faits: 361 voix pour la mort, 360 voix contre la mort ou pour la mort avec sursis.[7] Louis est donc condamné à une seule voix de majorité. Comme pour parachever cette macabre fatalité, l'une des voix pour la mort a été apportée par le citoyen Égalité, ci-devant duc d'Orléans, cousin du condamné.

L'avocat de Louis XVI se rend à la prison du Temple. « Sire, dit-il en entrant, ils ont voté la mort! » Le sursis est rejeté. Trois jours plus tard, le 21 janvier 1793, Louis sera exécuté sur l'échafaud dressé au milieu de la place de la Révolution, ex-place Louis XV.[8] Face à l'épreuve suprême, pour la première fois de sa vie, il impressionnera jusqu'à ses ennemis par son courage.

Le 21 janvier 1793: l'exécution de Louis XVI sur la place de la Révolution (actuelle place de la Concorde). Au fond on reconnaît les hôtels édifiés par l'architecte Gabriel. Dessin de J. L. Brieur.

Archives Photographiques

La guerre contre l'Europe

Les Montagnards s'étaient imposés mais, pour retenir le pouvoir, il fallait qu'ils tiennent tête à leurs ennemis de l'intérieur et de l'extérieur. Déclenchée par la France, la guerre s'étendit, en l'espace d'une année, à l'ensemble de l'Europe occidentale. Les souverains étrangers furent lents à se mettre en mouvement. Malgré les manœuvres des émigrés, malgré l'émotion générale que produisit la mort de Louis XVI, ils se souciaient peu des Bourbons. Ils n'étaient nullement disposés à faire des sacrifices désintéressés pour restaurer la monarchie française. Ils désiraient, avant tout, mettre un terme à la propagande révolutionnaire qui s'infiltrait dans leurs propres états. Une fois entraînés dans la guerre, ils s'attendaient, non sans une secrète satisfaction, à ce que le chaos dont souffrait la France leur permette d'atteindre Paris en quelques semaines et leur assure une victoire facile et lucrative.

À la stupéfaction générale, au cours des derniers mois de 1792, au moment où la Convention se constituait, les armées révolutionnaires arrêtèrent les envahisseurs.[9] Retournant la situation, elles passèrent aussitôt à l'offensive, pénétrèrent en Belgique (alors possession autrichienne) et en Rhénanie et s'installèrent sur le Rhin. Par ailleurs, elles s'emparèrent de la Savoie et du comté de Nice.

Les armées de la République triomphaient par leur ardeur militaire mais, plus encore, par la force de l'idéologie qu'elles incarnaient. Les soldats sans-culottes aimaient à se présenter comme les champions qui venaient délivrer les peuples de la tyrannie des nobles et des prêtres. Grâce à « l'évangile de la *Déclaration des Droits de l'homme et du citoyen* », ils trouvaient de nombreux sympathisants parmi les intellectuels,[10] les groupes minoritaires et les petites gens. Sans consulter qui que ce soit, le gouvernement révolutionnaire en profita pour imposer la liberté et le bonheur aux pays conquis, en les annexant purement et simplement... En s'étendant jusqu'au Rhin et aux Alpes, la Convention donna soudain à la France ces frontières dites « naturelles », que la monarchie n'avait jamais réussi à atteindre.

La rive gauche du Rhin

Peut-être l'Angleterre aurait-elle accepté que la France s'agrandisse dans les Alpes, mais elle n'allait jamais tolérer qu'elle s'établisse en Belgique. La souveraineté française sur les bouches de l'Escaut, le port d'Anvers et les côtes qui font face à Londres, aurait porté une grave atteinte au prestige et au commerce britanniques. Lente à entrer en action mais tenace, elle allait nouer une coalition après l'autre, jusqu'à ce que, à Waterloo, elle remporte la victoire finale. Dans cette lutte qui dura plus de vingt ans, elle engagea à fond ses forces morales, sa marine et ses ressources financières. Dès les premiers mois de 1793, à l'exception de la Suisse et des pays scandinaves, l'Europe entière se trouva en guerre contre le gouvernement révolutionnaire. Pris dans l'engrenage, celui-ci était décidé à jouer le tout pour le tout.

Les armées de la République

À force de mesures dictatoriales, la Convention va mettre sur pied un million de soldats. Bien qu'ils soient nombreux, les engagements volontaires ne suffisent pas; la levée en masse est décidée. Tous les hommes de 18 à 25 ans sont mobilisés. C'est le début de la conscription et du service militaire obligatoire. Afin d'accélérer leur entraînement, les nouvelles recrues sont amalgamées avec les anciennes troupes de ligne. Pour la première fois de l'histoire, les fils de paysans sont forcés de porter les armes; l'armée prend un caractère national.

Carnot, celui que l'on surnommera « l'organisateur de la victoire », crée des ateliers de fabrication et de réparation d'armes. Du fait que l'Angleterre bloque les ports et contrecarre les importations françaises, les matières premières viennent à manquer. Pour se procurer le bronze nécessaire à la fabrication des canons, le gouvernement fait fondre les cloches des églises. Pour équiper les soldats, il réquisitionne les vêtements et la nourriture. Par décret, il ira jusqu'à saisir « la huitième partie des cochons de la République » !

Devenus suspects, et souvent bien à tort, beaucoup d'officiers ont été révoqués ou condamnés à mort.[11] On a besoin de nouveaux chefs à l'esprit « républicain ». Sans attendre, les élèves des dernières promotions des écoles militaires de l'Ancien Régime peuvent arriver à des postes de commande. Ces circonstances exceptionnelles vont permettre à de jeunes ambitieux de faire des carrières fulgurantes. La plus spectaculaire de toutes ces carrières sera celle de Bonaparte.[12]

La dictature de la Montagne

Pour sauver la patrie, la Convention sacrifie tout à l'armée. Cette politique lui permet de triompher de ses ennemis extérieurs, mais elle lui fournit également un moyen commode pour justifier ses méthodes despotiques. Par une escalade d'audaces, elle en arrive à soumettre le pays à la pire dictature qu'il ait jamais connue.

À l'arrière, la misère est effroyable. Toutes les industries de luxe sont arrêtées. Des milliers de gens se trouvent sans travail. Les assignats ont perdu plus de 50% de leur valeur. Les rentes d'État ne sont plus payées. Le ravitaillement est insuffisant. On se bat à la porte des boulangeries. Pour ménager le peuple sans-culotte, le gouvernement révolutionnaire s'efforce d'approvisionner les grandes villes. Il fixe, pour les denrées de première nécessité, un prix maximum (dit « le maximum ») qui ne doit pas être dépassé. Comme tout manque, les fermiers s'ingénient à vendre leurs produits au-dessus du maximum; si possible, ils se font payer en numéraire (monnaie métallique) plutôt qu'en assignats. Afin de subvenir aux besoins les plus criants, la Convention confisque les stocks, réquisitionne les récoltes, inspecte les marchés, surveille les paysans... Ceux qui ne se conforment pas aux diktats, tombent dans la catégorie des suspects et risquent leur tête. En quelques mois, la dictature économique s'est étendue à la population toute entière.

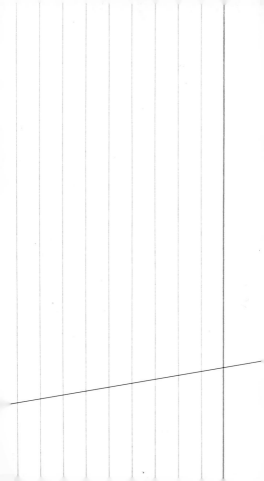

Au nom de la patrie, les Montagnards éliminent leurs rivaux. Ils accusent les Girondins d'inciter les provinces à désobéir aux ordres du gouvernement central. Pire encore, ils les font passer pour des traîtres vendus aux aristocrates et aux étrangers. Le fait que, lors du procès de Louis XVI, de nombreux Girondins s'étaient prononcés contre la peine de mort, achève de les perdre. Se sentant pris dans un réseau de soupçons, ceux-ci s'enfuient de Paris et tentent de se cacher en province. La plupart trouveront la mort dans des circonstances affreuses.[13]

Le Comité de salut public

Maîtres de la Convention, les Montagnards imposent leur dictature avec l'aide des clubs et des sections de sans-culottes. Toute liberté d'expression est anéantie. L'autorité est détenue par un groupe de plus en plus restreint. Les décisions sont prises à huis clos, dans des comités dont les Montagnards ont le contrôle absolu. Le Comité de sûreté générale pourchasse les suspects, dirige la police et les tribunaux révolutionnaires. Ses décisions sont irrévocables. Enfin, le Comité de salut public,[14] composé de douze membres, finit par accaparer tous les pouvoirs: il surveille l'armée et la justice, il décrète les lois et les applique. À la tête de l'équipe, Maximilien de Robespierre incarne l'absolutisme républicain. Rien ne saurait distraire cet homme qui se plaît à se faire appeler « l'Incorruptible ». Révolutionnaire fanatique, il poussera ses principes jusqu'à l'absurde.

En 1789, la Révolution avait eu pour but de donner à tous les hommes le maximum de liberté. Quatre ans plus tard, elle exige de tous les citoyens une soumission totale. « Il ne s'agit pas ici d'individus, déclare Robespierre, il s'agit de la patrie et de principes.» La délation est érigée en vertu civique. À la fin de l'Ancien Régime, Paris avait une dizaine de prisons; pendant la Terreur, il en compte une cinquantaine. On y entasse des milliers d'hommes et de femmes de toutes conditions. « Nous constituons ainsi des réserves de suspects, dit Saint-Just, où le Tribunal révolutionnaire trouvera du gibier de choix.» Chaque jour, un commissaire vient lire la liste de ceux qui doivent passer en jugement. À Paris, Fouquier-Tinville, l'accusateur public, « travaille » vingt heures par jour. Les procès sont expéditifs. Plus de témoins, plus de plaidoiries. Un simple constat d'identité, et l'affaire est close. À la fin de la séance, la charrette attend les condamnés pour leur dernier voyage.

À l'exemple de Paris, les villes de province dressent un échafaud au milieu de la place principale. Un certain Joseph Guillotin, docteur réputé pour sa philanthropie, vient de mettre au point une machine permettant de donner la mort sans souffrance. Au dire de l'inventeur, le condamné ressent, tout au plus, une légère fraîcheur!

La Terreur

Pour épurer la République, on guillotine par fournées: les derniers membres de la famille royale,[15] les ci-devant aristocrates, les anciens membres des Parlements, les anciens fermiers généraux. Dans cette catégorie figure Lavoisier. Le commissaire chargé de l'arrestation trouve le chimiste en train de travailler dans son laboratoire. Celui-ci demande qu'on lui accorde le temps de terminer l'expérience en cours, mais le commissaire de répondre: « La République n'a pas besoin de savants! »

Parmi les condamnés du Tribunal révolutionnaire, 8.5% appartiennent à la noblesse, 6.5% au clergé (prêtres assermentés ou non assermentés, religieuses) et 85% à la bourgeoisie ou à la classe paysanne. Est réputé suspect et, par conséquent, passible de mort, tout citoyen qui vendrait au-dessus du maximum, changerait de domicile sans autorisation, tiendrait des propos hostiles au gouvernement, se montrerait « partisan de la tyrannie », ne s'acquitterait pas de ses « devoirs civiques » etc.... Autrement dit, n'importe qui, à n'importe quel moment, peut être condamné sur le champ. C'est la Terreur.[16]

On aurait dit que sévissait une épidémie de sadisme. Des gens, notamment des femmes, assistaient aux exécutions comme à un spectacle. À Paris, un aveugle se tenait en permanence au pied de l'échafaud. Un jour quelqu'un lui demanda pourquoi il était là... L'homme répondit: « J'entends, ça fait « toc » et ça me fait quelque chose! » Dans la rue, des enfants s'amusaient à parodier la sinistre cérémonie. En guise de bibelots, on vendait des guillotines miniatures fabriquées en bois précieux ou même en argent.

Tentatives de réactions

Des réactions étaient inévitables. Une jeune royaliste[17] s'introduisit chez le pamphlétaire Marat et le tua d'un coup de couteau. Sur le plan politique, cet acte n'apporta aucune détente. Les habitants de Lyon s'insurgèrent contre la dictature montagnarde. La répression fut atroce. Des milliers de personnes furent massacrées. Avec grandiloquence, la Convention décréta: « Lyon fit la guerre à la République. Lyon n'est plus! » La population du port de Toulon espérait résister grâce à l'aide de l'Angleterre. Les rebelles furent écrasés par un capitaine d'artillerie qui n'avait pas encore francisé son nom, Napoleone Buonaparte. En récompense, celui-ci fut promu général; il avait 24 ans.

En Bretagne et surtout en Vendée, des milliers de paysans et de gentilshommes de campagne prirent les armes pour rétablir le roi et la religion catholique. Dissimulés dans les bois et les haies, les Vendéens ou « Chouans[18] » réussirent à tenir tête aux armées républicaines. Néanmoins, l'aide que leur promettaient les émigrés n'arriva pas et ils furent submergés.

Mystique révolutionnaire

Robespierre aurait voulu faire l'union de la France par la mystique révolutionnaire. Il imposa le calendrier républicain. Le pseudo-poète Fabre d'Églantine avait imaginé le nom des douze mois de l'année.[19] Chaque mois était divisé en trois décades. Le dizième jour, le décadi, remplaçait le dimanche et devait être consacré au culte des « vertus républicaines ». Les cinq jours complémentaires de l'année étaient réservés à la commémoration des « fêtes sans-culottides » (sic). Comme les églises étaient désaffectées, on les utilisa pour des cérémonies « civiques ». On célébra à Notre-Dame de Paris le culte de la « déesse Raison »; une actrice de l'Opéra y incarna la « Sainte Liberté ». En toutes choses, on était obsédé par Sparte et par la République romaine. C'est l'époque où des parents « patriotes » donnaient à leurs nouveaux-nés des prénoms de circonstance: Brutus, Caton, Agricole, Civilisation, République etc....

Entretemps, plusieurs factions étaient apparues au sein même du parti montagnard. Danton et ses amis furent soupçonnés d'avoir comploté avec les ennemis. En quelques jours, ils furent arrêtés et guillotinés. Par une succession de purges, la Révolution devint l'instrument d'une poignée de fanatiques dominés par Robespierre. Parvenu à la dictature de fait, celui-ci commença à se sentir dans une position ambiguë. Les armées républicaines étaient victorieuses et pourtant la Terreur sévissait de plus belle.

Chute de Robespierre

Dans l'espoir de ranimer la foi révolutionnaire, Robespierre voulut célébrer en grand éclat la fête de l'Être suprême. Justement, la date (20 prairial an II de la République) coïncidait avec le jour de la ci-devant fête de la Pentecôte (8 juin 1794). Le peintre David régla la cérémonie. On se rassembla autour d'une structure en carton appelée « la sainte Montagne »; des chœurs entonnèrent un hymne «Père de l'Univers, suprême intelligence ». Robespierre pontifia. Il mit le feu à une statue de l'athéisme. En principe, l'image de la Sagesse devait émerger, brillante de clarté. Hélas! La fumée fut telle que la Sagesse apparut toute barbouillée de suie! Plus ou moins consciemment, chacun sentait l'absurdité de la situation. À quoi bon avoir acquis, en 1789, la liberté de pensée si, moins de cinq ans plus tard, on allait se trouver embrigadé par un illuminé!

Les hécatombes continuaient. La France en avait la nausée. Les députés qui avaient réussi à sauver leur tête, se soupçonnaient les uns les autres. Dans une longue harangue, Robespierre parla de la nécessité d'épurer la Convention. Comme il refusa de nommer les coupables, chacun se sentit visé. Alors, avec l'énergie du désespoir, ce qui restait de l'Assemblée dénonça « le Tyran », le mit en accusation et l'envoya en prison. Le peuple sans-culotte ne bougea pas. Deux jours plus tard, le 9 thermidor (27 juillet 1794), Robespierre et ses associés montaient à l'échafaud. La détente fut immédiate.

II LA RÉACTION THERMIDORIENNE

Après le cauchemar...

Enfin, on respire! Les exécutions prennent fin; on n'envoie plus à l'échafaud que les anciens tyrans. Le maximum est aboli. Les lois terroristes sont abrogées. Les clubs sont dissous ou placés sous la surveillance de la police. La France aspire au repos mais, avant de trouver un équilibre, elle va encore subir les assauts des extrémistes de gauche et de droite.

Une fois libres, les prix ont monté en flèche. Comme on est en pleine disette, les pauvres gens meurent de faim; la misère engendre une tentative de révolution communiste mais la police fait arrêter les meneurs et les émeutes avortent. Au même moment, la contre-révolution relève la tête. Le frère de Louis XVI se considère roi et se fait appeler Louis XVIII.[20] Les émigrés parlent de vengeance; ils clament que les terres seront rendues à leurs anciens propriétaires, que la monarchie sera rétablie telle qu'elle était avant 1789... Après la terreur rouge, on craint la terreur blanche. Un général républicain, bien vu des anciens Jacobins, est chargé de mater l'insurrection de droite. Qui est-il? Buonaparte. Son nom commence à éveiller la curiosité. Désormais, le principal élément stabilisateur sera l'armée.

Un vent de folie

Les profiteurs de la Révolution, les nouveaux riches, étalent un luxe insolent; les aristocrates veulent oublier le cauchemar; dans tous les milieux, on cherche à jouir de l'existence au jour le jour. On danse avec fureur, le quadrille, la valse ou la polka... On danse dans les rues, dans les églises, dans les couvents et jusque dans les cimetières! On organise des bals « à la victime » où seuls peuvent se présenter ceux qui ont perdu un proche parent sur l'échafaud! Certains danseurs portent autour du cou un ruban rouge sang...

La mode est à l'Antiquité. Quel que soit le temps, les élégantes portent des sandales à la grecque; elles s'habillent en Diane, en Minerve, en Cléopâtre ou en nymphe... La vogue suprême consiste à se draper de voiles transparents! Quant aux messieurs, ils peuvent à peine marcher, tant leurs culottes sont serrées! Les jeunes favorisés de l'époque, les Merveilleux et les Merveilleuses, ont banni de leur langage le son « R ». Dans leur jargon à peine intelligible, on les entend répéter: « Ma paole supême, c'est incoyable » si bien que le terme « Incroyable » a fini par les désigner.

Le Directoire

Les Conventionnels s'étaient tellement discrédités qu'ils se séparèrent le plus vite possible après avoir préparé une constitution neutre et rassurante. Tout en maintenant la République, le Directoire fut un gouvernement bourgeois, et non prolétarien. Pour être électeur, il fallait être propriétaire. Le pouvoir exécutif appartenait à cinq directeurs, hommes médiocres et opportunistes. Deux assemblées devaient exercer le pouvoir législatif, mais aucun mécanisme n'était prévu pour résoudre un conflit entre l'exécutif et le législatif.

Seule la guerre donnait quelque prestige à ce gouvernement. La France venait de conclure la paix avec la Prusse et l'Espagne[21] mais elle poursuivait la guerre contre l'Angleterre et l'Autriche. Reprenant le projet caressé par les rois du XVIᵉ siècle, le Directoire voulut frapper l'Autriche par le sud, c'est-à-dire par l'Italie. L'armée d'Italie, chargée de cette opération, fut confiée au général Bonaparte.[22]

Juste avant de prendre son commandement, celui-ci épousa une créole originaire de la Martinique. Joséphine, veuve du vicomte de Beauharnais, mère de deux enfants, avait des relations mondaines, un charme exotique et une subtilité toute féminine. Bonaparte était tombé à ses pieds. Joséphine s'était rajeunie de quatre ans...[23] Bref, quelques mois après la première rencontre, le mariage avait eu lieu devant un officier d'état civil. D'église, il n'avait jamais été question.

En un an, par une succession de campagnes audacieuses, Bonaparte déroute, l'un après l'autre, les états italiens et disloque les armées autrichiennes. Sa personnalité électrise les soldats; les bulletins de ses victoires enchantent l'imagination des Français. Ses triomphes à Lodi, Castiglione, Arcole, Rivoli, font déjà de lui un héros de légende. Mais il n'est pas seulement le maître de la guerre, il devient l'arbitre de la paix. Sans consulter le gouvernement du Directoire qu'il méprise, il traite d'égal à égal avec les princes italiens, avec le pape, avec la république de Venise et même avec l'Autriche. À Paris, les cinq directeurs font la grimace mais ils n'osent se plaindre. Tous les espoirs reposent sur ce général prestigieux, cet homme providentiel qui reconstitue le trésor de l'État grâce aux millions qu'il a obtenus des ennemis vaincus.

D'un ton de souverain, Bonaparte dicte le traité de Campo Formio (1797) par lequel l'empereur d'Autriche reconnaît à la France la possession de la Belgique. Avant de quitter l'Italie, il y organise des républiques qui vont constituer des états satellites de la France. Bonaparte vient de faire son apprentissage d'homme d'État; il ne saurait l'oublier. Quand il remonte vers Paris, au milieu d'un concert d'acclamations, sa décision est déjà prise; il va guetter les circonstances favorables pour réaliser ce qu'il appelle sans préciser, « la grande ambition ».

Seule l'Angleterre poursuivait la guerre, car elle refusait de reconnaître la souveraineté française sur la Belgique. L'idée de tenter un débarquement dans les îles Britanniques n'était pas nouvelle. Mais, alors que le gouvernement révolutionnaire avait mis sur pied une prodigieuse armée territoriale, il n'avait eu ni le temps, ni l'argent, ni les marins nécessaires pour se constituer une force maritime. Vu cet état de choses, Bonaparte déclara qu'il serait imprudent d'essayer de traverser la Manche. C'est ainsi que, pour en finir avec l'ennemi, il imagina de l'atteindre en Égypte. Les cinq directeurs trouvèrent l'idée bizarre, sinon absurde, mais ils y virent un avantage essentiel: l'éloignement d'un général encombrant!

L'expédition d'Égypte était une diversion stratégique, une étape vers l'Asie, un mouvement vers cet Orient qui, déjà à maintes reprises, avait fasciné les Occidentaux. Bonaparte débarque à Alexandrie avec des soldats, mais également avec des juristes, des artistes et des savants. Il bat les mamelouks au pied des Pyramides. Peu après, l'amiral Nelson détruit une grande partie de la flotte française dans le port d'Aboukir. Malgré ce désastre naval, Bonaparte poursuit son aventure orientale jusqu'à ce que des journaux venus de France lui apprennent des nouvelles alarmantes: les troupes de la République reculent sur tous les fronts, les factions extrémistes sont en train de renaître... Alors, sans avoir conféré avec son état-major, il laisse son armée, se rembarque et arrive en France à l'improviste. On aurait dit qu'il tombait du ciel!

Coup d'État   Moins d'un mois après son retour à Paris, par un coup d'État (18 brumaire ou 9 novembre 1799), il va renverser le Directoire, ce gouvernement faible et corrompu, menacé à la fois par la droite et par la gauche. Bonaparte et ses complices font croire qu'un complot se trame contre la République. Les cinq directeurs donnent leur démission. Pris de panique, la plupart des députés s'enfuient; ceux qui restent votent, séance tenante, la constitution du Consulat. Quelques jours plus tard, les Français reconnaissent le nouveau gouvernement par une majorité écrasante. La Révolution proprement dite est terminée.

III   LE CONSULAT

Bonaparte consul   En principe, le pouvoir est partagé entre trois consuls. En réalité, un seul va diriger: Bonaparte. Consul (1800), puis consul pour dix ans, puis consul à vie (1802) et finalement Empereur (1804), il va, pendant les premières années du XIXᵉ siècle, doter la France de structures administratives qui resteront pratiquement inchangées.

Cette carrière de météore est née de la rencontre d'une personnalité exceptionnelle avec des circonstances sans précédent dans l'histoire. Bonaparte était d'abord un soldat, l'idole de la troupe, le stratège sans égal. Notons, toutefois, qu'il n'a pas institué une dictature militaire. Ce n'est pas l'armée qu'il a amenée au pouvoir, c'est lui-même.

Bouleversés par un effort de guerre accablant et par dix années de désordres, les Français voulaient achever, au plus vite, la lutte pour les frontières « naturelles ». Or Bonaparte semblait apporter tout ce qui était nécessaire pour conclure une paix victorieuse. En plein hiver, il franchit les Alpes au col du Grand Saint-Bernard, descend en Italie, bat les Autrichiens (Marengo) et disloque la seconde coalition. Vaincue pour la seconde fois, l'Autriche reconnaît à la France la possession de la Belgique et de la rive gauche du Rhin (traité de Lunéville). Quelques mois plus tard l'Angleterre, à son tour, se résigne à traiter (traité d'Amiens). Bonaparte la laisse libre en Orient; par contre, il la force à reconnaître la frontière du Rhin. Flattés à la fois dans leur amour de la gloire et dans leur goût pour le repos, les Français peuvent se croire comblés.

Entretemps, en éliminant les extravagances du fanatisme révolutionnaire, Bonaparte permet la réalisation de la plupart des vœux conçus en 1789. Les anciennes inégalités sociales demeurent abolies; tous les citoyens jouissent des mêmes droits civils. Les acquisitions de biens nationaux sont déclarées irrévocables. Par contre, les fêtes révolutionnaires sont supprimées; l'une après l'autre, les lois relatives aux suspects sont abrogées; les émigrés peuvent rentrer sans crainte. Bonaparte apparaît comme le pacificateur, le champion de la « vraie liberté ». C'est l'époque où Beethoven salue en lui le libérateur de l'humanité.

Le Concordat   Enfin la paix religieuse vient couronner cette œuvre de ralliement. Depuis la fin de la Terreur, quelques congrégations réapparaissaient, des offices se célébraient en privé de façon semi-clandestine. La philosophie anti-chrétienne n'était plus de mode. La génération qui parvient à l'âge d'homme vers 1800, se sent travaillée par des élans de religiosité. Sentant le courant général, Bonaparte s'empresse de l'utiliser comme moyen gouvernemental. En 1802, il signe le *Concordat* avec le Saint-Siège au moment même où Chateaubriand publie le *Génie du christianisme*.

Le consul n'est pas croyant mais il considère que, « dans tous les états, la religion est utile au gouvernement.» « Il faut, dit-il, s'en servir pour agir sur les hommes. J'étais musulman en Égypte, je suis catholique en France. » Par le *Concordat*, le catholicisme est reconnu comme la religion de « la grande majorité des Français »; il n'est plus la religion d'État car, désormais, l'État sera laïc. Les cérémonies religieuses sont autorisées, à condition qu'elles se conforment aux règlements civils. Le clergé est rémunéré par l'État; les évêques sont nommés par le gouvernement puis investis par le pape. Ce régime restera en vigueur jusqu'en 1905.

Les anciens Jacobins n'osent guère protester; quant à l'Église catholique, elle accepte, bon gré mal gré, de s'intégrer dans cette nouvelle structure. Pour célébrer la réconciliation religieuse, Bonaparte fait chanter un *Te Deum* solennel. En grand apparat, il arrive à Notre-Dame de Paris avec les voitures qui ont servi au sacre de Louis XVI! Après la cérémonie, l'un de ses généraux républicains ne se gênera pas pour lui dire: « Belle capucinade! Il n'y a manqué que le million d'hommes qui sont morts pour abolir tout cela! »

Le Code   Reprenant l'œuvre amorcée par les assemblées révolutionnaires, Bonaparte dirige la préparation du Code civil (souvent appelé Code Napoléon) qui va s'appliquer au pays entier. Les spécialistes chargés de cet énorme travail de synthèse juridique se sont efforcés de retenir les principes des anciennes coutumes qui régissaient l'Île-de-France, tout en y intégrant ce qui paraissait bon et utile parmi les lois révolutionnaires. Par exemple, le Code sanctionne la laïcisation de l'état civil; naissances, mariages et décès seront désormais enregistrés par l'État, alors qu'avant 1789 ils relevaient uniquement de l'administration ecclésiastique. Le droit d'aînesse est définitivement aboli; les enfants d'une même famille ont des droits de succession égaux. Le divorce est possible dans certains cas, fort limités d'ailleurs, car les juristes ont voulu préserver la cohésion familiale et la prééminence du chef de famille, c'est-à-dire du mari. À quelques modifications près, le Code civil constitue toujours la base du système juridique de la France et d'un grand nombre de pays étrangers.[24]

Le franc-or

L'ordre ramène la prospérité. Bonaparte a horreur de la monnaie-papier; les planches à assignats sont officiellement brûlées. La confiance renaît, les pièces d'or et d'argent sortent de leurs cachettes, les prix se stabilisent; pour la première fois depuis dix ans, les rentes sont payées. Comme le consul est, d'instinct, centralisateur, il veut avoir une banque centrale. Il crée la Banque de France, banque semi-privée, semi-nationale, qui a le privilège exclusif d'émettre les billets de banque. Ces billets sont utilisables comme monnaie mais ils restent échangeables à vue contre du numéraire. Ces dispositions subsisteront jusqu'au premier jour de la guerre de 1914.

Poursuivant l'œuvre administrative de la Révolution, le consul garde la division du territoire en départements. À la tête de chaque département, il place un préfet. Ce haut fonctionnaire, nommé par le chef de l'État, est le délégué du pouvoir central et, par conséquent, il ne dépend pas des oscillations du corps électoral. Là encore, l'administration de la France contemporaine prolonge celle du Consulat.

Le grand pacificateur

Le génie de Bonaparte consista à savoir rassembler les Français après la tourmente révolutionnaire. Consul ou Empereur, il choisissait ses officiers dans tous milieux, parmi les anciens Conventionnels comme parmi les anciens serviteurs de la royauté. « J'aime, disait-il, les honnêtes gens de toutes les couleurs », et il excellait à mélanger les couleurs.

Ennemi des factions, il ne se sentait ni Jacobin ni monarchiste. Né à Ajaccio un an après la réunion de la Corse à la France, presque étranger par conséquent, il avait eu l'avantage de pouvoir regarder la Révolution de l'extérieur. Par ses origines, il appartenait à la petite noblesse corse, c'est d'ailleurs pourquoi il était venu en France, à dix ans, pour être éduqué, aux frais du roi, dans les écoles militaires. Il avait assisté à la prise des Tuileries mais il ne se trouvait plus à Paris pendant les pires mois de la Terreur. Il n'avait aucune sympathie pour les sans-culottes; néanmoins, il avait accepté de commander des troupes républicaines et, grâce à la Révolution, il avait pris son essor dans la carrière militaire. N'éprouvant de passion ni pour l'Ancien Régime ni pour la République, il pouvait jouer le rôle d'arbitre, préparer le terrain d'entente et incarner le « tiers parti ».

Les extrémistes de droite et de gauche virent en lui un obstacle de plus en plus gênant, aussi multiplièrent-ils les tentatives d'attentats. De son exil, Louis XVIII eut la naïveté de demander au consul de lui rendre « son trône ». Celui-ci répondit de façon cinglante:... « Je ne suis pas insensible aux malheurs de votre famille. Je continuerai avec plaisir à la douceur et à la tranquillité de votre retraite. »

Tout ce qui menaçait Bonaparte contribuait encore à grandir son prestige. Avec effroi, la majorité des Français songeaient, qu'à tout moment, un coup de pistolet pouvait anéantir le régime et replonger le pays dans le chaos. Quant à Bonaparte, il aspirait à fonder une dynastie, par orgueil, certes, mais également par désir d'assurer une stabilité, une continuité. Il se voyait comme « l'homme du destin », jouant avec l'histoire, modelant l'avenir... En réalité, l'Angleterre avait déjà repris la guerre. La France pouvait bien avoir une constitution d'une sorte ou d'une autre; tant qu'elle conservait la Belgique, elle allait courir après la paix comme après une chimère...

Le sacre 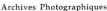 Le titre de roi aurait froissé trop de susceptibilités. On choisit donc le titre d'empereur qui évoquait le souvenir de l'ancienne Rome et flattait la fierté nationale. Le changement constitutionnel fut sanctionné par un vote unanime du Sénat, puis par un référendum. Par une sorte de fiction juridique, on conserva, théoriquement, la République. On frappa même des médailles sur lesquelles étaient gravés les mots suivants: « République française. Napoléon Empereur ».

Le pape consentit à venir sacrer le nouvel Empereur après avoir reçu l'assurance que rien ne serait innové... L'ancien Conventionnel David dessina les décors et Napoléon fixa lui-même le cérémonial dans ses moindres détails.

Le matin du 2 décembre 1804, le couple impérial arriva, en grand apparat, à la cathédrale Notre-Dame de Paris, avança jusqu'à l'autel et

Archives Photographiques

Le 2 décembre 1804:
Le Sacre de Napoléon
à Notre-Dame. Toile
de David.

367

s'agenouilla sur des coussins de velours.[25] Le pape avait l'air d'un figurant résigné. Tous les regards convergeaient vers l'ancien cadet corse. Lorsque vint le moment de l'acte solennel, Napoléon devança le geste du Saint-Père et saisit la couronne d'or. Ensuite, calmement, il tourna le dos à l'autel, regarda la foule et posa la couronne sur sa tête.

NOTES

1   Avant la Révolution, le pantalon ne se portait que dans certaines régions comme vêtement de travail.

2   Fondateur de l'*Ami du Peuple,* l'un des journaux révolutionnaires les plus violents.

3   Fabre, de son vrai nom; il avait ajouté d'Églantine. Auteur de pastorales insipides. C'est lui qui a écrit « Il pleut, il pleut Bergère ».

4   On venait de découvrir, dans une armoire secrète aux Tuileries, des papiers qui prouvaient que le roi était resté en rapport avec des émigrés.

5   Malesherbes, philosophe et ancien magistrat.

6   La Convention comprenait 749 membres mais il y avait 28 absents.

7   Les uns demandaient le sursis jusqu'à la paix ou jusqu'à l'affermissement de la Constitution.

8   Actuellement, place de la Concorde.

9   Victoires de Valmy (20 septembre 1792) et de Jemmapes (6 novembre 1792).

10   À l'étranger, Wordsworth, Gœthe, Kant sont enthousiasmés par les principes révolutionnaires.

11   En apprenant la condamnation de Louis XVI, La Fayette ainsi que beaucoup d'autres partisans de la monarchie constitutionnelle, avaient émigré.

12   Sorti de l'École militaire de Paris en 1785 avec un rang assez médiocre (42e sur 58). Louis XVI avait signé son brevet d'officier.

13   Madame Roland fut condamnée à mort. En montant sur l'échafaud, elle aurait dit: « Ô liberté, que de crimes on commet en ton nom! »

14   Il comprenait, notamment, Carnot, Danton, Fabre d'Églantine, Robespierre et Saint-Just, un étrange jeune homme de 25 ans qui était obsédé par la république de Sparte.

15   Marie-Antoinette puis Madame Élisabeth (sœur de Louis XVI). Les deux enfants restèrent enfermés au Temple. Par la suite, la fille de Louis XVI sera échangée contre un lot de prisonniers et envoyée chez son oncle, l'empereur d'Autriche. Quant au petit Louis XVII (né en 1785), il mourut, officiellement, en 1795. En réalité, le pauvre être hébété qui mourut au Temple avait probablement été substitué au dauphin. Le vrai Louis XVII aurait été sorti du Temple clandestinement (comment? par qui?) puis il aurait disparu. Tous les pseudo-dauphins qui apparurent après la Révolution étaient des fous ou des imposteurs. En dépit des recherches multiples, le mystère Louis XVII demeure total.

16   On estime que la Terreur aurait fait entre 35 000 et 40 000 victimes, sans compter les rebelles tombés en combattant, les exécutions sans jugement, les morts dues au mauvais état sanitaire des prisons etc. Il y aurait eu environ 300 000 suspects...

17 Charlotte Corday, originaire de Caen, lointaine parente de Pierre Corneille.

18 Surnom qui venait peut-être du fait qu'ils se rassemblaient la nuit et qu'en guise de signe de ralliement ils hurlaient comme un chat-huant.

19 Germinal, floréal, prairial, messidor, fructidor, thermidor etc....

20 L'ancien comte de Provence. Il avait quitté la France en 1791, le jour où Louis XVI se faisait arrêter à Varennes.

21 Par le traité de Bâle (1795).

22 Bonaparte connaissait Barras, l'un des cinq Directeurs. C'est probablement chez Barras qu'il avait rencontré Joséphine.

23 De son vrai nom Rose, née Tascher de La Pagerie; elle avait cinq ans et demi de plus que Bonaparte. Pour son mariage, elle utilisa l'acte de naissance de sa sœur cadette!

24 Républiques d'Amérique du Sud, notamment.

25 Joséphine, qui n'avait pas donné d'enfant à Bonaparte, craignait déjà le divorce. C'est pourquoi, la veille du sacre, elle confia au pape qu'elle n'avait pas été mariée religieusement. À la dernière minute, le pape avait donc forcé Napoléon à faire bénir son mariage.

EN CHEMIN DU TEMPS DES DILIGENCES

L'état des routes Au cours des premières décades du XIXᵉ siècle, les moyens de communication ne s'améliorent que fort lentement. La Révolution a laissé les routes en piteux état. On a aboli la corvée mais, faute de crédits, on n'a guère embauché d'ouvriers pour travailler à l'entretien des chaussées. Certaines voies pavées résistent encore, mais la plupart des routes sont défoncées par des ornières. Les accidents de voyage sont innombrables; un cheval glisse, une roue casse et la voiture verse dans le fossé. Bonaparte et Joséphine n'échappent pas à ces mésaventures. Pendant le Consulat, un jeune préfet se rend en Normandie pour y prendre ses fonctions; en chemin, il tombe à deux reprises et se présente devant ses administrés en triste condition!

Pendant l'Empire, Napoléon s'efforce d'améliorer les liaisons, mais il donne priorité aux routes qui relient Paris aux frontières de l'est du fait qu'elles présentent un intérêt stratégique. À ses yeux, l'Italie a une importance capitale en elle-même, mais aussi en tant que voie d'accès vers l'Europe centrale et l'Orient. Lyon devient le carrefour routier le plus actif de France. Pour la première fois dans l'histoire, les Alpes sont dotées de ponts, de tunnels et de routes carrossables.

Les véhicules   Les véhicules ont les formes et les coloris les plus variés. Parfois, pour aller d'une ville à l'autre, on peut monter dans une voiture de poste[1] mais il n'y a place que pour quatre voyageurs. En général, on préfère la diligence qui transporte entre 8 et 12 personnes[2] — 18 au grand maximum. Ce véhicule a fait son apparition au début du XVIIIe siècle sous le nom de « coche de diligence ». Tous les 20 ou 30 kilomètres, on s'arrête pour changer d'attelage. Sur certains parcours, on roule nuit et jour, si bien qu'en 24 heures, on arrive à franchir 75 kilomètres (100 au grand maximum). À ce rythme, on va de Paris à Lyon en six jours, de Paris à la Manche en 4 jours et de Paris à Toulouse en deux semaines!

Relais et hôtels   Les relais sont toujours très animés. Le cocher arrive en faisant claquer son fouet; les chevaux piaffent, les voyageurs débarquent en titubant. On s'embrasse, on pleure, on cherche ses bagages. On charge l'impériale de nouveaux colis et, à la rigueur, d'un ou de deux voyageurs supplémentaires qui ne peuvent trouver place à l'intérieur. On repart, enfin, avec un bruit de ferraille, parmi les jurons du cocher et les claquements de fouet.

Selon tous les témoignages, les hôtels sont fort médiocres. Certes, il existe quelques tables d'hôte où l'on mange copieusement; par contre, dans les innombrables auberges du *Cheval Blanc*, du *Lion d'Or*,[3] du *Chapeau Rouge* ou des *Trois Écus*, les ressources sont bien limitées. En général, les chambres sont encore plus minables que les repas. Il vaut mieux ne pas regarder les draps de trop près. Les soirs de grande presse, il arrive que des personnes étrangères l'une à l'autre soient obligées de partager la même chambre ou même de faire lit commun.

Les gens qui ont de gros moyens peuvent voyager dans leur propre voiture mais ils doivent s'attendre à des frais considérables. Il faut qu'ils s'acquittent des péages qui jalonnent les routes (34 entre Paris et Calais) et des redevances à l'entrée des ponts, des bacs et des gués. S'ils sont pressés, ils doivent changer d'attelage et louer des chevaux frais aux relais.

Rien de surprenant que les déplacements soient encore rares. En moyenne, pendant l'Empire, le nombre total des voyageurs sortant de la capitale pour se rendre à une grande ville de province, ne dépasse pas 220 par jour.

Les rues de Paris   Aucun transport en commun n'existe à intérieur des villes.[4] Les rues de Paris sont le domaine des piétons. Les badauds peuvent s'amuser à compter les véhicules, car seuls les gens riches possèdent leur équipage ou en louent un au mois. Quelques rares dignitaires ont un carrosse gratuit. Le médecin fait ses visites à cheval; quant aux petits bourgeois, s'ils sont pressés, ils n'ont qu'à prendre un fiacre. Depuis le règne de Louis XV, ce véhicule n'a guère changé. Il s'agit d'une caisse peinte en jaune, mal suspendue sur quatre roues, et tirée par deux chevaux maigres. Les accidents sont fréquents; le cocher est rarement aimable. Pour mettre fin aux disputes, le gouvernement du Consulat a réglementé les tarifs qui resteront pratiquement inchangés jusqu'à l'introduction de l'automobile.

À l'intérieur même de Paris, les berges de la Seine sont encombrées de moulins, de péniches, de bateaux-lavoirs. Les quais de pierre ne sont construits qu'en de rares endroits. Partout les ponts sont en nombre insuffisant. Bonaparte s'efforce de remédier à cette situation; en 1803, il inaugure le premier pont métallique de France, le pont des Arts. Construit en quelques mois, il relie le Louvre à l'Institut. Le pont d'Austerlitz,[5] en partie métallique, sera achevé peu après.

Le numérotage des maisons

La vie quotidienne évolue très lentement mais, néanmoins, chacun peut constater quelques améliorations spécifiques. Peu à peu, dans les grandes villes, on élimine le caniveau central des rues, on bombe les chaussées et on construit des trottoirs et des caniveaux latéraux. La circulation s'en trouve nettement facilitée, surtout les jours de pluie. Enfin, à partir de 1805, chaque maison doit avoir un numéro. Du temps de l'Ancien Régime, on indiquait les adresses en décrivant l'emplacement de l'habitation par rapport à quelque monument, fontaine ou enseigne, facile à retrouver. Le gouvernement révolutionnaire avait fait numéroter les maisons à l'intérieur de chaque quartier, mais ce système était confus. Épris de symétrie, Bonaparte imagine l'agencement qui restera en vigueur: numéros pairs à droite, impairs à gauche; numérotage en partant du fleuve pour les rues perpendiculaires, et dans le sens du fleuve pour les rues parallèles.

Même si les voyages demeurent presque aussi difficiles qu'au siècle précédent, au moins commence-t-on à s'orienter aisément à l'intérieur des villes.

NOTES

1 La « malle poste » ou « malle aux lettres » organisée par le gouvernement pour le transport des lettres et paquets.

2 La voiture que Louis XVI avait fait construire pour sa fuite a servi, au retour de Varennes, de diligence. Elle s'est trouvée détruite, par la suite, dans un incendie.

3 Ce nom si fréquent serait la transposition de la phrase « au lit on dort ».

4 En 1662, Pascal avait eu l'idée d'organiser les premiers transports en commun de la capitale. Les « carrosses à cinq sols » de Pascal semblent avoir eu du succès, mais ils disparurent peu après la mort du philosophe.

5 Ces deux ponts existent toujours.

L'EMPIRE

Arc de triomphe du Carrousel,
érigé en 1806.
Le goût de l'Antiquité
s'unit aux gloires
de l'époque impériale.

L'Empire fut, avant tout, un décor. Napoléon était inégalable dans l'art de séduire les imaginations. « Un gouvernement nouveau-né, disait-il, doit éblouir.» Il se constitua une maison qui dépassa en magnificence celle des plus puissants souverains. Il eut son emblème — l'aigle, son protocole, ses livrées, ses rites. Pour remplacer la fleur de lis, il choisit l'abeille, symbole du travail. À la place de la Saint-Louis, une nouvelle fête annuelle fut instituée: le 15 août, anniversaire de l'Empereur. On finit par découvrir un saint Napoléon, martyr du IIIe siècle... que l'on célébra par la même occasion !

Par son regard, par ses attitudes minutieusement calculées, Napoléon excellait à magnétiser son entourage. Pour mieux se mettre en valeur, il aimait à paraître dans un cadre grandiose, revêtu d'un simple uniforme de grenadier, ou de cette longue redingote grise qui allait devenir légendaire.

La cour comprenait les membres de la noblesse de vieille souche qui, avec plus ou moins de sincérité, s'étaient ralliés à l'Empire. Elle comprenait également d'anciens révolutionnaires qui s'abstenaient de parler de leur passé et, enfin, des généraux et maréchaux qui s'étaient attiré les faveurs du maître. L'ex-évêque Talleyrand était ministre des Affaires étrangères, tandis qu'un ancien Conventionnel,[1] qui avait voté la mort de Louis XVI, était ministre de la Police. À ses élites, Napoléon accorda des titres de duc, de comte, de prince; il ira jusqu'à conférer des couronnes royales. Une noblesse impériale apparut. En principe, elle devait fusionner avec l'ancienne. Parmi les dignitaires de fraîche date, certains

Château de la Malmaison, demeure de Joséphine. Le bureau de Napoléon.

French Embassy Press and Information Division

avaient gardé les manières de leur première condition. Il y eut, notamment, une ancienne cantinière qui, une fois devenue duchesse, n'en continua pas moins à jurer et à se précipiter sur les tables de banquet.[2] On la surnomma Madame Sans-Gêne.

Dans l'ensemble, la diversité des origines se trouvait masquée par une étiquette rigoureuse. Même les fêtes étaient empreintes d'une rigidité quasi militaire. Fini le laisser-aller! Décence, dévouement et soumission étaient de rigueur chez tous.

L'Empereur tenait son monde en haleine, qu'il soit à Paris ou au centre de l'Europe. Au moment le plus inattendu, il distinguait un soldat héroïque ou un homme de valeur; il lui adressait des paroles touchantes ou il lui conférait une décoration. Les témoins de la scène en restaient stupéfaits. À l'origine, la Légion d'honneur était destinée à récompenser les militaires. À partir de 1805, elle commença à être accordée à toutes les personnes qui avaient rendu des services exceptionnels à l'État. La « croix » de la Légion d'honneur se composait — et se compose toujours — d'une étoile à cinq branches et d'un cordon rouge. Peut-être, par superstition, Napoléon voyait-il dans cette étoile un signe de bon augure.[3]

Face à l'Angleterre　　La cour impériale ne pouvait briller que d'une façon intermittente, entre deux campagnes, car, pendant les dix années du règne, la guerre demeura la préoccupation majeure. Napoléon voulait obtenir une paix solide qui sanctionne la souveraineté française sur la rive gauche du Rhin. S'il avait renoncé à ces territoires conquis par les armées révolutionnaires, il aurait perdu son prestige et, sans doute, son trône. Or, l'Angleterre refusait d'admettre l'annexion de la Belgique. Dans l'espoir de venir à bout de la résistance britannique, l'Empereur allait rouler dans sa tête un projet après l'autre.

Dès l'époque du Consulat, par mesure de prudence, il avait vendu la Louisiane aux États-Unis (1803). La faiblesse de ses ressources maritimes ne lui aurait pas permis de défendre ce territoire lointain. À son avis, mieux valait le céder à la République américaine, plutôt que de l'exposer à être capturé par l'adversaire. D'ailleurs, il avait besoin d'argent; il se préparait à descendre en Angleterre.

Autour de Boulogne, face à la côte anglaise, une armée et une flottille de bateaux plats furent rassemblées. Chaque jour, les soldats s'entraînaient aux manœuvres d'embarquement et de débarquement. Napoléon avait calculé que, pour franchir le détroit du Pas-de-Calais, il lui suffirait d'avoir la liberté d'action pendant 24 heures. Pour éloigner la flotte anglaise du secteur, il chargea ses amiraux d'exécuter un ensemble de manœuvres de diversion. Il s'agissait, notamment, d'attirer les vaisseaux anglais vers les Antilles, puis de revenir, à toute vitesse, barrer l'entrée de la Manche aux Britanniques. L'attente fut vaine. Une escadre française se trouva dispersée par le mauvais temps, deux autres se laissèrent bloquer dans les ports par l'adversaire. D'ailleurs, pendant que l'Empereur regardait vers la mer, l'Autriche et la Russie s'apprêtaient à le prendre à revers. La troisième coalition commençait.

Austerlitz

Devançant l'événement, Napoléon lève le camp de Boulogne et, à marches forcées, dirige sa grande armée vers l'Europe centrale. « La victoire, répète-t-il, est dans les jambes du soldat. » Tambour battant, d'un pas soutenu, les hommes parcourent entre 35 et 40 kilomètres par jour.

Déroutés par la rapidité de la manœuvre, les adversaires sont écrasés à Austerlitz (2 décembre 1805).[4] Trois empereurs ont participé à la bataille: l'empereur d'Autriche, le tsar de Russie et Napoléon. Le soir de la victoire, celui-ci s'adresse à ses troupes avec des termes d'une simplicité enfantine: « Soldats, dit-il, je suis content de vous. » Puis, par un effet de théâtre, il termine sur la note héroïque: « Il vous suffira de dire: j'étais à la bataille d'Austerlitz pour que l'on réponde: Voilà un brave. »[5]

Néanmoins, une ombre assombrit le triomphe. L'Empereur vient d'apprendre que le gros de sa flotte s'est heurté aux forces de l'amiral Nelson, en Méditerranée, au large du cap Trafalgar (1805). En quelques heures l'escadre française a sombré; le désastre est tel que la marine est presque complètement anéantie. Désormais, il faudra que Napoléon lutte contre la première puissance maritime du monde, alors qu'il ne dispose que de forces territoriales. Cette situation paradoxale ne semble pas le préoccuper; il a confiance en son étoile.

Maître du Continent

Sans laisser à ses adversaires le temps de se regrouper, il bat successivement, l'Autriche (Iéna), la Prusse, puis la Russie (Eylau, Friedland). Les débris de l'armée du tsar sont refoulés à l'est du Niémen.[6] L'Autriche doit signer un traité onéreux (Presbourg, 1805). La famille des Habsbourg renonce à ses prétentions sur l'Allemagne et l'Italie.

Napoléon est devenu le maître de l'Europe, de la Baltique à la Méditerranée. Dans la cathédrale de Milan, il a reçu le titre de roi d'Italie. Il commence à redessiner la carte de la mosaïque allemande. Groupant les principautés les plus petites, il constitue de nouveaux états qu'il confie à ses proches parents.[7] Il se montre à la fois libéral et autoritaire. Il introduit des réformes favorables au peuple. À la place du Saint Empire romain germanique, il édifie une nouvelle structure dite « Confédération du Rhin »; tout naturellement, il s'en déclare le « protecteur ». Parvenu à ce point, il se prend pour le successeur de Charlemagne.

Politique du charme

Bien qu'elles aient été battues, la Prusse et la Russie bénéficient de certains ménagements. Napoléon n'est pas sans éprouver une certaine admiration pour le royaume qui, au siècle précédent, a été gouverné par Frédéric II, le « roi philosophe ». Vis-à-vis de la Russie, il se montre encore mieux disposé. Il voudrait lier des liens d'amitié avec Alexandre.

À Tilsit, sur un radeau ancré au milieu du Niémen, les deux empereurs s'entretiennent longuement (1807). Lequel cherche à tromper l'autre? Ce serait difficile à dire. Napoléon est sensible au charme slave du jeune tsar mais, avant tout, il agit par calcul. Il sait que, pour venir à bout des Britanniques, il a besoin de la participation de toutes les puissances européennes et, notamment, de celle de la Russie.

Le Blocus continental

À cet effet, pendant son séjour à Berlin, il a institué le Blocus continental (1806). Il s'agit d'une guerre économique, la seule qui puisse affecter l'Angleterre. Depuis des années, cette nation règne en despote sur les mers. Napoléon riposte en lui fermant l'accès de l'Europe. Désormais, tous les ports continentaux seront interdits à ses vaisseaux et à ses marchandises. Tout commerce d'importation ou d'exportation avec elle, même par l'intermédiaire de pays neutres, est déclaré hors la loi. Les arrivages frauduleux seront saisis. Or comme les Britanniques doivent importer une grande partie de leur nourriture, en compensation, ils doivent exporter les produits de leur industrie et, tout particulièrement, leurs cotonnades. Pour sauver leur commerce de la ruine, ils seront forcés, à brève échéance, d'accepter la paix... Mais, pour que le système continental soit opérant, il faut qu'il soit complet, qu'il soit hermétique. Une seule fissure, et tout s'écroulerait...

L'Europe napoléonienne

Bon gré mal gré, les puissances qui viennent d'être battues par la France adhèrent au Blocus. L'Europe se trouve soumise à un régime d'économie fermée. Les gouvernements qui enfreindront les règlements seront éliminés. De la Scandinavie aux Balkans, Napoléon fait inspecter les ports, surveiller les côtes. Afin de contrôler la plus grande longueur possible de littoral, il place son frère Louis[8] sur le trône de Hollande, et l'une de ses sœurs sur le trône de Naples.[9] Désormais, le système continental va commander toute la politique impériale.

En tant que souverain temporel, le pape refuse de rompre ses relations économiques avec l'Angleterre. Sans se laisser intimider par des considérations d'ordre religieux, Napoléon fait occuper Rome puis il réunit les états pontificaux à la France (1809). Le Saint-Père proteste contre cette spoliation et excommunie Napoléon. Celui-ci riposte en plaçant le dissident au château de Fontainebleau, en résidence surveillée.

Le Portugal continue à faire du commerce avec l'Angleterre. Pour forcer ce petit pays à se soumettre au Blocus, les armées impériales passent les Pyrénées et marchent sur Lisbonne. Pour cela, il faut traverser l'Espagne. La famille royale espagnole est déchirée par des querelles internes.[10] Profitant du chaos, Napoléon dresse les rivaux les uns contre les autres; en fin de compte, il place d'autorité sur le trône de Madrid, l'un de ses frères, un certain Joseph. Mais, ce coup d'audace n'apporte pas de solution définitive au problème. Joseph est un incapable, aussi peureux que vaniteux. Pour lui venir en aide, Napoléon lui enverra des soldats d'élite mais, bientôt, tout un peuple sera en révolte contre les Français. Par la tactique de la guérilla, les Espagnols vont commencer à miner la force et le moral des troupes impériales. Dès 1808, un premier nuage viendra d'Espagne.

Entretemps, une crise dynastique est survenue en Suède. La Diète suédoise se montre prudente; elle choisit pour roi un général français, un certain Bernadotte,[11] beau-frère de l'Empereur (1810).

L'hégémonie napoléonienne prend un caractère familial; l'Empire est entouré par une ceinture de royaumes satellites qui, péremptoirement, ont été distribués à la parenté des Bonaparte. Seule la mère de Napoléon[12] ne se laisse point éblouir par toutes ces grandeurs. « Pourvu que cela doure (dure) », répète-t-elle avec son accent corse... En dépit des richesses, elle est restée regardante; quand on lui reproche son avarice, elle répond qu'un jour viendra où elle devra nourrir une douzaine de rois et de reines qui lui retomberont sur les bras!

Apothéose   Après avoir été battue encore une fois, l'Autriche doit, à son tour, s'incorporer dans le système continental. Un mariage vient faciliter les relations diplomatiques.

Pour fonder sa dynastie, Napoléon avait besoin d'un héritier. Or, Joséphine semblait incapable de lui donner une postérité. Quand on faisait allusion à cette question délicate, la belle créole répondait, qu'après tout, de son premier mariage, elle avait eu deux beaux enfants...[13] En son fort intérieur, Napoléon se demandait si, par hasard, ce n'était pas lui qui était stérile. Ce doute le tortura, jusqu'à ce qu'il ait une liaison avec une Polonaise. De cette liaison, un fils naquit.[14]

La preuve étant faite, l'Empereur décide de répudier sa « vieille femme ».[15] Malgré ses gémissements, Joséphine doit se retirer dans sa propriété de la Malmaison. Le clergé français est forcé de dissoudre le lien religieux, sous prétexte que le marié avait agi sous la contrainte! Entretemps, on cherche une princesse d'un rang élevé qui soit capable d'avoir des enfants. C'est là l'essentiel! « Je veux épouser un ventre », précise Napoléon. Pour resserrer l'alliance russe, celui-ci songe à une sœur d'Alexandre, mais la famille du tsar semble réticente. Avant d'essuyer un refus de ce côté-là, il se tourne vers la cour de Vienne et, au plus vite, prépare son union avec l'archiduchesse Marie-Louise.[16] Cette blonde plantureuse paraît satisfaire à toutes les conditions requises...

Par ce mariage, Napoléon rentre dans la famille des rois; il devient le gendre du souverain d'Autriche et, par conséquent, le neveu de l'ancienne reine Marie-Antoinette! Il va jusqu'à faire des allusions apitoyées à son « pauvre oncle Louis XVI ».

C'est l'apothéose. Moins d'un an après le mariage autrichien, 101 coups de canon annoncent aux Parisiens la naissance d'un fils — le roi de Rome. Ce jour-là, ivre de bonheur, Napoléon se serait écrié:

L'avenir! l'avenir! l'avenir est à moi![17]

Premiers craquements   Se croirait-il maître du destin? Il aime le pouvoir, il l'avoue; il l'aime comme un violoniste aime son violon. Les peintres ont mission de le représenter sous les traits de Jupiter. Il est quasi déifié. Pourtant, dès 1810, les Français éprouvent à son égard plus de crainte que d'admiration. Le régime devient pesant. La dernière assemblée dotée d'un droit de discussion a disparu. Les membres du Sénat[18] se bornent à acquiescer aux décisions du maître. Les journalistes se font l'écho de la propagande gouvernementale. La police espionne les correspondances privées. Les impôts sont lourds. La conscription est un cauchemar pour les familles. Chaque année on voit partir, par anticipation, un contingent de nouveaux soldats, toujours plus jeunes. Royalistes et républicains demeurent soumis mais, aux premières difficultés, l'opposition se reformera. Déjà un écrivain tel que Chateaubriand, fort de son prestige littéraire, décoche contre « le despote » des allusions transparentes. Dans *l'Itinéraire de Paris à Jérusalem*,[19] sous couleur de flétrir les Turcs, c'est Napoléon que l'auteur condamne.

L'Empereur est à la fois souverain absolu, arbitre des états satellites, et généralissime. Lorsqu'il n'est pas à la tête de ses troupes, ses généraux font ce qu'il appelle « des fautes d'écolier ». Mais, à chaque campagne, son départ de Paris laisse un vide. Il réussit à tenir tout en main grâce à sa mémoire prodigieuse, à la rapidité de son coup d'œil et à la promptitude déconcertante avec laquelle il agit. Pourtant, il vient d'avoir 40 ans. Il engraisse et, volontiers, il se laisserait aller à un bien-être bourgeois.

Le Blocus affecte durement l'activité économique. Les industries de guerre travaillent à plein rendement. Par contre, les tissages et les industries de luxe sont en crise. Les faillites se multiplient. L'approvisionnement en denrées coloniales est insuffisant. Dans certains cas l'on peut utiliser des produits de remplacement. Faute de coton, on développe l'emploi du lin et de la laine. Faute de sucre de canne, on charge les agronomes d'extraire une substance analogue, à partir de végétaux cultivables en Europe. En 1810 apparaît le premier sucre de betterave; désormais, il va alimenter la plus grosse partie du marché européen. Ce sera là l'une des rares conséquences heureuses du Blocus.

Fissures   Le reste de l'Europe éprouve un malaise plus pénible encore. Pour survivre, tous les pays doivent s'adapter au système français triomphant. Peu industrialisés dans l'ensemble, ils sont forcés d'acheter à la France ce que, normalement, ils auraient acheté à l'Angleterre. Pour leurs exportations, il doivent se contenter des débouchés fournis par le marché continental. Ces contraintes blessent les intérêts particuliers et humilient les gouvernements.

Étant les plus durement touchées, les puissances maritimes sont les premières à se dérober. Pour maintenir leurs rapports commerciaux avec les Britanniques, les Hollandais favorisent, en sous-main, l'organisation de la contrebande. Napoléon fulmine contre Louis, son ingrat de frère... En fin de compte, celui-ci est détrôné, et la Hollande se trouve englobée dans le territoire de l'Empire (1810). Il en ira de même des villes de l'Allemagne du Nord, d'une partie de la Suisse, de la Catalogne... Pour surveiller le littoral, l'Empereur procède à des réunions, à des annexions.[20] Il y est forcé par la logique même du système continental. À l'étranger, on s'en indigne. Même en France, l'effet est détestable. Plus le cordon douanier est étendu, plus il est vulnérable. Des troupes d'élite sont immobilisées en Espagne; d'autres sont postées en Pologne, le long de la Baltique. Jusqu'où faudra-t-il aller?

Par cargaisons entières, les marchandises anglaises sont débarquées à Saint-Pétersbourg. Napoléon a beau rappeler les serments échangés à Tilsit, le tsar fait la sourde oreille. La Russie a besoin des produits de l'industrie britannique. Quant à l'Angleterre, elle a besoin du bois russe, matière première indispensable à ses constructions navales.

La Grande Armée Le ton monte. Napoléon menace. Enfin, escomptant qu'une mise en scène sera suffisante, il rassemble une armée de près de 700 000 hommes, la plus grande qu'on ait jamais vue. C'est une vraie Babel militaire qui comprend presque 50% d'étrangers: Autrichiens, Allemands, Italiens etc....

Comme la menace reste sans effet, Napoléon avance en Allemagne, à petites étapes, s'arrêtant dans les grandes villes pour conférer avec les souverains. Arrivé en Pologne, il attend une vingtaine de jours, dans l'espoir qu'Alexandre viendrait à se raviser. Aucun résultat. L'état-major de la Grande Armée est inquiet. Les maréchaux considèrent qu'il serait imprudent de s'aventurer dans un pays inconnu. Mais Napoléon veut en finir; le 24 juin 1811, il franchit le Niémen et pénètre en Russie. Par une manœuvre éclair, il compte écraser l'armée russe et ramener Alexandre dans l'obéissance.

La campagne de Russie À sa grande surprise, l'Empereur trouve une campagne vide et désolée. Sous une chaleur accablante, l'armée s'enfonce dans les steppes, à la recherche de l'adversaire qui se dérobe. Quelques villes résistent, mais le gros de l'armée russe s'est échappé sans combattre. Le 15 septembre, Napoléon fait son entrée à Moscou.[21] Peu après son arrivée, dans tous les quartiers, des incendies éclatent. Les deux tiers de la ville sont détruits; le ravitaillement de l'armée devient angoissant.

Napoléon s'obstine dans la pensée qu'Alexandre va venir implorer la paix. Pendant les derniers jours qu'il passe au Kremlin, pour dissimuler l'agitation de son esprit, il s'occupe à rédiger les statuts du Théâtre Français! Il a déjà attendu plus d'un mois; la première neige tombe. Enfin, le 19 octobre, il décide de quitter Moscou. Peut-être envisage-t-il d'aller prendre ses quartiers d'hiver en Pologne.

Retraite L'hiver arrive sans transition. Forcée de suivre une route ravagée, l'armée est décimée par le froid et la faim. Tant de chevaux ont péri que même les unités de cavalerie sont à pied. Engourdis par le froid, des milliers d'hommes meurent d'inanition. Les colonnes sont harcelées par les cosaques et par les moujiks (paysans russes) qui ont pris les armes. L'ennemi a fait sauter les ponts. Arrivée devant la Bérésina, un large fleuve qui charrie des glaçons, l'armée risque de se faire encercler. Au prix de lourds sacrifices, Napoléon fait construire des ponts sur chevalets. Dans une sorte de sauve-qui-peut, les survivants se précipitent sur l'autre rive. Au cours des jours suivants, un froid, exceptionnel pour la saison, transforme la retraite en une débâcle. C'est une horde de spectres qui arrive en Pologne.[22]

L'Empereur estime que la situation est grave, mais il garde confiance en son génie. Il rédige lui-même le bulletin qui annoncera qu'il a quitté la Russie. Une idée fixe le domine: il veut se trouver à Paris au moment où parviendront les mauvaises nouvelles. « Dans l'état actuel des choses, dit-il, je ne peux en imposer à l'Europe que du palais des Tuileries.»[23] Laissant en Pologne les débris de son armée, il part accompagné de quatre hommes seulement. Voyageant incognito, en traîneau puis en cabriolet, 13 jours plus tard il arrivera à Paris en pleine nuit.

Contre la meute Dès que les soldats apprennent le départ du grand chef, ils se débandent. Déjà certains officiers abandonnent leurs unités. « Sire... l'armée n'existe plus », faudra-t-il avouer. Pour tenter de rétablir une certaine cohésion, Napoléon fera des va-et-vient frénétiques entre la capitale et les fronts. Il doit tenir tête aux Russes, aux Anglais, aux Espagnols mais également à ses anciens alliés qui, l'un après l'autre, feront volte-face. La Prusse, l'Autriche, les principautés allemandes se retournent contre lui ainsi que Bernadotte, son ancien général devenu roi de Suède. Le roi de Naples, son beau-frère qui lui doit son trône, lui déclare la guerre... Malgré des victoires encore brillantes, il ne peut empêcher la meute de converger vers la France. Une fois la Pologne évacuée, c'est la campagne d'Allemagne (1813), puis la campagne de France (1814).

Les royalistes commencent à s'agiter. Les bourgeois aisés se préoccupent, avant tout, de sauvegarder leurs intérêts. La majorité des Français aspirent à la paix immédiate, à la paix à tout prix. Seuls les simples soldats, le petit peuple, resteront bonapartistes dans l'âme.

En janvier 1814, Napoléon quitte les Tuileries pour se mettre à la tête de l'armée. « Il n'y a plus, dit-il, que le général Bonaparte qui puisse sauver l'Empereur Napoléon! » Il semble décidé à forcer le destin. À la stupéfaction de l'Europe entière, avec des forces minimes, il remporte encore des succès. Mais, là où il ne paraît pas, c'est le désastre. « Dieu que je suis mal servi! » répète-t-il avec amertume. Malgré sa rapidité foudroyante, il ne peut pas se trouver partout à la fois. À mesure que le front se rapproche, l'angoisse de la population augmente. Il a confié la défense de Paris à l'un de ses frères, Joseph, l'ex-roi d'Espagne. Pris de panique, celui-ci capitule et laisse pénétrer les ennemis. Le soir même, le tsar Alexandre fait son entrée dans la ville.

Les adieux de Fontainebleau

Arrivé trop tard pour empêcher la catastrophe, Napoléon se replie vers le sud. Établi au château de Fontainebleau, il tire encore des plans. Il voudrait regrouper ses dernières forces pour libérer la capitale, mais son état-major refuse de le suivre. Le plus célèbre de ses officiers, le maréchal Ney (prince de la Moskova), le conjure d'abdiquer. Entretemps, les membres du Sénat impérial ont voté la déchéance de « Bonaparte ». Se voyant abandonné par ceux qu'il avait le plus favorisés, il renonce « aux trônes de France et d'Italie ». L'heure de la scène finale arrive. Il fait des adieux touchants à ce qui reste de la Vieille Garde; on entend des soldats qui sanglotent. Il embrasse le drapeau et l'aigle impérial, puis il prend la route de l'exil. Des commissaires étrangers l'emmènent à l'île d'Elbe, un îlot montagneux situé entre l'Italie et la Corse. Ses adversaires espèrent que, dans ce royaume lilliputien, il saura se tenir tranquille...

Première Restauration

Pendant ce temps, un gouvernement provisoire a été constitué par Talleyrand... ex-ministre des Affaires étrangères de l'Empire, ex-évêque... « La Girouette », comme l'appellent les moqueurs, avait pressenti la chute de Napoléon, dès l'époque de la signature du Blocus continental. Anticipant les événements, il avait noué des rapports ultra-secrets avec les souverains d'Autriche et de Russie, mais également avec la famille des Bourbons. Au mois d'avril 1814, au moment où la France est désorientée, il arrive donc avec une solution précise et rassurante; il présente la monarchie comme le seul gouvernement légitime, le seul, par conséquent, qui puisse garantir l'ordre intérieur et la paix.

La noblesse manifeste une joie bruyante. Chateaubriand appelle, en termes lyriques, le retour du souverain.[24] Quant au peuple, il se résigne. Après 25 ans d'agitations, la plupart des gens sont prêts à accepter la Restauration de la monarchie, puisqu'elle doit leur apporter la tranquillité...

Un messager se rend en Angleterre pour annoncer à Louis XVIII qu'il est roi de France.[25] « Aie-je jamais cessé de l'être? » aurait dit le frère de Louis XVI. En effet, par une sorte de fiction politique, il se considérait comme le souverain légitime depuis 1795, date présumée de la mort de son neveu, le petit prisonnier du Temple.[26]

Le roi fait son entrée solennelle à Paris, au milieu des acclamations. La foule veut voir en lui une réincarnation de Henri IV, le roi de le pacification. On chante en refrain: « Avec Louis, c'est Henri qui revit! » On a tant pavoisé que les rubans blancs sont introuvables dans les magasins!

Le roi et sa Charte

Louis est un gros homme qui frise la soixantaine. À moitié paralysé des jambes, il se déplace à grand-peine. Son apparence physique est médiocre. Par contre, son esprit est alerte; il est spirituel, sceptique, cynique même. Pendant plus de vingt ans, il a erré d'un pays à l'autre, à la recherche d'une terre d'asile. Il sait fort bien qu'il serait vain de vouloir rétablir la monarchie telle qu'elle existait avant 1789. Par contre, il est convaincu qu'il est le roi en vertu du droit divin. Pour que sa légitimité reste hors de toute atteinte, il octroie une charte, avant que l'opposition ait eu le temps de lui en imposer une. Il s'agit d'une sorte de constitution à caractère semi-libéral et semi-autoritaire. Le pouvoir exécutif appartient au roi seul. Le pouvoir législatif est partagé entre le roi et les Chambres. La presse est libre... à condition de se conformer aux règlements. Tous les citoyens sont déclarés égaux devant la loi. Par contre, pour être électeur, il faut payer au minimum 300 F d'impôts par an, somme considérable à l'époque.[27] Cette clause exclut de la vie politique 99% des hommes. Pendant toute la durée de la Restauration, ce ne sera plus la naissance qui contrôlera le gouvernement, mais l'argent.

En moins de trois mois la paix est signée avec les grandes puissances. Talleyrand a négocié avec tellement d'habileté que la France est libre de toute occupation étrangère; elle perd la Belgique, mais elle garde certaines conquêtes de la Révolution. La conscription est abolie; la moitié des officiers de l'ancienne armée impériale sont congédiés avec une « demi-solde ». On pourrait croire que le chapitre des guerres napoléoniennes est définitivement clos.

Depuis près d'un an, Napoléon régnait sur l'île d'Elbe. Il semblait absorbé par l'administration de son royaume de poche. En réalité, il se tenait au courant de tout... Il avait appris, entre autres, que les souverains européens envisageaient de le transférer dans une île des antipodes. Par la presse française, il savait que les maladresses du gouvernement de Louis XVIII indignaient les petites gens et surtout les anciens soldats de l'armée impériale.

Les Cent-Jours

Un coup d'audace, et il risque le tout pour le tout. Accompagné d'un millier de fidèles, il débarque en Provence et file droit vers le nord, par la route des Alpes. Sitôt averti, Louis XVIII a donné l'ordre de repousser « le brigand ». Inutile; l'armée est, dans son ensemble, restée bonapartiste. Au lieu de le combattre, le maréchal Ney accueille le revenant à bras ouverts et se joint à lui. Au fur et à mesure qu'il se rapproche de Paris, l'aigle impérial semble « voler de clocher en clocher »![28] Les garnisons arborent la cocarde tricolore; les journalistes font volte-face; les villes acclament le retour du proscrit. Quand Napoléon entre aux Tuileries, il y a dix heures, à peine, que Louis XVIII en est sorti (20 mars 1815). Dans sa précipitation, le vieux roi a oublié d'emporter ses chaussons!

Malgré les acclamations populaires, Napoléon sait que la gloire impériale est ternie. L'impératrice Marie-Louise reste en Autriche, où elle a trouvé un amant; le petit roi de Rome est retenu à la cour de Vienne. Avant de s'engager, bien des gens attendent de voir de quel côté le vent va tourner. L'Empereur voudrait jouer le rôle du libérateur qui est venu sauver le peuple de la tyrannie... Il charge Benjamin Constant, l'auteur d'*Adolphe*, de rédiger une constitution démocratique. Malgré tout, les Français n'adhèrent pas en masse au régime. La conscription reprend; une bataille gigantesque semble inévitable.

Waterloo   Pendant ces Cent-Jours qu'il passe à Paris, Napoléon inspecte les troupes, élève des fortifications, accélère les fabrications d'armement, mais il a des moments d'abattement; quelque chose en lui paraît brisé. Il sait que l'Europe coalisée va tomber sur la France; comme par le passé, il voudrait prévenir l'événement. Il se dirige vers la Belgique où il espère surprendre ses adversaires avant qu'ils aient le temps de se grouper. Mais, contrairement à son principe, la veille de la bataille de Waterloo, il partage ses forces. Il confie une partie de ses troupes au général Grouchy, qui reçoit pour mission de battre les Prussiens. Entretemps, avec le gros de l'armée, il attaquera les Anglais...

Grouchy parcourt la campagne à la recherche de l'armée prussienne, qu'il ne trouvera jamais. Napoléon s'attaque aux Anglais; presque victorieux, il compte que le retour de Grouchy lui permettra de remporter un succès décisif. À l'horizon, il aperçoit une masse d'hommes en marche. Peu après, il faut bien se rendre à l'évidence: ce n'est pas Grouchy qui arrive, mais les Prussiens. « L'espoir changea de camp, le combat changea d'âme »,[29] écrira Victor Hugo. Certains Français se battent avec exaltation; d'autres, au contraire, ne songent qu'à la retraite. La Vieille Garde résiste avec un héroïsme qui restera célèbre, mais Napoléon voit bien que la bataille lui a échappé.

Pour la dernière fois il rentre à Paris, tente de rallier les Chambres, mais il ne suscite plus d'enthousiasme. « On ne répare pas les trônes », admettra-t-il plus tard. Il voudrait partir pour l'Amérique mais, au lieu de se hâter, il s'attarde à la Malmaison à évoquer le temps jadis... Quand il arrive au port de Rochefort, les vaisseaux anglais patrouillent déjà les abords de la côte. Sentant qu'il n'a aucune chance de s'échapper, il va se placer « sous la protection du peuple anglais ». Aussitôt, sans se laisser impressionner par ce geste théâtral, le gouvernement britannique déporte son prisonnier à l'île de Sainte-Hélène.

Le Napoléon de la légende

Napoléon allait passer les cinq dernières années de son existence sur cet îlot de l'Atlantique sud. Il souffrit, moralement surtout, mais il s'appliqua à dramatiser encore sa situation car il voulait jouer un dernier rôle — le rôle de martyr. Il se compara, tour à tour, à un titan enchaîné, à Jeanne d'Arc, à Prométhée, à Jésus-Christ... Les compagnons qui l'avaient suivi dans son exil, notaient ses moindres réflexions; il le savait, mais il feignait de ne pas s'en apercevoir. Aussi, dans ses entretiens, s'adressait-il avant tout aux générations à venir.[30] Il dessinait son propre portrait. Il faisait sa propre apologie. Ses campagnes furent transfigurées en épopées, et sa vie apparut comme le plus grand roman du siècle. De la littérature écrite à Sainte-Hélène, émergea un surhomme, généreux, libéral, prophétique. La légende napoléonienne commençait.

NOTES

1 Fouché, celui qui avait dirigé la destruction de la ville de Lyon pendant la Terreur.

2 La maréchale Lefebvre, duchesse de Dantzig.

3 Napoléon a toujours accordé une grande attention aux présages.

4 C'était justement le premier anniversaire du couronnement impérial.

5 Voir: Napoléon Bonaparte, *Proclamations, ordres du jour et bulletins de la Grande Armée*, Plon 1964, pp. 65–66.

6 Fleuve situé entre la Pologne et la Russie.

7 Son frère Jérôme devint roi de Westphalie.

8 Louis avait épousé Hortense de Beauharnais, la fille de Joséphine. De cette union naquit le futur empereur Napoléon III.

9 Caroline; elle avait épousé Murat, l'un des maréchaux de l'Empire.

10 Le ministre Godoy était en grande partie la cause de la brouille qui opposait le roi Charles IV à son fils le futur Ferdinand VII.

11 Fondateur de la dynastie qui règne actuellement en Suède.

12 Létizia. Elle porta le titre de Madame Mère.

13 Hortense et Eugène de Beauharnais.

14 Cet enfant fut prénommé Alexandre en l'honneur du tsar dont Napoléon voulait rester l'allié.

15 En 1809, au moment du divorce, Joséphine avait 46 ans.

16 Elle était la fille de l'empereur d'Autriche François II et, par conséquent, la petite-fille de l'impératrice Marie-Thérèse.

17 Victor Hugo, *Les Chants du crépuscule*, « Napoléon II ».

18 Ils étaient nommés par l'Empereur.

19 Publié en 1811.

20 La France comprit jusqu'à 130 départements (France contemporaine, 95).

21 La ville était presque déserte; sur 250 000 habitants, il n'en restait plus que 15 000, presque tous des étrangers.

22 On estime que parmi les hommes qui avaient traversé le Niémen en 1812, moins de un sur 40 le retraversa, en sens inverse, au cours de l'hiver 1812–1813.

23 Colaincourt, *De Moscou à Paris avec l'Empereur*, Plon 1963, p. 13.

24 Il publia une brochure *De Buonaparte et des Bourbons* qui contribua au triomphe de la Restauration monarchique.

25 Frère cadet de Louis XVI. À la cour de Versailles, il avait porté le titre de comte de Provence.

26 Un caricaturiste en profita pour représenter Louis XVIII, assis sur son trône, recevant en hommage un énorme volume intitulé: *Histoire glorieuse des 19 premières années de mon règne.*

27 Un ouvrier gagnait entre 2 F et 5 F par jour.

28 Image employée par Napoléon dans sa proclamation du 1er mars 1815. Voir Napoléon Bonaparte, *Proclamations..., op. cit.*, p. 168.

29 Victor Hugo, *L'Expiation.*

30 De tous les ouvrages inspirés par les souvenirs de Sainte-Hélène, le plus populaire fut le *Mémorial de Sainte-Hélène* d'Emmanuel de Las Cases.

LES ÉCOLES
DU TEMPS DE L'EMPIRE

L'Université. Académies et recteurs

Dans l'esprit de Napoléon, l'organisation de l'enseignement passait pour l'œuvre civile la plus importante, après la préparation du Code. En bouleversant la société et en chassant les congrégations religieuses, la Révolution avait anéanti les écoles de l'Ancien Régime. Après la Terreur, pour répondre à des besoins pressants, des pensionnats s'étaient ouverts un peu partout. Malheureusement, certaines initiatives plus ou moins malavisées avaient mis l'enseignement en pleine anarchie.

Amorcée dès la période du Consulat, la réorganisation scolaire fut couronnée, en 1808, par la fondation de l'Université Impériale. Pour la première fois dans l'histoire, l'État s'arrogea le monopole de la formation de la jeunesse. À contrecœur, Napoléon dut tolérer un certain nombre d'institutions privées, mais il les assujettit à des contrôles sévères et les soumit à des impôts élevés. L'enseignement public, le seul qui fût officiel, se trouva structuré à l'aide d'une vaste corporation appelée l'Université. Hiérarchisée comme un corps d'armée, l'Université fut placée sous le commandement d'un grand maître nommé par l'Empereur.

Le territoire de l'Empire fut découpé en régions dites académies.[1] À la tête de chaque académie, un recteur avait la haute main sur tous les établissements d'enseignement primaire, secondaire et supérieur. Par la suite, cette structure sera modernisée et assouplie mais, dans ses grandes lignes, elle forme encore le cadre de l'éducation nationale de la France.

L'enseignement primaire

Faute de temps et de ressources financières, Napoléon accorda peu d'attention à l'enseignement primaire.[2] Il comptait que cette lacune se trouverait comblée par la vigilance des familles et par le dévouement des Frères des écoles chrétiennes. Comme les Frères étaient en nombre insuffisant, dans de nombreuses communes, il fallut recourir à des laïcs. De toute façon, l'enseignement religieux constituait une partie essentielle de la formation des enfants. Surveillés à la fois par les municipalités et par les autorités ecclésiastiques, les pauvres instituteurs laïcs vivaient dans la misère noire. C'est à peine s'ils gagnaient assez pour se nourrir!

Dans le domaine de l'enseignement primaire, la seule idée originale de Napoléon consista à prévoir la création d'écoles normales. Destinées à donner une préparation pédagogique aux futurs instituteurs, ces écoles ne prendront leur essor qu'à partir de la seconde moitié du XIXe siècle. Quant à l'enseignement féminin, il ne fit l'objet d'aucun texte de loi. Les mères de familles et les religieuses suffiraient, pensait-on, à initier les jeunes filles à leurs futures responsabilités ménagères. Aux yeux de Napoléon et de l'immense majorité de ses contemporains, il fallait qu'une femme ait de bonnes mœurs. C'était là l'essentiel.

Cinq facultés par université

L'enseignement supérieur comprenait les écoles spéciales déjà existantes (École polytechnique, École des ponts et chaussées, entre autres), ainsi que les universités. Chaque académie avait son université. En principe, celle-ci se composait de cinq facultés: théologie, droit, médecine, lettres et sciences.

Avant la Révolution, la théologie, le droit et la médecine s'enseignaient dans des institutions autonomes. Napoléon exigea que ces domaines s'intègrent dans le cadre de l'Université. Pour compléter l'enseignement supérieur, il créa les facultés de lettres et les facultés de sciences.[3] C'était une nouveauté qui n'allait se développer pleinement qu'à partir de la seconde moitié du siècle. Au début, le rôle de ces facultés consista principalement à conférer les diplômes (baccalauréat, licence et doctorat) et à parachever l'enseignement secondaire.

Le tout-puissant enseignement secondaire

C'était précisément là le trait distinctif. L'enseignement secondaire constituait la pièce maîtresse de l'édifice scolaire. Il se donnait — et il se donne toujours — dans les lycées et les collèges. D'une façon générale, les lycées avaient plus de professeurs et, par conséquent, plus de classes que les collèges. Néanmoins, ces deux catégories d'établissements suivaient les mêmes programmes et les mêmes méthodes d'éducation.[4]

Lycées et collèges avaient pour mission de former, non pas tellement des savants, mais des citoyens d'élite. L'Empereur voulait que les écoles secondaires lui préparent des hommes solides et dévoués parmi lesquels il choisirait ses futurs cadres. Il avait besoin d'officiers, d'ingénieurs, de magistrats, de préfets, d'administrateurs civils. Une fois le terrain bien préparé, l'acquisition d'une spécialisation serait rapide. Il s'agissait donc de donner aux adolescents, entre l'âge de 9 et 18 ans, des principes rigides et uniformes, de les plier tous à la même discipline morale et intellectuelle, de « jeter » une génération entière dans ce que Napoléon appelait « le moule ».

Discipline militaire

Le lycée impérial tenait à la fois du couvent et de la caserne.[5] L'enseignement religieux y était obligatoire et sévère. La discipline y était stricte. L'emploi du temps était rythmé au son du tambour.[6] Les élèves marchaient en rangs, au pas et en silence! Levés vers 5:30, les pensionnaires se couchaient entre 8:30 et 9 heures. Cette longue journée comprenait 5 heures de classes, 6 ou 7 heures d'études, 1 heure ½ pour les repas et 1 heure ¾ pour les récréations. Pour toute distraction, le dimanche après-midi, on se promenait dans les rues de la ville, deux par deux, sans pouvoir choisir son « compagnon de chaîne »! Les visites des parents étaient rarissimes, les petits congés fort peu nombreux et les grandes vacances ne duraient que six semaines.

L'uniforme avait un caractère militaire: veste de drap bleu à larges parements rouges, boutons de cuivre doré, pantalon bleu et bottes. En principe, les châtiments corporels avaient disparu mais les maîtres tapaient fréquemment les doigts des paresseux. Les punitions étaient nombreuses: devoirs supplémentaires, verbes, lignes à faire pendant les récréations. Les élèves insubordonnés étaient envoyés au cachot et mis au régime du pain sec et de l'eau. Rien de surprenant que Daudet, Balzac[7] et tant d'autres, aient gardé un triste souvenir de leurs années de jeunesse!

Le confort matériel était à peu près nul. Beaucoup de lycées avaient été organisés dans d'anciens couvents. Les salles de classe étaient rarement chauffées; les dortoirs ne l'étaient jamais. Souvent on était plus de 50 par chambrée. L'eau gelait dans les cuvettes. Il est vrai qu'on se lavait peu. Vers le milieu du siècle, un lycée présenté comme modèle assurait à ses internes un bain par trimestre et un bain de pieds par quinzaine!

Le latin d'abord... Les études étaient en harmonie avec l'ambiance. Le grec et le latin constituaient la base du programme;[8] chaque jour, deux heures de cours leur étaient consacrées. Les professeurs utilisaient une gamme d'exercices écrits et oraux dont la tradition était fort ancienne: versions et thèmes grecs et latins, explications de textes, récitations, vers latins, discours latins. De préférence, on lisait les auteurs de l'Antiquité qui ont mis en scène des héros aux sentiments nobles: Tite-Live, Sénèque, Virgile (en extraits!), Cicéron...

L'enseignement du français ne faisait que prolonger celui des langues anciennes. Là encore, l'Empereur recommandait les « saines et fortes lectures »: Corneille, Bossuet, Boileau... L'exercice suprême consistait à rédiger un discours prêté à quelque grand personnage: François Ier écrit à Charles Quint pour se plaindre de sa détention... Démonax s'adresse aux Athéniens qui voulaient établir des combats de gladiateurs etc.... « J'ai vécu à Athènes au temps de Périclès, à Rome au temps d'Auguste et à Versailles au temps de Louis XIV »[9] dira un ancien élève.

Les mathématiques occupaient une place secondaire (entre 2 et 3 heures de cours par semaine) et les sciences une place insignifiante. Dans l'esprit des éducateurs, les sujets les plus doués pourraient étudier ces matières plus tard, au niveau de l'enseignement supérieur. La philosophie ne s'enseignait que pendant les deux dernières années; aussi un grand nombre d'élèves ne l'abordaient-ils jamais. L'histoire n'était qu'une discipline accessoire, les langues vivantes étaient facultatives.[10] On ne parlait pas d'éducation physique. Par contre, chaque jour, les élèves faisaient des exercices militaires sous la direction d'un caporal.

Rigidité administrative Le baccalauréat, couronnement des études secondaires, ne consistait encore qu'en une épreuve orale de latin. C'était peu de chose, mais le principe était établi. Désormais, examens et concours vont régler la vie universitaire et étendre leur empire sur toutes les formes de l'activité professionnelle.

La vie des professeurs de l'enseignement secondaire était quasi monacale. Revêtus d'une robe noire, étroitement surveillés, ils étaient souvent forcés de prendre leurs repas en commun et même de résider au lycée. Peu payés, incertains du lendemain, de gré ou de force, la plupart restaient célibataires ou ne se mariaient que sur le tard. On attendait d'eux « un dévouement sans bornes à la personne du souverain, à sa dynastie, à la monarchie impériale ».

Sous la Restauration, l'existence des maîtres et des élèves ira en s'adoucissant quelque peu. Néanmoins, il faudra attendre jusqu'à la fin du XIXe siècle pour que les structures de l'université napoléonienne se trouvent vivifiées par un esprit nouveau.

NOTES

1 L'Empire comprenait 34 académies; la France contemporaine en comprend 23. De nos jours, les recteurs d'académies dépendent du ministère de l'Éducation nationale.

2 L'enseignement primaire sera entièrement réorganisé par le gouvernement de la Troisième République. Voir p. 444 et suiv.

3 En principe, la ville principale de chaque académie devait avoir une faculté des lettres et une faculté des sciences.

4 Du temps de l'Empire, l'enseignement secondaire ne s'adressait qu'aux jeunes gens (et encore à une petite minorité). Lycées et collèges de jeunes filles ne s'ouvriront qu'à partir de 1880.

5 Du temps de l'Empire, lycées et collèges comprenaient 60% d'internes. Pour lutter contre la concurrence des écoles privées, Napoléon s'efforçait d'attirer les élèves par des bourses.

6 Après 1815, le tambour sera remplacé par la cloche!

7 Voir notamment *Louis Lambert* de Balzac, *Le Petit Chose* d'Alphonse Daudet.

8 À partir de la fin du XIXe siècle, les langues anciennes cesseront d'être obligatoires et prendront de moins en moins d'importance à mesure que se développeront l'enseignement des sciences et des langues vivantes.

9 Ernest Lavisse, « Souvenirs d'une éducation manquée », *Revue de Paris*, 15 novembre 1902.

10 L'étude d'une langue vivante ne deviendra obligatoire qu'à partir de 1838 et à raison d'une heure par semaine!

LES TROIS DERNIERS
BOURBONS

La Liberté conduisant le peuple.
Toile de Delacroix,
inspirée par la révolution de 1830.
La Liberté brandit le drapeau tricolore
proscrit depuis 1815. Elle se dresse
sur une barricade pour entraîner
les Parisiens au combat (musée du Louvre).

LOUIS XVIII

Une France vaincue et divisée

Le retour de l'île d'Elbe, les Cent-Jours et la seconde défaite de Napoléon avaient entraîné des conséquences désastreuses. Les souverains victorieux regardaient la France comme une nation forcenée qu'il s'agissait de maîtriser, une fois pour toutes. Plus d'un million de soldats ennemis occupaient le pays. Le traité de Paris, signé en 1815, fut bien plus rigoureux que celui qui avait été signé un an auparavant. Le territoire national était ramené aux limites qu'il avait eues avant 1789. Le gouvernement français devait payer les « frais d'occupation » et verser une lourde indemnité de guerre. Enfin, les vainqueurs organisaient la Sainte-Alliance, un pacte qui avait pour but d'exercer sur la France une surveillance étroite.[1]

À force de diplomatie, le gouvernement de Louis XVIII réussit à inspirer confiance. D'ailleurs, des rivalités d'intérêt apparaissaient parmi les anciens coalisés. Grâce à ces circonstances, la France se trouva libérée avant la date prévue.

Néanmoins, le pays restait profondément meurtri et divisé. Dans les provinces, notamment dans le Midi, les royalistes cherchèrent à se venger des républicains et des bonapartistes. Cette « terreur blanche » fit assez peu de victimes mais elle déclencha des haines inexpiables entre partisans de l'Ancien Régime et partisans des idées nouvelles. Les fonctionnaires qui s'étaient ralliés à l'Empereur pendant les Cent-Jours, furent révoqués d'office. Cette mesure affecta environ le quart du personnel administratif et une proportion plus grande encore de l'état-major militaire. Quelques personnages importants furent proscrits. Licenciés avec une « demi-solde », les anciens soldats de Napoléon durent finir leurs jours dans le désœuvrement et le regret nostalgique du passé.

La Charte sans le roi ou le roi sans la Charte?

Pour consolider son trône, Louis XVIII aurait voulu fondre les partis. Il souhaitait adopter une politique modérée en harmonie avec la tendance dominante. « Union et oubli » étaient ses mots d'ordre. Malheureusement, ses efforts se trouvèrent contrecarrés par les extrémistes des deux bords. À gauche, les républicains et les bonapartistes étaient résolus à renverser la monarchie. À la rigueur ils auraient accepté la Charte, mais sans le roi... À droite, les ultra-royalistes réclamaient le roi, mais sans la Charte! Leur porte-parole était le frère cadet du roi, le futur Charles X. Pour la plupart, les ultras ou les « pointus », comme on les a surnommés, étaient des nobles de vieille souche qui venaient de passer une vingtaine d'années en exil. De retour en France avec leurs perruques poudrées à la mode Louis XVI, ils étaient plus que jamais ancrés dans leurs préjugés. Selon la formule de Talleyrand, ils étaient des gens qui n'avaient « rien appris ni rien oublié ». Ils s'étaient juré de remettre en place l'Ancien Régime et, surtout, de rétablir leurs fortunes et leurs prérogatives.

Malgré tout, le vieux roi, calé dans son fauteuil, s'imposait par son air de bonté paternelle. Avec lui, la monarchie tendait à devenir libérale, jusqu'à ce qu'un tragique incident provoque une réaction vers la droite.

L'assassinat du duc de Berry

Un soir, à la sortie de l'Opéra, le duc de Berry, le neveu du roi, fut poignardé par un républicain (1820). La mort de ce jeune prince semblait condamner la famille à l'extinction. Or, sept mois plus tard, la duchesse de Berry mettait au monde un fils posthume. Cet enfant, salué par les royalistes comme « l'enfant du miracle », reçut les prénoms de Henri, Dieudonné. Par une ironie du destin, cet ultime rejeton de la branche aînée des Bourbons allait, 50 ans plus tard, contribuer à l'échec définitif de la monarchie... Mais, n'anticipons pas.

À grand-peine, Louis XVIII réussit à rétablir un équilibre précaire entre les ultras et les adversaires du régime, mais il ne vécut pas assez longtemps pour pouvoir consolider son œuvre. Il avait les jambes atteintes d'une gangrène infectieuse. Comme les médecins s'empressaient autour de lui, il aurait dit: « Partez, Charles attend » ou « charlatans »... Ce fut son dernier bon mot.

CHARLES X

Un homme du XVIIIe siècle

Malgré ses 67 ans, le nouveau roi paraissait aussi élancé, aussi séduisant, que du temps de sa jeunesse. De tempérament, c'était un aristocrate, généreux, distingué mais superficiel et obstiné. Dans son entourage, on disait: « Il est du XVIIIe siècle.»

Autrefois, à la cour de Versailles,[2] il avait mené une existence légère. Dès la prise de la Bastille, il avait quitté la France, donnant ainsi le signal de l'émigration. En exil, il avait incarné la contre-Révolution. Inflexible en politique, il devint, par surcroît, dévot, bigot même, après la mort de sa maîtresse...

À peine sur le trône, Charles X accumule les maladresses. Il se fait sacrer à Reims selon les anciens rites. Ce cérémonial paraît archaïque aux uns, grotesque aux autres. Comme par hasard, on a retrouvé la Sainte Ampoule et le précieux saint-chrême sauvés miraculeusement des pillages révolutionnaires... Le roi touche les malades atteints d'écrouelles...[3] Même les royalistes restent sceptiques sur les vertus thérapeutiques de la main royale...

*Une politique
anachronique*

On a dit que Charles X ne regardait que dans une seule direction: vers l'arrière. Poussé par les ultras, il fait indemniser les familles qui se sont trouvées spoliées pendant la Révolution. Cette mesure alourdit le budget et entraîne l'augmentation de certaines taxes. Il soutient les prétentions du clergé; pire encore, il favorise l'expansion des jésuites alors que la plupart des Français tiennent la Compagnie de Jésus pour suspecte. Il déclare que les sacrilèges seront punis de mort. Il interdit aux commerçants d'ouvrir leurs boutiques le dimanche. Il fait surveiller la presse avec une rigueur accrue. Il ira jusqu'à exiger que les statues antiques, exposées dans les musées nationaux, soient pourvues d'une feuille de vigne!

*L'aide à la Grèce.
La prise d'Alger*

En politique extérieure, Charles X se montra plus original. Il savait que l'effondrement de l'Empire avait brisé la carrière de milliers d'officiers et frustré les aspirations de la jeunesse. Par un succès militaire, il espérait captiver les esprits et fortifier la monarchie.

À l'époque, tout parlait en faveur de la Grèce. Les œuvres d'art, le mouvement littéraire,[4] les sentiments humanitaires et religieux, exaltaient le courage des patriotes grecs qui luttaient pour affranchir leur pays de la tutelle turque. Avec l'Angleterre et la Russie, la France participa aux opérations diplomatiques et militaires qui allaient aboutir à la création d'un état grec indépendant.

Enfin, en 1830, Charles X lança une expédition punitive contre Alger. Cette ville servait de quartier général aux pirates qui, depuis des siècles, attaquaient les bateaux en Méditerranée. Un litige commercial déclencha l'intervention française. En quelques jours, des troupes débarquèrent et prirent la ville d'assaut. Il est rare qu'une conquête soit à la fois aussi facile et aussi lourde de conséquences.

La révolution de 1830

C'était le premier succès militaire depuis les guerres napoléoniennes. Pourtant, les Français restèrent indifférents. La situation intérieure était la grande préoccupation du moment. Le régime devenait de plus en plus impopulaire. Charles X précipita la crise en promulguant des ordonnances à caractère dictatorial. La Chambre, qu'il estimait trop libérale, est dissoute. La liberté de la presse est supprimée.

L'effervescence ne tarde pas à se répandre dans Paris. Républicains, bonapartistes, libéraux de toutes les nuances, étudiants, membres des sociétés secrètes, dressent des barricades. La moitié de la ville tombe entre les mains des émeutiers. Le roi retire ses ordonnances. Trop tard. Dépassé par les événements, il abdique en faveur de son petit-fils. Quelques jours plus tard, il part pour l'Angleterre. Cette fois, son exil sera définitif.

Pendant les trois journées d'émeutes, « les Trois Glorieuses », les républicains ont joué le rôle décisif. Néanmoins, le terme de « République » garde une résonnance fâcheuse; il ne rappelle que trop les assignats, la misère, la guillotine. D'ailleurs le parti n'a pas de chef. L'homme le plus populaire d'alors est le vieux marquis de La Fayette. Or, ce « héros des deux mondes » a toujours été partisan d'une monarchie libérale. En 1830, il estime que seul le duc d'Orléans est capable de sauver le pays de la guerre civile.

Le duc d'Orléans

Louis-Philippe est issu de la branche cadette de la famille des Bourbons.[5] Fils de Philippe Égalité, il a combattu à la tête des armées révolutionnaires.[6] C'est un homme entre deux âges que des années de difficultés ont rendu prudent et astucieux. Il mène une existence bourgeoise avec sa femme et ses dix enfants. Il envoie ses fils dans un lycée. Il aime à se promener sans escorte dans les rues de Paris, un parapluie sous le bras.

On ne saurait dire s'il a intrigué pour s'emparer de la couronne, ou bien s'il a répondu à l'appel de ses partisans pour sauver le principe monarchique; les historiens en discutent encore. Ce qui est certain, c'est qu'il se présente, au mois de juillet 1830, avec les trois couleurs, symboles de la liberté et de la gloire militaire.[7] Pour resserrer encore ses liens avec le peuple, il prend le titre de roi des Français (et non celui de roi de France). Dans l'enthousiasme général, La Fayette embrasse le nouveau souverain en disant: « Voilà la meilleure des Républiques! » Le couronnement, réduit à une simple cérémonie civile, a lieu à la Chambre des députés. Comme le note Alfred de Vigny dans son *Journal d'un poète*, « le pouvoir n'a plus rien de mystique ».[8]

LOUIS-PHILIPPE

Royauté bourgeoise

Ce fut le triomphe de la haute et de la moyenne bourgeoisie. La monarchie de Juillet fut non pas démocratique, mais bourgeoise. Pendant les 18 années de son règne, Louis-Philippe, « le Roi Citoyen », gouverna en accord avec les banquiers, les industriels, les hauts fonctionnaires, les propriétaires, les négociants, les boutiquiers. Toute tentative audacieuse qui aurait impliqué des risques fut systématiquement écartée.

La politique de la neutralité

En politique extérieure, le mot d'ordre était: la paix à tout prix. En Italie, des patriotes qui luttaient pour s'affranchir de la tutelle autrichienne, lancèrent un appel à la France, mais Louis-Philippe refusa d'intervenir dans le conflit. La question de Belgique fut plus brûlante encore. Après la défaite de Napoléon, ce pays avait été réuni à la Hollande. En 1830, un mois après « les Trois Glorieuses », les Belges se soulevèrent et demandèrent l'aide de la France. En dépit de l'intérêt que les Français portaient à la Belgique, Louis-Philippe demeura neutre. Quelques mois plus tard, lorsque les Belges offrirent le nouveau trône à son second fils, il eut le courage de refuser; il savait que toute ingérence française dans cette région aurait inévitablement provoqué un conflit avec l'Angleterre. Le premier souverain de Belgique fut un prince de Saxe-Cobourg, mi-anglais, mi-allemand, qui, en gage d'amitié, épousa la fille aînée du « Roi Citoyen.»

Cette politique raisonnable préservait le pays de la guerre. Louis-Philippe espérait que sa popularité s'en trouverait raffermie. Ce fut tout le contraire. Les ennemis du régime, libéraux, bonapartistes, légitimistes furent unanimes à s'indigner contre ce que Chateaubriand appela « cette monarchie poltronne ».[9]

Pour consolider sa position, le gouvernement adopta certaines réformes. La Charte fut rendue plus libérale. La censure fut supprimée. Le nombre des électeurs fut doublé. Malgré tout, le roi était, pour ainsi dire, assis entre deux chaises. Aux yeux des royalistes convaincus, il était « l'usurpateur » — pis que tout, le fils du régicide! Aux yeux du petit peuple, il incarnait le despotisme des classes privilégiées. L'ambiguïté de la situation politique fut aggravée par les difficultés d'ordre social et économique.

Fer, houille et vapeur

Comme toutes les grandes nations de l'époque, la France traversait ce que l'on a coutume d'appeler « la révolution industrielle ». Jusqu'alors, les manufactures, assez dispersées en général, avaient gardé un caractère artisanal. À partir de 1830, on commence à rechercher la vitesse, la production massive, l'expansion économique. Il s'agit de satisfaire des demandes croissantes mais également de lutter contre la concurrence. De gré ou de force, les industriels doivent moderniser leurs entreprises. Les usines se concentrent autour des mines et dans les régions bien pourvues en voies de communication. Les machines se perfectionnent. Le fer devient l'élément fondamental de l'industrie; désormais, il va entrer dans la fabrication des ponts, des cables, d'un grand nombre de menus objets (meubles, épingles, ustensiles de ménage) et, naturellement, du matériel ferroviaire et maritime. En 1848, la production française couvrira 90% des besoins nationaux en fer. Dans l'industrie lourde, en fait de combustible, le charbon de bois est progressivement remplacé par la houille. Au cours du règne, la production de houille va quintupler.

Des facteurs psychologiques accélérèrent le mouvement. Les investisseurs éprouvent un désir frénétique de s'enrichir; la spéculation entre dans les mœurs. De leur côté, les saint-simoniens[10] sont convaincus que, à brève échéance, l'industrialisation va assurer le bonheur de la classe ouvrière. Enfin, les réalisations de l'industrie britannique stimulent les susceptibilités patriotiques. À leur tour les Français veulent avoir leurs chemins de fer. Deux ans après les Anglais, ils lanceront sur l'Atlantique leur premier bateau à vapeur.

Capital et prolétariat

Dans ce monde où l'argent constitue le critère de la valeur personnelle, les petits bourgeois s'acharnent au travail et économisent pour acheter des actions. Leur plus cher désir est de voir leurs enfants s'élever dans la hiérarchie sociale. Les chefs d'entreprises engagent des sommes considérables. Unis par des intérêts économiques et par des liens de parenté, ceux-ci forment un milieu fermé, une sorte de caste. De toute façon, gros ou petits capitalistes n'ont qu'un but: s'enrichir. Le sort des ouvriers reste étranger aux préoccupations des possédants. Entre le capital et le prolétariat, le clivage va en s'accentuant.

La condition ouvrière varie selon les industries. Les ouvriers de la métallurgie connaissent un métier déjà relativement spécialisé. De ce fait, ils peuvent recevoir un salaire acceptable; beaucoup d'entre eux possèdent une petite maison, un bout de jardin. Par contre, les innombrables travailleurs des mines et des fabriques ont des salaires de misère; chez eux, l'achat de pain absorbe la moitié du budget. L'industrie textile,[11] la plus grande d'alors, est sujette aux caprices de la mode; les progrès du machinisme accroissent les risques de chômage; les salaires sont en baisse alors que les prix se maintiennent. Les conditions de vie sont effroyables. Des familles entières s'entassent dans des logements d'une seule pièce, souvent même dans des caves. La journée de travail dure au moins 12 heures, souvent 15 heures et plus. Les machines, encore peu au point, font un vacarme assourdissant. Dans les filatures, les femmes sont payées deux fois moins que les hommes et les enfants deux fois moins que les femmes.[12] Résultats: les hommes sont en chômage, les femmes s'épuisent dans les usines et la main d'œuvre enfantine est recherchée plus que toute autre! Cette situation ne semble guère préoccuper les chefs d'entreprises. Pourtant, à la suite d'une enquête médicale, le gouvernement de Louis-Philippe passera une loi — une seule — relative au travail des enfants.[13] Il sera décrété que les enfants de moins de 8 ans ne doivent pas travailler dans les ateliers employant plus de 20 personnes et que les jeunes, de 8 à 12 ans, ne doivent pas travailler plus de 12 heures par jour. Même cette loi restera lettre morte! On continuera à employer des petits de 5 ou 6 ans à actionner des métiers à tisser ou à tirer des wagonnets dans les mines.[14]

Classes moyennes

Entre la haute bourgeoisie et le prolétariat ouvrier s'étend toute une gamme de petits et moyens bourgeois: petits propriétaires, employés de bureau, fonctionnaires, boutiquiers, journalistes etc.... Ils sont anxieux de s'élever dans la hiérarchie. Les difficultés propres à leur position expliquent leurs défauts; ils ont tendance à être étroits d'esprit, méfiants, durs, avares, aigris. Les romanciers de l'époque, Balzac notamment, ont dépeint des centaines d'hommes et de femmes appartenant à ces rangs intermédiaires. Souvent déçus dans leurs ambitions, ils sont volontiers hostiles au gouvernement établi. Ceux qui ont contribué à la révolution de 1830 ne pardonnent pas à la grosse bourgeoisie d'avoir monopolisé pour elle seule le bénéfice de la victoire.

Le gouvernement de Louis-Philippe commet l'imprudence de tenir ces classes moyennes à l'écart de la vie politique. Du fait du suffrage censitaire, il n'y a guère qu'un homme adulte sur 40 qui jouisse du droit de vote. En dépit des réclamations des libéraux, les élites, professeurs, avocats, journalistes, peu fortunés dans l'ensemble, ne sont pas appelées à voter. Quant à l'armée, fort mal payée, elle n'a aucun prestige parmi les classes dirigeantes.

Ennui et mépris Aux yeux des insatisfaits, Napoléon apparaît comme une sorte de messie. À la campagne, chez les petites gens, on lit avec émotion les mémoires, vrais ou apocryphes, écrits à Sainte-Hélène.[15] Au théâtre, chaque fois qu'une pièce porte Napoléon à la scène, son succès est assuré. Dans l'espoir de calmer les imaginations, Louis-Philippe fait achever l'Arc de Triomphe dont la construction s'était trouvée arrêtée par la défaite de Waterloo. Il fait revenir le corps de l'Empereur et il organise des funérailles grandioses. Rien n'y fait! « La France s'ennuie » répète-t-on. Les esprits s'exaltent. La génération de 1848 est travaillée par une nostalgie romantique de l'aventure.

La royauté bourgeoise est méprisée par les intellectuels et les aristocrates et sous-estimée par les classes moyennes qui ne tarderont pas, après la révolution, à en regretter la stabilité. Les journaux d'opposition se multiplient; il est désormais possible de les acheter à un prix modique, au numéro, alors qu'auparavant on ne pouvait les obtenir que par abonnement. C'est l'âge d'or de la caricature. Les dessins de Daumier et de Gavarni que publie *le Charivari*,[16] tournent en ridicule les capitalistes obtus et rapaces. Tous les caricaturistes voient dans la tête de Louis-Philippe la forme d'une poire et c'est à qui en tirera les effets les plus burlesques!

La montée de l'opposition La loi interdit les grèves et les coalitions ouvrières; néanmoins, en tournant les règlements, quelques salariés réussissent à se grouper par métiers. Pour donner plus de poids à leurs revendications, certains petits artisans et petits bourgeois s'associent aux travailleurs d'usine. À partir de 1840, un glissement vers la gauche se dessine. L'opposition réclame non seulement des réformes politiques, mais également des réformes sociales. Pour la première fois, quelques prêtres d'avant-garde cherchent à lier l'Église au mouvement démocratique. Leur chef spirituel, Lamennais, a lancé un journal, *l'Avenir* qui a pour devise « Dieu et la Liberté ». Bien que le Vatican l'ait condamné à plusieurs reprises, Lamennais continue à militer et à publier des ouvrages prêchant le socialisme chrétien.[17]

De tous côtés, on demande la révision de la loi électorale, mais les privilégiés de la naissance et de la fortune ne veulent rien lâcher. Le roi a toute confiance en son ministre Guizot, un grand bourgeois austère qui incarne la défense des positions établies. À la Chambre, l'historien Alexis de Tocqueville[18] est l'un des rares députés qui conjure le gouvernement d'accorder, d'urgence, des réformes libérales. On ne l'écoute pas. En vieillissant, Louis-Philippe est devenu obstiné. Malgré la montée de l'opposition, la monarchie de Juillet reste figée dans l'immobilisme.

La révolution de 1848

En principe, les manifestations politiques sont interdites mais les mécontents excellent à trouver des échappatoires. Sous un prétexte ou un autre, ils organisent des banquets qui, bien entendu, se terminent en réunions politiques. La ville de Mâcon donne un banquet gigantesque en l'honneur de Lamartine qui vient de publier *l'Histoire des Girondins*.[19] Le lyrisme révolutionnaire de l'ouvrage rapporte au poète un succès prodigieux. La campagne des banquets prend une telle amplitude que les autorités cherchent à y mettre un terme. À Paris, l'interdiction d'un banquet provoque une manifestation populaire (23 février 1848). En dépit du mauvais temps, le peuple élève des barricades aux cris de « Vive la Réforme, à bas Guizot! » Le roi se refuse à appeler l'armée. La Garde nationale, qui n'éprouve aucune sympathie pour la grosse bourgeoisie d'affaires, commence à fraterniser avec les insurgés. Un incident déclenche une fusillade; il y a des morts. L'émeute devient menaçante. Louis-Philippe fait quelques concessions mais les événements le dépassent. Dans l'espoir de sauver au moins la couronne, il abdique en faveur de son petit-fils, le comte de Paris, un enfant de dix ans (24 février 1848).[20] Il est déjà trop tard; le lendemain, des manifestants envahissent la Chambre des députés en criant « Vive la République ». En trois jours, presque passivement, la monarchie de Juillet s'est laissé tomber.

NOTES

1 Le principal artisan de la Sainte-Alliance fut Metternich, le ministre de l'empereur d'Autriche.

2 Il portait le titre de comte d'Artois.

3 Sur la légende de la Sainte Ampoule et la guérison miraculeuse des écrouelles, voir pp. 41, 73 et 71, note 4.

4 Voir les œuvres de Chateaubriand, Victor Hugo, Delacroix entre autres.

5 Il était le descendant de Philippe d'Orléans, frère cadet de Louis XIV. Depuis le xviiᵉ siècle, de génération en génération, la branche aînée et la branche cadette se regardaient avec défiance, sinon avec hostilité.

6 Il avait participé à la victoire de Valmy, puis, pendant la Terreur, il avait émigré.

7 Le drapeau tricolore avait été celui de la Révolution et de l'Empire. En 1814 puis en 1815, Louis XVIII avait ramené le drapeau blanc.

8 Alfred de Vigny, *Le Journal d'un poète*, 10 août 1830.

9 Chateaubriand, Vigny, Tocqueville, la plupart des familles de l'ancienne noblesse se tinrent à l'écart de la cour de Louis-Philippe.

10 Groupe d'idéologues qui s'était constitué autour de Claude de Saint-Simon. Après la mort de leur chef spirituel (1825), les saint-simoniens crurent qu'ils allaient pouvoir établir une société qui ne connaîtrait que la paix fraternelle et la joie dans le travail. Leurs théories étaient utopiques, mais leur foi dans l'avenir de l'industrie et des moyens de transport eut un profond retentissement sur leurs contemporains.

11 L'industrie textile employait environ un million d'ouvriers tandis que l'industrie du fer et celle de la houille en employaient, respectivement, moins de 40 000.

12 À Lille, dans les tissages, un homme gagnait environ 1 F 75 par jour, une femme 0 F 70 et un enfant 0 F 50.

13 Au mois de mars 1841. Ce fut la seule loi sociale de la monarchie de Juillet. À l'époque, la fréquentation scolaire n'était ni gratuite ni obligatoire.

14 À la même époque, la situation était encore plus tragique en Angleterre.

15 Depuis son exil et surtout depuis sa mort (1821), Napoléon n'avait jamais cessé de hanter les imaginations. Voir p. 384.

16 Fondé en 1832. Le plus célèbre des journaux satiriques de l'époque.

17 Il écrivit notamment *Paroles d'un croyant* (1834) et *Le Livre du peuple* (1838).

18 L'auteur de *De la démocratie en Amérique*.

19 L'ouvrage de Lamartine, destiné à l'éducation du peuple, est dépourvu de valeur historique.

20 Le fils aîné de Louis-Philippe, le duc d'Orléans, était mort dans un accident de voiture en 1842. La mort de ce jeune prince ardent et populaire avait privé la dynastie de son principal soutien. Après son abdication, Louis-Philippe se réfugia en Angleterre où il ne tarda pas à mourir (1850).

PREMIÈRES FUMÉES

Précurseurs Pendant le règne de Louis-Philippe, des facteurs divers contribuèrent au développement des premiers chemins de fer. À vrai dire, depuis une dizaine d'années, il existait déjà quelques trains, mais on ne les utilisait guère que pour transporter le charbon et les minerais.[1] À part un ou deux extravagants, personne ne se risquait à employer un moyen de locomotion aussi incommode. D'ailleurs à quoi bon? Les premières locomotives étaient si faibles qu'elles n'atteignaient que 5 km à l'heure en terrain plat. Lorsqu'on arrivait à une côte, il fallait les remplacer par des chevaux... Naturellement, on redescendait les pentes sans machines et sans chevaux...

À partir de 1830, des perfectionnements techniques,[2] mais également des raisons d'ordre psychologique et mystique, produisent un brusque bond en avant. L'Angleterre vient d'inaugurer la première ligne destinée au transport des voyageurs;[3] l'orgueil national des Français s'en trouve affecté. D'ailleurs, le développement de l'industrie et des sciences enthousiasme de nombreux esprits. Les saint-simoniens sont convaincus que « l'avenir est à l'état industriel.» D'après eux, l'âge d'or de l'humanité est tout proche. L'accroissement des moyens de communication et, notamment, la construction des chemins de fer vont resserrer les liens entre les hommes et amener l'ère de la paix universelle... Entretemps, des savants et des ouvriers ingénieux perfectionnent la fabrication des rails et améliorent le rendement des locomotives.

Premiers tronçons En 1835, Louis-Philippe autorise la construction de la première ligne de voyageurs: Paris-Saint-Germain. Trois ans plus tard, c'est l'inauguration. La reine, les princes montent dans le train. Le voyage a pris 18 minutes alors que les diligences mettent deux heures. Le succès est prodigieux. L'année suivante, on célébrera l'ouverture du Paris-Versailles et, dès lors, les lignes iront en se multipliant.

Bien entendu, les critiques ne manquent pas. Le ministre du Commerce lui-même prétend qu'il ne s'agit là que d'un amusement! Un remarquable physicien (Arago) prédit qu'au passage des tunnels les voyageurs vont s'asphyxier ou qu'ils vont attraper une bonne pneumonie! Artistes et poètes maudissent « le serpent de fer » et sa fumée!

À ciel ouvert!

Il faut bien reconnaître que ces premiers trains offrent un curieux spectacle. La locomotive peinte de couleurs vives est équipée d'une haute cheminée; la chaudière est recouverte de lames de bois. Par derrière suivent des wagons de formes hétéroclites. La troisième classe n'a que de simples tombereaux conçus pour le transport des matériaux. La seconde classe a des wagons à ciel ouvert. Même par beau temps, l'usage du parapluie y est recommandable! Pour que la première classe se distingue par son confort, on utilise des coffres de diligences que l'on fixe sur des plate-formes. Certains voyageurs fortunés se font même installer le coffre de leur propre voiture. De loin en loin, des serre-freins sont juchés sur les toits à la manière des cochers. Les hommes d'équipe portent en général un costume de velours vert avec casquette assortie. Par la suite, on complétera l'uniforme de l'élite du personnel par l'adjonction d'un sabre, accessoire jugé indispensable! Par contre, rien n'est prévu pour les servitudes de la nature humaine! Ce n'est que bien plus tard qu'apparaîtra un cabinet d'aisance — et un seul — dans le wagon de tête. Cette commodité restera d'ailleurs difficilement utilisable tant qu'il n'y aura aucun passage d'un wagon à l'autre...

Les premiers voyageurs viennent surtout en curieux mais, très vite, ils sont séduits par la fréquence et la rapidité des services. En 1848, une affiche annoncera la création d'un train de plaisir, Paris-Dieppe, aller et retour en une journée. Pour cinq francs, l'ouvrier parisien pourra enfin s'offrir le luxe d'une journée au bord de la mer. Le succès sera prodigieux!

Qui doit investir?

Les journaux saint-simoniens avaient beau chanter la puissance de la vapeur en termes lyriques, les premiers chemins de fer étaient lents à se construire. Ils ne constituaient que quelques tronçons discontinus; pour les prolonger, il fallait du temps, de l'argent, de la coordination. Conscient du problème, le gouvernement de Louis-Philippe fit dresser, en 1842, la carte générale du réseau qu'il souhaitait voir installer. Selon ce premier projet, les lignes principales reliaient Paris aux grandes villes de province (Strasbourg, Toulouse, Bordeaux, Marseille...) Deux grandes lignes transversales étaient prévues (Marseille-Bâle et Bordeaux-Perpignan). Néanmoins, dès son apparition, le réseau ferroviaire était fortement centralisé; la structure d'ensemble offrait déjà l'aspect d'une étoile rayonnant autour de la capitale.

L'État allait-il se charger des dépenses? La question fut débattue à la Chambre. Le poète Lamartine aurait voulu que le gouvernement garde le monopole du réseau. Par contre, Thiers, qui était président du Conseil, voulait laisser la construction des chemins de fer à des compagnies privées. « L'industrie particulière, dit-il, a seule le secret du juste rapport des avantages et des dépenses... elle seule sait éviter les folles dépenses.»[4] Les partisans de l'entreprise privée l'emportèrent. Il n'aurait pas pu en être autrement. Le budget national n'aurait jamais pu fournir les sommes nécessaires.[5] D'ailleurs, à cette époque, les initiatives et les capitaux personnels constituaient la base de toutes les grandes réalisations.

La formation du réseau   Néanmoins, l'État se réservait certaines responsabilités et certains droits spécifiques. Il accordait — ou il refusait — aux compagnies qui soumettaient leur demande, l'autorisation de construire une voie ferrée sur tel ou tel parcours. Une fois agréée, la compagnie devait payer toutes les dépenses d'installation et d'équipement. Par contre, l'achat des terrains était financé pour les deux tiers par les localités traversées et, pour un tiers, par l'État.[6] Les concessions étaient allouées pour une durée maximum de 99 ans. Les contrats prévoyaient qu'au terme de la concession l'État pourrait racheter les lignes et le matériel.

Une trentaine de compagnies par action se constituèrent mais, au bout de quelques années, dans l'intérêt général, les plus petites furent engagées à fusionner avec les plus importantes. Les saint-simoniens furent les principaux artisans de ce mouvement d'unification. En définitive, en 1852, le réseau national resta partagé entre six grandes compagnies.

En 1937, en vertu des accords qui avaient été signés au XIXᵉ siècle, l'État a repris les concessions et il a unifié le réseau sous son commandement. De nos jours, il détient 51% des actions de la Société Nationale des Chemins de Fer Français (S.N.C.F.) et, par conséquent, il en assure la direction générale.

NOTES

1   Construite en 1823, la première ligne française allait de Saint-Étienne à Lyon. Elle servait surtout au transport du charbon.

2   La machine à vapeur de Stephenson fut grandement améliorée par l'ingénieur Marc Seguin.

3   La ligne Liverpool-Manchester inaugurée en 1830.

4   Cité par: François Legueu, *La S.N.C.F.* p. 37.

5   La construction de l'ensemble du réseau aurait exigé une somme supérieure au budget national de sept années.

6   L'État s'engageait également à construire certains ouvrages d'art (ponts, tunnels).

LE SECOND EMPIRE

L'Aigle impérial.

Les républicains avaient triomphé mais ils s'aperçurent bientôt qu'ils n'avaient ni chef expérimenté, ni programme d'action. Pis que tout, ils appartenaient à deux groupes dont les intérêts étaient contradictoires. La petite et moyenne bourgeoisie voulait le suffrage universel, le drapeau tricolore et un régime autoritaire capable de garantir la propriété privée. Les ouvriers voulaient le suffrage universel mais aussi le drapeau rouge, le droit au travail, une garantie de salaire minimal, le partage des richesses, la dictature du prolétariat. Trois mois de manifestations belliqueuses effrayèrent les possédants, tant et si bien que les élections de 1848 furent un plein succès pour les conservateurs. La masse française acceptait la révolution politique mais elle refusait la révolution sociale.

Les événements de 1848 avaient encore aggravé la crise économique. Pour tenir les chômeurs occupés, le gouvernement créa des « ateliers nationaux ». Ce fut un échec total. Sans distinction d'âge ou de métier, les hommes étaient occupés à des travaux de terrassement. Écœurés, ceux-ci finirent par organiser une insurrection. L'émeute fut écrasée et les rebelles déportés en Algérie sans jugement. On était en République, mais l'Assemblée était plus à droite que du temps de la monarchie de Juillet.

Il fallait un président. À l'exemple des États-Unis, on décida qu'il serait élu au suffrage universel, pour quatre ans. Quatre candidats se présentèrent: le poète Lamartine, chantre des libertés républicaines, deux hommes de gauche qui incarnaient deux nuances du socialisme et le prince Louis-Napoléon Bonaparte. Personne n'avait songé à écarter les membres des familles ayant régné sur la France!

Louis-Napoléon était le fils d'Hortense de Beauharnais et de Louis, frère cadet de Napoléon Ier.[1] Depuis la mort du roi de Rome, il se considérait comme l'héritier légitime de la couronne impériale. Nul ne le connaissait puisqu'il avait toujours vécu en exil. Pendant la Restauration, à deux reprises, il avait tenté de rentrer en France pour faire valoir ses droits, mais ses complots, mal préparés, l'avaient conduit en prison. Au physique, c'était un homme entre deux âges, aux yeux bleu pâle, au visage inexpressif, qui ne ressemblait en rien aux Bonaparte.

Lorsqu'il se présenta à la Chambre, avec son air gauche, son accent germanique, les députés conclurent: « C'est un idiot; il n'a aucune chance! » En fait, le prince était plus rusé qu'il ne le paraissait. De toute façon, il avait un atout incomparable: il incarnait le souvenir de l'Empire. Son second prénom, par lequel il se fit bientôt appeler, hypnotisait les imaginations. Déjà on chantait sur les boulevards: « Po-léon, Po-léon, nous l'aurons! »

Napoléon obtint plus des 4/5ᵉ des voix. Il jura de respecter la Constitution (décembre 1848) mais, aussitôt, il rentra en conflit avec les députés républicains qui le trouvaient trop conservateur, ainsi qu'avec les députés monarchistes qui rêvaient de rétablir le trône. Légalement, le « prince-président » avait reçu des pouvoirs très étendus, mais il n'était pas rééligible; il n'avait donc qu'une seule issue: le coup d'État. Il commença par neutraliser un adversaire par un autre jusqu'à ce que, soudain, le 2 décembre 1852 (anniversaire d'Austerlitz), il joue le tout pour le tout.

Un coup d'État magistral

En quelques heures, la Chambre des députés est occupée, l'Assemblée dissoute. Les hommes qui seraient susceptibles d'organiser l'opposition sont arrêtés, les autres se perdent en agitation. Les murs de Paris se couvrent d'affiches. Dans une proclamation adressée au peuple français, Napoléon se présente comme le « symbole de la France régénérée par la révolution de 1789 et organisée par l'Empereur »... L'opération, menée avec une précision militaire, réussit à merveille. Dans son ensemble, la population a été tellement déçue par une Assemblée bavarde et impuissante qu'elle accueille avec soulagement cette manifestation d'autorité. Victor Hugo tente d'inciter le peuple à la révolte, mais c'est peine perdue.[2] Paris rentre dans l'ordre. Le coup d'État est fait.

Il ne reste plus qu'à rétablir l'Empire officiellement. Le Sénat, dont tous les membres ont été choisis par Napoléon, ordonne un plébiscite. Le slogan de la campagne électorale sera: « l'Empire c'est la paix. » À la quasi unanimité (7 800 000 *oui* contre 250 000 *non*), Napoléon III devient Empereur des Français.

Contradictions

Au cours de son histoire, la France n'a jamais eu de gouvernement qui rassemble une majorité aussi écrasante. Malheureusement, le régime repose sur des contradictions. L'Empereur est un autoritaire qui veut faire le bonheur du peuple, un pacifiste qui rêve de grandeur; il aspire à devenir le despote éclairé des temps modernes. La bourgeoisie escompte qu'il va maintenir la paix et l'ordre, conditions indispensables à la prospérité économique. L'armée, par contre, espère qu'il va ramener le prestige de l'uniforme, la gloire, les avancements rapides, la revanche de 1815. L'Empire va s'épuiser à vouloir concilier ces intérêts opposés.

En quelques mois, une nouvelle cour se constitue. Des bonapartistes, de longue ou de fraîche date, affluent aux Tuileries. Naturellement, la vieille noblesse se tient à l'écart de cette société d'arrivistes. Les cours étrangères se méfient d'un souverain qui, à leurs yeux, n'est qu'un aventurier couronné. Elles se gardent de lui accorder la main d'une jeune fille de sang royal. Faute de princesse, Napoléon III fera donc un mariage d'amour... Peu après son élévation au trône, il épousera Eugénie de Montijo, une jeune beauté d'origine mi-espagnole, mi-anglaise.

Élan économique

Le Second Empire constitue, avant tout, une victoire de la bourgeoisie capitaliste. Une fois le péril rouge écarté, la confiance se rétablit et les affaires reprennent de plus belle. La France semble saisie par une frénésie d'entreprises. Comme les saint-simoniens, l'Empereur est convaincu que, à brève échéance, le développement économique doit amener une ère de prospérité générale et de justice sociale.

La concentration industrielle va en s'accentuant. Les petits ateliers à caractère familial tendent à disparaître alors que se multiplient les usines capables de produire massivement. De plus en plus, le travail à la main est remplacé par des procédés mécaniques. La concurrence devient une préoccupation majeure. Pour pouvoir vendre, il s'agit, d'abord, d'offrir des prix aussi bas que possible.

La production métallurgique va quadrupler en moins de 20 ans. Le fer devient la base de l'industrie. Il entre dans la fabrication des machines, des wagons, des ponts, des coques de bateaux mais également des poutres et des charpentes métalliques. Les architectes l'utilisent comme armature dans la construction des halls des gares, des grands magasins et, en général, de tous les édifices de vastes dimensions.

L'ère du rail et des grands travaux

Le Second Empire va compléter le réseau ferroviaire ébauché par le régime précédent. La voie ferrée devient le système nerveux du pays. Pour stimuler le commerce et accélérer le développement des villes de province, le gouvernement participe aux frais de construction. De 3 000 km en 1848, le réseau passe à 18 000 km en 1870. La vitesse de pointe de certains trains atteint déjà 150 km à l'heure. Pendant longtemps, la fabrication des locomotives avait été regardée comme un monopole de l'industrie britannique. À la fin de l'Empire, le président du Corps législatif annoncera solennellement à la Chambre que l'Angleterre a commandé ses nouvelles locomotives aux usines du Creusot. Les députés saluent, debout, cette victoire nationale.

L'activité des entreprises françaises s'étend à l'étranger. Ferdinand de Lesseps, un cousin de l'Impératrice, obtient du gouvernement égyptien l'autorisation de percer l'isthme de Suez. En dépit des difficultés techniques, économiques et diplomatiques, le canal est réalisé. L'Impératrice ira l'inaugurer en 1869, un an à peine avant la chute de l'Empire.

L'argent roi

Dans ce monde d'industrie et de commerce, l'argent est roi. C'était déjà vrai du temps de Louis-Philippe. Ce qui est nouveau, c'est l'ampleur du mouvement des capitaux. Napoléon III sait que les paysans et les petits bourgeois ont l'habitude de cacher leurs économies dans un bas de laine ou dans quelque coin secret. Il voudrait que cet argent participe à l'activité nationale, tout en rapportant un intérêt. Pour donner une impulsion à l'économie, il favorise l'ouverture de nouvelles banques, à Paris mais également en province.[3] Marseille, Lyon, Bordeaux deviennent des villes d'affaires. Le franc est une monnaie qui inspire toute confiance. Les billets de banque sont échangeables à vue contre du numéraire, et la Bourse de Paris est l'une des places financières les plus importantes du monde.

Le Paris d'Haussmann

Sous la direction du préfet de Paris, le baron Haussmann, la capitale se modernise rapidement. On démolit de nombreux quartiers vétustes et l'on perce des voies nouvelles. L'emplacement des anciennes fortifications est transformé en une série de boulevards dits « boulevards extérieurs ». L'éclairage au gaz est installé dans les rues, l'assainissement est poursuivi systématiquement. Tout ce remue-ménage ne va pas sans susciter des critiques. Les uns protestent contre les expropriations, les autres déplorent la disparition de tant de vestiges du passé. En réalité, Haussmann travaille pour le Paris du XXe siècle. Il ouvre de larges avenues et il édifie des bâtiments publics qui, s'ils ne sont pas des œuvres d'art, ont au moins le mérite d'être bien construits.

Les petites boutiques commencent à subir la concurrence des grands magasins. En 1852, un couple de boutiquiers, parti de zéro, a bouleversé l'art de vendre. Au *Bon Marché*, on peut acheter de tout, l'entrée est libre, les prix sont marqués. Les propriétaires se contentent d'une marge de bénéfice infime, mais ils sont largement compensés par le volume des ventes. Avec délices, les Parisiennes vont flâner et finissent par se laisser tenter. Le succès est énorme. Une nouvelle formule est née; les autres « grands magasins » ne feront que la copier.

Mondanités... et bains de mer

Napoléon III ne cesse de rouler des projets grandioses dans sa tête. Il organise les premières expositions internationales. L'Exposition, ouverte à Paris en 1867, devient une véritable apothéose des industries de l'époque. On enregistre dix millions d'entrées. Parmi les visiteurs, on compte une soixantaine de souverains et d'altesses royales.

L'Impératrice multiplie les mondanités. Elle porte la crinoline avec tant de grâce qu'elle en généralise la mode. En hiver, Eugénie donne des bals fastueux; au printemps elle préside le Grand Prix car, à l'exemple de l'Angleterre, la haute société française se passionne pour les courses de chevaux. En été, elle organise des pique-niques, des promenades en forêt et des chasses. Elle charge un vieil ami de sa famille, Prosper Mérimée, de diriger les divertissements plus littéraires.

Comme elle adore voyager, l'Impératrice contribue à répandre la mode des villégiatures. Elle entraîne la cour à Deauville si bien que le petit port normand devient la première en date des stations balnéaires. Quelques années plus tard, elle fait la fortune de Biarritz, un port de la côte basque, où elle retrouve un peu l'atmosphère de l'Espagne. Les bains de mer commencent à faire partie des plaisirs des vacances. Les dames se baignent avec jupons, gants et ombrelles... néanmoins, l'habitude se prend. Les villas et les casinos apparaissent. L'industrie touristique est lancée.

Une époque sans goût

Même si les salaires sont bas, le peuple et une partie de la bourgeoisie éprouvent un besoin intense de plaisirs. Les Parisiens vont danser à Montmartre; le dimanche, le *Moulin de la Galette* est comble. Même en province, le café-concert fait fureur. Le public aime entendre de belles voix chantant des refrains à la mode. Les opérettes d'Offenbach ont un succès prodigieux, alors que la musique de Berlioz ou de Wagner se fait siffler. L'art officiel, lourd et ennuyeux, ne suscite aucun enthousiasme. Quant à l'art non-officiel, il est systématiquement rejeté. Les non-conformistes, les « peintres maudits », vivent dans la misère. Dans l'ensemble, la société du Second Empire, toute absorbée par les préoccupations matérielles, n'a montré aucune sensibilité artistique.

L'expédition de Crimée

Napoléon III n'était pas un esprit original mais, dans sa politique intérieure, il a eu le mérite de marcher avec son siècle. Incontestablement, il a favorisé l'essor industriel et économique de la nation et en cela il a répondu au désir de la majorité des Français. En politique extérieure, par contre, il s'est obstiné à poursuivre des chimères. Se croyant grand diplomate et grand stratège, il s'est lancé dans une succession d'entreprises qui ne concernaient pas la France directement. Coûteuses et lointaines, ces aventures discréditèrent le régime.

La Russie cherchait à atteindre la Méditerranée en s'emparant de territoires turcs. L'expansion russe inquiétait les Britanniques. Napoléon III s'allia donc avec la reine Victoria contre le tsar. Ce fut une guerre de prestige, destinée à réconcilier l'Angleterre et la France impériale, tout en flattant l'amour-propre de l'armée. La campagne se déroula en Crimée. De nombreux soldats moururent du choléra et des mauvaises conditions d'hygiène. Après un siège sanglant, les Franco-Britanniques s'emparèrent du port de Sébastopol. Sur le plan militaire, la victoire était totale mais, au traité de paix, la France n'obtint aucun avantage concret.

L'indépendance italienne

Pendant sa jeunesse, Napoléon III avait milité pour l'indépendance de l'Italie. Devenu Empereur des Français, il n'en resta pas moins obsédé par la cause des patriotes italiens. Le principe des nationalités — un seul peuple, un seul pays — était son idée fixe.

À la suite de négociations secrètes, il fut conclu que la France aiderait le roi de Piémont à chasser les Autrichiens de la péninsule et que, en échange de son appui, elle recevrait la Savoie[4] et le comté de Nice. Peu après, ces régions s'intégrèrent à la France sans difficulté.

Les Autrichiens furent battus (Magenta, Solferino) mais, aussitôt, Napoléon se trouva entraîné par une cascade d'événements qu'il n'avait pas su prévoir. Son intervention dans la question italienne irritait les souverains européens. D'autre part, une fois libérés, les patriotes italiens ne voulaient plus constituer une fédération de petits états; ils entendaient former une unité politique placée sous l'égide du roi de Piémont. Or cette unité ne pouvait se réaliser sans Rome. Fort dévot, Napoléon s'efforça de faire respecter les états du pape. En fin de compte, le Saint-Siège perdit l'ensemble de ses territoires. En essayant d'imposer sa médiation, le gouvernement impérial avait mécontenté les deux côtés; il avait antagonisé le parti clérical sans, pour cela, gagner la reconnaissance de la jeune Italie. La France se retrouva de plus en plus isolée.

L'équipée du Mexique

Napoléon III voulut relever son prestige en remportant une grande victoire diplomatique au Mexique. Il savait que ce pays était déchiré par le conflit entre les libéraux anti-cléricaux et les conservateurs de tendance cléricale. Comme toujours, ses buts étaient multiples et confus. Il désirait faire triompher le parti de l'Église, mais il désirait également protéger les intérêts commerciaux des Français, construire un canal transocéanique, arrêter l'expansion anglo-saxonne en réaffirmant le prestige de la race latine... Bref, selon le mot de l'Impératrice, l'expédition du Mexique devait être « la plus grande pensée du règne ».

Dans l'espoir d'implanter au Mexique un gouvernement favorable à ses projets, Napoléon III poussa un prince autrichien, l'archiduc Maximilien, à prendre le titre d'empereur du Mexique. Malheureusement, à peu d'exceptions près, les Mexicains ne voulaient pas d'un empereur, encore moins d'un empereur européen! Réaffirmant la doctrine de Monroe, les États-Unis protestèrent contre l'ingérence étrangère dans leur hémisphère.[5] Le corps expéditionnaire français remporta des succès momentanés, mais, incapable de pacifier le pays, il finit par se rembarquer (1866). Presque sans ressources, Maximilien fut chassé de Mexico puis fusillé. La France avait perdu des hommes et dilapidé ses forces au moment où, en Europe, la situation devenait critique.

Réformes libérales

Ces équipées désastreuses ont écœuré l'opinion publique. Le commerce marche mal. L'armée, trop souvent sacrifiée à des chimères, a mauvais moral. Les adversaires du régime relèvent la tête. La satire s'enhardit; les pamphlets et les journaux d'opposition se multiplient. Malgré l'interdiction, les *Châtiments* de Victor Hugo circulent sous le manteau et raniment des haines. Les ouvriers constituent des associations et organisent des grèves qui menacent l'ordre social. Parmi la bourgeoisie, on commence à parler avec terreur d'une révolution mondiale.

Pour tenter de regagner sa popularité, l'Empereur prend une série de mesures libérales: le pouvoir de l'Assemblée est étendu, la liberté de la presse est reconnue, les associations syndicales sont tolérées. Consultés par plébiscite, les électeurs ratifient ces réformes par une majorité écrasante (mai 1870). On en conclut: « L'Empire est plus fort que jamais! »

L'expansionnisme prussien

À l'intérieur, c'était peut-être vrai; à l'extérieur apparaissaient les signes de la tempête. En travaillant à l'émancipation italienne, Napoléon avait affaibli l'Autriche. Sans même en avoir conscience, il avait fait le jeu de la Prusse. Or, depuis le XVIIIᵉ siècle, cette nation ne cessait de grandir. Avec une détermination machiavélique, le chancelier Bismarck préparait l'unification de l'Allemagne sous l'égide prussienne. En l'espace de quelques semaines, la Prusse venait de battre l'Autriche (1866). La France n'était pas intervenue pour sauver l'Autriche pour qui elle éprouvait peu de sympathie mais, dès lors, le conflit franco-prussien devenait inévitable.

Bismarck avait un plan: il voulait que ce soit la France qui déclare la guerre. De cette façon, la Prusse allait paraître victime d'une agression et, en vertu des accords qui les liaient, les divers états allemands seraient obligés de venir se solidariser avec elle.[6] Il ne restait plus qu'à profiter d'un incident qui ne manquerait pas de se présenter...

Le chiffon rouge de Bismarck

À la suite d'une révolution espagnole, le trône d'Espagne se trouva offert à un prince Hohenzollern, neveu du roi de Prusse. Le gouvernement français proteste. Si la Prusse et l'Espagne étaient dirigées par la même famille, ce serait la reconstitution de l'empire de Charles Quint, l'encerclement de la France... Le roi de Prusse retire la candidature de son neveu. Malgré cela, les Français demeurent inquiets; les vanités personnelles entrent en jeu; le gouvernement de Napoléon III exige des garanties contre le retour d'une pareille combinaison.

Guillaume Iᵉʳ répond qu'il considère la question comme close mais, à son insu, Bismarck écourte sa missive. De 200 mots, le texte de la dépêche est réduit à 20. La seconde version est brutale; elle sera, selon l'expression du chancelier, « le chiffon rouge qui va fâcher le taureau gaulois »! En effet, le gouvernement français se juge insulté. Les Chambres réclament la guerre. Affaibli au physique et au moral, Napoléon III se laisse entraîner. L'Impératrice compte qu'une victoire rapide consolidera la dynastie. Dans les rues de Paris, la population défile aux cris de

Photo Bibliothèque nationale, Paris

La gare Saint-Lazare sous le Second Empire. La cour principale et l'arrivée des diligences.

« À bas la Prusse! » « Vive la guerre! À Berlin! » Les libraires ont vendu toutes les cartes qu'ils avaient en magasin — les cartes d'Allemagne, bien entendu, puisqu'on se donne rendez-vous à Berlin! Jamais cataclysme n'a été déclenché avec une telle légèreté.

La guerre de 1870 et la chute de l'Empire

« L'armée est prête et archiprête » avait affirmé le ministre de la Guerre, aussi les premiers revers causent-ils une stupéfaction générale. En quelques semaines, un tiers de l'armée se laisse bloquer dans Metz (armée de Bazaine), un autre tiers dans la ville de Sedan. L'Empereur lui-même est parmi les prisonniers.[7] Le 4 septembre 1870, la nouvelle désastreuse atteint Paris. Dans les rues, on n'entend plus qu'un cri: « la déchéance! » Sans songer à consulter le reste du pays, les Parisiens proclament la République et constituent un gouvernement de défense nationale.

La guerre se prolongera encore pendant cinq mois. Malgré quelques succès locaux, les débris de l'armée française doivent reculer. Paris est encerclé. Le siège durera quatre mois. Un républicain ardent, Gambetta, s'échappe de la capitale par ballon pour aller organiser une ligne de résistance sur la Loire. Cet hiver-là, les Parisiens achètent, à prix d'or, de la viande d'ours ou d'éléphant provenant du jardin zoologique, après quoi les plus fortunés devront se contenter de chat et de rat!

Entretemps, les Français ont élu une Assemblée nationale nettement conservatrice. La mort dans l'âme, les nouveaux députés sont forcés d'accepter les conditions de l'ennemi: abandon de l'Alsace et d'une partie de la Lorraine, versement d'une indemnité de guerre... Victorieux, les Prussiens défilent sur les Champs-Élysées. À Versailles, dans la galerie des Glaces, les princes allemands proclament Guillaume Ier de Prusse, empereur d'Allemagne. L'unité allemande est scellée.

La Commune

Les Parisiens s'insurgent contre l'Assemblée qui a accepté la paix à des conditions aussi humiliantes. Sous l'œil des Prussiens qui campent dans les environs, les extrémistes de la capitale constituent un gouvernement insurrectionnel, la Commune. Cet épisode a un double caractère: patriotique et révolutionnaire. C'est la réaction de désespoir d'un peuple qui se croit trahi et, en même temps, une révolte du prolétariat contre un gouvernement bourgeois. Dernier soubresaut du XIXe siècle, la Commune est déjà une manifestation de l'esprit marxiste.

L'Assemblée nationale doit faire reprendre Paris, quartier par quartier. Dans leur furie, les insurgés, hommes et femmes, massacrent et mettent le feu. Les Tuileries et l'Hôtel de Ville sont incendiés, le Louvre n'est sauvé que de justesse. La répression sera impitoyable. Les principaux Communards seront fusillés ou condamnés au bagne. Les forces de l'ordre se rétabliront, le gouvernement reviendra siéger à Paris mais le spectre de la révolution ne se dissipera jamais complètement. Dans la mémoire des Français, l'année 1870–1871, restera « l'année terrible ».

NOTES

1 Hortense (la fille de Joséphine) et Louis (roi de Hollande) faisaient très mauvais ménage et finirent par se séparer. Le bruit courut que Louis-Napoléon était en réalité le fils d'un Hollandais, bon ami de sa mère.

2 Victor Hugo, déjà reconnu comme le premier poète de son temps, détestait Napoléon III. Il restera volontairement en exil pendant toute la durée du Second Empire. Il écrira de nombreux pamphlets contre celui qu'il appellera « Napoléon le Petit ».

3 Parmi les banques de l'époque, citons la banque Rothschild (la plus puissante), la Société Générale, le Crédit Lyonnais (fondé à Lyon).

4 La Savoie, région de langue française, constituait depuis des siècles le duché de Savoie. La famille ducale, dite Maison de Savoie, acquit des possessions en Italie (royaumes de Piémont et de Sardaigne). Après avoir travaillé à l'unification de l'Italie, elle allait régner sur ce pays jusqu'en 1946.

5 Les États-Unis se trouvaient dans une position de force du fait que la guerre de Sécession venait de prendre fin.

6 Après sa victoire sur l'Autriche (1866), la Prusse avait éliminé l'Autriche de la Confédération germanique. Du même coup, elle avait regroupé les états de l'Allemagne du nord sous son égide en constituant la Confédération de l'Allemagne du Nord. En tant que président de l'association, le roi de Prusse disposait, en cas d'agression, de l'ensemble des forces armées de la Confédération.

7 Fait prisonnier à Sedan (1er septembre 1870), Napoléon III sera emmené en Allemagne. Sa captivité sera courte mais il passera le reste de sa vie en exil. Malade depuis longtemps, il succombera en 1873 à la suite d'une opération chirurgicale.

LES CLASSES LABORIEUSES
SOUS LE SECOND EMPIRE

Une existence souvent
précaire

Les trois quarts des Français habitent la campagne et, directement ou indirectement, vivent de l'agriculture. Il existe des domaines de grande et de moyenne importance mais les petites exploitations l'emportent de beaucoup. Environ 40 à 45% des cultivateurs sont propriétaires des terres qu'ils exploitent; les autres sont locataires ou métayers; dans ce cas, ils partagent les récoltes, moitié-moitié, avec le propriétaire. La plupart des journaliers agricoles ne possèdent même pas un jardin à eux. Le fait d'avoir une vache est déjà l'indice d'une certaine aisance. De nombreuses familles rurales n'ont que deux ou trois poules, un porc que l'on engraisse pendant une partie de l'année et une chèvre que l'on nourrit avec de l'herbe ramassée le long des chemins.

La principale, et souvent la seule pièce du logis, contient une cheminée équipée d'une crémaillère à laquelle on suspend la marmite. Les lits, parfois garnis de rideaux, sont rangés contre les murs; dans certaines régions, ils sont encastrés dans des alcôves que l'on peut fermer par de petits portillons de bois. Éventuellement, une seconde pièce sert de chambre, de magasin à provisions ou même d'étable. Pour avoir un peu de chaleur pendant les nuits d'hiver il arrive que les paysans dorment près de leurs animaux.

Pain noir et économie

Le pain constitue la nourriture de base. En général la ménagère le fait elle-même avec de la farine de seigle ou de sarrasin. Le pain de froment — le pain blanc — reste un luxe tout à fait exceptionnel. Les repas se composent de pain trempé dans une soupe de légumes. Parfois, on complète l'ordinaire avec des fruits, des œufs ou du fromage. La viande est toujours très rare; la plupart des familles n'en mangent que pour les fêtes, c'est-à-dire cinq ou six fois par an.

Les seules distractions d'un paysan consistent à faire une promenade le dimanche après-midi, à bavarder avec ses voisins ou à passer la veillée avec des amis. Les vieux aiment fumer la pipe mais l'usage du tabac, même grossier, n'est pas à la portée de tous les hommes. La jeunesse s'amuse surtout à l'occasion des mariages. À la fin du repas de noce, chaque convive chante une chanson, sentimentale ou grivoise, puis on commence à danser. Si les moyens le permettent, la fête peut se prolonger deux ou trois jours...

Autorité paternelle Chez les riches comme chez les pauvres, l'ordre, l'économie et le travail sont les vertus les plus appréciées. Les difficultés de l'existence et ce désir inné d'acquérir de la terre, conduisent souvent à l'avarice et à la dureté. Le père, ou à défaut sa veuve, exerce toujours une haute autorité sur les affaires familiales. C'est lui qui oriente les carrières, arrange les mariages et répartit ses biens entre ses enfants. En vertu du Code civil, tous les enfants ont des droits égaux à la succession. Néanmoins, pour éviter de fragmenter des domaines déjà trop petits, il est fréquent que le père lègue son exploitation agricole intégralement à un seul enfant, ordinairement, mais pas toujours, au fils aîné. Évidemment, celui qui garde la ferme doit dédommager ses cohéritiers par une somme d'argent ou par quelque autre compensation. Ceux qui n'ont aucune propriété à espérer se placeront chez un patron ou ils iront travailler en ville.

Mangera-t-on demain? La condition ouvrière ne s'améliore que lentement. Il arrive encore que la journée de travail atteigne 12 heures. À l'atmosphère malsaine de l'atelier ou de la mine s'ajoute souvent un autre fléau: l'alcoolisme. Zola a décrit ces usines où le bruit et le va-et-vient incessant des machines réduit l'homme à un état de bête. Le romancier a cherché les effets du plus noir pittoresque mais, malgré tout, son œuvre garde un intérêt documentaire.

Du fait qu'ils accomplissent un travail relativement spécialisé, les ouvriers de la métallurgie peuvent gagner entre 4 et 6 francs par jour, soit plus de deux fois le salaire d'un instituteur. Un mineur ou un manœuvre gagne entre 2 francs et 2 francs 50. Quand on songe que le kilo de pain vaut environ 0 franc 30, on peut imaginer que bien des familles ont tout juste de quoi ne pas mourir de faim. Le chômage sévit périodiquement, surtout dans le bâtiment et les textiles. Aucun système d'allocation n'est prévu. Les accidents du travail sont nombreux et les indemnités inexistantes, même si la victime reste infirme. Un ouvrier ne peut pas se faire embaucher à moins de présenter son livret. Sur ce document, chaque employeur inscrit la date de commencement et de fin de service ainsi que le montant des salaires reçus. Le peuple déteste ce livret qui constitue pour lui un obstacle supplémentaire.

Presque toujours, le logement laisse à désirer. Beaucoup de travailleurs doivent se contenter de chambres collectives. Les ménages payent fort cher des logis dépourvus de tout confort. Pour moderniser Paris, Haussmann fait raser des pâtés de maison vétustes. Cette opération, nécessaire sans doute, n'en contribue pas moins à faire monter le prix des loyers. Les pauvres gens qui se trouvent expulsés vont se reloger tant bien que mal à la périphérie. C'est ainsi que va se constituer, autour de la capitale, une zone dominée par le prolétariat qui ne tardera pas à devenir « la ceinture rouge » de Paris.

Charité ou indifférence

Les conditions d'hygiène sont particulièrement lamentables dans le Nord. À Lille, la majorité des femmes travaillent dans les filatures pour des salaires de misère et près de 40% des enfants meurent avant l'âge de cinq ans. Il existe des œuvres de bienfaisance mais elles proviennent d'initiatives privées et demeurent insuffisantes. Des ordres religieux, les sœurs de Saint-Vincent-de-Paul notamment, se dévouent sans compter. Napoléon III, qui ne manque jamais de bonnes intentions, fait construire des immeubles collectifs et des cités ouvrières. Il crée des hospices, distribue des secours; souvent il dote de façon anonyme des organisations philanthropiques. Certains chefs d'entreprises se font un devoir de veiller à la santé physique et morale de leurs employés mais, dans les grandes villes, cette attitude paternaliste est rare. D'une façon générale, le patronat considère que le bien-être des salariés ne fait pas partie de ses responsabilités. Les fondateurs du *Bon Marché* organisent pour leur personnel une crèche, un restaurant, une maison de repos, une caisse de retraite, un système d'avancement au mérite, mais leur entreprise reste unique en son genre.

Les premiers syndicats

L'opposition libérale, qui va en s'accentuant au cours du Second Empire, amènera le gouvernement à faire certaines concessions. Le droit de grève est reconnu; quelques années plus tard, l'existence des chambres syndicales est tolérée. Un peu partout des associations se constituent, plus ou moins fortes selon les branches — chapeliers, typographes, mineurs d'abord, puis métallurgistes, travailleurs du bâtiment, cheminots, etc.

L'ouvrier français hésite néanmoins à s'incorporer à un groupe; il se fait tirer l'oreille pour payer sa cotisation, il craint le licenciement; sa femme est hostile aux grèves qui priveraient la famille du pain quotidien. Le syndicalisme restera timide jusqu'à ce qu'il se trouve transformé par un mouvement venu de l'étranger. En 1864, l'Association Internationale des travailleurs s'est constituée à Londres. Les fondateurs sont surtout des Anglais mais, parmi eux, il y a un Français et un réfugié allemand, Karl Marx. L'année suivante, la première succursale de l'Internationale s'ouvre à Paris. Les publications d'avant-garde se multiplient; des grèves massives perturbent l'économie. Les ouvriers les plus combatifs ne se contentent plus de revendications d'ordre professionnel; la lutte du prolétariat contre la société capitaliste est déjà engagée.

DU NÉO-CLASSICISME
À L'ART MODERNE

Place Charles de Gaulle
(anciennement place de l'Étoile)
et l'arc de triomphe de l'Étoile.
French Embassy Press and Information Division

I NÉO-CLASSICISME ET ROMANTISME

Le Louvre, premier musée national

Pendant les dix dernières années du XVIIIe siècle, la Révolution perturbe gravement l'activité artistique. Les industries de luxe sont ruinées. Tout ce qui rappelle l'Ancien Régime doit se cacher. Des bandes de sansculottes s'attaquent aux châteaux et aux églises. Les œuvres d'art qui se trouvent saisies dans les couvents et les demeures des émigrés, sont saccagées ou mises en vente. Heureusement, quelques hommes parmi les membres des assemblées révolutionnaires se préoccupent de sauvegarder le patrimoine artistique de la nation. Non sans mal, ils réussissent à mettre en sécurité les anciennes collections royales ainsi que de multiples œuvres qui proviennent d'un peu partout. Grâce à leurs efforts, en pleine Terreur, un musée est installé au Louvre, dans la Grande Galerie. Les visiteurs viennent en si grand nombre que la police doit faire surveiller les lieux. Le premier musée national est né.

Avec Napoléon, le Louvre deviendra le centre où convergeront des trésors du monde entier. Après l'Empire, les gouvernements successifs s'efforceront d'enrichir, ou tout au moins de préserver, les collections des musées nationaux.

Le style Empire

L'architecture de la première moitié du XIXe siècle, offre peu d'originalité. Les édifices publics auxquels on voudrait donner de la solennité sont des copies plus ou moins adroites de l'Antiquité. À Paris, l'arc de triomphe du Carrousel et l'arc de triomphe de l'Étoile (commencé sous l'Empire mais achevé sous Louis-Philippe) sont directement inspirés par des modèles romains. La Bourse et l'église de la Madeleine sont des pastiches de temples grecs. Quant aux demeures particulières, elles sont d'une sobriété qui, souvent, touche à l'indigence.

Le mobilier a des formes massives et des arêtes rectilignes. Les belles pièces ne se distinguent que par le fini du travail et par la valeur de la matière première employée. L'acajou et les autres bois précieux font fureur. La sculpture est à peu près inexistante. Par contre, les meubles d'apparat peuvent être ornés d'appliques en bronze doré.

L'atmosphère reste froide et pompeuse. Tous les motifs décoratifs proviennent de l'Antiquité. L'Égypte, fort à la mode depuis l'expédition de Bonaparte, fournit le sphinx. Les fouilles de Pompéi répandent la vogue des figurines sur fond rose. Enfin, la Rome impériale donne l'arsenal des thèmes guerriers: couronne, casque, quadriges de chevaux, aigles aux ailes déployées etc.

David, peintre officiel

Le néo-classicisme domine la peinture officielle. David, déjà célèbre pendant les dernières années de l'Ancien Régime, est le chef incontesté. Toute sa vie David sera obsédé par Rome: par la Rome républicaine puis par la Rome impériale. Pendant la Révolution, il se montre ardent patriote, siège à la Convention (il vote la mort du « tyran ») et organise les grandes manifestations civiques. Dès l'époque du Directoire, il s'enthousiasme pour Bonaparte. Il tombe en admiration devant le héros de l'armée d'Italie à qui il trouve une tête « belle comme l'Antique »! En toute hâte, il brosse plusieurs portraits qu'il ne pourra d'ailleurs jamais terminer car le modèle n'a pas le temps de s'arrêter!

À partir de 1804, David devient le peintre de l'Empire. Rien ne saurait mieux convenir à son génie. Il se plaît à donner aux cérémonies une mise en scène grandiose. Dans son œuvre la plus célèbre, le *Sacre de Napoléon*, l'Empereur et son entourage semblent poser noblement pour la postérité. (Voir ill. p. 367.)

Gros, génie tourmenté

Gros, l'un des élèves de David, se sent moins à l'aise que son maître dans l'esthétique néo-classique. Officiellement, il est chargé de peindre les batailles de l'Empire. Il montre la fureur héroïque des combattants mais, ce qu'il retient le plus, c'est l'aspect dramatique de la guerre. Gros est un coloriste et un réaliste; volontiers il aborde les détails horribles et même répugnants. Il excelle à rendre l'atmosphère lugubre d'un ciel d'hiver et la désolation d'un champ de bataille couvert de moribonds. Tiraillé entre les exigences de son temps et la tendance romantique de son génie, Gros se sentira toujours inquiet et finira par se suicider.

Ingres ou la probité du dessin

De tous les peintres sortis de l'atelier de David, le plus célèbre sera Ingres. Celui-ci commence sa carrière comme violoniste[1] puis, après avoir remporté le Prix de Rome, il se consacre aux beaux-arts. Ingres est avant tout un dessinateur; il déteste les coloris contrastés des romantiques mais également le décor architectural des néo-classiques. Ce qu'il recherche, ce sont les lignes pures et fermes. « Toute la peinture est dans le des-

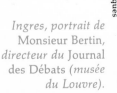

Ingres, portrait de Monsieur Bertin, *directeur du* Journal des Débats (*musée du Louvre*).

Archives Photographiques

sin », répète-t-il à ses élèves. Dans ses portraits, il s'attache avant tout à donner un contour harmonieux à la silhouette, à bien placer les bras, et à rendre le caractère des mains de chaque personne.

Un jour, Ingres se rend chez Monsieur Bertin, le directeur du *Journal des Débats*, pour faire son portrait. Il hésite sur l'attitude qu'il doit faire prendre à son modèle lorsque, tout à coup, le neveu de Monsieur Bertin vient demander de l'argent à son oncle... Ce dernier pose les mains sur les genoux; comme il va donner sa réponse, le peintre saisit un crayon et dit. « Cher ami, ne bougez pas, vous êtes parfait! » En regardant le portrait, on peut imaginer la réponse de l'oncle!

Géricault   Le romantisme commence à se manifester dans la peinture après la chute de l'Empire. Le porte-étendard de la nouvelle école est d'abord Géricault, un jeune artiste qui éprouve une prédilection pour tout ce qui est haut en couleur, violent et insolite. Ce peintre aime le mouvement frénétique des chevaux lancés au galop. Une tendance morbide le pousse à représenter les anormaux et les mourants. Pour peindre le *Radeau de la Méduse*, Géricault s'enfermera pendant plusieurs mois dans la morgue d'un hôpital parisien. Exposée au Salon, la toile déroutera la plupart des visiteurs et ne sera acquise par le musée du Louvre que plusieurs années plus tard.

Delacroix   Après la mort prématurée de Géricault, Delacroix devient le symbole vivant de la peinture romantique. Celui-ci proclame hautement les droits de l'individualisme contre les règles classiques. Il hait l'académisme, la rigueur géométrique mais aussi le réalisme qu'il qualifie d'« antipode de l'art ». Selon lui, le modèle ne doit jamais devenir un tyran. « L'imagination, lit-on dans le *Journal*, est la première qualité de l'artiste.»[2]

Chez Delacroix, rien n'est statique. Les hommes, les bêtes, sont saisis en plein mouvement. L'impression de vie qui se dégage de la toile provient de l'association de toutes les figures en une action commune. Le peintre conçoit chacun de ses tableaux comme un orchestre dans lequel tous les instruments concourent à l'ensemble. Son intelligence lucide vient néanmoins contrôler la fougue de son inspiration. Chaque détail est voulu. Chaque touche de couleur est choisie pour sa valeur propre, mais également pour sa valeur en fonction de l'harmonie générale. « Les couleurs, écrit Delacroix, sont la musique des yeux. Elles se combinent comme des notes.»[3] (Voir ill. p. 390.)

Rude   Pendant la première moitié du XIXe siècle, la sculpture appartient en majorité à l'art monumental. La décoration de l'arc de triomphe de l'Étoile constitue le plus grand ensemble sculptural de l'époque. Commencé sous l'Empire, ce monument à la gloire de la Grande Armée ne sera terminé que pour le retour des cendres de Napoléon. La sculpture traduit l'épopée de la France en armes: vingt ans de victoires qui feraient presque oublier la défaite finale... Le groupe colossal de Rude symbolise l'élan unanime. Trois générations sont en marche: le vétéran, l'adolescent et, au second plan, le vieillard qui apporte l'expérience de son passé. Au-dessus de cette troupe compacte, une Victoire, les ailes déployées, semble proférer un vibrant « En avant ». Conformément à l'esthétique néo-classique, les guerriers sont nus ou vêtus à l'antique, mais ils sont animés d'une telle ardeur que l'on reconnaît en eux les engagés volontaires des armées de la Révolution et de l'Empire.

II LA FORMATION DE L'ART CONTEMPORAIN

Une époque sans style La seconde moitié du XIXe siècle ne produira pas de style original. En France, comme dans le reste de l'Europe, les édifices officiels ne sont que des pastiches plus ou moins avoués. Dans la construction des demeures privées et des immeubles, les architectes cherchent ce qui est pratique et économique. Trop souvent, pour créer un effet décoratif, ils plaquent les façades d'ornements artificiels qui n'ont aucun rapport avec la structure.

La littérature romantique, de nombreux romans à caractère plus ou moins historique (*Notre-Dame de Paris* de Victor Hugo, *Ivanhoe* de Walter Scott, par exemple) ont attiré l'attention du public sur le Moyen Âge. Napoléon III puis, après lui, le gouvernement de la IIIe République, accordent des crédits pour la réparation des édifices anciens qui menacent ruine. C'est ainsi que Viollet-le-Duc, le grand pionnier de l'archéologie médiévale, peut restaurer la basilique de Vézelay, la Cité de Carcassonne et la plupart des grandes cathédrales françaises. Rien ne saurait être plus louable. Malheureusement, faute d'originalité, les architectes de l'époque se mettent à composer du néo-roman, du néo-romano-byzantin (le Sacré-Cœur de Paris) ou du néo-gothique. Pour le moins qu'on puisse dire, ces copies manquent de grâce.

La décoration intérieure n'est pas plus attrayante. On considère que l'élégance d'un salon dépend du nombre et de la richesse des ornements. On multiplie tapis, tentures, statues, bibelots et plantes vertes. Les franges des fauteuils tombent jusqu'à terre. Tout ce qui est capitonné fait fureur. Les chaises, les guéridons et jusqu'aux cheminées sont garnis de housses à volants!

Matériaux nouveaux Cette époque sans style va pourtant révolutionner l'art de la construction en introduisant l'emploi du fer dans l'architecture. Dès le début du siècle, voulant rivaliser avec l'Angleterre, Napoléon a fait construire le pont des Arts. Cette passerelle qui enjambe la Seine entre le Louvre et l'Institut est la première en date des structures métalliques sur le Continent. D'abord exceptionnelle, la nouvelle technique va se généraliser à partir de 1850. Il devient évident qu'elle seule permet de réaliser les ponts indispensables à l'installation du réseau ferroviaire. Son domaine ne tarde pas à s'étendre. Sous le Second Empire, les Halles centrales de Paris sont édifiées à l'aide d'une ossature de fer et de fonte, recouverte d'une toiture de verre. Les pavillons des Halles n'ont rien d'esthétique, mais ils font date dans l'histoire de la technologie. Désormais, le métal et le verre vont constituer les deux matériaux de base pour les édifices de vastes dimensions: halls de gare, galeries d'expositions, grands magasins, salles de lecture, etc. Certains esprits s'indignent de voir l'architecture s'associer à l'industrie, mais ils ne réussissent pas à arrêter la marche du progrès.

La tour Eiffel Pour commémorer le centenaire de la Révolution, le gouvernement de la IIIe République veut organiser une exposition universelle d'une importance majeure. L'attraction capitale sera une tour de 300 m, qui dépassera par sa hauteur toutes les constructions du monde... Elle sera érigée par Gustave Eiffel, le spécialiste déjà célèbre des ouvrages d'art audacieux.[4]

Dépourvue d'intérêt pratique — du moins en 1889 — la tour fait l'objet de multiples sarcasmes. Elle se trouve néanmoins réalisée en moins de deux ans, avec une maîtrise absolue. Les éléments arrivent de l'usine, tout prêts à être assemblés. Aucun accident mortel n'est à déplorer. Les Parisiens vont en curieux suivre la montée des poutrelles. Quelques beaux esprits s'indignent contre « ce chandelier creux », « cette cheminée d'usine », mais d'instinct, le peuple adopte la tour.[5]

Le succès de l'Exposition dépasse toutes les expectatives. Des visiteurs venus du monde entier font queue pour monter jusqu'à la plate-forme supérieure. Le chef-d'œuvre d'Eiffel apparaît comme le symbole des temps nouveaux. Il ne tardera pas à s'intégrer dans le panorama et à devenir le monument le plus célèbre de Paris.

Bâtiments utilitaires Au XXe siècle, le caractère utilitaire de la construction s'accentue encore. Les entrepreneurs s'efforcent de réaliser, à des conditions aussi avantageuses que possible, des bâtiments destinés à remplir une fonction précise. Dans l'ensemble, les procédés de construction se modernisent lentement. Du point de vue esthétique, les résultats restent médiocres. La Seconde Guerre mondiale va précipiter une crise du logement qui sera particulièrement dramatique dans les régions du nord et autour de Paris. D'urgence il faut reconstruire ce qui a été dévasté et, de surcroît, loger une population citadine qui ne cesse d'augmenter. À la périphérie des anciennes villes, on multiplie les complexes industriels et les immeubles d'habitation à loyer modéré. Ces nouveaux quartiers offrent des avantages matériels incontestables mais, trop souvent, ils sont d'une monotonie déprimante.

Vers une architecture moderne

Depuis les dernières décades, quelques architectes d'élite s'efforcent de repenser leur art en fonction des nécessités de la collectivité mais également en fonction des aspirations de l'individu. Tous ont étudié les théories de Le Corbusier.[6] Comme celui-ci, ils cherchent à respecter la nature et à adapter leurs constructions au site naturel. Dans les zones d'habitat collectif à forte densité, ils édifient en hauteur afin de réserver autant de dégagements et d'espaces verts que possible. Pour éviter de donner une impression de casernement, ils disposent les éléments des cités nouvelles en des ensembles de formes variées. Comme l'a fait Le Corbusier à la Cité Radieuse de Marseille, ils voudraient apporter à tous les habitants l'air et la lumière, chez eux, mais aussi à l'école et au travail. Ils vont plus loin encore. Ils se préoccupent des besoins de beauté, de détente et d'intimité. En collaborant avec les techniciens, les urbanistes, les sociologues, les paysagistes et les décorateurs, ils visent à créer un milieu physique qui permette l'épanouissement de l'homme. À une époque où l'industrialisation menace les valeurs traditionnelles de la civilisation, une architecture rénovée envisage les techniques sous l'angle de la liberté qu'elles peuvent apporter à l'être humain.

Carpeaux

Pendant la seconde moitié du XIXᵉ siècle et le début du XXᵉ siècle, la sculpture française fait preuve d'un dynamisme remarquable. Deux grands noms dominent la période: Carpeaux et Rodin.

Carpeaux est un réaliste qui, avant tout, cherche à traduire le mouvement. Ses bustes semblent capter le frémissement des épidermes et l'expression fugitive des visages. Le groupe intitulé *la Danse* qui décore la façade de l'Opéra, est emporté par un élan passionné. Au centre de la ronde, le génie de la danse manifeste une joie de vivre tellement païenne, que certains contemporains de l'artiste en ont été scandalisés.

Rodin

La carrière de Rodin commence au moment où se termine celle de Carpeaux. Rodin est le sculpteur né. Il représente le corps humain avec

Le Corbusier, la chapelle de Ronchamp.

Carpeaux, la Danse.

une vérité si grande que, à plusieurs reprises, il sera accusé d'avoir fait un moulage sur nature. En réalité, aux yeux de Rodin, l'exactitude extérieure compte pour peu de chose. « L'art, répète le maître, ne commence qu'avec la vérité intérieure.»[7] Tout ce que l'on trouve dans la nature peut devenir un chef-d'œuvre. Pour cela, il suffit que l'artiste déchiffre l'âme de son modèle car « c'est uniquement la puissance du caractère qui fait la beauté de l'art ».[8]

Rodin sculpte des bustes, des statues en pied (*Saint-Jean-Baptiste, Balzac, Victor Hugo*), des groupes (*les Bourgeois de Calais*) mais également des concepts abstraits. *La Pensée* est une tête féminine d'une délicatesse exquise. Elle semble se redresser mais son cou et son menton sont pris dans un bloc de marbre grossier. Le symbole est clair: la pensée s'épanouit au sein de l'univers mais c'est en vain qu'elle s'efforcerait de se dégager de la réalité matérielle.

À la fin de sa vie, Rodin songe à couler en bronze une vaste composition symbolique, *la Porte de l'Enfer*. Il finira par renoncer à son projet mais il en tirera plusieurs œuvres capitales, notamment *le Baiser, l'Ombre* et *le Penseur*.

Musique romantique

Depuis deux siècles, la musique française a acquis une importance capitale. Berlioz domine l'époque romantique. Doué d'une personnalité puissante, il compose une musique colorée, vibrante, magistralement orchestrée. Les symphonies et les opéras de Berlioz ne seront appréciés à leur juste valeur qu'après la mort de leur créateur. Saint-Saëns se distingue par sa vigueur et sa clarté. Ses symphonies et ses opéras (*Samson et Dalila*) ont une élégance classique.

À toute époque, l'opéra et l'opéra-comique (plus léger que le grand opéra et comprenant quelques épisodes parlés) ont constitué le spectacle de choix des Parisiens. Gounod est un compositeur d'un romantisme modéré dont la musique de théâtre abonde en mélodies charmantes (*Faust, Roméo et Juliette*). Massenet écrit des partitions qui ont une grâce typiquement française. *Manon*, son chef-d'œuvre, obtient toujours le plus vif succès. Bizet éprouve une prédilection pour les scènes pittoresques. Sa *Carmen* reste l'œuvre la plus souvent jouée sur les scènes lyriques de l'Europe.

Debussy et la musique moderne

En 1902, avec la première représentation de *Pelléas et Mélisande*, Debussy provoque une révolution dans l'histoire de la musique. La partition ne comporte aucun air, aucun morceau de bravoure. Toute en demi-tons, elle suggère le trouble qui agite les personnages du drame jusque dans les profondeurs de leur inconscient.[9] Debussy a souvent dérouté ses premiers auditeurs mais, par son originalité harmonique, il va exercer une influence décisive sur la musique du XXe siècle.

Parmi les compositeurs du XXe siècle, il faut citer les noms de Gabriel Fauré, Maurice Ravel (*Boléro, Rhapsodie espagnole*), Francis Poulenc, Erik Satie, Darius Milhaud, Arthur Honegger (*le Roi David*) et Marcel Dupré (pièces pour orgue). La musique moderne ne peut être envisagée en bloc. Certaines œuvres restent dans la tradition classique, sans pour

Rodin, le Penseur.

Corot, l'Étang (musée du Louvre).

cela manquer d'originalité. D'autres sont en rupture avec le système harmonique qui, depuis des siècles, a satisfait l'Occident.

Paysagistes

Pendant les dernières décades du XIXᵉ siècle, au moment où la peinture officielle ne produit que des œuvres scolaires ou prétentieuses, quelques artistes vont vivre à la campagne pour suivre leur inspiration. Courbet est un réaliste robuste qui représente des paysans ou des rustres plus ou moins abrutis. Rejetées par tous les Salons, ses œuvres finiront par obtenir un succès de scandale. Millet peint également des paysans, mais son but est de montrer la noblesse du travail de la terre. Fils de cultivateurs, il rend, en connaissance de cause, la tonalité triste des labours. Avec lui, l'art prend une résonance mystique; d'une scène toute simple comme l'*Angélus* émane une vérité éternelle.

Corot est le paysagiste par excellence. Bourgeois aisé, il passe la plus grande partie de sa vie à la campagne. Son bonheur consiste à peindre les brumes légères et les feuillages vaporeux des forêts de l'Île-de-France.

D'autres peintres vivent retirés dans la forêt de Fontainebleau pour peindre les étangs et les sous-bois. Ils constituent ce que l'on appelle le groupe de Barbizon, du nom du village où ils ont coutume de se retrouver.

Une toile intitulée Impression...

Quatre ans après le défaite de 1870, la bataille de l'impressionnisme vient agiter le monde des arts. Rejetés par tous les salons, quelques peintres essayaient désespérément de se faire connaître du public. Parmi eux se trouvaient Monet, Renoir, Degas, Pissarro, Berthe Morisot... Les jeunes artistes trouvent enfin un marchand de tableaux qui consent à leur prêter une salle d'exposition. Le public vient, mais il vient pour se moquer! Une toile de Monet intitulée *Soleil levant: Impression*, déchaîne les sarcasmes des journalistes. Le beau mérite, disent les critiques, que de peindre, non plus un arbre ou un visage, mais une impression d'arbre ou de visage... Pour faire rire, ils collent à tous les peintres du groupe

Claude Monet, la Gare Saint-Lazare (*musée des Impressionnistes*).

l'étiquette « impressionniste ». Le terme restera, même lorsqu'il aura perdu toute signification péjorative.

Monet ne se laisse pas abattre. Relevant le défi, il annonce qu'il va peindre de la fumée dans de la fumée! Très sûr de lui, il se rend à la gare Saint-Lazare et demande au chef de gare la permission de peindre sa gare qui, déclare-t-il, est la plus belle de toutes les gares... Il s'installe en tyran. Pour avoir le plus de fumée possible, il fait bourrer les locomotives de charbon. Il fait même retarder l'heure de départ du train de Rouen! En dix jours, il peint une série de *Gares*. Le succès ne sera pas immédiat; l'attention du public, néanmoins, s'éveillera peu à peu.

La féerie de la lumière Les impressionnistes ont pour objet unique l'étude de la lumière. Ils bannissent la ligne qu'ils considèrent comme une abstraction de l'esprit. Avec eux, plus de formes ou de surfaces; rien que des taches colorées. Au lieu de mélanger les couleurs sur la palette, ils les juxtaposent par petites touches sur la toile, laissant à l'œil du spectateur le soin de reconstruire l'ensemble. Cette technique se trouve d'ailleurs justifiée par les découvertes des savants du XIX\ siècle sur la nature de la lumière et sur la physiologie de l'œil.

Spontanément, les impressionnistes recherchent les scènes de plein air. Pour eux, un sujet n'a de valeur que dans la mesure où il permet d'étudier l'éclairage. Monet peut représenter des dizaines de fois la même meule de paille sans jamais se répéter, tant les harmonies colorées varient selon les heures. À la fin de sa vie, devenu presque aveugle, il peint les nymphéas qui flottent sur l'étang de son jardin. Tout est devenu intangible. À la surface de l'eau, les reflets des profondeurs viennent se jouer avec les clartés fugitives de l'atmosphère. Renoir a la spécialité de projeter des taches de soleil irisées sur les visages et sur le nu féminin. Son *Moulin de la Galette* est une féerie éblouissante, un vrai feu d'artifice.

Pour rendre la division des tons, les impressionnistes ont tendance à fragmenter de plus en plus les taches de couleur. Seurat en arrive à réduire les taches à des virgules, ou même à de simples points. Il aboutit à ce que les critiques appellent le pointillisme.[10]

Les « peintres maudits »

À force de jouer avec des nuances impondérables, l'impressionnisme va susciter des réactions. Les mouvements vont naître et se développer en France mais plusieurs artistes étrangers y participeront. Quel que soit leur pays d'origine, les peintres seront incompris ou même bafoués pendant la plus grande partie de leur vie. Cézanne est un méridional qui s'efforce de réintroduire des plans et des structures solides dans la peinture. Fuyant l'Europe, Gauguin va à Tahiti se plonger dans la contemplation d'une civilisation mystérieuse aux couleurs contrastées. Le Hollandais Van Gogh n'appartient à aucune école. Poussé par une frénésie qui le conduira jusqu'au suicide, il crée des paysages fantastiques dans lesquels dominent les tons violents.

Fauvisme et cubisme

Au début du siècle, de jeunes peintres, Rouault, Dufy, Vlaminck, entre autres, exposent des toiles aux couleurs agressives. Les rouges forment de larges bariolages qu'un critique d'art s'empresse de qualifier de « cages aux fauves ». À son tour, ce « fauvisme » provoque une réaction. En mettant l'accent sur la couleur, on a négligé les volumes. Sous l'inspiration du peintre Braque, quelques artistes cherchent à recréer un monde à trois dimensions. Leurs portraits comme leurs paysages sont composés d'assemblages de volumes. Pour se moquer, les critiques parleront de « cubisme ». Encore une fois, un mot lancé avec une intention sarcastique passera dans la langue.

Tendances contemporaines. Art abstrait ou art représentatif

L'art contemporain ne saurait se résumer en quelques mots. Une étude d'ensemble ne sera possible que lorsque le temps aura opéré une sélection parmi les œuvres. Depuis la Libération, les tendances sont multiples, souvent même contradictoires. Les artistes se plaisent à innover, à surprendre. Les techniques traditionnelles sont bouleversées mais, en même temps, le public est plus attiré qu'il ne l'a jamais été par tout ce qui présente un intérêt historique. La sauvegarde du patrimoine artistique préoccupe des Français de tous les milieux. Une découverte archéologique est un événement que signalent les grands quotidiens. Régulièrement on voit monter le chiffre des entrées dans les musées et les expositions temporaires. Avec l'aide du ministère de l'Éducation nationale, les villes de province multiplient les maisons de la culture pour les jeunes, les centres dramatiques, les groupes d'études spécialisés. Plus que jamais, la France est le pays qui charme les artistes. Les peintres d'origine étrangère sont légion. Dali et Picasso viennent d'Espagne, Modigliani vient d'Italie, Soutine de Lituanie, Chagall de Russie etc.

Malgré la diversité des productions des dernières décades, il semble que, d'ores et déjà, on puisse constater la prédominance de l'art non représentatif. La musique atonale sans mélodie, la peinture abstraite, la sculpture non figurative ont pris une importance capitale. L'artiste revendique une liberté absolue; il rejette jusqu'à la contrainte que lui imposerait un modèle. Il se crée un monde tout personnel où il ne désire pas trop être rejoint par les autres hommes.

Il n'en reste pas moins vrai que l'art figuratif fait partie de la tradition française; les témoignages du passé sont là pour le prouver. L'Église catholique demeure attachée aux œuvres dont le sujet peut être facilement identifié par les fidèles. Pour qu'un art reste vivant, il ne peut pas se complaire dans l'ésotérisme. Le débat entre partisans de l'abstrait et partisans du représentatif se poursuit. Tout porte à croire qu'il contribuera à féconder les créations de l'avenir.

NOTES

1 Son talent de violoniste a été si grand qu'il a donné naissance à l'expression un « violon d'Ingres ».

2 Delacroix, *Journal*, Plon 1932, Vol. III, janvier 1857, p. 44.

3 Delacroix, *ibid.* Vol. III, (sans date) p. 391.

4 Gustave Eiffel a construit de nombreux ponts et viaducs, non seulement en France mais en Espagne, au Portugal, en Autriche, au Pérou, en Bolivie, au Viêt-Nam etc. C'est également lui qui a construit l'ossature de la statue de la Liberté à New York.

5 Parmi les adversaires de la tour, on trouve Maupassant, François Coppée, Huysmans, Sully Prudhomme. Notons que, sur le plan pratique, la tour Eiffel a joué un rôle important dans l'étude de l'aérodynamique. En période de guerre, elle a été le centre radiotélégraphique de Paris. De nos jours, elle sert de station d'émission pour la T.S.F. et la télévision.

6 Le Corbusier (1887–1968) est né en Suisse mais il a passé la plus grande partie de sa vie en France. La plupart de ses projets se sont trouvés rejetés ou profondément modifiés du fait de leur caractère révolutionnaire. Ses réalisations sont restées peu nombreuses (citons: la Maison de la Suisse à la cité Universitaire de Paris, la chapelle de Ronchamp, des maisons d'habitation à Marseille, l'ensemble de la ville de Chandigarh aux Indes). Son influence s'est surtout exercée par l'intermédiaire des élèves qu'il a formés.

7 Rodin, *l'Art*, Grasset 1919, « Testament », p. 8.

8 Rodin, *ibid.*, p. 57.

9 On peut voir une correspondance entre la musique de Debussy et la peinture impressionniste (voir plus loin). De même, on peut établir un parallèle entre la musique de Berlioz, la peinture de Delacroix et la poésie de Victor Hugo.

10 Parmi les peintres qui ne se sont rattachés à l'impressionnisme que momentanément, il faut mentionner Degas et Toulouse-Lautrec. Degas, un grand bourgeois intellectuel, s'est surtout consacré à saisir le geste, l'instantané (croquis de chevaux, de danseuses). Toulouse-Lautrec, infirme de naissance, a fréquenté les lieux de plaisir populaires. Il a représenté le mouvement avec une sorte de férocité qui fait de lui un prodigieux caricaturiste.

VICTOIRES
TRICOLORES

ARMÉE DE TERRE ET ARMÉE DE MER

ORDRE
DE MOBILISATION GÉNÉRALE

Par décret du Président de la République, la mobilisation des armées de terre et de mer est ordonnée, ainsi que la réquisition des animaux, voitures et harnais nécessaires au complément de ces armées.

Le premier jour de la mobilisation est le **Dimanche 2 Août 1914**

Tout Français soumis aux obligations militaires doit, sous peine d'être puni avec toute la rigueur des lois, obéir aux prescriptions du **FASCICULE DE MOBILISATION** (pages coloriées placées dans son livret).

Sont visés par le présent ordre **TOUS LES HOMMES** non présents sous les Drapeaux et appartenant :

1° à l'**ARMÉE DE TERRE** y compris les **TROUPES COLONIALES** et les hommes des **SERVICES AUXILIAIRES**;

2° à l'**ARMÉE DE MER** y compris les **INSCRITS MARITIMES** et les **ARMURIERS** de la **MARINE**.

Les Autorités civiles et militaires sont responsables de l'exécution du présent décret.

Le Ministre de la Guerre.   *Le Ministre de la Marine.*

Le 2 août 1914:
mobilisation générale.
Photo Bibliothèque nationale

Le gouvernement impérial s'était effondré, laissant un vide politique total. L'ennemi, qui occupait près de la moitié du territoire, avait accordé aux Français une trêve de trois mois pour leur permettre d'élire une assemblée nationale. De toute évidence, la guerre était perdue. Dans son désarroi, la population, surtout la population des campagnes, se tourna vers les autorités traditionnelles, le clergé et les notables locaux. Il en résulta une assemblée conservatrice, incarnant l'ordre moral. Sur 650 députés, plus de 400 étaient royalistes. En 1871, on pouvait donc s'attendre à une nouvelle restauration.

Les monarchistes avaient la majorité, mais ils étaient divisés presque moitié-moitié. Les légitimistes voulaient donner la couronne au comte de Chambord, descendant en droite ligne de Louis XIV et de Henri IV.[1] Les orléanistes voulaient rétablir une monarchie parlementaire en la personne du duc d'Orléans, petit-fils de Louis-Philippe, le dernier souverain. Ils avaient de nombreux partisans parmi la bourgeoisie, mais ils avaient contre eux le souvenir de ce que les légitimistes appelaient « l'usurpation de 1830 »... Enfin les deux partis finirent par arriver à un accord. Il fut décidé que le comte de Chambord régnerait le premier. Comme il était âgé et qu'il n'avait pas de postérité, le trône passerait ensuite à la famille des Orléans. La fusion semblait réalisée.

« La monarchie est faite! » se disent les royalistes. On prépare les carrosses pour le couronnement de Henri V, on entraîne des attelages de chevaux blancs... L'industrie travaille jour et nuit pour exécuter livrées, tapis, lampions etc. Il ne manque plus que le roi. Une délégation de l'Assemblée va inviter le comte de Chambord à se présenter mais celui-ci déclare catégoriquement qu'il ne régnera qu'avec le drapeau blanc. Cet homme qui vit en exil depuis plus de 40 ans, sans contact avec la France réelle, s'estime l'élu de Dieu. Pour lui, le drapeau blanc incarne le principe monarchique. Or la majorité des Français veulent le drapeau tricolore, symbole de justice et de liberté.

La restauration se trouve ajournée indéfiniment. La France reste dans le provisoire... C'est le moment où la balance commence à pencher. Et, comme le dira ironiquement le pape, « tout cela pour une serviette! »

Il faut tout de même prendre des décisions et, article par article, l'Assemblée vote les lois constitutionnelles (1875). Officiellement, on n'est pas en république; néanmoins (à une voix de majorité), on confie le pouvoir exécutif à un président de la République; les contradictions ne manquent pas! Pour réserver l'avenir, on donne ce poste à un royaliste.

La constitution a été conçue de façon à pouvoir convenir à une monarchie parlementaire, et les partisans de la restauration comptent bien, qu'avant peu, on remplacera le terme de président par celui de roi.

En réalité, le temps travaille pour les républicains. Régulièrement, chaque nouvelle élection leur fait gagner des sièges. En 1884 un amendement à la constitution (voté à une voix de majorité), rend définitive « la forme républicaine de gouvernement ». La Chambre adopte deux mesures d'une haute valeur symbolique: désormais, l'hymne national sera la *Marseillaise* et la fête nationale se célébrera le 14 juillet.

Entrée par la petite porte, la IIIe République a fini par s'installer. Malgré des débuts bien incertains, elle va durer jusqu'en 1940. Le régime va être caractérisé par un attachement passionné aux libertés politiques et au suffrage universel. Le pouvoir législatif appartient au Parlement et, avant tout, à la Chambre des députés. L'exécutif appartient au président;[2] en fait, il dépend du Cabinet ministériel dont les membres sont responsables devant le Parlement. Si le Cabinet n'a pas la confiance des Chambres, il se trouve réduit à l'impuissance et conduit à la démission. Cette supériorité du législatif sur l'exécutif est destinée à prévenir les tentatives de dictature. Elle va, par contre, causer une instabilité ministérielle chronique; la durée moyenne d'un Cabinet ne dépassera pas 9 mois. Heureusement, une structure administrative solide compensera, en partie, la fragilité du gouvernement.

L'hémicycle   Envisagée dans son ensemble, la Chambre des députés ressemble à un éventail qui, peu à peu, s'est refermé à droite pour se déplier vers la gauche. Au départ, les monarchistes siègent à droite de l'hémicycle mais rapidement ils diminuent en nombre et, vers la fin du siècle, ils n'ont plus de pouvoir politique. Les républicains modérés occupent d'abord le centre puis, à mesure que les monarchistes disparaissent, ils glissent vers la droite et deviennent les conservateurs. Pendant les premières années, les radicaux siègent à l'extrême-gauche mais, lorsqu'apparaissent les socialistes, ils se trouvent poussés vers le centre-gauche. À leur tour, les socialistes seront déplacés d'un cran par l'arrivée des premiers députés communistes.

Laïcs contre cléricaux   La question religieuse sépare la droite de la gauche de façon irréductible. Généralement bien-pensants, les conservateurs voudraient défendre les positions du catholicisme. Positivistes ou athées, souvent affiliés à la franc-maçonnerie, les hommes de gauche cherchent à abattre, ou tout au moins à réduire, la puissance de l'Église. Les radicaux mènent une lutte acharnée. « Le cléricalisme, voilà l'ennemi », répète Gambetta. Après des discussions véhémentes, l'instruction publique est sécularisée; l'école de l'État devient laïque (1882). Les congrégations religieuses gardent, néanmoins, le droit d'enseigner et toutes les familles de la bonne bourgeoisie se font un devoir de leur envoyer leurs enfants...

L'Affaire   L'affaire Dreyfus vient ranimer les haines. À l'origine, il s'agit d'une histoire d'espionnage et de contre-espionnage. Un officier israélite, le capitaine Dreyfus, est accusé d'avoir livré des secrets militaires à l'Allemagne (1894). L'opinion française, traumatisée par la défaite de 1870, réagit violemment. Dreyfus est dégradé puis déporté à perpétuité en Guyane, à l'île du Diable.

L'incident pourrait paraître clos mais la découverte de nouveaux documents met en cause d'autres officiers. L'« affaire » dégénère en un conflit idéologique. Les cléricaux de droite jugent Dreyfus coupable, alors que les anticléricaux de gauche affirment son innocence. L'opinion se partage entre « dreyfusards » et « anti-dreyfusards », provoquant des animosités dans les administrations et des brouilles dans les familles. De part et d'autre, des écrivains s'engagent à fond. Émile Zola adresse au président de la République une lettre ouverte intitulée « J'accuse », dans laquelle il dénonce les tribunaux militaires qui ont condamné un innocent. Après de multiples péripéties, le dossier est rouvert. Dreyfus est réhabilité, mais l'histoire de trahison dans laquelle il a été impliqué ne sera jamais tirée au clair.[3]

La chasse aux   L'antagonisme entre la droite et la gauche s'est encore accentué. La
congrégations campagne électorale de 1902 est houleuse. À Lourdes, un prédicateur harangue la foule en termes apocalyptiques. « Il y a deux candidats, dit-il, Barabbas ou Jésus. Voterez-vous pour Barabbas? » Malgré les efforts de la droite, le bloc des gauches (radicaux et socialistes) gagne de nombreux sièges. Un anticléricalisme militant sévit dans les services administratifs; les congrégations religieuses sont soumises à des mesures de plus en plus hostiles. Depuis le vote des lois instituant l'école laïque, 40% des enfants fréquentent encore des établissements dirigés par des ecclésiastiques, or c'est ce que la gauche ne saurait tolérer...

L'une après l'autre, les écoles religieuses reçoivent l'ordre de fermer. Dans les régions traditionalistes, en Bretagne notamment, la foule malmène les policiers qui viennent expulser les sœurs et les frères. Les ordres non-enseignants sont, à leur tour, sommés de se dissoudre. Gendarmes et magistrats ne prennent plus de vacances, tant il y a d'expulsions! Il faut enfoncer les portes des monastères et contenir la population qui manifeste sa sympathie pour les victimes. Les moines de la Grande Chartreuse sont chassés, ainsi que quelque 20 000 autres religieux. « Contre le prêtre, tout est permis, écrit un journaliste radical; c'est le chien enragé que tout passant a le droit d'abattre de peur qu'il ne morde.» La chasse aux « corbeaux » est ouverte. C'est l'époque où la présence d'un fonctionnaire à la messe apparaîtrait comme un défi à l'égard du gouvernement!

La séparation

L'escalade de la politique anticléricale aboutit, en 1905, à la séparation de l'Église et de l'État. Le régime que le Concordat avait institué plus de 100 ans auparavant, est abrogé. La nouvelle loi repose sur deux principes fondamentaux: d'une part la République assure la liberté de conscience; d'autre part, elle « ne reconnaît, ne salarie ni ne subventionne aucun culte ».[4] Les dépenses relatives aux cérémonies, les traitements du clergé, sont supprimés du budget des communes et de l'État. Les édifices religieux deviennent propriété de la nation mais le clergé est autorisé à les utiliser pour le culte, à condition de se conformer aux règlements.

Brusquement, les revenus de l'Église sont réduits aux contributions volontaires des paroissiens. Sur le plan financier, le coup est rude mais, à long terme, le catholicisme y gagnera. La solidarité du clergé et des fidèles se trouve renforcée et la perspective d'une existence matérielle difficile opère une sélection parmi les vocations. Pendant les premières décades du xxᵉ siècle, le mouvement de déchristianisation va se poursuivre dans les milieux ouvriers. Par contre, un renouveau catholique va se dessiner parmi les élites. Des hommes tels que Huysmans, Claudel, Péguy, Rouault, Bergson, Maritain, vont rejeter le positivisme matérialiste de leurs aînés et chercher une vérité d'ordre spirituel.

Triomphe des techniques

Malgré la défaite qu'elle a subie en 1870, malgré ses discordes politiques et son instabilité ministérielle, la France étonne les étrangers par son dynamisme. L'élan industriel va continuer jusqu'en 1914. Les usines se modernisent et se concentrent dans les régions les plus favorables. Le taux de croissance annuelle est inférieur à celui de l'Allemagne, mais il est supérieur à celui de l'Angleterre. La sidérurgie est la première bénéficiaire des progrès techniques; en 1914, on exploite 10 fois plus de fer qu'en 1873. Les forges du Creusot se spécialisent dans la fabrication du matériel lourd et des aciers spéciaux. L'utilisation de la houille blanche commence à animer l'économie des vallées des Alpes. La découverte de l'électrolyse de l'aluminium permet la création d'une industrie nouvelle. Riche en bauxite, la France se place immédiatement en tête pour la production de l'aluminium.

Organisée pour le centième anniversaire de la Révolution, l'Exposition de 1889 devient une manifestation spectaculaire de la résurrection française. La tour Eiffel, la principale attraction, est le symbole des techniques modernes. Aux yeux de la majorité des visiteurs, le triomphe de la République et celui du progrès ne font qu'un.

Révolution scientifique

Les inventions foisonnent. Par ses études de microbiologie et sa découverte des vaccins, Pasteur bouleverse la médecine; personne n'a jamais amélioré la condition humaine plus que lui. Les Parisiens voient apparaître l'éclairage au gaz puis l'éclairage électrique, le phonographe, les premiers téléphones. En 1895, les familiers des boulevards peuvent assister à la première séance du « Cinématographe Lumière ». Cette invention des frères Lumière (quelle plaisanterie ne fait-on pas à propos de leur nom!) conduit à la préparation des premiers sketches et des premières bandes d'actualité. Avant 1914, 90% des films projetés dans le monde seront de fabrication française. Les Lumière présentent les premiers essais de photographie en couleur. Les architectes élèvent les premières constructions en béton armé[5] et, en 1900, c'est l'inauguration de la première ligne du Métropolitain.

La navigation à vapeur remplace de plus en plus la navigation à voile. Panhard et Peugeot fabriquent les premières automobiles à pétrole; Louis Renault s'illustre comme sportif et comme ingénieur. On voit, et on entend, des véhicules étranges. Au mépris de toute prudence, on multiplie les courses. En 1900, un bolide à forme de cigare surnommé « La jamais contente », bat le record de vitesse avec 105 km à heure. Mais, très vite, l'automobile dépasse le stade d'objet de curiosité; en 1913, l'usine Renault à Boulogne emploie déjà 13 000 ouvriers.

Les nouveaux dieux L'avion et le dirigeable passionnent les expérimentateurs héroïques. En 1909, un Français, Louis Blériot, réalise la première traversée de la Manche en aéroplane. Lorsqu'il se pose sur le sol britannique, un douanier très sérieux vient lui demander: « Qu'avez-vous à déclarer? » et le voyageur de répondre: « Ma joie! » L'exploit de Blériot soulève une émotion universelle que seule renouvellera, 18 ans plus tard, la traversée de l'Atlantique par Lindbergh.

La tradition des Jeux Olympiques est renouée grâce à l'initiative d'un diplomate français, le baron de Coubertin. Les premiers Jeux (Athènes 1896, Paris 1900) ne suscitent guère d'enthousiasme mais, par contre, les matches de boxe ou de rugby passionnent un public de plus en plus nombreux.

D'abord réservé à quelques excentriques, le cyclisme se répand et la bicyclette devient « la petite reine ». En 1903, le journal *l'Auto* lance la plus ambitieuse de toutes les épreuves cyclistes: le Tour de France. Le succès est prodigieux; chaque année le vainqueur est acclamé comme un héros national.

La Belle Époque Jamais les spectacles n'ont eu autant de succès qu'aux environs de 1900. Le public adore le style héroïque et les voix vibrantes. Sarah Bernhardt est jugée « sublime », mot dont l'époque raffole. Le music-hall n'est pas moins prospère que le théâtre. Les Folies Bergère font figure d'institution nationale. Une foule cosmopolite fréquente les cabarets de Montmartre, et des altesses royales se rendent, incognito, au Moulin Rouge pour voir les petites femmes danser le cancan... Le dimanche après-midi, les bourgeois tranquilles vont au café-concert écouter les refrains à la mode. Tout le monde fredonne et les dames se préoccupent de leurs toilettes plus que de la politique. 1900, ah! c'était la Belle Époque, diront avec nostalgie les survivants de la Grande Guerre.

Franc or et économie bourgeoise

C'était la Belle Époque, surtout par contraste avec les tragédies qui vont suivre. Les Français ignorent encore le sens du mot inflation. En dépit de neuf changements de régime, la valeur du franc est restée constante depuis l'époque de Napoléon; aucune monnaie ne paraît plus stable, pas même la livre. Dans le monde entier, les billets de la Banque de France sont négociables au pair de l'or. Les finances de l'État sont saines et les budgets familiaux bien gérés. Les investisseurs recherchent les placements à l'étranger parce qu'ils sont d'un gros rapport. Les capitaux français servent à la construction des chemins de fer de Russie, d'Espagne, d'Égypte, d'Amérique du Sud etc.

Il y a pourtant des ombres au tableau. L'économie est plus statique que dynamique. Le chômage est élevé; les salaires ouvriers restent médiocres. La journée de travail atteint encore 11 ou 12 heures. Certes, le niveau de vie s'élève; on constate une augmentation de la consommation de la viande, du sucre, du café. Même parmi la petite bourgeoisie, on épargne, on achète de la terre et des bijoux; on se donne un peu de confort, parfois même on s'offre un voyage au bord de la mer... Néanmoins, ces améliorations sont dues en partie au fait que les familles pratiquent la restriction des naissances. On n'a qu'un enfant, dans l'espoir de préparer à celui-ci un avenir meilleur...

Les groupements ouvriers se constituent progressivement. Après de longs débats, les syndicats s'unifient en une seule organisation: la Confédération Générale du Travail (C.G.T.). Le premier mai devient le jour des revendications et des rassemblements de masse. À la fin du siècle, les grèves se multiplient; elles affectent tous les corps de métier: les électriciens, les mineurs, les cheminots, les fonctionnaires et même les garçons de café qui réclament le droit de porter la moustache!

L'appel du large

Bien des gens se rendent à peine compte du développement que prend la France d'outre-mer. Entre 1871 et 1914, l'empire colonial décuple, en superficie et en nombre d'habitants; il se place au second rang, juste après celui de l'Angleterre. Déjà du temps de la monarchie et du Second Empire, des intérêts français s'étaient implantés en divers points du globe; la pacification de l'Algérie se poursuivait depuis 1830. Ce qui est nouveau, c'est l'importance de l'expansion coloniale. Des facteurs fort divers y concourent: préoccupations stratégiques, désir de rivaliser avec les Anglais, besoins commerciaux, goût de l'exotisme, aspirations culturelles, philanthropiques ou religieuses. À cela s'ajoute le fait que la France a subi, en 1870, une défaite cuisante. Par prudence, le gouvernement veut éviter toute contestation relative à l'Alsace-Lorraine qui risquerait de provoquer un nouveau conflit avec une Allemagne toute-puissante. De gré ou de force, les Français vont chercher un dérivatif hors d'Europe. Dans les administrations, et surtout dans l'armée, pour obtenir un avancement accéléré, il faut aller passer plusieurs années aux colonies. Les expéditions lointaines ne sont pas sans susciter des critiques. Certains patriotes estiment qu'elles compromettent la sécurité nationale et qu'elles détournent l'attention publique des provinces perdues. Effectivement, Bismarck trouvera une certaine satisfaction à voir le coq gaulois s'épuiser sous les Tropiques...

La France d'outre-mer

L'empire touche à tous les continents. À peu près pacifiée, l'Algérie est administrée, non plus par l'armée mais par les autorités civiles. À la suite d'accords avec les souverains indigènes, un protectorat français est instauré sur la Tunisie puis sur le Maroc. En poursuivant la pénétration du Sahara, les Français établissent la jonction entre leurs territoires d'Afrique du Nord et ceux d'Afrique Occidentale et d'Afrique Équatoriale.[6] Dans l'hémisphère sud, ils occupent Madagascar. En Amérique, la souveraineté française reste limitée à la Guyane et à quelques Antilles, débris des anciennes possessions du XVIIIe siècle. Par contre, dans le Pacifique, elle s'étend sur Tahiti, la Nouvelle-Calédonie, ainsi que sur un grand nombre d'îles de la Polynésie. En Asie, la conquête de l'Indochine se poursuit. Après des années de luttes confuses, les Français réussiront, superficiellement tout au moins, à donner une unité administrative au pays.

De l'Entente cordiale à la Triple Entente

Dans toutes les négociations diplomatiques, la question allemande restait sous-jacente. La défaite de 1870 et la Commune avaient laissé la France affaiblie et déconsidérée. Les cours d'Europe regardaient avec mépris un pays qui changeait si souvent de régime. Avec la Suisse, la France était la seule république en Europe. Pour sortir de son isolement, la France chercha à se rapprocher de la Russie. Le tsar vint à Paris et fut acclamé avec ferveur. C'était la première fois que la IIIe République recevait un souverain. Aux yeux de l'opinion, cette visite apparut comme une garantie de paix par l'équilibre des forces.[7]

Le développement de la France d'outre-mer ne pouvait pas manquer d'irriter les Britanniques. À plusieurs reprises, Français et Anglais furent sur le bord de la rupture. Néanmoins, au début du XXe siècle, un facteur nouveau les incita à s'entendre: l'expansion allemande en Afrique. Le jeune empereur Guillaume II voulut avoir une marine puissante. Lorsqu'il débarqua au Maroc, casque en tête, l'Angleterre s'alarma et se rapprocha de la France. Ainsi naquit l'Entente cordiale. Les deux anciennes rivales se partagèrent les zones d'influence: l'Angleterre eut les mains libres en Égypte et au Soudan; en échange, elle laissa les Français opérer au Maroc et en Afrique Occidentale.

Le caractère belliqueux de la politique allemande amena les Franco-Britanniques à resserrer leurs liens avec la Russie. Cette Triple Entente était la riposte à la Triple Alliance qui unissait l'Allemagne, l'Autriche et l'Italie. L'Europe en arriva à un régime de paix armée.

Antimilitarisme ou nationalisme?

Les deux années qui précédèrent la Grande Guerre furent remplies de présages alarmants: conflits dans les Balkans, accroissement du militarisme allemand, difficultés au Maroc, incidents de frontière dans les Vosges etc. Malgré la montée des périls, l'extrême gauche continuait à prêcher un antimilitarisme dogmatique. À la Chambre, ses représentants tentèrent de s'opposer à la loi instituant le service militaire de trois ans.[8] Selon Jean Jaurès, porte-parole des socialistes avancés, l'ennemi du prolétariat n'était pas l'Allemagne, mais la société capitaliste. La solidarité de classe devait primer toute considération nationaliste car, répétait-il, « le capitalisme porte en lui la guerre comme la nuée porte l'orage.» En cas de mobilisation, le mot d'ordre était: « grève générale ».[9]

La propagande extrémiste ne pouvait avoir d'influence profonde à une époque où le peuple sentait la patrie en danger. Dans tous les milieux, le sentiment national grandissait. Jamais on n'avait chanté autant de refrains patriotiques. Les écrivains les plus appréciés étaient ceux qui mettaient en honneur les valeurs traditionnelles: Bourget, Bazin et surtout Barrès. Auprès des intellectuels, le journal *l'Action Française* devait son prestige moins à ses doctrines royalistes qu'à son nationalisme intégral. Le poète Péguy avait quitté les rangs des socialistes pour devenir l'apôtre d'un nationalisme mystique. Au théâtre, le public recherchait les pièces d'inspiration héroïque. La masse française comprenait que, même si elle renonçait à toute idée de revanche, elle n'éviterait pas la guerre.

Parti des Balkans,[10] en un mois, le conflit s'étendit au reste de l'Europe. L'Allemagne déclare la guerre à la Russie et le lendemain (3 août 1914) à la France. L'engrenage fatal est déclenché. L'Allemagne exige que la Belgique laisse passer ses troupes en marche vers la frontière française. La Belgique refuse; l'Angleterre rentre en guerre.

L'union sacrée

En France l'élan est unanime. La mobilisation ressemble à un volontariat général. Les réservistes partent, une fleur à la boutonnière, confiants que la guerre serait courte. Plus de 5 000 trains transportent un million et demi d'hommes vers les frontières.

Pour repousser l'invasion, les forces françaises lancent des contre-offensives héroïques, mais combien meurtrières. Pendant les deux premiers mois de la guerre, elles perdront 300 000 hommes. Néanmoins, il faut reculer devant un adversaire supérieur en nombre, doté d'une artillerie plus puissante, et qui a l'avantage d'avoir pris l'initiative des opérations. Les réfugiés refluent par milliers. La bataille des frontières

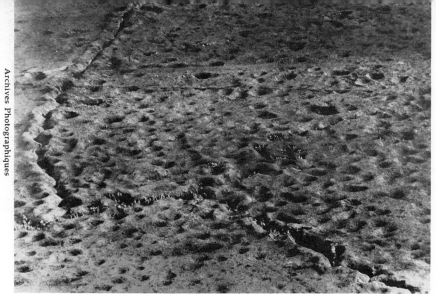

*Sur le front,
progression dans les
trous d'obus.*

est perdue. Les plans sont bouleversés mais le généralissime Joffre domine le tumulte. Avec un sang-froid étonnant, il dirige un repli stratégique jusqu'à la Marne. Parties du nord-est, les armées allemandes vont
converger vers Paris; elles ne sont plus qu'à 35 km de la capitale; leurs
avant-postes peuvent déjà apercevoir la tour Eiffel.

La Marne

Le 6 septembre, dans un ordre du jour résolu, Joffre ordonne à la
troupe de « se faire tuer sur place plutôt que de reculer ». Après une
retraite harassante qui durait depuis trois semaines, les hommes trouvent
la force de faire volte-face et de passer à l'offensive. Les combats se
déclenchent sur 300 km. Ils vont durer six jours. Le général Gallieni,
gouverneur militaire de Paris, réquisitionne les taxis pour porter au front
les soldats dont il dispose. Les taxis de la Marne contribuent à la victoire,
ainsi que l'aviation qui, pour la première fois, intervient dans les opérations militaires. Dans cette bataille gigantesque, un élément transcende
tous les autres: l'héroïsme d'une armée décidée à arrêter l'envahisseur,
coûte que coûte. Brisés dans leur élan, les Allemands reculent. Victoire
stratégique: Paris est sauvé. Victoire morale: les Français se disent: « On
les aura! »

Les tranchées

Après la Marne, la guerre s'immobilise. Les adversaires se terrent.
Pendant quatre ans, ils vont vivre dans la boue et le sang des tranchées.
Le front forme un arc de cercle continu de près de 700 km qui s'étend de
la mer du Nord à Belfort. De part et d'autre, les assauts, organisés dans
l'espoir d'ouvrir une brèche chez l'ennemi, n'aboutiront qu'à des changements de positions infimes.

En 1915, les Allemands lancent les premières attaques aux gaz as-
phyxiants. L'année suivante, estimant la France à bout de force, ils
déclenchent une offensive foudroyante sur Verdun. La situation redevient critique. À la Chambre, Georges Clemenceau, le président du Con-

Le 11 novembre 1918: l'armistice.

seil, fait face aux pires difficultés. Il ne connaît qu'un but: « La guerre, la guerre jusqu'au bout ».

Verdun

1917 sera l'année la plus sombre de la guerre. Désorganisés par la révolution, les Russes abandonnent la lutte et concluent une paix séparée. Libres à l'est, les Allemands peuvent se regrouper à l'ouest. L'entrée en guerre des États-Unis apporte un réconfort moral d'une portée immense. Néanmoins, les troupes américaines ne sont pas encore prêtes à entrer en action et, dans les rangs français, apparaissent des signes de découragement. Le secteur de Verdun est devenu un enfer de feu; il y tombera, en moyenne, une bombe par centimètre carré. Par son bon sens, par son ton paternel, Pétain réussit à ranimer la confiance; les « poilus » se répètent son mot: « Ils ne passeront pas.» Et, effectivement, l'adversaire finira par se retirer. Quand on reviendra aux positions stratégiques du départ, la bataille aura fait près d'un demi-million de morts.

La victoire

Au cours de l'été 1918, les alliés peuvent enfin prendre l'initiative des opérations. L'arrivée des premiers tanks permet de franchir les lignes ennemies. L'Allemagne va subir un désastre mais, avant d'être envahie, elle demande à mettre fin aux hostilités. Le maréchal Foch, commandant en chef des armées alliées, accorde aux plénipotentiaires allemands un armistice sans condition. Sur le plan militaire, la victoire est totale. Le 11 novembre vers 11 heures du matin, comme les cloches commencent à carillonner, dans toutes les villes de France le peuple descend dans la rue pour acclamer la grande, l'heureuse nouvelle.

NOTES

1 Né en 1820, il était le fils posthume du duc de Berry. Il avait quitté la France en 1830 avec son grand-père Charles X. Son éducation avait été dirigée par sa tante, la fille de Louis XVI.

2 Élu pour sept ans et rééligible, le président, selon la constitution de la IIIe République, avait des pouvoirs étendus. Néanmoins, par tradition, il a joué un rôle surtout représentatif. Les Chambres ont pris l'habitude de confier ce poste à des personnalités peu marquantes qui ne risquaient pas de chercher à saisir le pouvoir.

3 L'affaire n'aurait pu être élucidée que par l'étude des documents obtenus par l'Allemagne. Or ces documents ont disparu dans l'incendie de Berlin en mai 1945.

4 Loi du 9 décembre 1905. Cité par: Duvergier, *Lois, décrets, ordonnances, règlements*, Paris, 1905, p. 586.

5 Inventé par l'ingénieur français Hennebique.

6 Parmi les chefs d'expéditions coloniales, citons: Brazza (Congo), Lamy (Afrique Équatoriale), Lyautey (Madagascar, Maroc), le père de Foucauld (sud-algérien).

7 À la suite de cette visite (1896), les épargnants français souscrivirent en masse aux emprunts russes. Comme par la suite les soviets refusèrent de reconnaître les dettes des tsars, la plupart des capitaux français ne furent jamais retrouvés.

8 Destinée à compenser la faiblesse démographique (France, 39 millions d'habitants, Allemagne 70 millions).

9 Jaurès fut tué à la veille de la guerre de 1914 par un patriote qui jugeait ses doctrines antimilitaristes néfastes aux intérêts nationaux.

10 L'assassinat de l'héritier de l'Autriche-Hongrie par un patriote serbe alluma la guerre dans les Balkans puis, de là, entre l'Allemagne et la Russie.

L'ÉCOLE PRIMAIRE

Premier besoin du peuple...
La IIIe République n'a pas, à proprement parler, créé l'école primaire; elle n'a fait que mener à terme un mouvement en faveur de l'enseignement élémentaire qui se développait depuis plusieurs générations. Dès 1875, la question scolaire fait l'objet de débats parlementaires passionnés. Fidèles au principe proclamé par Danton à la tribune de la Convention, les républicains estiment que, « après le pain, l'instruction est le premier besoin du peuple ». À leurs yeux, c'est à l'État qu'incombe la responsabilité de former les générations à venir. Les conservateurs ne sont pas hostiles à l'enseignement, loin de là, mais ils s'opposent à l'ingérence du gouvernement dans ce domaine; pour eux, tout ce qui concerne la jeunesse doit rester soumis aux autorités traditionnelles: la famille et l'Église.

Gratuité
Les républicains vont mener la lutte progressivement. Sous l'impulsion de Jules Ferry, plusieurs fois ministre de l'Instruction publique, ils commencent par demander que l'école primaire soit gratuite.

Depuis longtemps, congrégations religieuses et municipalités s'efforçaient de venir en aide aux familles nécessiteuses qui ne pouvaient pas payer les frais de scolarité. Sous la Restauration, déjà 30% des enfants étaient instruits gratuitement. À l'époque du Second Empire, cette proportion dépassait 50%. Enfin, en 1881, malgré l'opposition des conservateurs, la gratuité devint totale.

Cette première loi scolaire donne à tous les enfants des droits égaux. Plus question de deux classes, celle des élèves payants et celle des indigents! Autre conséquence non moins importante: l'instituteur n'ira plus mendier ses honoraires de porte en porte; il ne sera plus contraint à chercher des emplois annexes. Le voilà fonctionnaire; son salaire reste minime mais il est régulier du fait qu'il est payé par l'État. Désormais, les communes n'interviendront plus que pour le financement des locaux et du matériel scolaire.

Le maître d'école, comme on l'appelle, se trouve affranchi à la fois de la tutelle du curé et des autorités locales. Dans la plupart des cas, il a fait ses études aux frais de l'État dans une école normale où, pendant trois années, il s'est initié aux questions relatives au métier de son choix. Du jour où il a été nommé dans une école, il est devenu membre d'une structure administrative dirigée, en haut lieu, par le ministre de l'Éducation nationale et par les recteurs d'Académie. Le corps enseignant va rapidement prendre conscience de son importance dans la vie nationale et, dès la fin du siècle, les premiers syndicats d'instituteurs seront organisés.

Scolarité obligatoire À partir du moment où l'enseignement public est gratuit, il est logique que la fréquentation scolaire soit obligatoire. En 1882, la loi stipule que tout enfant, garçon ou fille, doit être scolarisé entre 7 et 13 ans. Ne sont autorisés à quitter l'école à 12 ans que les enfants qui ont déjà obtenu leur Certificat d'Études primaires. La mauvaise volonté des familles se fera longtemps sentir, surtout à la campagne. « Il n'a pas besoin d'aller à l'école pour manger du pain », entendra-t-on. Si l'enfant va en classe assez régulièrement pendant les mois d'hiver, il s'absente dès que reprennent les travaux des champs. En juin, au moment des foins, la classe des grands est à peu près vide. En automne, dans les régions de vignobles, des plus jeunes aux plus vieux, tout le monde participe aux vendanges. De nos jours, grâce au développement de la législation sociale, un instituteur peut menacer les parents de leur faire supprimer les allocations familiales s'il estime insuffisante la fréquentation scolaire de leur enfant. Ce moyen de pression est d'une efficacité remarquable!

L'analphabétisme est allé en diminuant progressivement. En 1890, parmi les conscrits, on compte encore 10% d'illettrés; en 1910, on n'en trouve plus que 5%. Aujourd'hui, le pourcentage est devenu infime; cela ne veut pas dire que la bataille contre l'ignorance soit gagnée pour autant...

Laïcité Les débats relatifs à la gratuité et à la fréquentation obligatoire n'ont été qu'un prélude. Le véritable enjeu de la bataille scolaire va être la laïcité. Pendant des siècles, l'Église avait eu le monopole de l'enseignement. Même si elle doit accepter le principe de l'école publique, elle entend garder son autorité morale. Elle veut que l'instituteur continue à faire réciter la prière et qu'il enseigne le catéchisme. Au nom de la liberté de conscience, les républicains demandent que l'on supprime les cours d'instruction religieuse des programmes. Les cléricaux protestent. « Le silence sur Dieu, déclare l'un d'eux à la Chambre, équivaut à sa négation.» La gauche radicale ne se contente pas de demander la neutralité; elle exige la laïcité totale. Les débats parlementaires sont empreints de considérations métaphysiques; « on dirait, dit un député, que Dieu est en ballottage.»

Les républicains l'emportent. La loi de 1882 déclare que l'enseignement public doit être laïque. Les membres du clergé n'ont plus accès aux locaux scolaires; ils ne sont plus admis à participer aux concours de recrutement. Les crucifix et autres symboles religieux doivent être retirés des classes.

Guérilla scolaire L'affrontement va continuer. Les catholiques s'insurgent contre « les lois scélérates ». Les familles bien-pensantes boycottent l'école communale, « l'école sans Dieu », et font éduquer leurs enfants dans les établissements dirigés par les congrégations. La querelle scolaire coupe en deux les villages, et surtout les villes de province. Laïcs et cléricaux ont chacun leur école, leurs jours de fête, leurs orateurs, leurs commerçants attirés et, bien entendu, leurs candidats aux élections. En Bretagne, certains curés refusent les sacrements aux enfants de l'enseignement public. Il y a un village où toute la population fréquente l'école des Frères; l'instituteur n'a qu'un seul élève: son propre fils. De leur côté, certains inspecteurs mettent à l'index les instituteurs qui oseraient assister à la messe. Pour démasquer les catholiques, il arrive qu'ils réunissent le personnel enseignant un vendredi, et qu'ils fassent servir un repas gras obligatoire...

Le conflit rebondit à propos des manuels scolaires. Quelques républicains modérés voudraient enseigner une morale laïque, vaguement spiritualiste, qui ne choquerait personne. Les radicaux, par contre, font preuve d'un anticléricalisme militant. L'un d'eux, auteur de plusieurs livres, fait remarquer que le catholicisme n'est ni la religion la plus ancienne ni celle qui compte le plus de fidèles. Les ouvrages d'histoire insistent longuement sur l'horreur de l'inquisition religieuse. Une idéologie positiviste un peu simpliste se dégage des textes de lecture. À l'obscurantisme et au fanatisme de jadis, on oppose le progrès moderne et l'amour de l'humanité. Dans les écoles normales, la libre pensée prend une intransigeance dogmatique.

La guérilla va se poursuivre, tantôt tapageuse, tantôt insidieuse. Pourtant, au cours de la première décade du XXe siècle, chaque camp sent qu'il a avantage à composer. Certains catholiques comprennent qu'en acceptant l'école laïque, ils pourront veiller à ce qu'elle soit non pas antireligieuse, mais véritablement neutre. Un pape libéral conseille aux fidèles le ralliement à la République. Quant aux instituteurs, dans la plupart des communes, ils se rendent compte qu'ils ne peuvent heurter de front les opinions de la majorité des familles. Toutefois, l'apaisement ne viendra qu'avec la Grande Guerre lorsque laïcs et cléricaux devront combattre, côte à côte, pour défendre la patrie.

Renouveau et tradition

Du temps du Second Empire, 60% des écoliers apprenaient tout juste à lire, à écrire et à compter. Avec la IIIe République, les programmes deviennent plus ambitieux; on voudrait que les enfants quittent l'école en sachant tout ce qu'il n'est pas possible d'ignorer... Outre la lecture, l'orthographe et l'arithmétique, on leur enseigne l'histoire, la géographie, les sciences usuelles. Plus tard, on ajoutera le dessin, le chant, le calcul mental et la gymnastique. Un examen sanctionne l'acquisition des connaissances: le Certificat d'Études primaires. Il comprend des épreuves écrites (dictée, problèmes d'arithmétique, rédaction) ainsi que des épreuves orales. À douze ou treize ans, l'obtention du diplôme donne une grande satisfaction d'amour-propre.

À mesure que la scolarité obligatoire va se prolonger (14 ans en 1936, 16 ans en 1959), programmes et méthodes vont s'assouplir. De nos jours, l'objectif ne consiste plus à faire apprendre par cœur des règles de grammaire, des dates d'histoire ou la liste des départements français... Les instituteurs ont surtout pour mission d'éveiller l'intelligence de leurs élèves afin de les préparer à poursuivre des études plus avancées.

Le cadre de la vie scolaire se modernise. Les méthodes évoluent. L'école primaire n'incarne plus, comme elle le faisait jusqu'à la Première Guerre mondiale, l'idéologie du progrès et de la justice sociale. Malgré tout, les maîtres restent attachés aux principes fondamentaux de leurs devanciers. Comme eux, ils regardent l'enseignement de l'État comme un service public, accessible à tous et rigoureusement laïque.

L'Appel du général de Gaulle.

Photo Bibliothèque nationale

Les cloches de l'armistice déclenchèrent une joie délirante. La défaite de 1870 est effacée. Les départements libérés acclament les vainqueurs. Spontanément, l'Alsace-Lorraine redevient française. À Metz, Foch et Clemenceau sont reçus en sauveurs. Mais, on ne va pas tarder à comprendre à quel prix la victoire a été payée. 1 400 000 tués,[1] plus d'un million de survivants frappés d'invalidité permanente; la région du nord dévastée; les principales industries paralysées; la moitié des routes à refaire; la fortune nationale réduite au quart; les réserves de la Banque de France amputées... Avant 1914, la France prêtait aux puissances étrangères; en 1918, elle a de lourdes dettes. La monnaie commence à fléchir et les prix à monter.

Dans l'euphorie de la victoire, on répète le slogan: « l'Allemagne paiera! » La conférence de la paix va apporter les premières désillusions. La France a subi les pertes les plus lourdes; 10.5% des hommes actifs sont morts (contre Allemagne 9.8%, Angleterre 5.1%, Belgique 1.9%, U.S. 0.2%), mais elle ne se rend pas suffisamment compte que, à elle seule, elle n'aurait sans doute pas pu triompher. Aussitôt le péril écarté, la solidarité entre alliés se disloque. Les problèmes à résoudre sont innombrables. 27 nations sont représentées, bien que certaines (nations d'Amérique du Sud entre autres) n'aient participé aux hostilités que de façon théorique. Inévitablement, chacun ne songe qu'à défendre ses principes traditionnels et ses intérêts particuliers. L'Angleterre s'estime satisfaite d'avoir anéanti l'Allemagne sur mer et aux colonies; après quoi, pour rétablir l'équilibre des forces, elle voudrait lui donner les moyens de se relever en Europe. Le Président Wilson souhaite rembarquer ses troupes au plus vite, après avoir été l'arbitre d'une paix juste; en fin de compte, le Congrès américain ne ratifiera jamais le traité... Le programme français se ramène à la formule: « Restitutions, réparations et garanties ». Pour que l'Allemagne n'ait plus la possibilité de nuire, Foch voudrait la diviser en plusieurs états ainsi qu'elle l'était avant 1870; il voudrait, tout au moins, détacher la Rhénanie[2] du reste du pays. Les Anglo-Saxons s'opposent à ces vues. En définitive, l'Allemagne va garder son homogénéité territoriale et son potentiel industriel. En principe, la Rhénanie doit être occupée pendant 15 ans, mais la France va se retrouver seule pour assumer cette tâche. Plus ou moins désavouée par ses anciens alliés, celle-ci finira par évacuer la zone d'occupation avant l'échéance prévue.

Le traité de Versailles est signé dans la galerie des Glaces (1919), à l'endroit même où l'Empire allemand avait été proclamé. Bien qu'il sanctionne le retour de l'Alsace-Lorraine à la France, il suscite peu d'enthousiasme. Il stipule que l'Allemagne devra réparer les ruines qu'elle a causées et que le montant des dommages sera fixé ultérieurement, par une commission spéciale. Ce traité de compromis soulève déjà des critiques. « Il n'assure pas la sécurité de la France », répète Foch. « Ce sera, soupire Clemenceau, un devenir perpétuel, à moins que ce ne soit un fiasco total.» Effectivement, en 20 ans, les illusions qu'il a pu inspirer vont s'envoler l'une après l'autre.

Brusquement, les problèmes économiques et monétaires prennent une importance vitale mais les Français, dont la formation a surtout été littéraire et juridique, ne sont guère préparés à les affronter. Ils comptent que l'Allemagne paiera l'addition... Moralement, juridiquement, rien de plus équitable. En 1870, la France avait versé une lourde indemnité au vainqueur. Néanmoins, après la Grande Guerre, divers facteurs vont contribuer à fausser les règlements de compte: la mauvaise volonté du gouvernement allemand, les discordes entre les anciens alliés, la crise qui se déclenche en Allemagne etc.

En dépit des arguments français, l'Allemagne ne va s'acquitter que d'une faible partie du montant des réparations. En 1931, devant l'amplitude de la crise économique, le Président Hoover propose un moratoire suspendant le paiement des dommages. La France n'a pas été consultée; soudain, elle se trouve privée des sommes escomptées. Elle va devoir financer elle-même les pensions de guerre et la reconstruction des régions dévastées. Pis que tout, elle a contracté des dettes vis-à-vis de ses anciens alliés, notamment vis-à-vis des États-Unis, et elle ne réussit pas à faire établir une liaison entre l'argent qu'elle doit, et l'argent qui lui est dû. Les Français ont l'impression d'avoir été joués; ils ne peuvent admettre de rembourser les États-Unis, alors que l'Allemagne ne les rembourse pas... La Chambre croit trouver un biais en ajournant ses paiements à une date indéfinie, mais les rapports franco-américains vont s'en trouver viciés pour longtemps.

Un vent de folie   Pour restaurer l'économie, il faudrait que la nation se solidarise; or elle est épuisée et désorientée. Il semble qu'un effort excessif ait brisé la vitalité. Des facteurs démographiques défavorables s'accumulent: générations combattantes saccagées, déséquilibre entre le nombre des hommes et celui des femmes, baisse du taux de la natalité. On s'était imaginé que la fin des hostilités permettrait de revenir à l'ancien état de choses. En réalité, en accélérant les changements sociaux, la guerre a provoqué une véritable révolution. L'inflation a décapité les vieilles fortunes. Les rentiers à revenus fixes sont ruinés, ou gravement atteints. Par contre, les bouleversements ont fait surgir des « nouveaux riches » plus ou moins scrupuleux. Le franc se déprécie. Rien qu'en cinq ans (1919–1923), il perd la moitié de sa valeur et le glissement continue... Le goût de l'épargne, si caractéristique des Français, s'en trouve perturbé. On voudrait réaliser des gains faciles. On cherche à spéculer. On achète n'importe quoi: des devises étrangères, des grains, des timbres postes, des tableaux, en attendant que « ça monte »...

Pour la première fois, la population urbaine l'emporte sur la population rurale. Les éléments traditionalistes, artisans et cultivateurs, sont en recul. Désormais, ce sera le salarié et, plus particulièrement, l'ouvrier d'usine, qui va constituer le groupe prépondérant.

Les femmes se sont émancipées. De gré ou de force, beaucoup d'entre elles ont pris une activité professionnelle. Les jeunes commencent à bénéficier de la diffusion de l'enseignement; on voit des femmes avocat et des femmes médecin. Cette « révolution féministe » s'accompagne d'une révolution des mœurs: les cheveux sont plus courts, les jupes aussi. Les jeunes filles ne craignent plus de sortir seules et de faire du sport. De plus en plus, la femme et l'homme commencent à se considérer comme égaux, mais ce changement profond sera loin d'être achevé avant la guerre de 1939.

En matière d'amusements, on cherche l'inédit, le sensationnel. L'anglomanie est à la mode. On parle de tea-room, de dancing et de surprise-party. Le whisky et les cocktails font leur apparition chez les gens up-to-date... Opérettes et revues à grand spectacle font fureur. Sur les scènes parisiennes, on n'a jamais vu autant de nu! Des refrains de l'époque se dégage une indifférence un peu forcée. Maurice Chevalier, un chanteur à grand succès, chante: « Dans la vie, faut pas s'en faire... Moi j'm'en fais pas... Tout s'arrangera! » C'est, du moins, ce que l'on voudrait croire.

Scission à gauche Dès la fin de la guerre, les conflits sociaux reprennent avec violence. Le jour même de la signature du traité de Versailles, les employés du Métro se mettent en grève pour appuyer leurs revendications. L'année suivante, le Congrès de l'Internationale Ouvrière (1920) aboutit à une scission entre les socialistes minoritaires et les communistes majoritaires. Les socialistes estiment que le parti ouvrier doit travailler à obtenir des réformes dans le cadre de la légalité; à leurs yeux, une révolution par la violence risquerait de provoquer une répression réactionnaire. Par contre, pour les communistes, la violence constitue la seule arme efficace contre l'impérialisme capitaliste. En se solidarisant avec les bolchevistes russes, ils vont constituer un organisme militant, centralisé et puissamment discipliné. Opérant dans la clandestinité aussi bien qu'officiellement, ils sont résolus à mettre tout en action pour faire triompher la révolution marxiste.

La mêlée des partis Momentanément, les tensions avec les alliés, l'obsédant problème des réparations, suscitent un mouvement de ralliement vers l'union nationale. Le financier Poincaré,[3] l'homme qui incarne la défense de la monnaie et des intérêts vitaux, devient président du Conseil. Pendant quelques temps, le franc se consolide, mais une aggravation des problèmes internationaux compromet le plan de redressement. Après le départ de Poincaré, la République n'aura plus d'homme de premier plan. De toute façon, le régime ne donnerait à personne les moyens indispensables pour suivre une politique énergique.

L'opinion s'est fragmentée en une douzaine de partis qui s'échelonnent, de la droite réactionnaire à la gauche communiste. Les Cabinets, pour pouvoir se constituer, doivent rassembler plusieurs partis mais ces combinaisons instables ont fatalement la vie courte. Si un gouvernement s'oriente vers la gauche, il mécontente les possédants, inquiète la bourgeoisie et creuse le déficit. S'il s'oriente vers la droite, il rétablit quelque ordre dans les finances, mais il antagonise la gauche et même le centre qui est resté profondément attaché aux traditions républicaines et laïques. Envisagée globalement, la vie politique de l'entre-deux-guerres oscille comme un pendule; quand on a trop penché vers la gauche, on se redresse vers la droite. Si elle n'était pas excessive, cette alternance serait salutaire mais, en pratique, elle dégénère en un mouvement chaotique.

La montée des périls
L'Allemagne viole, l'une après l'autre, les clauses du traité de Versailles. La crise économique qui s'est déclenchée à New York en 1929, commence à atteindre la France. À Paris, les gouvernements qui se succèdent sont incapables de défendre les intérêts nationaux. L'extrême gauche, appuyée par les syndicats, ébranle l'autorité par ses revendications sociales. À coups de grèves, démonstrations de rue et occupations d'usines, elle paralyse l'économie. L'extrême droite, numériquement faible mais violemment antiparlementaire, harcèle le régime en lui reprochant son incapacité. Des ligues à tendance fasciste, le mouvement royaliste de *l'Action française,* entre autres, vomissent des injures contre « la gueuse », c'est-à-dire contre la République.

Momentanément associés, communistes et socialistes se liguent pour former le Front populaire. Leur succès aux élections leur ayant donné une majorité à la Chambre (1936), il s'empressent de faire adopter un train de mesures sociales: contrats collectifs obligatoires, semaine de 40 heures et congés payés. « Le pain, la paix, la liberté.» Idéal généreux mais qui, malheureusement, va entraîner une nouvelle dévaluation du franc (25%), une diminution sensible de la production et une réduction des crédits militaires. Or, devenu chancelier du Reich, Hitler dirige l'Allemagne dans un prodigieux effort de réarmement. En 1936 ses troupes, déjà puissamment mécanisées, pénètrent dans la zone dite « démilitarisée » et, en deux jours, atteignent la frontière. Stupéfaits, les Français et leurs anciens alliés constatent le fait accompli.

Aveuglements

Comment pourraient-ils faire autrement? Les États-Unis observent une attitude isolationniste. L'Angleterre n'a qu'une armée insignifiante. Quant à la France, elle a une armée assez importante, mais elle ne serait prête qu'à des opérations défensives. Partant du principe qu'ils n'aspirent à aucune conquête, les Français estiment, depuis 1918, que leur responsabilité militaire se limite à la garde de leurs frontières. Cette attitude est d'ailleurs conforme aux théories du chef le plus prestigieux de l'armée, le maréchal Pétain. Une grande partie du budget de la Défense nationale sera donc consacré à l'édification d'un système de fortifications — dit ligne Maginot — qui couvre la frontière de l'est. Bien qu'il n'envisage qu'une stratégie défensive, le gouvernement français signe des pactes d'assistance avec les pays d'Europe centrale, Autriche, Tchécoslovaquie, Pologne. Comment pourrait-il les aider alors qu'il n'a pas l'intention d'aller au-delà de ses frontières? Parmi les rares personnes qui aperçoivent la contradiction se trouve un certain de Gaulle, capitaine d'infanterie, assez mal vu de ses supérieurs du fait de ses opinions peu orthodoxes.

On connaît la suite. Hitler va opérer à sa guise; il annexe l'Autriche puis la Tchécoslovaquie. Les accords de Munich sanctionnent son nouveau coup de force. Une fois de plus, on évite la guerre en cédant. Les Français manifestent une joie bruyante. Seuls quelques isolés expriment de l'embarras ou de l'appréhension.

La « drôle de guerre »

Le sursis durera un an à peine. En 1939, Hitler conclut un pacte avec la Russie soviétique, puis, quelques jours plus tard, sans déclaration de guerre, il lance une offensive foudroyante contre la Pologne. Cette fois encore, l'ensemble de la population française espère en être quitte pour la peur. Mais le gouvernement a durci son attitude et l'Angleterre est décidée à honorer ses engagements vis-à-vis de la Pologne. La Chambre vote des crédits militaires supplémentaires. Le 3 septembre, l'Angleterre puis la France déclarent la guerre à l'Allemagne.

L'opinion éprouve, avant tout, un sentiment de stupeur; il semble qu'elle ait du mal à s'éveiller aux réalités. Vingt ans après la victoire sur l'Allemagne, c'est de nouveau la mobilisation! L'extrême droite estime que les Franco-Britanniques ne sont pas en mesure d'affronter l'armée du Reich. Quant aux communistes, ils répugnent à entrer en conflit avec un pays qui fait cause commune avec la Russie soviétique. Néanmoins, cinq millions d'hommes vont partir, autant qu'en 1914. Cette fois, ce sera avec plus de résignation que d'enthousiasme.

En deux semaines, la Pologne a été écrasée par les divisions mécanisées de la Wehrmacht. Comme il n'est plus possible de sauver ce malheureux pays, les forces franco-britanniques restent dans le *statu quo*. On s'installe dans les fortifications. Des jours s'écoulent sans qu'on entende un coup de feu. En dépit de l'état de guerre, on espère bien qu'on n'aura pas à se battre à fond. Les œuvres d'entraide envoient aux soldats jeux de cartes, gourmandises et ballons de football. Certaines familles font des projets de vacances pour l'été 1940... car, d'ici là, on pense que « la drôle de guerre » sera finie. On suppose qu'elle se terminera aussi sottement qu'elle a commencé, en queue de poisson!

Désastre   Le 10 mai 1940, l'ennemi déclenche une attaque éclair. En quelques jours, il saisit la Hollande, la Belgique, le Luxembourg et perfore le front du nord. Par la brèche ouverte se précipitent sept divisions de tanks, dites divisions Panzer.[4] Direction: la mer.

Désorientés par la puissance mécanique de l'adversaire, les combattants français réagissent mal. Ils se défendront, souvent même avec héroïsme, mais, dans cette guerre de matériel, ils ne disposent pas des moyens nécessaires pour riposter. L'armée a des tanks, mais elle les a dispersés le long du front alors que l'ennemi engage les siens en formations compactes comme des fers de lance.

Dès les premiers revers, les Anglais, anxieux d'échapper à l'encerclement, commencent à se rembarquer. Les Français en éprouvent une amertume qui sera longue à se dissiper. Le haut commandement est paralysé par les mauvaises nouvelles. Le 10 juin, l'Italie déclare la guerre à la France et à l'Angleterre. Le même jour, les ministères quittent Paris pour se replier sur la Loire. Churchill ordonne aux aviateurs britanniques de regagner l'Angleterre. Dans une invraisemblable cohue de troupes disloquées et de véhicules abandonnés, quelque huit millions de réfugiés essayent de gagner le sud de la France avant que les ponts ne sautent. La chaleur, l'angoisse, la fatigue brouillent les esprits. Éprouvant le besoin de soulager leurs rancœurs, les malheureux s'en prennent, tour à tour, aux Anglais, aux grands chefs, aux politiciens corrompus, aux traîtres qu'ils croient voir un peu partout... On apprend que Roosevelt n'interviendra pas dans le conflit. Pour échapper à l'avance allemande, les membres du gouvernement se regroupent à Bordeaux. Les uns répètent qu'il faut défendre le sol métropolitain jusqu'au bout et, si nécessaire, poursuivre la résistance en Afrique. Les autres estiment que, pour sauver le pays d'une destruction totale, il faut, de toute urgence, demander l'armistice.

Dans ce dilemme tragique, Paul Reynaud, le président du Conseil, serait pour la résistance, mais il est mis en minorité. D'ailleurs, le parti de l'armistice est soutenu par le généralissime Weygand, ainsi que par le maréchal Pétain, le vainqueur de Verdun... Le 16 juin, celui-ci constitue un nouveau gouvernement et, le lendemain, de sa voix cassée par l'âge, il annoncera à la radio: « Français... C'est le cœur brisé que je vous dis aujourd'hui qu'il faut cesser le combat.»

L'Appel du 18 juin

Personne n'a fait attention à de Gaulle, général à titre temporaire et obscur sous-secrétaire d'État à la guerre pendant deux semaines. De Bordeaux, il a gagné Londres dans un petit avion. Churchill est déçu de ne voir arriver qu'un homme si peu important; néanmoins, il le reçoit et met à sa disposition le micro de la B.B.C. Et, le 18 juin, l'Appel exhorte les Français à poursuivre la guerre. « La défaite est-elle définitive? Non!... Quoi qu'il arrive, la flamme de la résistance française ne doit pas s'éteindre et ne s'éteindra pas. Demain, comme aujourd'hui, je parlerai à la radio de Londres.»

Le gouvernement de Vichy

En France, les derniers parlementaires réfugiés à Vichy se hâtent de remettre les pleins pouvoirs au maréchal Pétain (par 569 voix sur 666). En dépit du désastre, ce vieillard de 84 ans prend le titre de chef de l'État. À vrai dire, il s'agit d'un état singulier! Le pays est coupé en deux zones; la plus vaste (les 2/3 du territoire environ) est occupée par les armées ennemies. Plus de 1 500 000 hommes partent, en longs convois, vers les camps de prisonniers en Allemagne. Les frais d'occupation sont à la charge de la France. Le Reich impose son diktat dans tous les domaines: la presse et la radiodiffusion, la production industrielle et agricole, les services administratifs, sans oublier la poste, les théâtres, la monnaie, les tribunaux, les mouvements de jeunesse etc.

Bien qu'ils soient pratiquement à la merci de l'Allemagne, les Français vont, au début de l'occupation, s'efforcer de croire qu'il leur reste encore une vie nationale, un idéal. Le vieux maréchal est à la fois touchant et rassurant. Il incarne l'esprit de sacrifice, le retour aux valeurs traditionnelles. « Travail, famille, patrie » devient la devise officielle du gouvernement de Vichy. En toute chose, on prend le contre-pied de ce qui avait caractérisé la IIIe République. Les institutions parlementaires, jugées responsables du désastre de 1940, sont abrogées. On réintroduit l'enseignement religieux dans les écoles. On voudrait limiter le nombre des diplômés car on estime que la France a plus besoin de travailleurs manuels que d'intellectuels. On parle de remettre les dialectes à l'honneur. À l'administration centralisée, on substitue l'organisation régionale. À l'industrialisation, on préfère le régime de l'artisanat. Aux ouvriers de villes, on recommande le retour à la terre.

Malentendus et dilemmes

Le gouvernement de Vichy n'a été qu'une fiction juridique. Si, momentanément, il apporta un certain réconfort, il allait engendrer de graves malentendus. Pour tirer le plus de profit possible de la situation, Hitler imposa la présence d'hommes, tels que Laval, qui étaient décidés à favoriser ses vues. Le vieux maréchal fut amené devant le Führer. Celui-ci parla de collaboration franco-allemande. Il haïssait la France autant que jamais, mais il aurait voulu la voir participer à la lutte contre l'Angleterre. Quant à Pétain, dans l'espoir d'obtenir quelques allégements (notamment le retour d'un contingent de prisonniers), il essaya de manœuvrer, sans trop s'engager.[5]

Les Français ne pouvaient pas aimer les Allemands mais, par contre, en 1940, nombre d'entre eux ont cru que l'Allemagne allait gagner la guerre. La plupart des gens évitaient d'entrer en contact avec l'occupant et détournaient la tête pour ne pas voir ces hommes en vert qui défilaient dans les rues en chantant. Mais les personnes chargées d'un poste de quelque importance se sont trouvées enfermées dans un dilemme. Fallait-il chercher avec les vainqueurs l'arrangement le moins mauvais possible, ou bien fallait-il se murer dans le silence? Un directeur de journal allait-il continuer à publier sous le contrôle des Allemands ou bien fermer sa maison? Un industriel allait-il travailler pour la Wehrmacht ou bien cesser tout travail, même pour les Français, et exposer ses ouvriers à être envoyés dans les usines allemandes? Au début de l'occupation, une collaboration prudente, plus apparente que réelle, a pu paraître la solution la plus habile. Malheureusement, une fois le doigt pris dans l'engrenage, certains Français se sont trouvés entraînés plus loin qu'ils n'auraient voulu.

La France combattante

Entre Pétain et de Gaulle, le divorce était total.[6] Vichy fit dégrader puis condamner à mort (par contumace, il est vrai) le général rebelle qui refusait de rentrer en France. À Londres, le chef de la France libre fulminait contre les vieillards qui se laissaient manipuler par l'ennemi...

Dans la confusion de l'exode, rares étaient les Français qui avaient pu entendre l'Appel du 18 juin, mais le message s'était trouvé colporté de bouche en bouche. Bientôt, derrière portes et fenêtres closes,[7] la plupart des familles s'efforcèrent de capter les émissions de la B.B.C. qui arrivaient brouillées par les ondes de l'ennemi. « La France a perdu une bataille! Mais la France n'a pas perdu la guerre! » affirmait de Gaulle. Ce général inconnu était-il grand ou petit, fort ou frêle? On ne savait

Photo É. C. Armées

Paris à l'heure allemande.

rien de précis sur lui mais déjà il incarnait l'espoir. Il fut enveloppé d'un halo de légende. On le compara à Foch, à Clemenceau, à Jeanne d'Arc... Que n'a-t-on pas raconté à propos de son nom qui semblait prédestiné? Comme le dira Mauriac, « le mythe qu'il fut pour nous durant les quatre années de la résistance ne s'est jamais tout à fait dissipé.»[8]

Pourtant, à ses débuts, la France libre était bien peu de chose. Financièrement, elle dépendait des avances du gouvernement anglais. Au cours de la semaine qui suivit l'Appel, il n'y eut que quelques centaines de ralliements; parmi les premiers volontaires, aucune personnalité marquante, ni civile ni militaire. Vis-à-vis de l'étranger, aucun statut juridique. Les principales puissances établirent des relations diplomatiques avec Vichy; l'U.R.S.S., les États-Unis, le Vatican, entre autres. En juin 1940, de Gaulle avait espéré que les territoires de la France d'outre-mer viendraient s'associer à lui pour poursuivre la guerre. Or, aux yeux de la plupart des hauts fonctionnaires coloniaux, le gouvernement du maréchal apparut comme le seul gouvernement légitime. Une exception: le Tchad, grâce à son gouverneur Félix Éboué et au général Leclerc, se rallia à la France libre dès juillet 1940. Il faudra trois années d'une lutte « aux dimensions de la terre »,[9] pour que, l'un après l'autre, les autres territoires s'unissent à la France combattante.

Les années noires   La Métropole était comme une ville assiégée, coupée du monde extérieur. Pour les habitants, il s'agissait, avant tout, de survivre. À mesure que les réquisitions allemandes s'intensifiaient, le rationnement devenait de plus en plus sévère. La ration de pain (et quel pain!) tomba à 200 g par jour. Dans les villes, la viande disparut presque totalement. Bois, charbon, chaussures, vêtements, objets métalliques, étaient difficiles à acheter, même avec les tickets réglementaires. Devant des boutiques à peu près vides, les ménagères attendaient des arrivages problématiques... Évidemment, quelques privilégiés se faisaient envoyer des paquets de nourriture par des parents habitant la campagne; d'autres faisaient du troc (on échange du tabac contre du beurre, de l'essence contre du sucre...) ou du marché noir! Les trafiquants étaient honnis par les petites gens qui devaient se contenter des distributions officielles.

La Résistance   Peu à peu, malgré la Gestapo et les difficultés de toutes natures, la Résistance intérieure s'organisa en zone non-occupée, mais également en zone occupée. Camouflés sous des noms d'emprunt, des volontaires formaient des groupes puis des réseaux clandestins. Afin de déjouer l'espionnage, ils évitaient de se réunir deux fois de suite à la même adresse. Pour les armes, ils dépendaient d'envois parachutés dans les régions montagneuses. Nul n'ignorait que tout résistant qui se trouvait capturé était torturé, déporté et presque fatalement mis à mort. Pourtant,

« l'armée de la nuit » réussit à imprimer des tracts et des journaux, à organiser des sabotages et, avec le temps, à monter des opérations militaires qui paralysèrent sérieusement les mouvements de l'ennemi.

De nombreux réseaux eurent une couleur politique plus ou moins accentuée. Du jour où Hitler attaqua l'U.R.S.S. (juin 1941), les communistes qui jusque-là s'étaient montrés antimilitaristes, entrèrent en masse dans la Résistance. Les uns préféraient passer au « maquis »[10] plutôt que d'aller travailler dans les usines allemandes. D'autres visaient plus loin: en se plaçant à l'avant-garde du patriotisme, ils espéraient, au moment de la Libération, être les premiers à saisir le pouvoir.

De Gaulle n'a pas cherché à écarter les communistes de la Résistance. Au contraire, il voyait dans la tragédie qui se jouait l'occasion de les faire rentrer dans l'unité nationale, ne serait-ce qu'au moment des combats. Les premiers échecs allemands en Russie, l'entrée en guerre des États-Unis, le débarquement en Afrique du Nord, ranimèrent l'espoir. En 1942, le Conseil national de la Résistance réussit à tenir sa première réunion clandestine à Paris sous la présidence de Jean Moulin.[11] Au cours de cette séance, à l'unanimité, les chefs de réseaux conférèrent à l'homme du 18 juin la garde des intérêts nationaux.

La fin de la nuit

En lisant entre les lignes de la presse officielle, chacun s'efforçait de suivre le déroulement des opérations. Partis de l'Afrique, les Alliés prenaient pied dans le sud de l'Italie puis remontaient vers le nord. Le 6 juin 1944, le jour J, le débarquement en Normandie est déclenché. L'opération réussit. Certes, la France ne peut pas, comme en 1918, parler de victoire. Ses divisions, relativement peu nombreuses, combattent avec des armes américaines sous le haut-commandement anglo-saxon. Il y a, pourtant, des moments où la joie semble remonter des abîmes: le jour où de Gaulle arrive, à l'improviste, à Bayeux, première ville libérée; et surtout, le jour

Photo Keystone

Le 26 août 1944. Le lendemain de la libération de Paris, le général de Gaulle conduit le défilé triomphal de l'Arc de Triomphe jusqu'à la cathédrale Notre-Dame.

où le général Leclerc s'élance vers Paris. Par la suite, on saura que l'insurrection, commencée prématurément par la Résistance,[12] risquait de provoquer un massacre et que Hitler avait donné au commandant du « Gross Paris, » l'ordre de brûler la ville à son départ. Que Paris ait échappé à la destruction, tient du prodige!

On tire encore lorsque de Gaulle arrive dans la capitale, reçoit la reddition allemande, restaure l'autorité et organise le défilé sur les Champs-Élysées. Entre l'arc de triomphe de l'Étoile et la cathédrale Notre-Dame, une foule de près de deux millions d'âmes acclame l'homme qui, depuis quatre ans, avait incarné l'espoir.

La Libération   La libération du reste du territoire se poursuit à un rythme accéléré. Mettant à profit la quasi unanimité dont il fait encore l'objet, de Gaulle s'empresse de rétablir l'administration légale. Les communistes n'ont pas réussi à saisir le pouvoir, comme ils l'avaient escompté. Les forces de la Résistance doivent s'intégrer dans les cadres de l'armée régulière. Ceux qui sont déçus n'osent pas encore se plaindre trop fort. Des décisions majeures sont prises: signature d'un pacte franco-soviétique, nationalisation des mines de charbon et des sources d'énergie, fondation du Commissariat à l'Énergie atomique, développement du régime des assurances sociales et des allocations familiales.

Le pays est trop profondément atteint pour que l'armistice apporte une amélioration sensible des conditions matérielles. Le tiers de la richesse nationale est anéanti, les deux tiers de la flotte sont détruits, la moitié des ports sont inutilisables. 9 000 ponts sont démolis; on ne peut plus traverser la Loire en aval de Nevers. Il ne reste plus que deux voies fluviales navigables. Il faut rapatrier d'Allemagne environ 2 000 000 d'anciens prisonniers, déportés et travailleurs. Il faut également reloger quelque 6 000 000 de personnes. Partout on manque de combustible, de matières premières, d'équipement, de moyens financiers. Pour reconstruire il faudra 20 ans, s'accordent à dire les experts.

Désunion   Conformément à la promesse faite à Londres par le chef de la France libre, le peuple va être appelé à élire ses représentants. Pour la première fois, les femmes jouissent du droit de vote. Par une forte majorité, les électeurs expriment le désir de modifier les institutions constitutionnelles. La IIIᵉ République, rendue responsable du désastre de 1940, est abrogée. L'Assemblée de 1945 va donc avoir pour mission de préparer la constitution de la IVᵉ République.

Les victoires des armées soviétiques, la participation des communistes à la Résistance, les bouleversements sociaux occasionnés par la guerre, autant de facteurs qui concourent à faire glisser la majorité vers la gauche. Un quart des voix va aux communistes, un quart aux socialistes et un autre quart au M.R.P. (Mouvement républicain populaire), parti socialiste-chrétien, nouveau venu sur la scène politique.[13] Les débris des partis de droite et du centre se partagent le quatrième quart.

Dominés par l'esprit de parti, les députés préparent une constitution dans laquelle la Chambre va jouir d'un pouvoir quasi illimité. L'exécutif se trouve encore affaibli par rapport à ce qu'il était avant 1940. On conserve tout de même le président de la République, mais on le réduit à un rôle de figurant. Une telle conception est aux antipodes de l'idée que de Gaulle se fait de l'État. Celui-ci se rend compte que, le péril étant écarté, son autorité ne peut plus maintenir l'unité nationale. Plutôt que de compromettre son nom dans des combinaisons parlementaires, il préfère s'éloigner librement. Pendant les douze années qu'il passera dans sa propriété de campagne, il restera, aux yeux de nombreux Français, le symbole auquel, en cas de crise grave, la nation aura recours.

La IVe République La France contemporaine ne peut pas faire l'objet d'une étude d'ensemble dans le cadre de cet ouvrage. Nous nous bornerons donc à indiquer les grandes lignes de l'histoire des dernières décades.

La IVe République aura la vie courte (1946–1958). Elle souffrira d'un double handicap: le poids énorme des difficultés de l'après-guerre d'une part et, d'autre part, la faiblesse du régime.

À l'extérieur, la France est traitée en parent pauvre par les Anglo-Américains. Psychologiquement, elle souffre encore de la défaite de 1940. La guerre froide entre Washington et Moscou contribue à aggraver le conflit entre une gauche aveuglément pro-soviétique, et une droite favorable aux États-Unis. Les expéditions coloniales épuisent le trésor et mécontentent l'opinion publique. Un malentendu se forme entre les militaires, occupés au loin, et le gouvernement qui ne les soutient guère. L'affaire d'Indochine risque de dégénérer en conflit international. Elle ne se terminera qu'en 1954, par le retrait des forces françaises. L'armée gardera l'impression qu'on l'a sacrifiée pour rien.

À l'intérieur, les préoccupations de parti passent avant la défense des intérêts collectifs. La balance des paiements est défavorable. Les capitaux fuient à l'étranger. Les entreprises nationalisées sont déficitaires. Les prix montent sans cesse. Les salaires se réajustent tant bien que mal, mais la valeur de la monnaie diminue d'autant. Au lieu de solutions énergiques, le gouvernement adopte des remèdes démagogiques. Par exemple: pour satisfaire les électeurs de la classe ouvrière, on bloque le prix des loyers. Résultats: la gestion des immeubles est déficitaire; on ne construit plus d'immeubles de rapport tant et si bien que l'État devra avancer lui-même une grosse partie des capitaux nécessaires à la construction.

La crise algérienne

Le régime pourrait se maintenir car il favorise de nombreux intérêts et il fait partie des habitudes... mais l'affaire d'Algérie va provoquer un choc qui lui sera fatal.

La population algérienne comprend 9 000 000 de musulmans indigènes et 1 000 000 de non-musulmans d'origine européenne (nés, pour la plupart, en Algérie). La communauté musulmane a ses propres institutions religieuses et juridiques; en revanche, elle ne jouit que d'un droit de vote limité. Certains indigènes voudraient l'intégration des deux communautés; d'autres aspirent à l'indépendance. L'atmosphère paraissait calme lorsque, soudain, en 1954, les colons d'origine européenne sont victimes d'une succession d'attentats. L'escalade du terrorisme force les fermiers à se replier dans les villes. À Alger, l'exaspération monte; on accuse ouvertement les politiciens de Paris d'être, par leur incapacité, la cause du drame. Le 13 mai 1958, à la suite d'un incident, la foule manifeste contre le gouvernement et entraîne le gros de l'armée avec elle. Les chefs de l'insurrection font appel à de Gaulle, mais celui-ci garde le silence et attend. À Paris, les pouvoirs essayent de surnager mais, à mesure que l'imbroglio algérien s'épaissit, l'homme du 18 juin apparaît comme la seule « solution » possible. Devant le dilemme « de Gaulle ou la guerre civile », le président de la République se résignera à choisir de Gaulle. Avant de s'engager, le général exige « les pleins pouvoirs pour agir » et la possibilité de préparer des changements constitutionnels que, par la suite, il soumettra au pays par voie de référendum.

Naissance de la Ve République

La constitution de la Ve République confère à l'exécutif des pouvoirs accrus. Le Parlement délibère et vote les lois, mais il n'a plus le monopole de l'autorité. Le président est l'arbitre entre l'exécutif et le législatif; en cas de crise grave, il est autorisé à prendre des ordonnances; il peut même recevoir les pleins pouvoirs. Selon le mot de Debré,[14] « la clef de voûte de l'édifice constitutionnel n'est plus le Parlement mais le président.»

Rares sont les électeurs qui ont étudié le texte de la nouvelle constitution. Lorsqu'ils sont appelés à se prononcer à son sujet, 80% des votants répondent « Oui ». En réalité, c'est en faveur de de Gaulle qu'ils votent. Plus tard, ils approuveront un amendement stipulant que, dorénavant, le président sera élu au suffrage universel.

Deux faits dominent les dix années de la présidence de de Gaulle (1958–1968): la fermeture de l'empire colonial d'une part et, d'autre part, la prééminence du développement économique. Au début de son terme, le général refusa de se prononcer sur le statut politique de l'Algérie puis, en 1959, il annonça que le peuple algérien pourrait choisir son avenir librement.[15] Peu après, les Algériens votent massivement en faveur de l'indépendance et les Français ratifient leur décision, les uns avec résignation, les autres avec soulagement. Entretemps, les territoires d'Afrique noire, devenus des républiques indépendantes, ont constitué avec la France une union économique et culturelle.

Orientations contemporaines

L'aménagement du territoire et l'amélioration du niveau de vie de chacun, concernent de plus en plus le gouvernement. Tout en respectant les droits de la libre entreprise, l'État est désormais, pour les grands travaux, le principal investisseur. Un plan de développement, établi tous les cinq ans, coordonne l'ensemble des activités nationales. Les difficultés sont considérables car, si la France est riche dans le domaine agricole, son sous-sol est pauvre en ressources minières, notamment en carburant. Des méthodes de travail souvent routinières, une fiscalité lourde et des lois sociales très développées, contribuent à majorer les prix de revient. Or, le pays ne peut plus vivre dans un cycle économique fermé. Le Marché commun a éliminé la plupart des tarifs et droits de douane qui, autrefois, protégeaient les producteurs nationaux. Pour vendre, il faut pouvoir offrir des prix concurrentiels. Les objectifs de l'économie contemporaine sont donc très précis: modernisation de l'agriculture, transfert d'un nombre important de travailleurs du secteur agricole au secteur industriel, accroissement de la production industrielle et, tout particulièrement, de la production d'électricité, augmentation des exportations, défense de la monnaie. La décentralisation a pour but à la fois de décongestionner Paris et d'implanter, dans les régions de sous-emploi, de nouvelles sources d'activité. À la suite de de Gaulle, le président Pompidou cherche à ce que l'expansion économique reste intimement liée au progrès social.

La France n'est plus au premier rang des nations. À part quelques départements d'outre-mer, elle est réduite à son territoire hexagonal. La mort de de Gaulle a laissé un vide. À l'heure actuelle, chacun semble absorbé avant tout par ses intérêts privés et par la recherche du confort matériel. Les luttes de partis, les conflits de générations perturbent, souvent gravement, l'activité nationale. Néanmoins, dans son instinct profond, le pays se montre anxieux d'échapper à l'emprise, économique ou idéologique, des super-géants du monde contemporain. Le Français discute, critique et se plaint volontiers; c'est dans son tempérament. Malgré tout, il est plus que tout autre attaché à son sol natal, à son art de vivre et à cette civilisation dont, plus ou moins consciemment, il se sent l'héritier.

NOTES

1 Il y eut plus de 18% de tués parmi les combattants. Chaque famille française avait perdu au moins l'un des siens à la guerre.

2 Rive gauche du Rhin plus une bande de 50 km sur la rive droite.

3 Il avait été président de la République pendant la Grande Guerre.

4 Français et Anglais avaient construit les premiers tanks dès 1917. Bien que cette arme leur ait permis de percer les lignes allemandes en 1918, ils n'en avaient pas compris le potentiel. Par contre, pendant l'entre-deux-guerres, Hitler fit des tanks l'élément essentiel des divisions Panzer; cette supériorité mécanique lui assura la victoire dans les guerres éclair. En France, de Gaulle, le grand théoricien des divisions mécanisées, ne fut pas pris au sérieux, pas même par l'armée.

5 Après la Libération, Pétain sera jugé en Haute Cour et accusé de trahison. Il finira ses jours dans une forteresse. Beaucoup de personnes considèrent que le procès Pétain a été une injustice ou même une iniquité. Il est certain que Pétain a toujours détesté les Allemands mais, en cherchant à procurer aux Français quelques soulagements, il s'est laissé manipuler. Le débat passionne encore l'opinion.

6 Pétain connaissait de Gaulle de longue date car il avait été son supérieur hiérarchique puis son protecteur et ami. Ensuite, les deux hommes s'étaient brouillés parce qu'ils avaient eu une querelle d'auteur mais également parce que leurs conceptions stratégiques étaient diamétralement opposées.

7 Les autorités allemandes interdisaient d'écouter les émissions étrangères sous peine de prison ou même de mort.

8 Mauriac, *De Gaulle*, Grasset 1964, p. 12.

9 De Gaulle, *Mémoires de guerre*, Plon 1954, Vol. I, p. 152.

10 Nom donné aux groupes clandestins qui s'organisaient dans les régions peu habitées.

11 À deux reprises, il alla voir de Gaulle en Angleterre puis se fit parachuter pour rentrer en France. Il fut le premier et le principal coordinateur des réseaux de résistance. Arrêté en 1943, il mourra sous la torture sans avoir livré ses secrets.

12 Pour des raisons politiques, les communistes, fort nombreux dans la résistance parisienne, auraient voulu libérer la ville et prendre le pouvoir avant l'arrivée de l'armée.

13 Jusqu'à la Seconde Guerre mondiale, la droite était restée favorable à l'Église et *a priori* les partis de gauche avaient toujours été anticléricaux.

14 En tant que ministre de la Justice, Michel Debré dirigea l'équipe de spécialistes chargée de préparer la nouvelle constitution. Par la suite, de Gaulle appellera Debré à la présidence du Conseil.

15 Les Algériens d'origine européenne avaient poussé de Gaulle au pouvoir dans l'espoir qu'il réaliserait la francisation complète de l'Algérie. Leur déception fut si violente qu'ils organisèrent un mouvement de révolte. En dépit des tragédies qu'elle entraînait, l'indépendance de l'Algérie était devenue à peu près inévitable. La plupart des personnes de souche européenne (les « pieds noirs ») furent rapatriées en métropole avant 1962.

LA SÉCURITÉ SOCIALE

Politique sociale Au Moyen Âge, puis du temps de l'Ancien Régime, les gestes de solidarité étaient inspirés par la charité chrétienne. Ce n'est qu'à la fin du XIXe siècle que parurent les premiers textes de lois instituant un régime de retraite pour certaines catégories de travailleurs et établissant la responsabilité patronale en matière d'accidents du travail. Encore peu importante sous la IIIe République, la politique sociale s'est développée à l'époque du gouvernement de Vichy et surtout après la Libération. De nos jours, elle cherche à s'exercer dans tous les domaines où l'intérêt humain est en jeu.

Tout ce qui a trait à la santé, à l'hygiène, à la famille, à la protection sociale sous toutes les formes, dépend du ministère de la Santé publique et de la Sécurité sociale. Progressivement, ce ministère a étendu son champ d'action aux diverses catégories sociales et professionnelles. À l'heure actuelle, plus de 98% de la population française se trouve protégée contre les principales charges de l'existence, notamment contre la vieillesse, l'invalidité, la maladie et les dépenses occasionnées par la naissance des enfants.

Assurance vieillesse Dans le cadre de l'économie libérale du XIXe et du début du XXe siècle, c'était à chacun de songer à ses vieux jours. Les militaires, fonctionnaires et employés des grandes compagnies pouvaient être certains qu'ils recevraient, après un certain nombre d'années de service, une pension de retraite proportionnelle à leur salaire. Par contre, les cultivateurs, artisans, commerçants, ainsi que tous ceux qui travaillaient pour une entreprise privée, devaient constituer, pendant leurs années d'activité, un capital qui leur rapporterait une rente suffisante pour vivre. Économes et prévoyants de nature, la plupart des Français achetaient une propriété, faisaient quelques investissements et mettaient de l'argent de côté, peu ou beaucoup. Mais deux guerres mondiales ont décapité les fortunes. Entre 1914 et 1958, l'index des prix de détail s'est trouvé multiplié par 200. De nombreux rentiers ont vu leurs revenus réduits à presque rien. Il y eut des cas si lamentables que l'État dut assurer une retraite minimum à toutes les personnes âgées de 65 ans et plus.

De nos jours, l'assurance vieillesse est devenue obligatoire. Les fonds de retraite sont constitués par les cotisations versées par le salarié (3% du salaire de base) et par l'employeur (5.50% du salaire de base). Des systèmes d'assurances complémentaires, organisés en accord avec les organismes syndicaux et professionnels, couvrent les travailleurs non-salariés: agriculteurs, commerçants, membres des professions libérales, etc.

Assurance maladie

Les fonds de l'assurance maladie proviennent également d'une double cotisation: celle du salarié (3.50% du salaire de base) et celle de l'employeur (11.5% du salaire de base). Des régimes spéciaux ont été créés pour couvrir les cultivateurs, les travailleurs non-salariés ainsi que les retraités et les étudiants. La cotisation des intéressés est alors constituée par un paiement annuel, plus ou moins élevé selon la catégorie. Dans tous les cas, les membres de la famille de l'assuré se trouvent couverts si bien que la quasi totalité de la population bénéficie d'un régime d'assurance maladie obligatoire.

Le bénéficiaire de l'assurance maladie reçoit le remboursement de 80% environ des frais occasionnés par les consultations médicales, les soins dentaires, les examens de laboratoire, les prescriptions pharmaceutiques, les appareils d'orthopédie, les articles d'optique ou d'acoustique etc. En principe, une participation de 20% aux frais est laissée à la charge de l'assuré. Ce « ticket modérateur » est destiné à freiner les abus... Néanmoins, dans certains cas, notamment lorsqu'il s'agit d'une longue maladie ou d'une maladie contagieuse, le remboursement est intégral. Les frais d'hospitalisation sont en majeure partie payés directement par les caisses. En général, les opérations sont gratuites si elles ont lieu dans un hôpital de l'État, ou intégralement remboursées si elles ont lieu dans une clinique privée.

Si un assuré doit arrêter son travail pour cause de maladie, il reçoit une indemnité journalière qui représente 50% de son salaire normal et qui peut même atteindre 75% de son salaire s'il a des charges de famille.

French Embassy Press and Information Division

Nouveau quartier de Paris. Le groupe de La Défense.

Les accidents du travail, ainsi que tous les soins de maternité, sont intégralement pris en charge par les assurances sociales.

Dans tous les cas, le malade est libre de choisir son médecin ou même d'en consulter plusieurs au cours de la même maladie. S'il s'adresse à un spécialiste, il recevra un remboursement proportionnel aux honoraires normalement demandés par un médecin spécialisé. La liberté de prescription du praticien est aussi très largement respectée.

Allocations familiales

Enfin, la Sécurité sociale verse des allocations familiales à toute personne, salariée ou non, qui élève une famille. Les fonds sont alimentés par les cotisations payées par l'employeur (13.5% du salaire de base du salarié) ainsi que par la participation des organisations professionnelles et de l'État.

Quelle que soit sa situation sociale ou professionnelle, la future mère reçoit une allocation pendant la période qui précède la naissance. Au moment de la naissance, elle reçoit une allocation, dite de maternité. Cette allocation est d'autant plus élevée que la mère est plus jeune ou que les naissances successives ont été plus rapprochées. La politique nataliste du gouvernement ne laisse aucun doute...

Toute personne ayant charge d'enfants reçoit chaque mois des allocations familiales proportionnelles au nombre d'enfants. L'âge limite de 15 ans peut être reculé jusqu'à 18 ans, ou même 20 ans, si l'enfant poursuit des études. À cela viennent s'ajouter d'autres allocations telles que l'allocation de salaire unique (si la famille n'a qu'un seul revenu professionnel), l'allocation de la mère au foyer (si l'épouse se consacre à l'éducation de ses enfants) et l'allocation de logement destinée à aider les jeunes ménages à payer leur loyer ou à acheter un logement. D'autre part, les familles de plus de quatre enfants dites « familles nombreuses », bénéficient de nombreux avantages pour l'obtention de bourses, de tarifs de réduction dans les transports en commun etc.

Charges et profits

La loi oblige toutes les entreprises importantes à avoir un service de médecine préventive, une maison de repos pour les travailleurs malades et une colonie de vacances pour les enfants du personnel. Les établissements qui emploient de nombreuses femmes sont également obligés à avoir une crèche pour les jeunes enfants ainsi qu'une salle spéciale pour permettre aux mères d'allaiter leur bébé au cours de la journée...

Il va sans dire que la politique sociale de la France entraîne des dépenses considérables. Les charges qui pèsent sur les personnes en activité sont d'autant plus lourdes que la population comprend plus de 30% d'enfants et d'adolescents et 17% de vieillards de 65 ans et plus. En plus du salaire qu'il paye à son employé, l'employeur doit ajouter de nombreuses dépenses d'ordre social. Ce « parasalaire » s'élève souvent à plus de 50% du salaire de départ.

Malgré ses imperfections, la Sécurité sociale a produit un bilan largement positif. La politique familiale a non seulement contribué au renouveau démographique, mais elle a également créé un climat favorable aux jeunes. La santé publique s'est considérablement améliorée. Enfin, en protégeant la population contre les principaux risques de l'existence, la législation a réussi à inspirer, en dépit des difficultés de l'époque contemporaine, un sentiment de relative sécurité.

La Gaule avant l'arrivée de Jules César

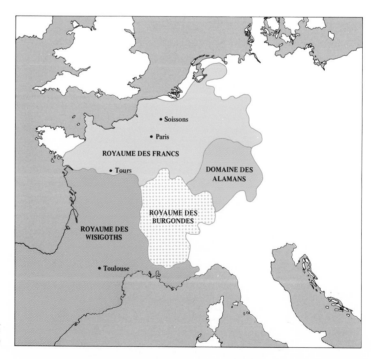

Le Royaume des Francs vers 500

L'Empire de
Charlemagne

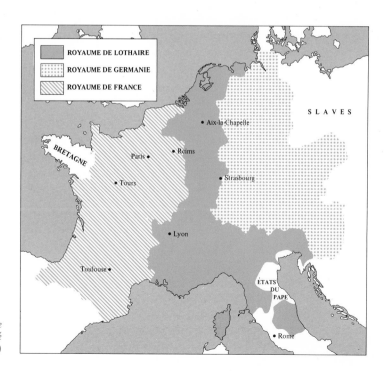

ROYAUME DE LOTHAIRE
ROYAUME DE GERMANIE
ROYAUME DE FRANCE

Partage de l'empire de
Charlemagne au traité
de Verdun (843)

Legend:
- COMTÉ DU MAINE
- DUCHÉ D'AQUITAINE
- MARCHE D'ESPAGNE
- COMTÉ DE CHAMPAGNE
- COMTÉ DES FLANDES
- DUCHÉ DE NORMANDIE
- COMTÉ DE TOULOUSE
- DUCHÉ DE BOURGOGNE
- BRETAGNE
- DUCHÉ DE GASCOGNE
- COMTÉ D'ANJOU

Royaume de France et domaine royal à l'avènement de Hugues Capet (987)

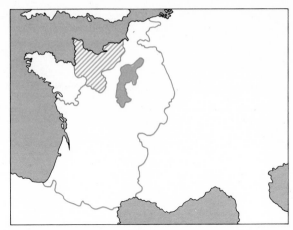

A. XIe siècle

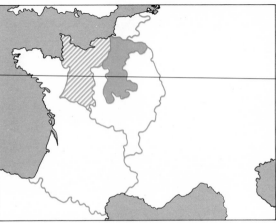

B. Milieu du XIIe siècle

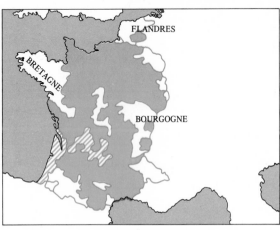

C. En 1328, à la veille de la
Guerre de Cent Ans.

Domaine royal   Fiefs du roi d'Angleterre

*Extension du domaine
royal sous les
Capétiens directs*

COMTÉ DES FLANDRES
DUCHÉ DE BOURGOGNE
DUCHÉ DE BRETAGNE
GASCOGNE
DUCHÉ DE GUYENNE
ROYAUME DE BÉARN

NORMANDIE
• Rouen
ANJOU
• Orléans
• Poitiers
Dijon •
• Bordeaux

La France au début de la guerre de Cent Ans—fiefs du roi d'Angleterre

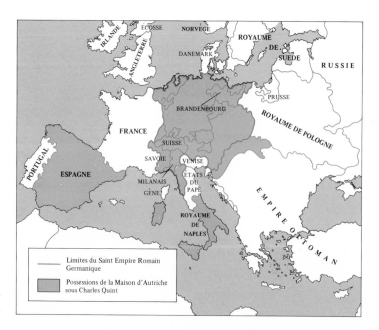

ÉCOSSE
IRLANDE
NORVÈGE
ROYAUME DE SUÈDE
ANGLETERRE
DANEMARK
RUSSIE
PRUSSE
BRANDENBOURG
ROYAUME DE POLOGNE
FRANCE
SUISSE
PORTUGAL
SAVOIE
VENISE
ESPAGNE
MILANAIS
GÊNE
ÉTATS DU PAPE
EMPIRE OTTOMAN
ROYAUME DE NAPLES

Limites du Saint Empire Romain Germanique
Possessions de la Maison d'Autriche sous Charles Quint

L'Europe du XVIe siècle

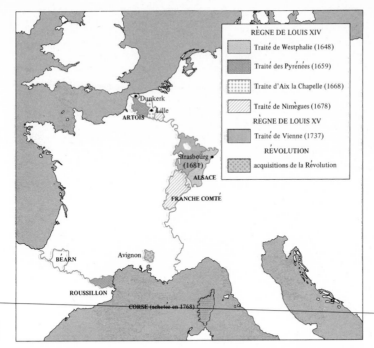

RÈGNE DE LOUIS XIV

Traité de Westphalie (1648)

Traité des Pyrénées (1659)

Traité d'Aix la Chapelle (1668)

Traité de Nimègues (1678)

RÈGNE DE LOUIS XV

Traité de Vienne (1737)

RÉVOLUTION

acquisitions de la Révolution

Dunkerk
Lille
ARTOIS
Strasbourg
(1681)
ALSACE
FRANCHE COMTÉ
BÉARN
Avignon
ROUSSILLON
CORSE (achetée en 1768)

*Croissance de la France
entre 1648 et 1791*

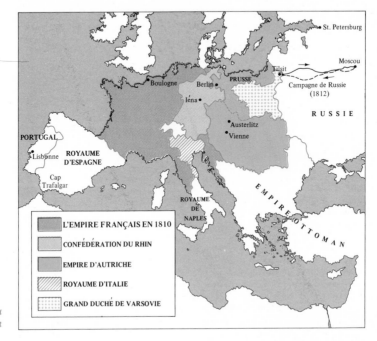

St. Petersburg
Moscou
Tilsit
PRUSSE
Boulogne
Berlin
Iéna
Campagne de Russie
(1812)
Austerlitz
Vienne
RUSSIE
PORTUGAL
Lisbonne
ROYAUME
D'ESPAGNE
Cap
Trafalgar
ROYAUME
DE
NAPLES
EMPIRE OTTOMAN

L'EMPIRE FRANÇAIS EN 1810

CONFÉDÉRATION DU RHIN

EMPIRE D'AUTRICHE

ROYAUME D'ITALIE

GRAND DUCHÉ DE VARSOVIE

*L'Europe à l'apogée du
règne de Napoléon*

473]

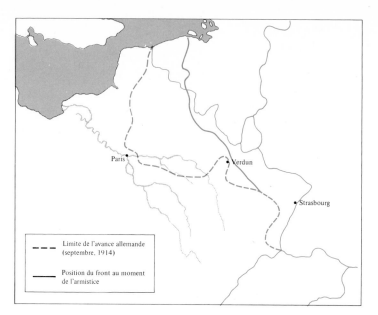

Guerre de 1914–1918

Légende :

- - - - Limite de l'avance allemande
(septembre, 1914)

———— Position du front au moment
de l'armistice

Paris •   • Verdun

• Strasbourg

*La France au XXᵉ
siècle: Régions*

NORD

PICARDIE

HAUTE-
NORMANDIE

BASSE-
NORMANDIE

CHAMPAGNE

LORRAINE

ALSACE

RÉGION
DE PARIS

BRETAGNE

FRANCHE-
COMTÉ

PAYS DE LA LOIRE

CENTRE

BOURGOGNE

POITOU-
CHARENTES

LIMOUSIN

AUVERGNE

RHÔNE-ALPES

AQUITAINE

MIDI-PYRÉNÉES

LANGUEDOC

PROVENCE-
CÔTE D'AZUR

CORSE

———— Limites de Départements

———— Limites de Régions

• Siège de Région

TERMES D'ART ET
MOTS À SENS HISTORIQUE PARTICULIER

abbé	supérieur d'un monastère d'hommes érigé en abbaye.
abbesse	supérieure d'un couvent de religieuses érigé en abbaye.
académie	société d'écrivains ou d'artistes; à partir du XIXᵉ siècle, division territoriale pour les questions d'ordre universitaire et scolaire.
aides	impôts indirects sous l'Ancien Régime.
aînesse	**droit d'—** droit qui réserve au fils aîné une part prépondérante dans l'héritage familial.
ampoule	**la sainte —** petite fiole qui contenait l'huile consacrée utilisée pour les sacres des rois de France.
arbalète	arc perfectionné à corde d'acier.
armement	cérémonial qui marquait l'entrée d'un jeune noble dans les rangs de la chevalerie.
assermenté	pendant la Révolution, se dit des prêtres qui ont prêté serment à la Constitution civile du clergé.
bailli	homme qui rendait la justice et remplissait des fonctions administratives au nom du roi.
baptistère	édifice rond ou polygonal qui servait pour les baptêmes.
bénéfice	poste qui donnait à son titulaire un revenu et, généralement, des privilèges appréciables (titre de noblesse, exonération de certains impôts etc.); ecclésiastique: propriétés et revenus qui accompagnaient une dignité ecclésiastique.
biens nationaux	propriétés ayant appartenu au clergé ou à la noblesse qui se sont trouvées expropriées par le gouvernement révolutionnaire.
blocus	mesures destinées à isoler un adversaire; — **continental,** voir ch. 22.
bref	lettre, message.
cabinet	pièce ou appartement à l'intérieur d'un palais; polit.: ensemble des ministres.
calife	souverain musulman.
capitulaire	ordonnance d'un roi carolingien.
carrousel	parade dans laquelle des groupes de cavaliers se livrent à des évolutions.
cens	montant des impôts directs.
censitaire	**suffrage —** système qui accordait le droit de vote uniquement aux hommes dont les impôts atteignaient un montant élevé.
chapiteau	pierre, généralement élargie vers le haut, située entre la colonne et le point de départ de la voûte.
charge	fonction ou honneur conférant des avantages appréciables.
charte	au Moyen Âge, accord conclu entre une ville (ou commune) et les autorités royales ou seigneuriales de la région; au XIXᵉ siècle, constitution accordée par les rois de la Restauration.
chevet	partie de l'église, à plan généralement arrondi, qui se trouve derrière le chœur.
chœur	partie de l'église où se tient le clergé pendant les offices.
chrême	huile sacrée servant à l'administration des sacrements et du sacre royal.
clerc	au Moyen Âge, étudiant ou homme instruit.
cocarde	nœud ou ornement de rubans.
code	ensemble des lois.
collège	au Moyen Âge, maison où demeuraient les étudiants; par la suite, établissement d'enseignement.
colloque	débat, généralement sur des questions théologiques.
commune	au Moyen Âge, ville ayant acquis un certain degré d'indépendance vis-à-vis des autorités seigneuriales; à partir de la Révolution, administration municipale; hist.: la Commune, révolte parisienne en 1870.
comte	á l'époque carolingienne, administrateur au service du roi; à partir du Xᵉ siècle, seigneur féodal.
comté	domaine administré par un comte.
congrégations	ordres religieux d'hommes ou de femmes.
conscription	à partir de la Révolution, service militaire obligatoire.
corporation	association professionnelle. Voir *métier.*
corvée	journées de travail gratuit que devaient fournir les paysans, généralement pour l'entretien des routes.
coupole	dôme surélevé.
dauphin	fils aîné du roi et héritier présomptif de la couronne.
déambulatoire	dans une église, galerie semi-circulaire qui permet de passer derrière le chœur.
diacre	ecclésiastique qui a reçu les ordres mineurs mais qui n'est pas encore prêtre.
diète	assemblée politique dans certains pays d'Europe.
dîme	impôt que devaient payer les paroissiens; souvent payé en nature, il devait, en principe, représenter le 10ᵉ des revenus de la terre.
domaine royal	partie du royaume où le roi gouvernait seul, sans intermédiaires féodaux.
drap	tissu de laine.

droits féodaux	privilèges et revenus qu'un noble tirait d'une terre même s'il n'en était plus propriétaire; ces droits remontaient aux coutumes féodales.
druide	prêtre celtique.
duc	à l'époque carolingienne, officier au service du roi; à partir du xe siècle, seigneur féodal.
duché	domaine administré par un duc.
échevin	magistrat municipal qui assistait le prévôt. Voir *prévôt.*
écuyer	gentilhomme au service d'un chevalier qui, entre autres, portait l'écu de son maître.
édit	décision royale ayant force de loi.
émir	chef musulman.
enceinte	mur fortifié entourant une ville ou un château fort.
états généraux	assemblée des trois ordres de la nation (clergé, noblesse et tiers état) que le roi convoquait dans des circonstances graves lorsque le royaume était en péril.
fermier général	financier qui versait au roi une somme déterminée d'avance et qui, en échange, avait le droit de collecter des impôts (directs ou indirects) dans une région donnée; la différence entre la somme payée au roi et la somme collectée constituait le bénéfice du fermier général.
fibule	broche qui servait à retenir l'extrémité des vêtements.
fief	domaine qu'un vassal tenait d'un suzerain.
Fronde	révolte de la noblesse, de la magistrature et de certains éléments populaires contre l'autorité royale.
fronton	triangle qui constitue la partie supérieure de la façade d'un édifice classique.
gabelle	impôt indirect frappant le sel.
galère	vaisseau à rames qui naviguait surtout en Méditerranée.
gallican	qui concernait l'Église catholique de France qui jouissait d'une certaine autonomie administrative vis-à-vis de Rome.
généralité	division administrative sous l'Ancien Régime.
gentilhomme	homme de naissance noble.
gentilhommière	demeure rurale d'un gentilhomme, petit château.
hommage	cérémonie par laquelle le suzerain et le vassal se prêtaient serment.
homme	en droit féodal, synonyme de vassal.
hôtel	demeure de ville, généralement luxueuse, appartenant à un noble ou à un riche bourgeois.
huguenot	calviniste français.
image	au Moyen Âge, représentation peinte, gravée ou sculptée d'un sujet religieux.
infant, infante	fils ou fille du roi d'Espagne.
intendant	homme qui administrait les biens d'un seigneur; à partir du xviie siècle, homme qui représentait le roi dans une province (généralité) ou à l'armée.
jacobin	membre du club des Jacobins; par extension, révolutionnaire fanatique.
jacquerie	révolte paysanne.
joute	combat courtois à cheval et à la lance, entre deux hommes.
jugement de Dieu	au Moyen Âge, combat ou épreuve qui devait révéler si un homme était coupable ou non; il était admis que Dieu ne manquerait pas de protéger l'innocent.
libelle	écrit satirique presque toujours anonyme.
libertin	au xviie siècle, libre penseur qui rejetait le dogme et souvent la morale traditionnelle.
libertinage	incroyance et souvent dévergondage.
lice	espace entre deux barrières aménagé pour les tournois.
livrée	costume porté par les domestiques d'un seigneur.
mâchicoulis	galeries au sommet des forteresses pourvues de trous par lesquels on pouvait observer l'ennemi ou laisser tomber des projectiles sur sa tête.
maître d'œuvre	homme qui organisait et dirigeait la construction des cathédrales médiévales.
manufacture	atelier ou usine.
marche	région frontière défendue, à l'origine, par un marquis.
marquis	à l'époque carolingienne, officier chargé de la défense d'une marche; après le xe siècle, seigneur féodal.
métier	pendant toute la durée de l'Ancien Régime, association professionnelle; le terme «corporation» a surtout été utilisé à partir du xviiie siècle.
milice	armée constituée par les habitants d'une ville ou commune.
missi, missi dominici	envoyé du roi
mobilisation	opérations qui ont pour but de mettre la nation sur le pied de guerre.
nef	partie allongée d'une église comprise entre le porche et le chœur.
néolithique	qui appartient à la période la plus récente de l'âge de la pierre.
nonce	agent diplomatique du pape.
normal	**école —e** école destinée à former des instituteurs.
numéraire	monnaie métallique.
office	poste qui donnait à son titulaire un revenu et, généralement, des privilèges appréciables. Voir *bénéfice.*
officier	titulaire d'un office.

ogive	arc brisé caractéristique de l'architecture ogivale (faussement appelée gothique).
oint	celui qui a reçu une onction, notamment le roi de France.
ondoyer	administrer à un nouveau-né un baptême préliminaire en attendant le baptême officiel.
pair	égal; par extension, l'un des vassaux immédiats du roi qui pouvait être appelé à siéger à côté de lui.
palatin	qui est attaché au palais de l'empereur.
paléolithique	qui appartient à la période la plus ancienne de l'âge de pierre.
parlement	pendant toute la durée de l'Ancien Régime, cour de justice; à l'époque républicaine, ensemble des assemblées élues qui détiennent le pouvoir législatif.
parvis	espace, généralement surélevé, qui se trouve devant l'entrée d'une cathédrale.
péage	droit qu'il fallait payer pour utiliser une route ou passer sur une terre appartenant à un seigneur.
place forte	ville fortifiée.
plébiscite	vote direct de tous les électeurs sur une question précise.
plein cintre	**arc en —** arc semi-circulaire.
prévôt	magistrat; **— des marchands** homme placé à la tête de tous les métiers (Voir *métier*) de Paris et, par conséquent, premier magistrat de la ville.
primitif	peinture sur bois des XIVe et XVe siècles ou artiste ayant pratiqué ce genre de peinture.
principauté	terre ou petit état appartenant à un prince.
quadrivium	groupe de quatre matières qui complétait l'enseignement médiéval.
radical	se dit d'un républicain anticlérical qui veut tenir l'Église à l'écart de l'enseignement et des services publics.
redevance	taxe qui devait être payée à un seigneur ou au souverain.
référendum	vote direct de tous les citoyens sur un projet de loi.
réfractaire	pendant la Révolution, se dit des prêtres qui ont refusé de prêter serment à la Constitution civile du clergé.
régent, régente	membre de la famille royale qui était chargé de gouverner le royaume pendant l'absence ou la minorité du souverain.
régisseur	homme chargé d'administrer les biens d'un seigneur.
relais	endroit le long d'une route où les voyageurs pouvaient changer de chevaux.
rhéteur	professeur qui enseignait la rhétorique.
robe	magistrats et hommes de loi qui étaient titulaires d'une bénéfice qui leur conférait des privilèges importants; noblesse de —.
rosace	fenêtre à plan circulaire trouvée dans une église.
roturier	pendant l'Ancien Régime, personne qui n'appartenait ni au clergé ni à la noblesse; non-privilégié.
saint-simonien	caractéristique des doctrines enseignées par les disciples de Saint-Simon.
salique	**loi —** loi invoquée à partir du XIVe siècle selon laquelle les femmes étaient exclues de la succession au trône de France.
salon	exposition périodique organisée par l'Académie pour permettre aux artistes vivants d'exposer leurs œuvres.
sang	**prince du —** prince appartenant à la famille royale.
sans-culotte	révolutionnaire ardent qui se distinguait du fait qu'il portait le pantalon, et non la culotte caractéristique de l'ancienne noblesse.
Sarrasins	nom donné au Moyen Âge aux populations musulmanes.
scriptorium	salle où les moines écrivaient et ornaient les manuscrits.
seigneurie	domaine d'un seigneur.
sénéchal	magistrat puis fonctionnaire au service du roi dans les régions du Midi.
serf	au Moyen Âge, homme qui faisait partie du domaine où il était né et qui, en principe, ne pouvait aller vivre ailleurs.
stèle	pierre droite élevée en l'honneur d'un mort.
suffrage universel	droit de vote donné à touse les citoyens; **suffrage censitaire** Voir *cens*.
surintendant	haut fonctionnaire; par extension, ministre chargé de l'administration des finances royales.
suzerain	à l'époque féodale, seigneur qui était au-dessus d'un autre.
taille	pendant l'Ancien Régime, impôt qui frappait les terres et les biens appartenant aux personnes non privilégiées.
Te Deum	chant de reconnaissance.
templiers	moines soldats qui s'étaient destinés à la défense des Lieux saints.
tiers état (ou tiers)	littéralement, le troisième groupe; sous l'Ancien Régime, masse de la population qui n'appartenait ni au clergé ni à la noblesse.
torque	bijou gaulois constitué par une pièce de métal en forme de C qui se portait autour du bras ou du cou.
tournoi	combat courtois, à cheval et à la lance, entre deux hommes ou deux groupes d'hommes.
transept	partie de l'église située entre la nef et le chœur; dans le plan général de l'édifice, elle constitue le bras de la croix.
travée	espace situé entre quatre piliers dans une construction romane ou gothique.
trivium	les trois matières qui constituaient la base de l'enseignement médiéval.
vassal	à l'époque féodale, seigneur qui était sous la dépendance d'un autre.

Ouvrages généraux:
Bainville, Jacques, *Histoire de France*, Fayard 1924.
Cain, Julien, *Nouvelle Histoire de France*, Librairie Taillandier 1968.
Duby, G. et Mandrou R., *Histoire de la civilisation française*, Colin 1958.
Gaxotte, Pierre, *Histoire des Français*, Flammarion 1951.
Lavisse, Ernest, *Histoire de la France*, Hachette 1903.
Reinhard, Marcel, *Histoire de France*, Larousse 1954.

Histoire sociale et économique:
Ariès, Philippe, *L'Enfant et la vie familiale sous l'Ancien Régime*, Plon 1960.
Bloch, Marc, *Les Caractères généraux de l'histoire rurale française*, (2 vol.) Colin 1955.
Blond, Georges et Germaine, *Histoire pittoresque de notre alimentation*, Fayard 1960.
Franklin, *La Vie privée d'autrefois* (collection) Plon 1897–1905.
Luchaire, Achille, *Manuel des institutions françaises, période des Capétiens directs*, Hachette 1892.
Monier, Raymond, *Histoire des institutions et des faits sociaux des origines à l'aube du Moyen Âge*, Montchrestien 1955.
Pernoud, Régine, *Histoire de la bourgeoisie en France*, Le Seuil 1960.
Pernoud, Régine, *Les Origines de la bourgeoisie*, Presses Universitaires 1947.
Rousseau, Pierre, *Histoire des transports*, Fayard 1961.
Rousseau, Pierre, *Histoire de la science*, Fayard 1945.
Sédillot, René, *Le Franc, histoire d'une monnaie*, Sirey 1953.
Sédillot, René, *Histoire des marchands et des marchés*, Fayard 1964.
Sorlin, Pierre, *La Société française (1840–1914)*, Arthaud 1969.
Textes de droit économique et social français (1789–1957), Colin 1957.

Préhistoire:
Baillod, G. et Mieg de Boofzheim, P. *Les Civilisations néolithiques de la France*, Picard, 1955.
Bourdier, Franck, *Préhistoire de la France*, Flammarion 1967.
Breuil et Lantier, *Les Hommes de la pierre ancienne*, Payot 1959.
Laming, Annette, *L'Archéologie préhistorique*, Le Seuil 1963.
Laming, Annette, *Lascaux*, Union générale d'éditions 1959.
Leroi-Gourhan, *Les Religions de la préhistoire*, Presses Universitaires 1964.

La Gaule et le haut Moyen Âge:
César, *Guerre des Gaules*, Les Belles Lettres 1937.
Duval, Paul-Marie, *La Vie quotidienne en Gaule pendant la paix romaine*, Hachette 1952.
Eydoux, Henri-Paul, *Monuments et trésors de la Gaule*, Plon 1958.
Eydoux, Henri-Paul, *Les Terrassiers de l'histoire*, Plon 1966.
Grégoire (Saint Grégoire de Tours) *Historia*, Picard 1913.
Jullian, Camille, *Histoire de la Gaule* (6 vol.) Éd. Jullian 1908–1926.
Latouche, Robert, *Gaulois et Francs*, Arthaud, 1965.
Lelong, Charles, *La Vie quotidienne en Gaule à l'époque mérovingienne*, Hachette 1963.
Lot, Ferdinand, *La Gaule*, Fayard 1967.
Lot, Ferdinand, *Naissance de la France*, Fayard 1948.
Pernoud, Régine, *Les Gaulois*, Le Seuil 1962.
Salin, Édouard, *La Civilisation mérovingienne*, Picard 1950.
Tessier, Georges, *Le Baptême de Clovis*, Gallimard, 1961.

Les Carolingiens:
Bullough, Ronald, *The Age of Charlemagne*, Elek Books, London 1965.
Calmette, Joseph, *Charlemagne, sa vie, son œuvre*, Albin Michel 1945.
Éginhard, *Vita Karoli*, Classiques de l'histoire de France 1933.
Halphen, L. *Charlemagne et l'empire carolingien*, Albin Michel 1968.
Pirenne, Henri, *Histoire économique de l'Occident médiéval*, Desclée, Bruges, 1951.

Les Capétiens directs:
Bloch, Marc, *La Société féodale*, (2 vol.) Colin 1949.
Calmette, Joseph et Higounet, Charles, *Le Monde féodal*, Presses Universitaires 1951.
Calmette, Joseph et Higounet, Charles, *Textes et documents d'histoire, le Moyen Âge*, Presses Universitaires 1953.
Duby, Georges, *L'Économie rurale et la vie des campagnes dans l'Occident médiéval*, Aubier 1962.
Grousset, René, *L'Épopée des croisades*, Plon 1939.
Joinville, Jean, *Mémoires du Sire de Joinville*, Firmin Didot 1971 (trad. anglaise, Murray, London 1906).
Levis-Mirepoix, duc de, *Le Siècle de Philippe IV le Bel*, Le Livre contemporain 1961.
Levron, Jacques, *Saint Louis ou l'apogée du Moyen Âge*, Amiot-Dumont 1957.
Mollat, Michel et Van Santbergen, René, *Le Moyen Âge, recueil de textes*, Dessain 1961.
Pernoud, Régine, *Lumière du Moyen Âge*, Grasset 1945.
Pernoud, Régine, *Les Croisades*, Julliard, 1959.
Pernoud, Régine, *Le Siècle de Saint Louis*, Hachette 1970.
Pognon, Edmond, *Hugues Capet Roi de France*, Albin Michel, 1966.
Réau, Louis, *La Civilisation française au Moyen Âge*, Éd. Ventadour, 1958.
Suger, *Œuvres*, Renouard 1867.
Thalamas, A., *La Société seigneuriale française* (1050–1270) Rivière 1951.

La guerre de Cent Ans:
Anonyme, *Journal d'un bourgeois de Paris*, Société de l'Histoire de France, 1881 (trad. Horizons de France 1944).
Champion, Pierre, *Procès de condamnation de Jeanne d'Arc*, Champion 1921.
Defourneaux, M., *La Vie quotidienne au temps de Jeanne d'Arc*, Hachette 1952.
Dodu, Gaston, *Les Valois, histoire d'une maison royale (1328–1589)* Hachette 1935.
Froissard, Jean, *Chroniques*, Éd. Kervyn de Lettenhove, Bruxelles 1868.
Jeanne la Pucelle, *La Minute française des interrogatoires de Jeanne la Pucelle*, Librairie d'Argens, Melun, 1952.

Pernoud, Régine, *Jeanne d'Arc*, Le Seuil, 1959.
Perroy, Édouard, *La Guerre de Cent Ans*, Gallimard 1945.
Pisan, Christine, *Le Livre des faits et bonnes mœurs du sage roi Charles V*,
    Société de l'Histoire de France, 1936.

xv et xvi* siècles:*
Bailly, Auguste, *François Ier*, Fayard 1954.
Batiffol, Louis, *Le Siècle de la Renaissance*, Hachette 1909.
Champion, Pierre, *L'Envers de la tapisserie, Paris au temps de la Renaissance*,
    Calman-Levy 1938.
Champion, Pierre, *Paris au temps des Guerres de religion*, Calman-Levy 1938.
Champion, Pierre, *Ronsard et son temps*, Éd. Champion 1925.
D'Aubigné, Agrippa, *Histoire universelle*, Renouard 1897.
Du Bellay, Martin et Guillaume, *Mémoires*, Renouard 1910.
Erlanger, Philippe, *Le Massacre de la Saint-Barthélemy*, Gallimard 1960.
Erlanger, Philippe, *Henri III*, Gallimard 1948.
Erlanger, Philippe, *Diane de Poitiers*, Gallimard 1938.
Erlanger, Philippe, *La Vie quotidienne sous Henri IV*, Hachette 1958.
Erlanger, Philippe, *L'Étrange Mort de Henri IV*, Librairie Perrin, 1963.
Funck-Brentano, Frantz, *La Renaissance*, Fayard 1935.
Grant, A. J., *A History of Modern Europe (1494–1610)*, London 1938.
Grün, Alphonse, *La Vie publique de Montaigne*, Amyot 1855.
Hauser, Henri, *La Modernité du xvie siècle*, Colin 1963.
Héritier, Jean, *Catherine de Médicis*, Fayard 1940.
Imbart de la Tour, *Les Origines de la Réforme* (3 vol.), Hachette 1905–1914.
Lefranc, Abel, *La Vie quotidienne au temps de la Renaissance*, Hachette 1938.
L'Estoile, Pierre de, *Journal*, Gallimard 1943.
Levis-Mirepoix, duc de, *Les Guerres de religion*, Fayard 1950.
Levis-Mirepoix, duc de, *La France de la Renaissance*, 1947.
Livet, Georges, *Les Guerres de religion*, Presses Universitaires 1966.
Martin, Marie-Madeleine, *Sully le Grand*, Éd. du Conquistador 1959.
Pasquier, Étienne, *Lettres historiques (1556–1594)*, Droz 1966.
Ritter, Raymond, *Henri IV par lui-même*, Albin Michel 1944.
Smith, Preserved, *The Age of Reformation*, American historical series, Holt,
    New York 1920.
Terrasse, Charles, *François Ier*, Grasset 1948.

Le xvii siècle:*
Bonnefou, Paul, *La Société française au xvii* siècle*, Colin 1934.
Boulenger, Jacques, *Le Grand Siècle*, Hachette 1911.
Brienne, Louis Lomenie de, *Mémoires*, Renouard 1917.
Bussy Rabutin, Roger de, *Mémoires*, Charpentier 1882.
Camu, Jean, *Louis XIII et Richelieu*, Fayard 1944.
Carré, Lieutenant, Colonel Henri, *L'Enfance et la première jeunesse de Louis
    XIV*, Albin Michel 1944.
Chéruel, A. *L'Administration de Louis XIV*, Joubert 1850.
Chéruel, A. *Mémoires sur la vie publique et privée de Fouquet*, Charpentier
    1862.
Dangeau, *Journal*, Didot 1854–1860.
Déon, Michel, *Louis XIV par lui-même*, Perrin 1964.
Erlanger, Philippe, *Louis XIII*, Gallimard 1946.
Erlanger, Philippe, *Louis XIV*, Fayard 1965.
Erlanger, Philippe, *Richelieu*, (2 vol.) Perrin 1967.
Erlanger, Philippe, *Monsieur, frère de Louis XIV*, Hachette 1953.
Fagnier, Gustave, *Le Père Joseph et Richelieu*, (2 vol.) Hachette 1894.
Gaxotte, Pierre, *La France de Louis XIV*, Hachette 1946.
Goubert, Pierre, *L'Avènement du Roi-Soleil, 1661*, Julliard 1967.
Goubert, Pierre, *Louis XIV et vingt millions de Français*, Fayard 1966.
Goubert, Pierre, *Cent Mille Provinciaux au xvii* siècle*, Flammarion 1968.
Héroard, Jean, *Journal sur l'enfance et la jeunesse de Louis XIII*, Didot, 1868.
Huxley, Aldous, *Grey Eminence*, Harper, N.Y. 1941.
La Force, duc de, *Louis XIV et sa cour*, Fayard 1956.
La Rochefoucauld, duc de, *Œuvres*, Hachette 1874.
Levron, Jacques, *La Vie quotidienne à la cour de Versailles*, Hachette 1965.
Louis XIV, *Œuvres*, Éd. Treuttel et Wurtz, Paris 1906.
Malherbe, François de, *Œuvres*, Hachette 1862.
Montgrédien, Georges, *La Journée des dupes*, Gallimard 1961.
Montgrédien, Georges, *Colbert*, Hachette 1963.
Montgrédien, Georges, *Louis XIV*, Albin Michel 1963.
Pagès, Georges, *Naissance du grand siècle*, Hachette 1948.
Pagès, Georges, *La Guerre de Trente Ans (1618–1648)*, Payot 1949.
Picavet, Camille, *La Diplomatie française au temps de Louis XIII*, Alcan 1930.
Princesse Palatine, duchesse d'Orléans, *Lettres*, Le Club du meilleur livre 1961.
Retz, Cardinal de, *Mémoires*, Gallimard 1949.
Richelieu, Cardinal de, *Testament politique*, Éd. André et Noël, Laffont 1947.
Roger, Jacques, *Panorama du xvii* siècle français*, Seghers 1962.
Romain, Charles, *Louis XIII, un grand roi méconnu*, Hachette 1934.
Saint-Germain, Jacques, *La Vie quotidienne en France à la fin du grand siècle*,
    Hachette 1965.
Saint-Simon, duc de, *Mémoires* (41 vol.), Hachette 1930.
Sévigné, marquise de, *Lettres*, Gallimard 1953.
Tapié, Victor, *La France de Louis XIII*, Flammarion 1952.
Tapié, Victor, *La France sous Louis XIII et Richelieu*, Flammarion 1967.
Vast, Henri, *Les Grands Traités du règne de Louis XIV*, Picard 1898.
Ziegler, Colette, *Les Coulisses de Versailles*, Julliard, 1963.

La fin de la monarchie:
Argenson, marquis d', *Mémoires et journal (1694–1757)*, Colin 1898.
Barbier, E. J. F., *Journal d'un bourgeois de Paris sous le règne de Louis XV*,
    Charpentier 1885.
Bellugon, Henri, *Voltaire et Frédéric II*, Rivière 1962.
Castries, duc de, *Madame du Barry*, Hachette 1967.
Castries, duc de, *L'Indépendance américaine*, Fayard 1958.
Castries, duc de, *L'Agonie de la royauté*, Fayard 1959.
Castries, duc de, *Les Émigrés*, Fayard 1959.
Condorcet, *Œuvres*, Didot 1847.
Crouzet, Maurice; Mounier, Roland et Labrousse, Ernest, *Le xviii* siècle*,
    Presses Universitaires 1967.
Croy, duc de, *Journal inédit*, Flammarion 1906.
Erlanger, Philippe, *Le Régent*, Gallimard 1938.
Fay, Bernard, *Louis XVI ou la fin d'un monde*, Perrin 1966.

Forestier, Louis, *Le XVIIIe siècle français*, Seghers 1961.
Gaxotte, Pierre, *Le Siècle de Louis XV*, Fayard 1933.
Hazard, Paul, *La Crise de la conscience européenne*, Boivin 1935.
Hubert-Robert, Régine, *L'Histoire merveilleuse de la Louisiane française*, Éd. de la Maison française, New York 1941.
Kunstler, Charles, *La Vie quotidienne sous la Régence*, Hachette 1960.
Kunstler, Charles, *La Vie quotidienne sous Louis XV*, Hachette 1953.
Kunstler, Charles, *La Vie quotidienne sous Louis XVI*, Hachette 1950.
Lafue, Pierre, *Louis XVI, l'échec de la révolution royale*, Hachette 1942.
Levron, Jacques, *Louis le Bien-Aimé*, Perrin 1965.
Marie-Antoinette, *Lettres de Marie-Antoinette*, Picard 1895.
Marie-Thérèse, *Correspondance secrète entre Marie-Thérèse et le comte Mercy-Argenteau*, Firmin-Didot 1875.
Montesquieu, *Œuvres complètes*, Le Seuil 1964.
Mornet, Daniel, *Les Origines intellectuelles de la Révolution française*, Colin 1933.
Mousnier, Roland et Labrousse, Ernest, *Le XVIIIe Siècle, l'époque des lumières*, Presses Universitaires 1967.
Nolhac, Pierre de, *Louis XV et Marie Leczinska*, Louis Conard 1928.
Rétif de la Bretonne, *Journal intime*, Plon 1889.
Ségur, comte de, *Mémoires*, Eymery 1826.
Turgot, baron de, *Œuvres*, Alcan 1923.
Voltaire, *Œuvres complètes*, Garnier 1877–1885.
Young, Arthur, *Voyage en France pendant les années 1787, 1788, 1789*, édition française, See 1930.

La Révolution:

Aulard, A. *Histoire politique de la Révolution française*, Colin 1901.
Berl, Emmanuel, *Le 9 Thermidor*, Hachette 1965.
Bessand-Massenet, Pierre, *Le 18 Brumaire*, Hachette 1965.
Castelot, André, *Louis XVII*, Perrin 1968.
Conte, Arthur, *Sire, ils ont voté la mort. La Condamnation de Louis XVI*, Laffont, 1966.
Gaxotte, Pierre, *La Révolution française*, Fayard, 1928.
Godechot, Jacques, *Les Révolutions 1770–1799*, Presses Universitaires 1963.
Godechot, Jacques, *La Prise de la Bastille*, Gallimard 1965.
Goubert, Pierre et Denis, Michel, *1789. Les Français ont la parole, Cahiers de doléances des États généraux*, Julliard 1964.
Lenôtre G. et Castelot, André, *Les Grandes Heures de la Révolution française* (5 vol.), Perrin 1962.
Mathiez, Albert, *La Révolution française* (3 vol.), Colin 1922.
Molé, Mathieu, *Souvenirs d'un témoin de la Révolution et de l'Empire*, Éditions du Milieu du monde 1943.
Palmer, R. R. *Twelve Who Ruled*, Princeton University Press 1941.
Robespierre, *Discours et rapports à la Convention*, Plon 1965.
Robiquet, Jean, *La Vie quotidienne au temps de la Révolution*, Hachette 1938.
Saint-Just, *L'Esprit de la Révolution*, Plon 1963.
Soboul, Albert, *Précis d'histoire da la Révolution française*, Éditions sociales, 1962.
Tocqueville, Alexis de, *L'Ancien Régime et la Révolution*, Gallimard 1952.
Walter, Gerard, *La Révolution française*, Albin Michel 1967.

L'Empire:

Bainville, Jacques, *Napoléon*, Fayard 1931.
Burnat, Jean; Dumont G. H. et Wanty, Émile, *Le Dossier Napoléon*, Éd. Gérard, Verviers 1962.
Castelot, André, *Bonaparte*, Perrin 1967.
Castelot, André, *Napoléon*, Perrin 1968.
Colincourt, *Mémoires*, Plon 1933.
Godechot, Jacques, *L'Europe et l'Amérique à l'époque napoléonienne*, Presses Universitaires 1967.
Grunwald, Constantin de, *La Campagne de Russie*, Julliard 1963.
Lachouque, Colonel Henry, *Napoléon, vingt ans de campagnes*, Arthaud 1964.
Las Cases, Emmanuel, *Le Mémorial de Sainte-Hélène*, Nouvelle Revue française 1935.
Lefèbvre, Georges, *Napoléon*, Presses Universitaires 1936.
Levy, Arthur, *Napoléon et la paix*, Plon 1903.
Manceron, Claude, *Austerlitz*, Laffont 1965.
Manceron, Claude, *Napoléon reprend Paris*, Laffont 1965.
Manceron, Claude, *Le Dernier Choix de Napoléon*, Laffont 1960.
Napoléon Bonaparte, *Correspondance publiée par ordre de Napoléon III* (28 vol.), 1857–1859.
Napoléon Bonaparte, *Proclamations, ordres du jour et bulletins*, choix édité par Plon 1964.
Rémusat, Madame de, *Mémoires*, Les Amis de l'histoire 1968.
Robiquet, Jean, *La Vie quotidienne au temps de Napoléon*, Hachette 1942.
Talleyrand, Prince de, *Mémoires*, Calman-Levy 1891.

Restauration et Second Empire:

Aubry, Octave, *Le Second Empire*, Fayard 1938.
Broglie, duc de, *Souvenirs*, Calman-Levy, 1866.
Burnane, Robert, *La Vie quotidienne en France en 1830*, Hachette 1943.
Castries, duc de, *De Louis XVIII à Louis-Philippe*, Fayard 1965.
Courson, Jean-Louis de, *1830, La Révolution tricolore*, Julliard 1965.
Dominique, Pierre, *Les Journées de 48*, Flammarion 1960.
Dominique, Pierre, *Le 2 décembre*, Perrin 1966.
Duroselle, J. B., *L'Europe de 1815 à nos jours*, Presses Universitaires 1967.
Gerbod, Paul, *La Vie quotidienne dans les lycées et collèges au XIXe siècle*, Hachette 1968.
Kurtz, Harold, *L'Impératrice Eugénie*, Perrin 1964.
Labracherie, Pierre, *Napoléon III et son temps*, Julliard 1967.
La Gorce, Pierre de, *Histoire du Second Empire* (7 vol.), Plon 1904.
Levasseur E., *Histoire des classes ouvrières en France*, Hachette 1967.
Lucas-Dubuton, J., *La Royauté bourgeoise*, Hachette 1930.
Rémusat, Charles, *Mémoires de ma vie*, Plon 1962.
Roux, Georges, *La Guerre de 1870*, Fayard 1960.
Sarcey, Francisque, *Le Siège de Paris*, Nelson 1871.
Tocqueville, Alexis de, *Souvenirs*, Gallimard 1952.

Troisième République et Première Guerre mondiale:

Bonnefous, M. E., *Histoire politique de la Troisième République* (5 vol.), Presses Universitaires 1956–1962.

Duverger, Maurice, *Les Partis politiques*, Colin 1952.
Foch, Maréchal, *Mémoires*, Plon 1931.
Gouault, Jacques, *Comment la France est devenue républicaine*, Colin 1954.
Goutard, Colonel A., *La Marne, victoire inexploitée*, Laffont 1968.
Guilleminault, Gilbert, *Le Roman vrai de la Troisième République* (6 vol.), Denoël 1958.
Latreille, André et Siegfried, André, *Les Forces religieuses et la vie politique, le catholicisme et le protestantisme*, Colin 1951.
Noblecourt, R. G., *Les Fantassins du Chemin des Dames, la vie quotidienne et l'épopée du poilu de 1917*, Laffont.
Paléologue, Maurice, *Journal de l'affaire Dreyfus*, Plon 1955.
Pisani-Ferry, Fresnette, *Le Coup d'état manqué du 16 mai 1877*, Laffont 1965.
Ponteil, Félix, *Les Classes bourgeoises et l'avènement de la démocratie*, Albin Michel 1968.
Prost, Antoine, *L'Enseignement en France*, Colin 1968.
Renouvin, Pierre, *La Grande Guerre*, Presses Universitaires et Alcan 1934.
Reynaud, Paul, *Le Problème militaire français*, Flammarion 1937.
Reynaud, Paul, *Mémoires*, Flammarion 1960.
Sauvy, Alfred, *Histoire économique de la France entre les deux guerres* (2 vol.), Fayard 1965.
Siegfried, André, *Tableau des partis politiques*, Grasset 1930.
Siegfried, André, *De la Troisième à la Quatrième République*, Grasset 1956.
Weber, Eugène, *L'Action française*, Stanford University Press 1962; trad. française, Stock 1964.

La Seconde Guerre Mondiale et l'époque contemporaine:

Amouroux, Henri, *Le 18 juin 1940*, Fayard 1964.
Amouroux, Henri, *La Vie des Français sous l'occupation* (2 vol.), Fayard 1964.
Aron, Robert, *Charles de Gaulle*, Perrin 1964.
Aron, Robert, *Histoire de la Libération de la France*, Fayard 1959.
Aron, Robert, *Histoire de Vichy* (2 vol.), Fayard 1954.
Berl, Emmanuel, *La Fin de la Troisième République*, Gallimard 1968.
Blond, Georges, *Le Débarquement, 6 juin 1944*, Fayard 1951.
Churchill, Winston, *The Second World War*, Houghton-Mifflin, Boston 1948.
De Gaulle, Charles, *Vers l'Armée de Métier*, Berger-Levrault 1934.
De Gaulle, Charles, *Discours et messages*, (18 juin 1940–29 septembre 1946), Berger-Levrault 1946.
De Gaulle, Charles, *Mémoires de Guerre* (3 vol.), Plon 1954.
De Gaulle, Charles, *Mémoires d'Espoir* (2 vol.), Plon 1970–1971.
De Gaulle, Charles, *Discours et messages* (5 vol.), Plon 1970.
Duverger, Maurice, *Les Institutions françaises*, Presses Universitaires 1962.
Duverger, Maurice, *La Ve République*, Presses Universitaires 1968.
Duverger, Maurice, *Les Constitutions de la France*, Presses Universitaires 1964.
Eisenhower, Dwight, *Crusade in Europe*, Doubleday and Co. 1948.
Fauvet, Jacques, *La Politique et les paysans*, Colin 1958.
Fauvet, Jacques, *La IVe République*, Fayard 1959.
Furniss, Edgar Jr., *France: Troubled Ally*, Praeger, N.Y. 1960.
Hamon, Leo et Lecat, Jean-Philippe, *Panorama de la France*, La Documentation française 1970.
La Gorce, Paul-Marie, *De Gaulle entre deux mondes, une vie et une époque*, Fayard 1964.
La Pierre, Dominique et Collins, Larry, *Paris brûle-t-il: Histoire de la Libération de Paris*, Laffont 1964.
Michel, Henri, *Vichy, année 40*, Laffont 1966.
Michel, Henri, *Histoire de la France Libre*, Presses Universitaires 1963.
Michel, Henri, *Histoire de la Résistance en France*, Presses Universitaires 1950.
Reynaud, Paul, *Au Cœur de la mêlée (1930–1945)*, Flammarion 1951.
Siegfried, André, *De la IVe à la Ve République*, Grasset 1958.
Tournoux, J. R., *Pétain et de Gaulle, un demi-siècle d'histoire non officielle*, Plon 1964.
Tournoux, J. R., *La Tragédie du Général*, Plon 1967.
Willis, Frank Roy, *De Gaulle, Anachronism, Realist or Prophet*, Holt, Rinehart and Winston, N.Y. 1967.

Histoire de l'art:

Aubert, Marcel, *Le Gothique à son apogée*, Albin Michel 1963.
Aubert, Marcel, *Le Vitrail en France*, Larousse 1946.
Basedevant, Denise, *L'architecture française*, Hachette 1971.
Bazin, Germain, *Trésors de la peinture au Louvre*, Aimery Somogy 1957.
Decarreaux, Jean, *Les Moines et la civilisation en Occident*, Arthaud 1961.
Delacroix, Eugène, *Journal*, Plon 1950.
Delumeau, Jean, *La Civilisation de la Renaissance*, Arthaud 1961.
Gaussin, Pierre-Roger, *Le Siècle des cathédrales*, Fayard 1967.
Gimpel, Jean, *Les Bâtisseurs de cathédrales*, Le Seuil 1958.
Hautecœur, Louis, *Histoire de l'architecture classique en France, Renaissance, XVIIe, XVIIIe, Révolution et Restauration* (7 vol.), 1943–1953.
Huisman, Georges et Poisson, Georges, *Les Monuments de Paris*, Hachette 1966.
Joffroy, René, *Le Trésor de Vix*, Presses Universitaires 1954.
Lavedan, Pierre, *Histoire de l'art*, Presses Universitaires 1944.
Le Corbusier, *Manière de penser l'urbanisme*, Architecture d'aujourd'hui 1946.
Le Goff, Jacques, *La Civilisation de l'Occident médiéval*, Arthaud 1964.
Levron, Jacques, *Le Château fort et la vie au Moyen Âge*, Fayard 1963.
Luc-Benoist, *La Sculpture française*, Larousse 1945.
Mâle, Émile, *L'Art religieux du XIIIe siècle en France*, Colin 1958.
Mauricheau-Beaupre, Ch., *Palais et jardins du Grand Siècle*, Nathan 1950.
Mourre, Michel, *Histoire vivante des moines et des pères du désert à Cluny*, Centurion 1965.
Pacaut, Marcel et Rossiand, Jacques, *L'Âge roman*, Fayard 1969.
Poisson, Georges, *Les Châteaux de la Loire*, Larousse 1964.
Poisson, Georges, *Les Musées de France*, Presses Universitaires 1965.
Réau, Louis, *L'Art du Moyen Âge*, La Renaissance du livre, 1935.
Réau, Louis, *Histoire de la peinture au Moyen Âge*, D'Argence 1946.
Réau, Louis, *Histoire de la peinture française au XVIIIe siècle* (2 vol.), Van Oest, 1925.
Rodin, Auguste, *L'Art*, Grasset 1919.
Schneider, René, *L'Art français (XVIIe siècle)*, Laurens 1926.
Schneider, René, *L'art français (XVIIIe siècle)*, Laurens 1926.
Waleffe, Pierre de, *La Vie des grands peintres français*, Albin Michel 1964.
Waleffe, Pierre de, *La Vie des grands peintres modernes*, Albin Michel 1964.

HISTOIRE FRANÇAISE	ÉVÉNEMENTS EXTÉRIEURS	TECHNIQUES ET BEAUX ARTS	LITTÉRATURE ET PHILOSOPHIE
-1000 Établissement probable des Celtes en Europe occidentale. Âge du fer.		-1000 Âge du Fer. Civilisation de la Gaule indépendante.	
	-770(?) Début de la période historique en Grèce.		
	-753 Fondation de Rome.		
-600 Fondation de Marseille par les Phocéens.			
	-500 Cyrus empereur de Perse.	-450 -500 Vase de Vix.	
	-356 -323 Alexandre le Grand.		
-154 Premières interventions des Romains en Gaule.			
-56 Expédition de Jules César en Gaule.	-44 Assassinat de Jules César à Rome.		
-52 Siège d'Alésia, soumission de la Gaule par les Romains.		-27(?) Le pont du Gard.	
12 Institution du culte de l'Empereur en Gaule.	30 Passion et mort de Jésus-Christ sous l'empereur Tibère.	1er siècle après Jésus-Christ. Nîmes, la Maison carrée. Civilisation gallo-romaine.	Écoles romaines en Gaule. Le latin devient la langue culturelle et administrative.
177 Premiers martyrs chrétiens à Lyon.			
212 Édit de Caracalla.		début IIIe siècle Premiers sarcophages chrétiens.	
275 Début des invasions germaniques.			
IVe siècle Grandes Invasions. Prédication de saint Martin.		IVe-VIe siècles Armes et bijoux barbares.	IVe siècle Ausone, poète latin originaire de Bordeaux.
Ve siècle Invasion des Huns. Installation des Burgondes dans le bassin du Rhône.	410 Rome est prise par les Wisigoths. 476 À Rome, le dernier empereur est déposé.		
486 Établissement des Francs en Gaule.	568 Établissement des Lombards en Italie.		
VIe-VIIIe siècles Dynastie des Mérovingiens.	570-622 Mahomet.		
Vers 496 (500?) Baptême de Clovis.		Vers 680 Construction de la crypte de Jouarre. Art mérovingien.	
début VIIe siècle Dagobert.	711 Les Arabes dirigés par Tarik arrivent en Espagne.		
732 Charles Martel bat les Arabes à Poitiers.			
751 Pépin le Bref couronné roi. Début de la dynastie des Carolingiens.			
771-814 Charlemagne.		Fin VIIIe siècle Chapelle de Charlemagne à Aix-la-Chapelle.	
778 Roncevaux.			
800 Charlemagne, Empereur d'Occident.	840 Lothaire, empereur.	IXe siècle Art carolingien ou pré-roman.	842 Serments de Strasbourg. Premier texte connu en langue romane.
843 Traité de Verdun, partage de l'empire de Charlemagne.			
IXe-Xe siècles Incursions des Normands. Formation de la Normandie. Siège de Paris par les Normands.	962 Otton, 1er, empereur.	Xe-XIIe siècles Art roman.	909 Fondation de l'abbaye de Cluny.
987 Hugues Capet roi. Début de la dynastie des Capétiens.	1066 Guillaume, duc de Normandie, devient roi d'Angleterre.	1105-1128 Cathédrale d'Angoulême.	Vers 1100 La Chanson de Roland.
1095 Le pape Urbain II prêche la Première Croisade à Clermont.	1099 Prise de Jérusalem par les croisés.	1120 Saint-Front de Périgueux. 1132-1144 La Madeleine de Vézelay.	Vers 1135-1190 Chrétien de Troyes.

1108–1137	Louis VI le Gros.
1180—1223	Philippe II Auguste.
1214	Victoire de Bouvines.
1226–1270	Saint Louis.
1285–1314	Philippe IV le Bel.
1302	Première convocation des états généraux.
1328	Avènement de Philippe VI de Valois. Début de la branche des Capétiens-Valois.
1337	Début de la guerre de Cent Ans.
1346	Défaite de Crécy. Perte de Calais.
1356	Jean le Bon battu à Poitiers.
1364–1380	Charles V le Sage.
1380–1422	Charles VI le Fou.
1415	Défaite d'Azincourt.
1429	Jeanne d'Arc délivre Orléans. Couronnement de Charles VII.
1431	Procès et mort de Jeanne d'Arc.
1449	Charles VII reprend la Normandie.
1461–1483	Louis XI.
1475	Louis XI «liquide» la guerre de Cent Ans.
1494	Charles VIII entreprend la première expédition en Italie.
1498–1515	Louis XII le Père du Peuple.
1515–1547	François Ier.
1515	Victoire de Marignan.
1525	Défaite de Pavie. François Ier prisonnier.
1535	Expédition de Cartier au Canada.

1154	Henri II Plantagenêt roi d'Angleterre.
1204	Prise de Constantinople par les croisés.
1215	Jean sans Terre doit accorder la Grande Charte.
1309	Le pape à Avignon.
1312–1377	Édouard III roi d'Angleterre.
XIVe–XVe siècles	Civilisations Aztèque, Inca et Maya.
1450	Découverte de l'imprimerie.
1453	Prise de Constantinople par les Turcs.
1477	Défaite et mort de Charles le Téméraire duc de Bourgogne.
1492	Découverte de l'Amérique.
1492	Prise de Grenade par les Rois Catholiques. Fin de la «reconquista»
1509	Henri VIII roi d'Angleterre.
1519	Charles Quint empereur.
1520	Excommunication de Luther.
1531	Schisme d'Angleterre.
1545	Début du concile de Trente.

1144	Consécration de l'église de l'abbaye de Saint-Denis. Art gothique.
1145	Portail Royal de Chartres.
1163–1235	Notre-Dame de Paris.
1220–1288	Notre-Dame d'Amiens.
1225	Notre-Dame de Beauvais.
1242–1247	La Sainte Chapelle.
1280	Début de la construction de la cathédrale de Rouen.
XIVe siècle	Introduction de la boussole, des moulins à vents et haut-fourneaux.
Milieu XIVe siècle	Emploi des premiers canons.
Vers 1380	Tapisserie de l'Apocalypse (Anger).
1395	Claus Sluter, Puits de Moïse (Dijon).
1412–1416	Frères Limbourg, Les Très Riches Heures du duc de Berry.
1425–1480	Jean Fouquet, peintre et miniaturiste.
Fin XVe	Maison de Jacques Cœur à Bourges.
Vers 1509	Façade de la cathédrale de Rouen. Gothique flamboyant.
1515–1523	Château de Chenonceaux.
1521	Château d'Azay-le-Rideau.
1520–1530	Château de Blois (aile François Ier).
1526–1544	Château de Chambord, le plus grand château Renaissance.
1545	Premiers ouvrages d'Ambroise Paré sur la chirurgie.
1546–1547	Le Louvre de Lescot et Goujon.

Vers 1160	Marie de France, Les Lais.
1200	Organisation de l'Université de Paris.
1207	Villehardouin, La Conquête de Constantinople.
1225–1240	Guillaume de Lorris. Le Roman de la Rose (première partie).
1250	Fondation de la Sorbonne.
1275–1280	Jean de Meung, Le Roman de la Rose (seconde partie).
1373–1390	Froissart, Chroniques.
1404	Christine de Pisan, Le Livre des faits et bonnes mœurs du sage roi Charles V.
Début XVe siècle	Charles d'Orléans, poésies.
1461	Villon, Le Grand Testament.
1470	Première imprimerie française.
1494–1501	Commines, Chroniques.
Vers 1500	La Farce de Maître Pathelin.
1530	Fondation du Collège de France.
1532–1534	Rabelais, Pantagruel, Gargantua.
1536	Calvin, L'Institution chrétienne.

HISTOIRE FRANÇAISE

1547-1559 Henri II.

1559 Traité de Cateau-Cambrésis, mort de Henri II. Catherine de Médicis au pouvoir. Massacres de protestants.

1568 Création de la Ligue.

1572 Massacre de la Saint-Barthélemy.

1575 La Ligue hostile au roi.

1588 Henri III chassé de Paris par la Ligue.

1589 Assassinat de Henri III. Avènement de Henri IV. Début de la branche des Capétiens Bourbons.

1593 Abjuration de Henri IV.

1598 Édit de Nantes. Paix de Vervins avec l'Espagne.

1610 Assassinat de Henri IV. Minorité de Louis XIII, Marie de Médicis régente.

1614 États généraux.

1624 Richelieu entre au Conseil.

1635 La France entre dans la guerre de Trente Ans.

1643 Mort de Louis XIII. Minorité de Louis XIV. Anne d'Autriche régente, Mazarin ministre.

1648 Traité de Westphalie avec l'Empire.

1649 La Fronde.

1659 Traité des Pyrénées avec l'Espagne. Mariage de Louis XIV et de Marie-Thérèse.

1661 Mort de Mazarin. Début du règne personnel de Louis XIV.

1661-1668 Guerre de dévolution.

1672-1678 Guerre de Hollande. Traité de Nimègue.

ÉVÉNEMENTS EXTÉRIEURS

1556 Abdication de Charles Quint, partage de ses états. Philippe II roi d'Espagne.

1558 Élisabeth 1ère reine d'Angleterre.

1571 La flotte espagnole bat les Turcs à Lépante.

1588 La flotte anglaise bat l'Invincible Armada espagnole.

1598 Philippe III roi d'Espagne.

1618-1648 Guerre de Trente Ans.

1632 Mort de Gustave Adolphe roi de Suède.

1644 Guerre civile en Angleterre. Cromwell.

1649 Charles Ier d'Angleterre décapité.

1660 Restauration des Stuarts en Angleterre.

TECHNIQUES ET BEAUX ARTS

1547-1549 Jean Goujon, Nymphes.

1550 Philibert Delorme travaille à Fontainebleau.

1604 Commencement de la Place des Vosges (Paris).

1606 Le Pont-Neuf (Paris).

1615-1620 Le Luxembourg.

1648 Travaux scientifiques de Pascal.

1593-1655 Nicolas Poussin.

1600-1682 Claude Lorrain.

1630(?) La Tour, La Madeleine.

1665 Le Louvre, colonnade de Perrault.

1665-1670 Versailles de Le Vau.

LITTÉRATURE ET PHILOSOPHIE

1549 Défense et illustration de la langue française.

1559 Du Bellay, Les Regrets.

1578 Ronsard, Sonnet pour Hélène.

1580 Montaigne, Les Essais (1ère éd.)

1593 La Satire Ménippée.

1605-1628 Malherbe, Poésies.

1616 D'Aubigné, Les Tragiques.

1631 Renaudot fonde la Gazette.

1635 Fondation de l'Académie française. La doctrine de Jansénius introduite à Port-Royal.

1636 Corneille, Le Cid. Descartes, Discours de la Méthode.

1642 Corneille, Polyeucte.

1649-1653 Mlle de Scudéry, Le Grand Cyrus.

1656 Pascal, Les Provinciales.

1662 Molière, L'École des femmes.

1667 Racine, Andromaque.

1670 Molière, Le Bourgeois Gentilhomme.

1673 Molière, Le Malade imaginaire.

1674 Boileau, L'Art poétique.

1677 Racine, Phèdre.

Histoire de France	Histoire étrangère	Arts et sciences	Littérature
1682 Installation de la cour à Versailles.		1680 Galerie des Glaces (Mansart et Le Brun à Versailles).	1682 Bayle, *Pensées diverses sur la comète.*
1685 Révocation de l'édit de Nantes.		1687 Mansart, le Grand Trianon.	1686 Fontenelle, *Entretiens sur la pluralité des mondes habités.*
1686-1694 Guerre de la Ligue d'Augsbourg. Difficultés financières.	1689-1702 Guillaume d'Orange roi d'Angleterre.	1699 Mansart, église des Invalides (Paris).	1699 Fénelon, *Le Télémaque.*
	1700 Charles II d'Espagne lègue ses états au duc d'Anjou et meurt.	1701 Rigaud, *Louis XIV.*	1709 Lesage, *Turcaret.*
1700-1713 Guerre de la Succession d'Espagne. Aggravation du déficit.	1689-1725 Pierre le Grand tsar de Russie.	1717 Watteau, *L'Embarquement pour Cythère.*	
1715 Mort de Louis XIV, avènement de Louis XV. Régence du duc d'Orléans. Renversement de la politique.			1721 Montesquieu, *Les Lettres persanes.*
	1718 Fondation de la Nouvelle Orléans.		1730 Marivaux, *Le Jeu de l'amour et du hasard.*
1720 Banqueroute de Law.		1740(?) Boucher, *L'Odalisque.*	1731 Abbé Prévost, *Manon Lescaut.*
1732 Guerre de la Succession de Pologne. Stanislas reçoit la Lorraine qui reviendra à la France.	1740-1780 Marie-Thérèse d'Autriche.	1740 Chardin, *Le Bénédicité.*	1734 Voltaire, *Lettres philosophiques.*
	1740-1786 Frédéric II de Prusse.		1748 Montesquieu, *L'Esprit des lois.*
1740-1748 Guerre de la Succession d'Autriche. Traité d'Aix-la-Chapelle au profit de la Prusse.	1750 Apogée de la puissance française en Amérique du Nord.	1753-1770 La place de la Concorde.	1750-1772 *L'Encyclopédie.*
1755-1763 Guerre de Sept Ans. Traité de Paris. Perte du Canada et des Indes.	1762-1796 Règne de la tsarine Catherine II.	1764-1790 Le Panthéon.	1759 Voltaire, *Candide.*
			1762 Rousseau, *Le Contrat social, L'Émile.*
1768 La France achète la Corse à la république de Gênes.		1770 Char de Cugnot.	1764 Voltaire, *Dictionnaire philosophique.*
1771 Dissolution des Parlements.		1774 Le Petit Trianon.	
1774 Mort de Louis XV. Avènement de Louis XVI.			1775 Beaumarchais, *Le Barbier de Séville.*
1776 Échec du plan Turgot.	1776 Indépendance des États-Unis.	1781 Houdon, *Voltaire.*	
1777 Necer aux Finances. Aide aux insurgents d'Amérique.		1783 Greuze, *La Cruche cassée.*	1782 Laclos, *Les Liaisons dangereuses.*
1783 Traité de Versailles. Aggravation du déficit.	1783 Premier ministre Pitt en Angleterre.	1783 Ballons des frères Montgolfier. 1783 Lavoisier, synthèse de l'eau.	1784 Beaumarchais, *Le Mariage de Figaro.*
1785 Affaire du Collier de la reine.		1784 David, *Le Serment des Horaces.*	1787 Bernardin de Saint-Pierre, *Paul et Virginie.*
1787 Assemblée des Notables. 1789 Réunion des États Généraux. Prise de la Bastille. Début de la Révolution. Le roi amené à Paris.		1787 Madame Vigée-Lebrun, *Portrait de Marie-Antoinette.*	
1790 Constitution civile du clergé. Émission d'assignats.		1789 Lavoisier, *Traité élémentaire de chimie.*	
1791 Tentative de fuite de la famille royale.		1791 Élaboration du système métrique.	
1792 Les Girondins imposent la déclaration de guerre à l'Autriche. Prise des Tuileries. Massacres. La Convention proclame la République.	1792 Formation de la première coalition contre la France. 1792-1795 Partages de la Pologne.		1792 Rouget de Lisle, *La Marseillaise.*

HISTOIRE FRANÇAISE

1793 Procès et exécution de Louis XVI. Dictature de la Montagne. Révolte de la Vendée.
1794 La Terreur. Chute de Robespierre. Réaction.
1795 Le Directoire.
1796-1797 Victoires de Bonaparte en Italie.
1799 Par un coup d'État, Bonaparte institue le Consulat.
1801 Signature du Concordat.
1802 Traité d'Amiens avec l'Angleterre. Bonaparte consul à vie.
1803 La France vend la Louisiane aux États-Unis.
1804 Napoléon 1er, Empereur.
1805 Camp de Boulogne. Victoire d'Austerlitz.
1806 Le Blocus continental.
1807 Traité de Tilsit.
1808 Début de la guerre d'Espagne.
1812 Campagne de Russie.
1813 Campagne d'Allemagne.
1814 Campagne de France. Abdication de Napoléon à Fontainebleau. Louis XVIII rentre en France.
1815 Retour de Napoléon. Les Cent Jours. Waterloo. Retour de Louis XVIII.
1820 Assassinat du duc de Berry.
1824 Avènement de Charles X.
1830 Expédition d'Alger. Révolte contre la politique réactionnaire de Charles X. Louis-Philippe roi des Français.
1840-1848 Ministère Guizot.
1848 Fermentation sociale, journées révolutionnaires. Proclamation de la République. Suffrage universel.
1851 Coup d'État du Prince Président.
1852 Napoléon III, Empereur.
1854-1855 Expédition de Crimée.

ÉVÉNEMENTS EXTÉRIEURS

1798 Formation de la seconde coalition contre la France.
1801-1825 Alexandre 1er tsar.
1805 Formation de la troisième coalition contre la France.
1814-1815 Les Congrès de Vienne.
1815 La Sainte Alliance.
1829 Indépendance de la Grèce.
1830 Indépendance de la Belgique.
1837-1901 Règne de Victoria.

TECHNIQUES ET BEAUX ARTS

1793 Fondation du musée du Louvre.
1794 Fondation de l'École polytechnique.
1803 Le pont des Arts, première construction métallique.
1805-1807 David, Le Sacre de Napoléon.
1819 Géricault, Le Radeau de la Méduse.
1830 Delacroix, La Liberté conduisant le peuple.
1830-1835 Rude, sculptures de l'Arc de Triomphe.
1835 Premier train de voyageurs.
1839 Premières photographies de Daguerre.
1854-1866 Construction des Halles.

LITTÉRATURE ET PHILOSOPHIE

1801 Chateaubriand, Atala.
1802 Chateaubriand, Le Génie du Christianisme. Madame de Staël, Delphine.
1811 Chateaubriand, Itinéraire de Paris à Jérusalem.
1816 Benjamin Constant, Adolphe.
1820 Lamartine, Premières Méditations.
1830 Victor Hugo, Hernani.
1835 Vigny, Servitude et grandeur militaire.
1844 Chateaubriand, Mémoires d'outre tombe.
1847 Lamartine, Histoire des Girondins.
1853 Victor Hugo, Les Châtiments.
1857 Flaubert, Madame Bovary. Baudelaire, Les Fleurs du mal.

Top band (Littérature)

- 1862 Victor Hugo, *Les Misérables*.
- 1870 Flaubert, *L'Éducation sentimentale*.
- 1871 Victor Hugo, *L'Année terrible*.
- 1877 Zola, *L'Assommoir*.
- 1889 France, *Thaïs*.
- 1890 Renan, *L'Avenir de la science*.
- 1910-1914 Péguy, *Poèmes*.
- 1913-1928 Proust, *À la recherche du temps perdu*.
- 1918 Duhamel, *Vie des martyrs*.
- 1922 Valéry, *Charmes*.
- 1924 *Manifeste surréaliste*.
- 1927 Mauriac, *Thérèse Desqueyroux*.
- 1938 Sartre, *La Nausée*.
- 1942 Camus, *L'Étranger*.

Middle band (Arts et Sciences)

- 1859 Carpeaux, *La Danse*.
- 1861-1874 L'Opéra de Paris.
- 1869 Inauguration du canal de Suez.
- 1874 Monet, *Soleil levant, impression*.
- 1874-1895 Travaux de Pasteur.
- 1887-1891 Premières automobiles.
- 1889 Exposition universelle. La tour Eiffel. Rodin, *Le Penseur*.
- 1895 Lumière, invention du cinéma.
- 1897 Ader, premier avion en vol.
- 1898 Curie, le radium.
- 1900 Inauguration de la première ligne de métro.
- 1916 Picasso, *Abstraction*.
- 1924 Broglie, théorie de la mécanique ondulatoire.
- 1945 Commissariat à l'Énergie atomique.
- 1950-1953 Le Corbusier, chapelle de Ronchamp.
- 1965 Lancement du premier satellite français.

Bottom band (Histoire)

- 1859 La Savoie et le comté de Nice rattachés à la France après plébiscite.
- 1861 Proclamation du royaume d'Italie.
- 1862 Bismarck ministre du roi de Prusse.
- 1864 Expédition du Mexique.
- 1866 La Prusse bat l'Autriche à Sadowa.
- 1867 Exposition universelle de Paris.
- 1870 Guerre franco-prussienne. Chute de l'Empire.
- 1871 Guillaume 1er, empereur d'Allemagne.
- 1871 La Commune. Perte de l'Alsace-Lorraine.
- 1875 Constitution de la IIIe République.
- 1888 Guillaume II empereur d'Allemagne.
- 1894 Nicolas II tsar.
- 1894 Accord franco-russe.
- 1905 Séparation de l'Église et de l'État.
- 1912-1914 Conflits dans les Balkans.
- 1914-1918 Première Guerre mondiale.
- 1914 (septembre) Victoire de la Marne. Guerre de tranchées.
- 1916-1917 Verdun.
- 1917 Révolution russe. Les États-Unis déclarent la guerre à l'Allemagne.
- 1918 (11 nov.) L'armistice.
- 1918 Paix séparée signée par la Russie.
- 1919 Traité de Versailles. L'Alsace-Lorraine redevient française.
- 1930 Aggravation de la crise économique.
- 1933 Hitler chancelier du Reich. Remilitarisation allemande.
- 1936 Le Front populaire.
- 1938 L'Anschluss. Munich.
- 1939 La France et l'Angleterre déclarent la guerre à l'Allemagne.
- 1940 Invasion puis occupation de la France. Gouvernement Pétain. Appel de de Gaulle. La France libre.
- 1941 Hitler attaque l'U.R.S.S.
- 1942 Débarquement allié en Afrique du Nord.
- 1944 Débarquement allié en Normandie. Libération de la France.
- 1946-1958 IVe République.
- 1949 Mao Tsé-Toung maître de la Chine.
- 1950-1953 Guerre de Corée.
- 1954-1962 Guerre d'Algérie.
- 1958 De Gaulle au pouvoir. Début de la Ve République.
- 1969 Pompidou élu président.

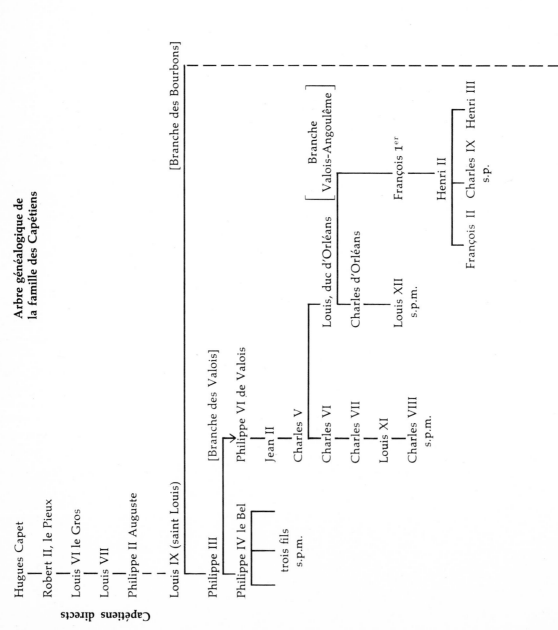

**Arbre généalogique de
la famille des Capétiens**

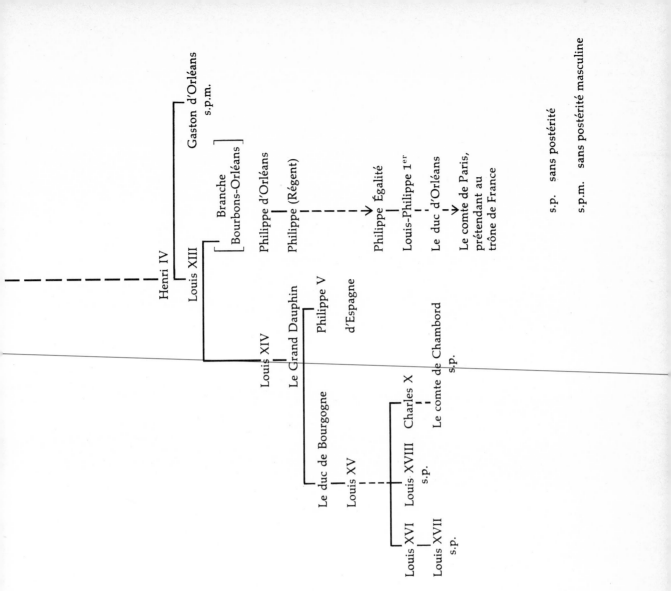

Henri IV

Louis XIII ── Gaston d'Orléans
                s.p.m.

Louis XIV ── Branche [Bourbons-Orléans]

Le Grand Dauphin ── Philippe d'Orléans

Philippe V d'Espagne

Le duc de Bourgogne ── Philippe (Régent)

Louis XV ----- Philippe Égalité

Louis XVI ── Charles X ── Louis-Philippe 1er

Louis XVIII
s.p.

Le comte de Chambord
s.p.

Louis XVII
s.p.

Le duc d'Orléans

Le comte de Paris,
prétendant au
trône de France

s.p.   sans postérité

s.p.m.   sans postérité masculine